タルのかけらが動く音だけだった。「クロイドンに連絡した」とフェアチャイルド。「なにか――」

「しいっ。さっき声がしたみたい」

ふたりは耳をすました。

「ジェパーズ！」破壊されたエリアの奥のほうから男の声が聞こえた。

「あっちのほうよ」フェアチャイルドが指さし、瓦礫を縫って歩き出した。

メアリはそのあとについて、一メートルごとに立ち止まってあたりのようすをたしかめな

った。火災の光で明るくなると思ったのはまちがいだった。方向をたしかめる光量しかなく、行く手にある危険な箇所を見定めたり、ぼんやりしたシルエッ

を見分けたりするにはとても足りない。それに、ちらちらする炎のせいで、な

ように見えてしまう。

男の声が聞こえたような気がした。足を止め、耳をすまし、「どこ？」と呼び

やっと聞こえる程度のかすかな声がした。

しゃべりつづけて」

言葉が途切れ、咳《せ》き込む。

っきり聞こえた。「フェアチャイルド、こっち！」と呼び、煉瓦や折れた木材

声のするほうに歩き出した。

咳がやんだ。「どこ？」とメアリはまた呼びかけた。

「こっち！」とフェアチャイルドが数メートル先で叫び、メアリは瓦礫をよじのぼってそちらに向かった。「見つけた」

フェアチャイルドは黒いシルエットの上に身をかがめていたが、メアリが歩み寄ると背すじを伸ばし、「死んでる」

「たしか？」周囲は暗く、もしかしたらフェアチャイルドの見まちがいかもしれない。メアリは横たわる体のかたわらにしゃがみこんだ。

体じゃない。体の半分。その体は真っ二つになっていた。ということは、咳をしていた男ではありえない。「どこかにもうひとりいるのよ」とフェアチャイルドにいった。「あんたはあっち側を捜して。あたしはこっち側を見るから」といって、もと来たほうに歩きながら、「どこなの？　聞こえたら、音をたてて」と叫び、それから足を止めて、すこしでも物音がしないか聞き耳をたて、また歩き出した。

壊れた窓を用心深くまたいだ。そのとなりに、大きな黒いものが横倒しになっている。なんだろう？　ピアノ？　いや、ピアノよりずっと大きい。それに、白い紙がまわりに散乱し、中にもごちゃごちゃにはさまっている。印刷機だ。きっとここは新聞社だったにちがいない。そう思ったとき、腕が見えた。

腕一本だけじゃないことを祈りながら――それに、体の残りの部分が印刷機の下敷きになっていないことを祈りながら――そちらに急いだ。男は、印刷機のかたわらに横たわってい

た。姿が見えなかったのは、新聞紙に覆われていたせいだった。顔色は真っ白で、おまけに血まみれだったから――火事のオレンジ色の光を浴びて、血が黒く見えた――とても人間の顔のようには見えない。

この人も死んでる。そう思いながら横にひざまずいたが、男の胸が上下しているのがわかった。かがみこんで近くから見ると、顔が白いのは漆喰《しっくい》の粉にまみれているからだった。「だいじょうぶですか?」とたずねたが、返事がない。「もう心配ないわ。いますぐここから運び出します。フェアチャイルド!」と闇に向かって叫んだ。「こっちに来て!」

懐中電灯を持っていればと思いながら、出血箇所をたしかめようとした。赤っぽい炎の明かりのもとではよく見えないが、血は見分けられる。着ている服と体を覆う新聞紙のいたるところにべっとりついている。「光がいる!」と叫び、新聞をどかして、その下にあるはずの傷口を探した。シャツの前を開く。傷は見当たらない。

だれかほかの人の血だ。そう思ってから、印刷機のことを思い出した。男のシャツを濡らす黒い液体に触れ、その指を鼻に近づけた。インクだ。V1が着弾したとき、インクが飛散したのだろう。

しかし、出血していないとしても、きっと怪我をしている。それとも、爆風で倒れて意識を失っただけなのか。そうであることを願ったが、残りの新聞をどかしてみると、男は煉瓦と漆喰の破片の中に腰まで埋もれていた。メアリは両手で瓦礫を掘り進んだ。男の左脚は、印刷機のインクではない、本物の血に覆われていた。出血と暗闇のせいで、傷がどのくらい

ひどいのか見分けるのがむずかしいが、脚の下半分は損傷がひどく、足首から先は切断されているように見えた。

メアリはポケットを探ってハンカチをとりだし、ひざのすぐ下で縛った。手近の木材を折って、短くした板きれをハンカチの下にこじ入れ、それをねじって止血帯がぎゅっと締まるようにした。

「生きてる？」闇から姿をあらわしたフェアチャイルドがたずね、男の横にひざまずくと、顔を覗き込んだ。

「ええ」メアリは脚の出血が止まったかどうか見定めようとした。「懐中電灯持ってる？」

「ううん。とってくる。容態は？」

「意識は喪失、片脚が押しつぶされてる。足首から下を切断」とメアリが答えたとき、男がなにかつぶやいた。

「なに？」メアリはかがみこんで、男の口に耳を近づけた。

「まだ……」とざらざらのかすれ声でいう。漆喰の粉塵のせいだ。「死んで……」男の目がまた閉じた。

まだ死んでない。「だいじょうぶ」と胸をさすりながらいう。「すぐ病院に運ぶから。約束する。傷口は止血したから」フェアチャイルドに向かって、「クロイドンはまだ？」

「まだよ」フェアチャイルドは自分が救急車を駐めたほうを見ながら、「さっきエンジン音がしたと思ったけど、気のせいだったみたい」

「じゃあ、あたしたちで救急車まで運ばないと」とメアリ。「担架をとってきて」

フェアチャイルドがうなずき、走り出した。

「それと、懐中電灯！」とその背中に声をかけ、男のもう片方の脚を掘り出す作業を再開した。煉瓦をどかし、信じられないほど重い金属製の活字ケースをなんとか動かそうとする。

「心配しないで。すぐにここから出してあげるから」

男はメアリの声にびくっとしたようだった。「だめだ」とつぶやく。「ああ、だめ……だめだ……」

「こわがらないで。きっとだいじょうぶだから」

「だめだ」男は弱々しく頭を動かし、「ほんとうにすまない」

「だいじょうぶ」かわいそうに。「あなたのせいじゃない。飛行爆弾で怪我をしたのよ」しかし、メアリの言葉はなんの効果もなかった。

「まだここに……」と苦しげな荒い声でいう。「……死《デッド》んだ……」

「しいっ。無理にしゃべらないで」

「きっとだいじょうぶだと……ここにいるはずじゃないと……」

「じっと横になってて。脚の具合を見ないと」

メアリは男のもう片方の脚を掘り出した。さいわい、そちらの足は切断されていなかったが、出血がひどい。止血しようにも、もうハンカチがない。メアリは出血箇所の上を両手でぎゅっと押さえた。

「フェアチャイルド！　ペイジ！　救急キットをおねがい」

「ダリッジ……」男はつぶやいた。きっと、どこへ搬送するのかたずねているのだろう。

「ノーベリーに運びます」とメアリ。「そのほうが早いから。心配しなくていいの。あたしたちの仕事だから」

「担架が下ろせない！」とフェアチャイルドが救急車から叫んだ。「つっかえてる！」

「それはいいから！　救急キットを持ってきて！」

「なに？」フェアチャイルドが叫び返した。「メアリ、聞こえない！」

男がうめくような、あえぐような声を出した。「メアリ？」とつぶやく。

「ええ。ここにいるわ」メアリはあらんかぎりの力をこめて押さえつけた。これではだめだ。両手の下から血があふれてくる。

止血帯がいる。「フェアチャイルド！」と呼びかける。「キットを持ってきて！　早く！」

「メアリ」男が訴えるようにいった。「行っちゃだめだ」

「行かない。ここにいる」

男はネクタイをしていた。これをはずせば、止血帯に使える。メアリはネクタイの結び目をほどきはじめた。

「なにかがおかしい……」と男はいい、残りの言葉は咳の発作に呑み込まれた。

結び目がほどけない。メアリは爪の先で布をほじり、なんとかゆるめようとした。

「やめろ」と男が苦しげにいう。

「ネクタイをはずして包帯のかわりにするの。脚を縛って出血を止めるのよ」フェアチャイルドはどこ？　それにクロイドンの救急車は？

ようやく結び目がゆるんだ。メアリはすばやくネクタイをほどいた。「ここから出してあげるから」メアリがそういうと、男はその言葉をつぶやくようにくりかえした。「約束する」

襟からネクタイを引き抜き、ひざをついたまま男の足もとににじり寄った。男に手首をつかまれた。「メアリ」と訴えるようにいい、のどを詰まらせ、また咳き込んだ。「行くな……」

「どこにも行かない。あなたの脚を縛るだけ。離れないから。約束する」

「だめだ」と男はメアリの手首をつかんだまま、「行っちゃだめだ！」

「行かない。約束する」

「だめだ」と男は荒々しくいう。「行くな。もし行ったら……」そのとき世界が白くなり、それから黒くなって、印刷機のインクと血のしぶきを彼らに浴びせた。メアリは男におおいかぶさり、瓦礫の隙間に押し込もうとしたが、手遅れだった。すでに爆発していた。

「もう一度、突破口へ、親愛なる友よ」

――ウィリアム・シェイクスピア
『ヘンリー五世』（3幕1場）

37

ロンドン
一九四一年冬

新しい緑色のコートに身を包んだアイリーンが、こちらに向かってエスカレーターの段を駆け下りながら叫んだ。「マイク、コート手に入れたわよ！」濃紺の帽子を振り、「ポリー、ほら、帽子！」

いちばん下までたどり着き、「あなたのコートに合うでしょ――」といいかけて、アイリーンが急に立ち止まった。「どうしたの？」心配そうにポリーを見、それからマイクを見て、「なにかあった？」

ええ。ポリーは胃が締めつけられるような思いを味わいながら、心の中で答えた。

「どうしたの？」とアイリーン。

このことはふたりには隠しておかなければ。いまそれを知ったら、ショックが大きすぎる。なにごともなかったふりをしていなければ。でも、それは不可能だ。腹を思いきり蹴られた

のに、平然と立っていようとするようなもの。言い訳さえ思いつかない……。

「気分が悪いの？」アイリーンがはっとしたようにいった。「顔が真っ青よ」

マイクが問いかけるようにこちらを見た。

「ううん、元気よ」ポリーはなんとか言葉を絞り出した。「あんまり遅いから、なにかあったんじゃないかと心配してたの。どこに行ったの？」

「援助委員会にぜんぜんコートがなくて」とアイリーン。「担当の女性の話だと、最近の空襲とこの寒さやなんかのせいでコートをほしがる人が殺到して、ぜんぶ出払っちゃったんだって。だからセント・パンクラスの近くの委員会まで行かなきゃいけなくて、そのあとは帰りのバスに乗るのがたいへんで。心配させてごめんなさい」

マイクはまだ疑わしげな目でこちらを見ている。

「いつ空襲があるのかわからないせいよ」とポリー。「それでちょっと神経質になってる。それだけ。空襲警報が鳴ったのに、それでもまだあんたがもどってこなかったから――」

「ごめん。でも、帽子は手に入れた」アイリーンはそれをポリーに手渡し、「それに、いちばんだいじなのがこれ。マイク、あなたにコートを調達してきた。あいにく、サイズがちょっと大きすぎるかもしれないけど」といって、マイクが着るのに手を貸した。「でも、小さすぎるのを大きくするより、大きすぎるのを縮めるほうが楽だと思って。わたしのは冬物としてはそんなにあったかくないけど、すごく鮮やかで希望いっぱいの色だったから、どうしてもほしくなって。黒と茶色にはもううんざりしてたの。このコートなら、見るだけで元気が出る。春、って感じでしょ、ポリー?」

いいえ。

「ええ、とってもきれいね」とポリーはいった。

マイクはまだこちらを見ている。

「それに、なんて素敵な帽子!」ポリーはそういって帽子をかぶり、アイリーンにコンパクトを持たせて、小さな鏡の中に自分の姿を映した。頬にすこし血の気がもどっているのを見て、ほっとした。「ほんとにありがとう。奇跡の人ね、アイリーン。マイク、腕をまっすぐ伸ばして」ポリーはマイクのコートの袖口を折り返して裏地を見た。「これなら寸法をつめるのは簡単ね。さあ、縫い目を見るから、コートを脱いで」

「それはあとでいいよ」とマイク。「三人で話し合う必要がある」

まずい。マイクに勘づかれた。

しかし、三人で非常階段に行ったあと、マイクが質問したのは、思い出すことのできた空襲のリストをポリーが作成したかどうかだった。「ええ」話題が変わったことにほっとしながら答えた。「残念ながら、飛び飛びだけど。一月で覚えてるのは二回だけ。十一日夜のと、二十九日夜の」

マイクは日付を書き留めた。「ロンドンのどのあたりが被害に遭ったか覚えてる?」

「一月二十九日はイースト・エンド。十一日の土曜日はロンドン中央部。リヴァプール・ストリートと地下鉄のバンク駅が両方とも爆撃されて——」

「バンク駅？」アイリーンが口をはさんだ。

「うん。それと病院がいくつか――どこだかは知らないけど」

「一月の空襲は、それ以外はぜんぜん知らない？」

「ええ。一月と二月は天候が悪くて、ドイツ空軍《ルフトヴァッフェ》が地上に釘づけだった期間があるのは知ってるけど。それに、ロンドン以外の都市が爆撃された夜もある――ポーツマスとマンチェスターとブリストル」

「バンク駅で死者は出た？」とアイリーン。

「ええ。それとリヴァプール・ストリートでも。正確に何人かは知らないけど、百人以上。でも、ロンドンのこのあたりに空襲はなかったし、この駅は一度も爆撃されてない」

ポリーは二月と三月の空襲のうち、覚えているもののことを話した。バッキンガム宮殿がもう一度爆撃され、ロンドン・ブリッジ駅の防空壕と、人気ナイトクラブのカフェ・ド・パリも被害に遭った。四月にかかろうとしたとき、アイリーンがいった。「話を進める前に、食堂に行かない？　おなかがぺこぺこ。コートの調達だのなんだので夕食を食べてないの」

「いっしょに行くわ」といってポリーは立ち上がったが、マイクが口を開き、

「ぼくらはあとから行くよ。その前に、ポリーに訊いておきたいことがあるんだ」

アイリーンはうなずき、コツコツと足音を響かせて非常階段を降りていった。ドアがガチャンと閉まり、ポリーは身構えた。

「さっき、エスカレーターでなにがあった？」とマイクがたずねた。

「なんにも。いったでしょ、アイリーンが遅かったから心配だったの。空襲がいつどこであるのか――」

「あのコートのせいだろ？　アイリーンが欧州戦勝記念日《ＶＥデイ》（一九四五年五月八日）に着ていたコートがあれだったのか？」

「いいえ。さっきもいったとおり――」

マイクはポリーの両腕をつかんで揺さぶった。「嘘をつくな。すごくだいじなことなんだ。あの緑色のコートは、アイリーンがＶＥデイに着ていたコートなんだな」もう一度揺さぶり、「そうなんだろ？」

嘘をついても無駄だ。マイクにはもうわかっている。

「答えてくれ」腕を握る指に力がこもる。「だいじなことだ。彼女が着てたのはあのコートだったのか？」

「ええ」ポリーが答えると、全身の力が抜けてしまったみたいに、腕に食い込んでいたマイクの指がゆるんだ。

「アイリーンがああいうコートを持たずにいてくれることをずっと願ってたのよ。だとしたらそれは、彼女がいまとはべつの現地調査でＶＥデイを訪れたことを意味してるから。最終的にあたしたちはここを脱出してオックスフォードに帰り、アイリーンは、その後、ダンワージー先生を説得して、ＶＥデイに行かせてもらったことになるから」

「その可能性がゼロになったわけじゃない。あのコートは、当たり前だけど、この時代に年代が合っている。衣裳部にそれとそっくりなコートがある可能性もある。もっといえば、まさにあのコートが衣裳部に保管されていたのかもしれない。それとも、きみが目撃したのはだれかべつの人間だったのかもしれない。距離が遠すぎて、ほんとうにアイリーンだったかどうかは自信がないと、自分でいってたじゃないか。ぼくらが帰還するとき、アイリーンがあのコートを残していって、それが援助委員会にまた回収されて、だれかほかの人がもらうことになったのかもしれない」

それとも、古着交換会《アップルカート・アップセット》に流れ着くか。それが真相だと信じられたらいいのに。

「もしぼくらが帰還できなくて、アイリーンがVEデイにいたのなら、ぼくもそこにいたはずだ」

あなたが死んでいなければ。

「もしぼくらの身になにかあったんなら、アイリーンが戦勝祝いの場に参加したはずはないし」

「それは違う。あの夜集まった人たちはみんな、知り合いを戦争で亡くしていた。可能性をいうんなら、あたしもあなたもずっと前に死んでいて――」

「あるいは、ずっと前に帰還していて、アイリーンは前からやりたかった現地調査のためにこの時代にもどってきたのかもしれない。あるいは、降下点が開いたあとも、もどらないことを選んだのかもしれない。アイリーンは前からVEデイを観察したいと――」

「だから空襲と徴兵と配給の四年間を我慢したの？　たった一日、みんなが旗を振りながら、

『統べよ《ルール》、ブリタニア』を歌うのを見物するために？」信じられないという口調で訊き返した。「アイリーンはこの時代を嫌ってるし、爆弾を怖がってる。どんな理由があるにしても、V1とV2の一年間を彼女が進んで体験したがると、本気で思う？」

「わかった、わかったよ。考えにくいことは認める。ぼくがいいたいのは、彼女を——あるいはあのコートを——VEデイに目撃した理由には、ぼくらがここを出られなかったということ以外にもいろんな説明がありうるっていうことだよ。バーソロミューとの接触には失敗したけど、万策尽きたってわけじゃない。まだセント・ジョンズ・ウッドの降下点があるし、ダンワージーは五月にやってくる、そうだろ？　それに、一九四二年と一九四三年にここに来ていた史学生は何人もいるはずだ。もし彼らを見つけられなくても、まだデニス・アサートンがいる」

デニス・アサートン。

「そのとおりね。ごめんなさい。あのコートを見たショックで、ちょっとおかしくなってたみたい」ポリーは足早に階段を降りはじめた。「早く行かないとアイリーンが心配する。それに、あたしもおなかがぺこぺこ。ミセス・リケットの今夜の料理はきわめつきだったのよ。水っぽいスープに——」

マイクがうしろからポリーの腕をつかみ、自分のほうを向かせた。「いや。ほんとうのことをいうまでどこへも行かせない。コートだけの問題じゃない。なにかべつのことがある。なんだ？」

「なんでもない」ポリーは必死に言い訳を考えた。「デニスの降下点が開かないかもしれないと心配なだけ。ジェラルドのは開かなかったし、Dデイ（ノルマンディー上陸作戦の決行日。一九四四年六月六日）のための部隊集結は分岐点かもしれない。いつどこに上陸するか、ヒトラーに察知されないことがものすごく重要で――」

「嘘だ。きみがネットを抜けてきたのはいつ？」

「あたしが抜けてきたのは……九月十四日。十日に抜けるはずだったんだけど、ずれがあって、けっきょく抜けたときの日時は――」

「ロンドン大空襲《ブリッツ》じゃない。V1の現地調査のほう」

まだだいじょうぶ。まだ言い逃れができる。「いったでしょ、V1がはじまったのは六月十三日」

「そんなことを訊いてるんじゃない」

「ダリッジに着いたのは、V1の第一陣が飛来したあとだった。十一日に行くつもりで、Dデイの二日後、六月八日にオックスフォードからダリッジへ出発したの」とべらべらしゃべる。「でも、着くまでにものすごく時間がかかって。上陸作戦のせいで、とにかく旅行がたいへんに――」

「そんなことも訊いてない。ネットを抜けてきたのは何日だったかを訊いてるんだ。六月八日だとはいわせないよ」マイクはこちらを見つめたまま、答えを待っている。抵抗しても無駄だ。彼は自力で答えをつきとめている。

　ポリーは大きく深呼吸した。「一九四三年、十二月二十九日」

　マイクは目を閉じた。ポリーの腕をつかむ指先に力がこもり、痛みが走る。

「ダリッジにいきなり姿をあらわすわけにはいかなかったのよ」とポリーは説明した。「まず最初にオックスフォードの支部で一定期間を過ごしてから、ダリッジへの転属を手配する必要があった。デネウェル少佐は応急看護部隊《FANY》隊員のほぼ全員を知っているから、前歴で嘘をついたらすぐにばれてしまう」

「でも、ぼくに対しては、何週間もずっと嘘をついて、ばれずにいたというわけか」マイクは憤然といった。「デニス・アサートンがやってくるのが自分のデッドラインよりあとだと、きみは最初から知ってたんだ。たとえ彼を見つけたとしても、ぜんぜん間に合わないことを」

「ええ。ごめんなさい。あたしはただ――」

「ただどうしたって？」マイクがポリーの腕を揺さぶる。「ぼくのためを思って？」

　ええ。あなたたちを自分とおなじ目に遭わせたくなかった。やっと巡り会い、あなたたちの降下点も開かないと知ったあのとき以来、ずっと味わってきたこの気持ちを味わわせたくなかった。事実を知ったときのあたしの気持ち、死の宣告を聞いた人間のような気持ちを味わわせたくなかった。いまあたしを見ているような目で、あたしを見てほしくなかった。

「ごめんなさい」ポリーはなすすべもなくくりかえした。

「ぼくのためを思って隠していることはほかになにがある？」マイクが噛みつくようにいっ

た。「きみがここでやった、まだ話していない現地調査はほかにいくつある？　一九四二年にも来てるのか？　それとも四一年の夏？　もしかしたら来週？」

腕に食い込む指の力がさらに強くなり、ポリーは思わず苦痛の悲鳴をあげた。「ぼくもアイリーンといっしょにトラファルガー広場にいたのか？」

「いいえ。さっきいったとおり――」

「いたのか？　腕や脚をなくしていて、だからぼくのためを思って、それも黙っていることにしたのか？」

「違う」ポリーは涙声でいった。「見たのはアイリーンだけ」

「誓って？」

「誓って」

「おーい！」アイリーンの声が階段の下から呼びかけてきた。「マイク？　ポリー？」

ポリーはマイクの腕をつかんだ。「アイリーンには黙ってて」と囁《ささや》く。「おねがい。あの子は……おねがい、いわないで」

「ふたりとも、どうしたの？」アイリーンが階段を駆け上がってきた。サンドイッチひとつとオレンジスカッシュの瓶を一本、手に持っている。「あとから来るっていったくせに」

マイクがポリーに目をやってから、「話をしてたんだ」

「空襲のことで」とポリーは急いでいった。「いっしょにつくったリストの穴を埋めようとしてるの。冬のあいだにトラファルガー広場が爆撃されたっていってたよね。何月だかわかる?」

「ううん」アイリーンは階段に腰を下ろし、サンドイッチの包装をはがしながら、「ひと口ほしい人?」

マイクは返事をしなかったが、彼のようすがおかしいことにアイリーンは気がつかないようだ。アルフとビニーのことで頭がいっぱいになっている。「こないだ、あのあと、ふたりが無事に家に帰ったんならいいんだけど」

「ホドビン姉弟は、自分の面倒は自分でみられるっていってたじゃない」ポリーは軽い口調を心がけていった。

「うん。でも、ひと晩じゅう、ふたりを振り切れずにいたのに、家まで送っていくっていったとたん、姿を消したのよ。どうしてだろうと、ずっと不思議に思ってて」

「セント・バートから盗み出した体温計や聴診器が見つかるのが心配だったんじゃないか」とマイクがいった。

アイリーンはその言葉も耳に入らないようで、「ふたりとも、すごく汚かった」と考え込むようにいった。

アルフとビニーの服が汚いことと、姉弟がブラックフライアーズ駅で勝手気ままにしていることとのあいだにどんな関係があるんだろう。しかし、アイリーンが姉弟のことで頭をいっぱいにしてくれているおかげで助かった。でなければ、ショックに茫然としたマイクの態度にきっと気がついていたはずだ。

やっぱり打ち明けるべきじゃなかった。たとえ彼が真実に勘づいていたとしても、しらを切り通して、四月か五月に抜けたというべきだった。

　いまのマイクはすごくうちひしがれて、すごく……追いつめられているように見える。空襲警報解除《オール・クリア》のあと、下宿にもどる途中、マイクはポリーを脇に呼んでいった。「なんとか方法を見つけて、デッドラインの前にここから出してあげるよ。きみたちふたりともだ。約束する」

　次の日の夜、仕事を終えると、タウンゼンド・ブラザーズの外でマイクが待っていた。

「Dデイの部隊集結のことを教えてほしい」

「部隊集結？　でも――」

「デニス・アサートンが三月に抜けてきたっていうのは確実じゃない。ダンワージー先生は彼の降下のスケジュールを変更したかもしれない」

　それともキャンセルしたか。それとも、ジェラルド・フィップスの場合のように、降下点が開かず、ネットを抜けられなかったか。

「それとも、きみのように、予定より早い時点に抜けざるをえなかったかもしれない。ノルマンディー上陸作戦のための部隊集結がはじまったとき、観察できる場所にいられるように」

　ポリーは首を振った。「そんな必要はなかったはず。キャンプには数十万の兵士が流れ込んできていた。目立つ心配はぜんぜんなかった」

「流れ込んできたって、どこに？　部隊集結の場所はどこだった？」

「ポーツマス、プリマス、サウサンプトン。イングランドの南西半分の全域にわたってたのよ」といってから後悔した。デニスを捜し出すのがむずかしいと思わせるようないいかたをすべきじゃなかった。そちらの可能性が絶望的だと思ったら、マイクはもっと向こう見ずな手段をとるかもしれない。ライフル訓練校だろうがなんだろうが、アイリーンの降下点に行ってみるとか、ソルトラム・オン・シーの自分の降下点に据えつけられた砲床を吹き飛ばすとか。

しかし、マイクはどちらも口にしなかった。そして次の日の夜、マイクが作戦を考えたといってふたりに説明したのは、交替でポリーの降下点をチェックすることと、新聞に載せる新しい三行広告の文案をつくることだけだった。

「でも、広告ならもう出してるじゃない」とアイリーン。「だれも応答しなかった」

「今度のは、回収チーム宛てのメッセージじゃないんだ」とマイク。「オックスフォード宛てのメッセージだよ」

「でも、ほかの史学生を見つけずに、どうやって未来にメッセージを届けられるの？」とアイリーンがたずねた。「バーソロミューさんの降下点の場所もわからないし」

「回収チームにメッセージを送ったのとおなじやりかたで届けるんだよ。ポリー、きみが話してくれたメッセージのこと、覚えてる？　ヒトラーを欺《あざむ》いて、上陸地点がノルマンディーじゃなくてカレーだと思わせるために英国情報部が新聞に載せたっていう」

「結婚の公告とか、投書欄への手紙とか？」

「ああ。それに、フランスのレジスタンス宛てにBBCを使って送った、ヴェルレーヌの詩とかの暗号メッセージもある」

「でも、そういうメッセージは未来に宛てたものじゃないわよ」とポリー。

「ああ。それでも、未来に届いた。第二次大戦後、歴史学者は、当時の新聞やラジオの録音や電報をかたっぱしから調べて、なにがあったのかを示す手がかりを探した。そのおかげで、フォーティテュード・サウスとBBCのメッセージが見つかったんだ」

「でも、彼らが調べていたのは一九四四年の新聞よ」とポリー。「どうしてメッセージを探して一九四一年の新聞を調べたりするの？」

「ぼくらが一九四一年にいるからだよ。オックスフォードは、ぼくらの居場所を探しているはずだ。だから、それを教えるんだよ」

きっとうまくいかないだろう。もしラボがメッセージを探しているとしたら、回収チーム宛てに新聞に載せた三行広告を見つけて、トラファルガー広場かピーター・パン像の前にやってきたはずだ。

もし探していないとしたら、あとは、オックスフォードの史学生がたまたまメッセージを見つけるぐらいしか可能性がないが、その場合には、なんのことだか意味がわからないだろう。

『ダンワージー先生、わたしたちは一九四一年に閉じ込められています。帰還手段が必要。

ポリー、マイク、アイリーンより』とでも書いてあれば話はべつだが、そうでもしないかぎり、メッセージだと思ってもらえる保証さえない。

しかもそれは、メッセージが二〇六〇年まで生き延びたらの話。第二次大戦が終わるまでに、フリート・ストリートは何度か爆撃されているし、セント・ポール大聖堂を破壊したピンポイント爆弾と、パンデミック中の騒動によって無数の記録が灰燼《かいじん》に帰した。イヴニング・イクスプレス紙の三行広告に掲載されたメッセージがダンワージー先生のもとに届く可能性は、瓶の中の手紙とおなじくらいだし、もちろんマイクにもそれはわかっている。自分たちにできることなどなにひとつないんだとポリーとアイリーンにさとらせないためだけに、マイクはこんなことをさせようとしているんだろうか。

しかし、理由はどうあれ、マイクはもう、あの夜見せた、うちひしがれたような、追いつめられた表情はしていない。そして、もしマイクがセント・ポール大聖堂――『南の側廊の「世の光」のそばで待つ』――やハイド・パーク・コーナーで待つなら、バックベリーやソルトラム・オン・シーへ行って撃たれる心配はない。だからポリーは入念に書いた。『RTへ。土曜は行けなくてごめん。休暇が取り消しに。パディントン駅6番線で2時に待つ。MD』とか、『純金の指環、オックスフォード・ストリートで紛失。「時には限りがない」の銘刻。謝礼あり。M・デイヴィーズまで連絡を。ケンジントン区ベレズフォード・コート9番地』とか。

金曜日、マイクは、トラファルガー広場に自分がいなかったのはたしかなのかともう一度たずねた。「アイリーンのまわりにいる人の顔は見た？」

「ええ。白いワンピースを着た十代の少女がひとりと、水兵がひとり……」眉根にしわを寄せ、思い出そうとした。「それに老婦人がふたり。どうして？」

「もし仮に、きみもぼくも死んでいたとしても、アイリーンがひとりきりでトラファルガー広場に行くことはないだろうからさ。タウンゼンド・ブラザーズの売り子仲間とか、だれかといっしょに行ったはずだ。彼女がひとりだったという事実は、べつの現地調査で赴いたことを意味している」

いいえ。そんなことは意味してない。でも、マイクがそう信じているなら、向こう見ずな手段に出る可能性は低くなる。

「老婦人ふたりは、ミス・ラバーナムとミス・ヒバードじゃなかった？」とマイクがたずねた。「それともミス・スネルグローヴか？」

「いいえ」と答えて、そのふたりの顔はろくに見なかったことや、その時点ではミス・ラバーナムたちとまだ出会っていなかったことには触れなかった。

一月十一日の土曜日、タウンゼンド・ブラザーズは、デューク・ストリートのガス漏れ事故のため、全顧客および従業員が建物から退去することを余儀なくされ、ミスター・ウィザリルはスタッフの半数を――ポリーを含めて――帰宅させた。下宿に帰ると、アイリーンの姿はなく、マイクがいるかどうかミセス・リアリーの下宿を見にいくより早く、ミス・ラバーナムに捕まって、一座が朗読できそうな戯曲を調べてほしいと頼まれた。

「二つ三つしか役のない場面がいいの」とポリーに指示した。「そうすれば、一座の全員がそろっていなくても上演できるから」

「この二、三日、稽古に行けなくてすみません」とポリー。「今夜はかならず行きますから」

「あら、あなたのことじゃないのよ」とミス・ラバーナム。「ミスター・シムズのこと。火災監視員に志願したの。それに、ライラとヴィヴもめったに来ないの。いつも軍人クラブのダンスに行ってて」

「ふたりは今夜もダンスに行くわけじゃないんですよね」ポリーは心配になってたずねた。バンク駅とリヴァプール・ストリート駅を直撃した空襲は今夜だ。

「そうじゃないことを祈るわ」とミス・ラバーナム。「今夜は『夏の夜の夢』の一場面を朗読する予定で、芥子《からし》の種役と豆の花役にあのふたりが必要なんだから」

空襲警報が鳴り出したときには、マイクもアイリーンもまだもどっていなかった。ノッティング・ヒル・ゲート駅に来てみても、やはりふたりの姿はなかった。サイレンが鳴ったらすぐシェルターに入ることと、バンク駅およびリヴァプール・ストリート駅を通る路線の電車には乗らないことを前夜のうちに念押ししてある。そのせいで、ノッティング・ヒル・ゲートに来るのに時間がかかっているのかもしれない。

ふたりに宛てたメモを非常階段に残して、ホームに行った。さいわい、ライラとヴィヴは来ていた。一座で来ていないのは、当直中のミスター・シムズと、あとはミセス・リケットだけ。ミスター・ドーミングによると、今夜の悪天候では空襲はないと信じているらしい。

「ミセス・リケットのいうとおりかもしれない。雪が降りそうだ」

今夜のルフトヴァッフェは、雪ぐらいでは止まらないのよ。

一座は、『夏の夜の夢』のタイターニアとボトムの場面を上演した。主任牧師は『軍艦ピナフォア』のジョゼフ・ポーター卿の歌を歌い、ポリーとサー・ゴドフリーは、『真面目が肝心』の一場面を朗読して、数百の爆弾が落ちてきたような、ドシンドシンガラガラの騒音に負けじと声を張り上げた。アイリーンとマイクがいまにもあらわれるんじゃないかと思っていたが、いつまで経ってもやってこない。ミセス・リケットは、空襲なしの予想がはずれたことに憮然とした顔でやってきた。

「わたしがこっちに来たあと、ミス・オライリーが帰宅しませんでした？」とポリーはたずねた。

「いいや。彼女は午後から留守にしてるよ」

「午後から？」

ミセス・リケットはうなずいて、「夕食にはもどらないといって、あんたにこれを渡してくれと」といって、封筒をさしだした。中にはメモが入っていた。

『ポリーへ。アルフとビニーが心配なの。よく行く駅のひとつがバンク駅だと言ってたから。バンク駅にいないことを確かめに行ってくる。アイリーン』

バンク駅が爆撃されたその夜に、ふたりがそこにいないことを確かめにいく？　ポリーはぞっとした。

　コートをひっつかみ、袖を通しはじめる。

「どこへ行くつもりだね」とサー・ゴドフリーがたずねた。

「ミス・オライリーを捜しに」

「でも、もう十一時近いわ」とミス・ラバーナム。「電車は終わってるわよ」

「空襲がはじまった時点で、もちろん防空壕に入っているはずです」と主任牧師。

　それこそが問題。アイリーンは爆撃されたシェルターへ行ってしまった。

　でもアイリーンは、バンク駅が爆撃されることを知っている。アルフとビニーを見つけて、すぐにそこから連れ出したはずだ。ふたりが行かないと抵抗しなければ。十二月二十九日には、ふたりのせいで駅を出るのが遅くなった。今夜、ふたりのせいで駅を離れるのが遅れたとしたら？

「お友だちはきっと無事ですよ」主任牧師が安心させるようにいった。

　そのとおりだ。VEデイのことを忘れていた。緑色のコートを着て立っているアイリーンを見たじゃないの。ということは、彼女がバンク駅で死ぬことはありえない。

　でも、VEデイにマイクの姿はなかった。もし今夜、マイクがアイリーンといっしょだったら？

「ミスター・デイヴィスは、きょうの午後、下宿に来ました？」とミセス・リケットにたずねた。「このメモを彼に見せました？」

ミセス・リケットは腹立たしげに肩をそびやかし、「そんなことするもんですか。ミスター・デイヴィスなんか、きょうは姿も見てない。だいたい、下宿人宛ての手紙をその男友だちに渡すような習慣はないからね」

「ええ、もちろんです」ポリーはあわてていった。「すごく心配なだけで。ふたりとも何時間も前に着いているはずなので。それに今夜は空襲がひどくて」

「朝まで、できることはなにもないよ」とミスター・ドーミング。

心配すること以外は。心の中でそうつぶやき、ドカーンという爆弾の音に耳を傾けながら、バンク駅が爆撃された時刻と、ほかにどこが空襲の被害に遭ったのかを知っていればよかったのにと思った。アイリーンがミセス・リケットの下宿を出るところを見かけて、マイクがそのあとを追っていったのだとしたら？　そして、バンク駅の人混みの中で見失い、アイリーンがアルフとビニーをべつの駅へ連れていったことに気づかず、まだバンク駅で彼女を捜しているのだとしたら？

マイクがアイリーンを追っていったかどうかなんてわからないじゃないの。ポリーは自分にそういい聞かせた。あたしの降下点をたしかめにいった可能性だってじゅうぶんある。それとも、フリート・ストリートに三行広告を出しにいって、もどれなくなったか。

ゆうべ、マイクは記事を書いていて、帰りが遅かった。マイクはデイリー・イクスプレス紙の地下室にいる可能性が高いし、アイリーンはきっと、爆撃されていない地下鉄駅で、アルフとビニーが他の避難者の持ちものを盗まないように見張っている。だから、あなたにできる最上の行動は、眠ること。

しかし、爆撃の音で何度も目が覚めた。ふたりのうちどちらかがもどっていないかと、非常階段に二度ようすを見にいった。

五時半に空襲警報解除のサイレンが鳴った。「でも、電車が動き出すまでもどってこられないから」と主任牧師がいった。

「ええ」とポリーはうなずき、始発が満員で乗り損ねた場合を考えてさらに三十分の猶予を与えたが、それでもふたりはあらわれなかった。

「ふたりとも家に帰って、下宿であなたと落ち合うつもりなのかも」とミス・ラバーナムが毛布を畳みながらいった。

「それは考えたんですけど、もしここを離れたら――」

「すれ違いになるかもしれない。よくわかりますよ。じゃあ、あなたはここにいるといいわ。もしミス・オライリーが帰っていたら、あなたの居場所を伝えます。それと、帰り道でミス・リアリーの下宿に寄って、ミスター・デイヴィスにも伝言を残してくるわ」

「わたし、すくなくともあと一時間はここにいるから」と、ミセス・ブライトフォードがまだ眠っている娘たちを指さし、「もし捜しにいきたいんだったら、彼女があらわれたときに、あなたがもどるまで待つようにいっておくけど」

「ありがとうございます!」ポリーは感謝をこめて礼をいうと、どの路線がまだ動いていないのかたしかめるためにそれぞれのホームへと走り、それから、アイリーンとマイクがどっちの方向からやってきても見逃さずに済むように、ディストリクト線とサークル線のホームがあるフロアのエスカレーターの下に陣どって、かぼちゃ色のマフラーもしくは緑色のコートを探して、人混みに不安な視線を投げた。

アイリーンがいた。北行き通路から姿をあらわした。「アイリーン！」ポリーは呼びかけてそちらに駆け寄った。「よかった！」アイリーンの肩越しに通路のほうを見て、「マイクはいっしょ？」

「マイク？　ううん、きのうの朝、夜は仕事だって聞いたけど。いないの？」

「ええ。でも、セントラル線が止まってるから。線路に被害があって、たぶんそのせいでもどってこられないんだと思う。あんたを捜して、リヴァプール・ストリートかバンク駅へ行ったんじゃないかって心配だったの」

「アルフとビニーはバンク駅じゃなかった。エンバンクメント駅だった。でも、ふたりが危険な場所に行かないようにするには、いっしょにいるしかなくて」声を潜めて、「バンク駅とリヴァプール・ストリート駅が爆撃されるなんていうわけにはいかないし。アルフとビニーの性格は知ってるでしょ。理由もいわずにその両方の駅に行くのを禁止したら、すぐさまその理由を調べにいくに決まってるから。それに、つきとめなきゃいけないこともあって」

ふたりが何件の犯罪をおかしたか？　ポリーは心の中でそういいながら、エスカレーターを降りてくる人々を見上げた。ミス・ラバーナムはいまごろもうミセス・リアリーの下宿に着いて、マイクと話をしているはず。もし帰っていれば。

「こないだの朝、家まで送るといったとき、アルフとビニーがどうして逃げてしまったのか、ずっと考えてたの」とアイリーン。「それに、ふたりからマップを借りたとき、家の中に入れようとしなかったことも」

エスカレーターからどんどん人が降りてくる。イースト・エンドの家に帰る、寝袋を小脇に抱えた避難者たち。早朝勤務の工場労働者たち。しかし、マイクの姿はまだ見えない。

「それに、アルフとビニーはとても汚くて、ぼろぼろだった。あの子たちの母親がちゃんと面倒をみてないのは知ってるけど、でもビニーは、疎開してたときとおなじドレスを着てるのよ。あのころでさえ丈が短すぎたのに。それに――」

ミス・ラバーナムがエスカレーターをこちらに向かって降りてきた。

「だいじょうぶです」と呼びかけた。「見つかりました。おっしゃったとおり、べつの駅で夜を――」

そのとき、ミス・ラバーナムの一段上に、ARPの防空監視員が立っているのが見えた。

そして、ミス・ラバーナムの顔に浮かぶ表情も。

「なんです?」ポリーはたずねた。「なにがあったの?」しかし、答えはわかっていた。

まさかそんな。やめて。

「ミス・セバスチャン?」防空監視員がたずねた。無意識にうなずいていたらしく、防空監視員はいった。「悪い知らせをお伝えしなければなりません。たいへん残念ですが、昨夜、お友だちのミスター・デイヴィスが亡くなりました」

ヴァイオラ　なんという国、ここは？
船長　イリリアでございます。
ヴァイオラ　イリリアなんていう国で、わたしはどうすればいいの？　お兄さまはあの世に行ってしまった。

——ウィリアム・シェイクスピア
『十二夜』（1幕2場）

38　ロンドン　一九四一年冬

昨夜の空襲で死んだのはマイクだけではなかった。ミスター・シムズも亡くなっていた。流感で休んだ防空監視員のかわりを臨時でつとめていたとき、ARP支部が爆撃されたのだ。ネルソンもいっしょで、犬の鳴き声が救助隊を主人のもとに導いたが、手遅れだった。ミスター・シムズはすでに失血死していた。

ネルソンのほうは、片方の前足に切り傷ができた以外は大きな怪我もなく、元気だったが、ミスター・シムズに係累はなく、ネルソンはどうなるんだろうと心配する声が一座のあいだから上がっていた。しかし翌週、ミスター・ドーミングがネルソンをノッティング・ヒル・

ゲート駅に連れてきて、一ギニー払ってひきとったとみんなに告げた。

「ミスター・ドーミングは犬なんか好きでもなかったのに」ミス・ラバーナムからその話を聞いて、ポリーはいった。「それに、ミセス・リケットは下宿人がペットを飼うのを許さないんだと思ってた」

「いったでしょ。ミスター・ドーミングは下宿を出ていったのよ。ミスター・シムズが住んでいた部屋に越したの」

ポリーはミス・ラバーナムからそんな話を聞いた記憶がなかった。ミスター・シムズが死んだという話を聞いた記憶さえなかったが、彼もハウンズディッチにいたんだろうかと思ったのは覚えているから、聞いたにちがいない。あのあと二、三日のことはほとんどなにも覚えていなかった。ポリーにできたのは、マイクが死んだという事実をなんとか受けとめることと、なすべきさまざまな用事をかたづけることだけだった。

夫や親や子供や友人の遺体が瓦礫の下から見つかったあと、それでも生きていく勇気を時代人はどうやって見つけたんだろうと前から不思議だったけれど、それは勇気ではなかった。かたづけなければならないことが多すぎて、すべてを処理し終えるころには、悲嘆に暮れるにも手遅れになっている、ただそれだけのことだった。

あの日、ポリーは防空監視員とともにARP支部へ行って、マイクの所持品を確認して、受けとりにサインし、事象担当官と話し、タウンゼンド・ブラザーズに電話して自分とアイリーンが欠勤することを伝え、マイクの下宿に行って、新しい下宿人が越してこられるように荷物を運び出した。「こんなすぐに手をわずらわせたくなかったんだけれど」とミセス・リアリーはいった。「でも、ゆうべの空襲で焼け出されたご夫婦がいて、どこへも行くところがないというものだから」

「だいじょうぶですよ」とポリーはいった。それに、ミセス・リアリーがマイクの遺品をかたづけようとして、今後の空襲の予定を記したリストを発見し、スパイだったんじゃないかと疑われるような事態は避けたかったから、まっすぐ彼の部屋へ向かった。

しかし、マイクの部屋に証拠となるようなものはなにもなかった。服とスーツケース、タオルとひげ剃り道具、それにペーパーバック版のシャクルトンの伝記だけ。

ポリーはそれを荷造りしてミセス・リケットの下宿に運び、デイリー・イクスプレス紙のオフィスに行って編集長と話をした。そのあいだじゅうずっと、感情の麻痺という鎧《よろい》に守られていた。いずれは痛みがその鎧を貫き通してくるだろう。

しかし、それを心配している暇はなかった。編集長の質問に答え、一座の悔やみの言葉やサー・ゴドフリーの親身の気遣いに応じ、ドリーンが〝四階のみんなから〟といって持ってきてくれた花束を花瓶に生けた。中でも最悪の仕事は、マイクが死んだことを信じようとしないアイリーンに対処することだった。

「なにもかもまちがいよ。死んだのはだれかべつの人」防空監視員から、マイクの身分証明書と配給手帳と取材ノートを見せられたあとも、アイリーンはそう言い張った。それと、ミス・ヒバードが編んだかぼちゃ色のマフラー。あの朝、ジョン・バーソロミューを捕まえようとして失敗したあと、セント・バート病院でポリーがマイクに貸したものだった。

マイクが持っていた紙類は端が黒焦げになり、すべてがぐっしょり濡れていた。

「消防隊の放水で」と防空監視員が詫びるように説明した。

「だれかがマイクから盗んだっていうこともありうるわ」とアイリーン。「アルフとビニーは、いつもそういうものを人から盗んでるじゃない。遺体が見つかるまで信じない」

しかし、遺体などどこにもなかった。防空監視員がおそるおそる説明したとおり、「千ポンド爆弾につづいて、焼夷弾でしたから、おわかりでしょうが……」

ポリーにはよくわかった。救助隊が回収するには小さすぎる断片しか残らない。最初のころに行ったV1事象現場で、ペイジ・フェアチャイルドが「手より小さいものは放っといて」といったのを思い出した。

「マイクだなんてありえない」アイリーンは譲らなかった。「マイクだとしたら、空襲のど真ん中でいったいなにをしてたの？　サイレンが鳴ったらすぐ防空壕に入ると三人とも約束してたのに」

「防空壕が遠すぎて、その時間が――」

「ううん。防空監視員にたずねてみたの。彼女の話だと、ハウンズディッチが爆撃されたのは午後十一時。それに、ハウンズディッチなんかでなにをしてたの？　そんなこと、一言もいってなかったでしょ」

「ええ。でも、マージョリーのこと、覚えてるよね？　彼女も、飛行機乗りに会いにいくことをだれにも一言もいってなかった。彼女がジャーミン・ストリートにいた理由をだれも知らなかったのよ」

「そして、マージョリーは死んでなかった。マイクもそうよ」

「アイリーン――」

「怪我をしてどこかをさまよっているのかもしれない。それとも頭を打って、自分がだれだか思い出せなくなっているとか」アイリーンはそう主張して、病院を調べ――すでに当局が確認していた――なにかあったらここで落ち合おうと三人で決めた、オックスフォード・サーカス駅のエスカレーターの下でマイクを待つと言い張った。

「こんなこと、いつまでもつづけるのは無理よ」三晩めの翌朝、ポリーはいった。「睡眠をとらないと」

アイリーンは首を振り、「すれ違いになるかもしれないから」といい、五晩めにも彼があらわれないと、「もしかしたら回収チームを見つけて先に脱出したのかも。わたしたちを迎えにこようとしているけれど、時間がなくて――」

ポリーは、バーソロミューがセント・ポールにいると知ったとき、三人が離ればなれになることにマイクがかたくなに反対したのを思い出しながら首を振った。「マイクはぜったい、あたしたちを置いて向こうに帰ったりしない」

「選択の余地がなかったのかも。シャクルトンみたいに。わたしたちを残して助けを呼びにいくしかなかったのよ。降下点がハウンズディッチにあって、すぐにネットを抜けないと破壊されてしまうという状況だったのかもしれない。だからマイクはひとりでもどって、いまはバードリやリナといっしょに、わたしたちを回収するための新しい降下点を開こうとがんばってるのよ。それと、『これはタイムトラベルなのよ』っていうのはなしにしてね」ポリーがなにもいっていないのに、アイリーンはそう釘を刺した。「彼らがまだ来ていない理由は何十も考えられる。ずれに、分岐点に……」

しかし、いちばんありそうなのは、そういうことはまったく起きなかったという可能性だ。マイクはネットを抜けなかったし、ハウンズディッチに降下点はない。高性能爆弾が落ち、それにつづいて焼夷弾が落ちただけ。

「マイクが死んだなんてありえない。わたしたちを連れ出すと約束したんだから」

ええ。コリンも、万一のときは助けにくると約束した。ときには、約束を守れないこともある。

「もしかしたら、なにか新しい手がかりを見つけて」とアイリーンはいった。「わたしたちになにもいわずに、回収チームを捜してマンチェスターへ行ってしまったのかも」

だとしたら、半分焦げた書類がハウンズディッチに残されていたことも、ミセス・リアリーの下宿に荷物が残っていることも説明がつかない。ひとりで出かけたのなら、剃刀《かみそり》とひげ剃り石鹸は持っていっただろう。

下宿の荷物の中に、ハウンズディッチでなにをしていたのかを解明する手がかりがあるんじゃないかと期待する反面、知るのが怖い気持ちもあった。アイリーンがアルフとビニーを捜しにいくのを見かけて、あとを追ったのだとしたら？　ハウンズディッチはバンク駅からそう遠くない。それとも、三人を脱出させるための危険なミッションに挑んでいたのだとしたら？　アイリーンのコートの件を打ち明けて以来、マイクは追いつめられ、とり乱しているように見えた。見つけようと必死になるあまり、回収チームかもしれない相手を見かけて、ハウンズディッチまで追っていったのだとしたら？　その結果、命を落としたのだとしたら？

やっぱり打ち明けるべきじゃなかった。コートの件は、しらを切り通すべきだった。デッドラインが来る前にあたしを脱出させようとして、そのために彼が死んだのだとしたら、とても耐えられない。

その一方、マイクがハウンズディッチでなにをしていたのかがわかれば、アイリーンは理性をとりもどすかもしれない。そこで次の日の夜、ポリーはミセス・リケットの下宿に残り、まだ湿っているマイクの取材ノートをオーヴンに入れて乾かし、しわの寄ったページを一枚ずつ慎重にチェックした。

いくつかのページでは、水に濡れてインクが流れたり、消えたりしている。コードブックの暗号みたいだと思いながら、ぼやけた単語に目を凝らし、なんとか解読しようとした。

女性ばかりの高射砲部隊に関する記事のメモ、ブレッチリー・パークに行く前にポリーがレクチャーした名前のリスト――アラン・チューリング、ゴードン・ウェルチマン、ディリー・ノックス――それに、記事になりそうなアイデアのリストとおぼしきもの。『戦時下の結婚』『その旅行は本当に必要ですか?』『冬と戦争——十の生存戦略』。

生存戦略か。そう思ったとき、シャツの生地に血が浸み通るように、痛みが沁みてくるのを感じた。

何枚かのページはノートからちぎられていた。今後の空襲のリストだ。残るページは、『おのれの分を尽くす——銃後の英雄たち』と題する記事のための取材メモだった。名前と住所、面会予定時刻の一覧。『食堂従業員、ミセス・エドナ・ベル、サザーク区カトルボーン・ストリート6番地、1月10日10PM』とか、その下には『火災監視員』につづいて、『ミスター・ウッドラフ』もしくは『ミスター・ウォルトン』とおぼしき名前。日付は『1月11日11PM』、住所は『ハウンズディッチ9番地、Hとストーニー・レーンの角』。

アイリーンのあとを追っていたわけでも、回収チームを捜していたわけでもなかった。ハウンズディッチに行ったのは、デイリー・イクスプレス紙向けに書いている銃後の英雄に関する記事で、火災監視員に取材するため。ポリーのせいではなかった。ポリーとアイリーンを救おうとして命を落としたわけではなかった。

それがわかったことで慰めになるだろうと思ったが、実際はそうではなかった。心の奥底では、なにかのまちがいであってくれたらと、自分もアイリーンとおなじくらい強く願っていたことに、いまさらながら気づかされた。なにかべつの理由があること、マイクがほんとうに死んだわけではないことをどこかで願っていた。けれど、死んだのはやはりマイクだった。

そして、もしマイクが死んだとすれば、それは、だれも救出にやってこないことを意味している。足に重傷を負ったマイクと、デッドラインを抱えたポリーをここに置き去りにすることをダンワージー先生が許したと自分を納得させることはできるかもしれない。しかし、止める手立てがあるかぎり、史学生が死ぬことを先生が許すなど、ぜったいにありえない。

ということは、それを防ぐ方法がなかったということだ。ダンワージー先生はあたしたちを救い出すことができない。だとしたら、その理由が、ずれだろうと、歴史を変えてしまったことだろうと、オックスフォードに起きた災厄だろうと、ほとんど関係ない。マイクは死んでしまった。『マイク・デイヴィス、26歳。敵の攻撃により急死』

マイクの遺品をデスクの引き出しにしまったあと、大聖堂の床から拾って持ち帰った『世の光』の半分焦げたプリントをとりだして広げ、ベッドに腰かけてそれを眺めた——扉は焼けてしまっているのに、キリストは、存在しない扉をなおもノックしようと手を上げている。そしてその顔には、なんの表情も浮かんでいない。

「お友だちの追悼式をなさいますか、ミス・セバスチャン」と金曜日に主任牧師がたずねた。「喜んで司式をつとめさせていただきますよ。セント・ビダルファス教会の主任牧師と相談して、ミスター・シムズの葬儀はそちらで執り行うこととなりました。ミスター・デイヴィスの式についても、話をしてみましょうか」

しかし、アイリーンは耳を貸さなかった。「死んでない」と言い張り、ポリーがノートの取材メモを見せると、「よく見て。十一日とは書いてない。十七日よ。それとも七日。水で流れて数字がぼやけてるじゃない。もし仮に十一日だったとしても、マイクが約束どおりに行ったとはかぎらないでしょ」

火曜日、ポリーはミスター・シムズの葬儀に参列した。いっしょに行こうと誘ったが、アイリーンはエスカレーター下の持ち場を離れようとしなかった。「マイクとすれ違いになるかもしれないから」といって、エスカレーターで降りてくる人々に希望に満ちた視線を向けた。

ネルソンを含め、一座の全員が、セント・ビダルファス教会に集まった。ミス・ラバーナムとミス・ヒバードはどちらも黒いベールのついた帽子をかぶり、黒い縁のハンカチを携えていた。

サー・ゴドフリーは、ヘンリー五世の聖クリスピヌスの祝日のスピーチを朗唱した。

「『この物語は、きょうから世界の終わる日まで、父から息子へと語りつがれていくことだろう。そこに登場するわれわれは、そのたびに思い出されるだろう——数少ないわれわれ、数少ない、しあわせなわれわれ、兄弟の一団は。なぜならきょうわたしとともに血を流すあなたがたは、わたしの兄弟となるのだから』（『ヘンリー五世』4幕3場）」

そして、死者への頌徳《しょうとく》の言葉を述べた主任牧師はいった。「ミスター・シムズは、ヘンリー五世の軍勢のだれにも劣らぬ立派な兵士であり、立派な英雄でした」

マイクもおなじだ、とポリーは思った。死んだときになにをしていたのかは問題じゃない。

英国空軍のパイロットがドッグファイトで死のうと、休暇中に死のうと関係ないのとおなじこと。マイクはやはり、あたしたちを脱出させようとして命を落としたのだ。あたしたちと合流したときから、マイクはそのことだけにすべての時間を捧げていた。マイクがそれに失敗したことも問題じゃない。歴史はそういう挫折した試みにあふれている——テルモピレー、南極点から帰還しようとしたスコット隊、ハルツーム陥落。マイクはやはり英雄だ。

葬儀のあと、主任牧師は式の予定についてもう一度ポリーにたずねた。「いまならアンウィン師に話ができますが、それともどこかべつの教会で追悼式を開く予定ですか？」

ええ、セント・ポール大聖堂で。そこは、あらゆる英雄がいる場所だ。ウェリントン、ネルソン卿、フォークナー大佐。マイクもそこに加わるべきだ。もっとも、認めてもらえないことはわかっていた。

しかし、だめでもともとだと思って、とにかくハンフリーズ氏に訊いてみると、驚いたことに、聖ミカエルと聖ジョージ勲騎士団礼拝堂では、内々の小さな礼拝式を開くことができるという。「ミスター・デイヴィスのことはお気の毒でした」とハンフリーズ氏がいった。「この暴力と死の世界では、ときおり、神のお考えを推し量ることがむずかしくなります。しかし、神の助けがあれば、最後にはすべて正しいところにおちつくでしょう」

式をいつ開きたいかと訊かれたので、アイリーンのことを相談した。「死を受け入れることはしばしば困難です。それが突然のことであればとくに。だれか、彼女がこの難局を乗り越えるのに手を貸せる、近しい人はいませんか？　母親か、父親か、学校の友人か」

あいにく、まだだれも生まれていない。ミセス・リケットの下宿に帰って睡眠をとるようアイリーンを説得するため、ポリーはオックスフォード・サーカス駅に向かった。いつまでもこんなことはつづけられない。アイリーンはほとんどなにも食べていないし、睡眠もほとんどとっていない。目の下には黒い隈《くま》ができ、追いつめられたような、とり乱した表情をしている。

マイクとおなじだ。なんとかして説得しないと。しかし、アイリーンは耳を貸そうとしない。それに、ここにはアイリーンに近しい人がだれもいない。そう思ったが、それはまちがいだと気がついて、バックベリーの教区牧師に手紙を書き、数日たっても返信がないと、アルフとビニーのホドビン姉弟を捜しに出かけた。

理想的な慰め役とはいいがたいが、アイリーンは姉弟のことを気にかけていた――マイクのことを聞かされる直前、ふたりの境遇を心配していた。

いまだいじなのは、アイリーンを思いきり揺さぶって、現実にもどってこさせること。アルフとビニーは、そのエキスパートだ。

ホワイトチャペルだということ以外、ふたりがどこに住んでいるのかポリーは知らなかったし、アイリーンによれば、自宅にはだれもいないらしい。そうなると、地下鉄駅を捜すしかない。

アイリーンが最後にふたりと会ったエンバンクメント駅からはじめて、ブラックフライアーズ駅とホルボーン駅を捜した。それでも見つからなかったので、浮浪児たちをつかまえてホドビン姉弟の所在を訊いてまわったが、これもうまくいかなかった。子供たちは明らかに、ポリーが児童福祉局の人間か女教師だと思い込んでいるらしく、なにも話そうとしない。そこで作戦を変更して、アルフとビニーに伝言を届けてくれたら二ペンス、ふたりを連れてきたらもう二ペンス払うと約束した。

翌日、仕事を終えてタウンゼンド・ブラザーズを出ると、ホドビン姉弟が待っていた。二ペンスを約束した浮浪児もいっしょで、お金を渡すとあっという間に姿を消した。

するとビニーがそくざに口を開き、「アイリーンになんかあった?」

「死んだ?」とアルフ。

「ううん、アイリーンにはなにも起きてない」

「じゃあなんでアイリーンがいないのさ?」とビニー。

「また救急車に乗って道案内しろって?」とアルフ。

「いいえ」ポリーはいらいらしながら首を振った。従業員通用口からいまにもアイリーンが出てくるかもしれない。その前にマイクのことを話しておかなければ。「アイリーンの友だちの、ミスター・デイヴィスのことなの。あの朝、セント・ポールで会ったでしょ」

「コート着てなかった男?」

「ええ」ジャケットだけで、うちひしがれたように大聖堂の階段の下に立っていたマイクの姿を思い出し、鋭い痛みを感じた。かぼちゃ色のマフラーを首に巻いてやったのを覚えている。「先週、彼が亡くなって、それで——」

「アイリーンは孤児院行かなくてもいいんだよね」アルフがたずねた。

「ばーか、あたりまえだろ」とビニー。「孤児院に送られるのは子供だけだよ」

「ミスター・デイヴィスが死んで、アイリーンはとてもとても悲しんでるの。だから、あんたたちふたりだったら彼女を元気に――」

「爆弾で死んだの？」とビニーが口をはさむ。

「ええ。それでアイリーンは――」

「どんな爆弾？」とアルフ。「千ポンド、それともパラシュート爆弾？」ポリーの返事を待たず、「パラシュート爆弾が最悪だね。ばらばらに吹っ飛ぶ！　ガラガラドッカーン！」と両手を振り上げる。「体の破片がそこらじゅうに飛び散る！」

あたしはなにを考えてたんだろう。このふたりは、アイリーンに会わせるどころか近づけるのも危険だ。

でも、こうなってしまっては、やっかい払いするのもむずかしい。しかもビニーは、「じゃ、あたしらにアイリーンを元気づけろって？」といいだしている。

「ええ。でもアイリーンは悲しすぎてまだだれにも会えないの。だから、あんたたちにお悔やみの手紙を書いてもらえないかと思って」

「カネがねえよ」とアルフ。

「葬式にならいける」とビニー。「いつ？」

「まだ決まってないの」ポリーはハンドバッグに手を入れて小銭を探しながら答えた。アイリーンが出てくる前に消えてもらわないと。

「どうやって手紙が送れんのさ」とビニー。「どこに住んでるかも知らないのに」

住所を教えるつもりはないわよ。「タウンゼンド・ブラザーズ宛てに送って」

「切手代がねえんだってば」とアルフ。

「はい、これが切手代」ポリーは一シリング硬貨をとりだして、「ほら」

アルフがそれをひったくり、ありがたいことに、ふたりは風のように姿を消した。

しかし、これで振り出しにもどってしまった。そしてアイリーンは、マイクが生きていると、これまで以上にかたく信じている。いわく、「人間はあっさり消えたりしないのよ」

いいえ、消えるのよ。

「もしかしたら、マイクはまたブレッチリー・パークにもどったのかも。あのあとジェラルドがこっちに来てないかたしかめるために。ウルトラの機密保持かなにかの関係で、わたしたちに連絡がとれなくなってるのよ。そのために、自分が死んだように見せかけなきゃいけなかった」ぜんぜん筋が通らない。「マイクだってそんなことはしたくなかった、でも、デッドラインの前にあなたを脱出させるにはそれが唯一の方法だった」

つまりそういうことだ。マイクの死を認めることは、ラボは、死ぬ前にマイクを脱出させることができなかったという事実を認めることになる。それは同時に、ラボがあたしを脱出させられないという事実を認めることでもある。

でも、このままにしておくわけにはいかない。もう一度、教区牧師に手紙を書くべきだろうか。しかし、その必要はなかった。閉店時間の直前、司祭服を着た教区牧師がポリーのカウンターにやってきた。

「ミス・セバスチャン？　ミスター・グッドです。たしか、去年の秋、バックベリーでちょっとだけお目にかかりましたね。来るのが遅くなってすみません。やっと手紙が届いたのが二日前で、それから手配に手間どって……」

「来てくださってほんとにありがとうございます」ポリーは教区牧師に笑顔を向けた。「アイリーンにとって、どんなに助けになることか」

「ミス・オライリーとミスター・デイヴィスは……」教区牧師は口ごもった。

「恋愛関係にあったか？　いいえ。彼はわたしたちにとって兄弟みたいな存在でした。アイリーンには、彼の死がものすごく堪《こた》えています」

ポリーは腕時計に目をやった。もうすぐ閉店だ。状況をちゃんと説明する前に、彼をアイリーンに会わせたくなかった。「ちょっと待っていただけますか。上司に早退の許可をもらってきますから」といって、急いでミス・スネルグローヴを捜したが、こんなときにかぎってどこにも見当たらない。

「七階に行ってる」とサラがいったとき、閉店ベルが鳴った。

ポリーは急いでカウンターにもどったが、手遅れだった。すでにアイリーンが来ていた。

「お友だちを亡くされたこと、心からお悔やみを申し上げます、ミス・オライリー」グッド氏が話しかけている。アイリーンの顔はこわばっていた。

ああ、これじゃだめだ。アイリーンは彼の言葉も聞こうとしないだろう。

「もっと早く来られなくてすみません」

アイリーンがポリーをにらみつけた。

どうしてあたしが彼を呼んだか、アイリーンにはちゃんとわかっている。

「ミス・セバスチャンの手紙が転送されてくるのに時間がかかったもので」と教区牧師。

「それに、休暇申請が通るのにも数日必要で」

「休暇？」とアイリーン。

「ええ。お伝えしていませんでしたが、英国陸軍の従軍牧師に志願したんです」

アイリーンの顔から血の気が引いた。

なんてこと。事態をさらに悪くしてしまった。

「このロンドンで、毎日、危険に直面しているあなたのように、多くの人たちが自分を犠牲にしているのに、ひとりバックベリーにとどまって、教会で説教をしたり、委員会の会合をとりしきったりしているわけにはいかなかった。わたしも自分の分を尽くさねばならないと思ったのです」

「でも、だめよ」アイリーンはそういって、わっと泣き出した。「あなたまで死んでしまう。マイクみたいに」

ボーイフレンドは爆弾より大事だったわ。

――ブレッチリー・パークの翻訳係

39 クロイドン
一九四四年十月

メアリはあおむけに横たわっていた。

ネットを抜けてきたとき、なにかを踏んで足を滑らせ、転んじゃったんだ。きらめきで目が眩《くら》んだにちがいない。光がまぶしすぎたのは覚えている。それから……。

耳を聾するグガガガーンの音が響き渡り、その直後、第二の轟音が空気を揺るがした。V2の二重の爆音だ。そう思って、とつぜんパニックにかられた。ネットを抜けた時点が遅すぎたんだ。

そのときようやく、自分がどこにいるかを思い出した。あたしとフェアチャイルドはV2の――そうじゃない、あれはV1だった――音を聞いて、犠牲者がいないかたしかめるためクロイドンにひきかえし、そしてフェアチャイルドが――

フェアチャイルド！　メアリは体を起こそうとしたが、動けなかった。体の上になにかがのしかかって、肺を圧迫している。息ができない。空気が――

ああ、まさか、あの印刷機じゃありませんように。空気を求めてあえぐ。瓦礫の下に埋もれてしまった。

なにがのしかかっているのか、さわってたしかめようとしたが、胸の上にはなにもなかった。落ちてきた梁《はり》も、煉瓦もない。のどもむきだしになっている。だったらどうして……？

どこか遠くで救急車の鐘の音がした。クロイドン支部だ。神経を集中して耳をすます。その過程であえぐのをやめると、とたんにまた息ができるようになり、頭をもたげることができた。

倒れた拍子に体じゅうの空気が押し出されてしまった。それだけのことだったらしい。それに、瓦礫の下に埋もれているわけでもない。瓦礫の上に横たわっている。きっと、爆発であおむけに吹き倒されたんだろう。痛みをこらえて大きく深呼吸してから、なんとか立ち上がろうとした。なにか寄りかかれるものがあればと思ったが、あの印刷機はどこにも見えない。暗くて、なにも見えない。爆発が火を吹き消してしまったらしい。

「フェアチャイルド！」と呼びかけた。「フェアチャイルド！　どこにいるの？」

返事がない。

死んだからだ。「フェアチャイルド！」必死になって叫ぶ。「返事をして！」

答えは返ってこない。なんの音もしない。救急車の鐘の音さえも。V2の爆発音で鼓膜が破れちゃったのかも。他人事《ひとごと》のようにそう思ってから、ふと気がついた。どうしよう。それじゃ、ペイジが呼んでいても聞こえない。

そして、ペイジが死んだのを思い出した。

また救急車の鐘の音が聞こえたが、方角がおかしい。うしろから聞こえる。ふりかえったとき、さっきの考えがまちがっていたのがわかった。すべての火事が吹き消されたわけじゃない。ひとつは、前よりもさらに明々と燃えさかっている。その光をバックに、彼らの救急車のシルエットが見えた。

炎の前をゆっくりと動いている。メアリは長いあいだ、呆けたようにそれを見つめていた。自分が見ているものが理解できない。救急車が動いているなら、フェアチャイルドは死んでない。彼女が運転しているにちがいない。でも、あたしを置いて行ってしまうはずがない。フェアチャイルドはけっして……。

「フェアチャイルド、行かないで！」と叫び、よろよろと足を踏み出した。

「だめ」すぐ左のほうから、かすかな声がかろうじて耳に届いた。

フェアチャイルド。メアリは闇の中で彼女を求めて手探りしたが、これはフェアチャイルドじゃない。片足を切断された男だ。どうして忘れていられたんだろう。彼の手当てをしていたときに――

「どこ――？」男のたずねる声がうつろに響いた。井戸の底にいるような声。

「ここよ。Ｖ２が落ちたの」とメアリはいった。その声も、おなじようにうつろにこだました。

男の足は切断されていた。止血しようと思って、男のネクタイをほどいたのだった。

いや、もう縛ったあとだ。しかし、ちゃんと止血されているかどうか、かがみこんで目を凝らすと、脚に結ばれていた止血帯はネクタイじゃなくてハンカチだった。でも、ネクタイをほどいた記憶があるのに。メアリは混乱した。きっと、もう片方の脚も出血してたんだ。そのとおりだった。でも、ネクタイが見つからない。V2が落ちたとき、どこかに飛ばされてしまったようだ。

立ち上がり、着ていたジャケットを脱いで、布地を裂こうとした。厚手の布は破れなかったが、もう一度やってみると、裏地が裂けた。ぐいとひっぱると、細長い布きれをちぎりとることができた。それを使って、男の太腿を縛った。しかし、もう相当な量の血を失っている。病院に搬送しなければ。メアリは男にかがみこんだ。「救急車を呼んできます」

「行け」男はつぶやいた。「ここを……」それから、はっきりした声で、「離れろ」

「すぐもどるから」といって、メアリは黒々とした残骸の上を歩き出した。暗くて見えない煉瓦や屋根板を踏んで、よろよろと進みながら、救急車を探す。

「メアリ」くぐもった声が足もとで聞こえた。「ここよ」

「フェアチャイルド！」フェアチャイルドのことをすっかり忘れていた。闇の中で手探りして、彼女の手を見つけた。「だいじょうぶ？」

「息が……できない」フェアチャイルドがあえぎ、メアリの手を握りしめた。「……空気が……」

「体じゅうの空気が押し出されてるだけよ。息を吐いて」メアリは唇をすぼめて息を吐き出し、フェアチャイルドに手本を見せた。ばかげてる。向こうからは見えないのに。「息を吐いて。吐き出して」

「無理」とフェアチャイルド。「なにかが体に載ってる」

「そんな感じがするだけよ」と励ましたが、怪我をしてないかたしかめようと彼女の体を探ると、指先が木材の破片に触れた。持ち上げようとしたが、フェアチャイルドがうめき声をあげた。

メアリは手を止めた。「どこが痛い？」

「なにがあったの？」とフェアチャイルド。「ガス管が爆発した？」

「ううん、V２」と答えて、木材をどかそうとした。

フェアチャイルドがまたうめく。

闇の中では、なにもしないほうがいい。かえって悪くしてしまうかもしれない。救急車を待とう。

でも、救急車はもう来ている。さっき、動いているところを見た。メアリはそちらをふりかえった。炎をバックにした救急車のシルエット。運転席のドアを開けて、ヘルメットをかぶった隊員が出てくるのが見えた。「こっちに負傷者！」と叫ぶと、ドライバーがこちらに向かって歩き出したが、どういうわけか、瓦礫の上を遠ざかってゆく。

「違う、こっち！」

「救急車はまだだと思う」とフェアチャイルド。「聞いて」

メアリは耳をすました。遠くで、救急車の鐘の音がする。

べつの部隊だ。ウッドサイドかノーベリーの救急車が新たに到着したんだろう。「クロイドンの救急車はもう来てるのよ」とフェアチャイルドにいった。「でも、こっちの声が聞こえてない。合図しなきゃ。救急車に懐中電灯はある？」

「救急キットに一本入ってる」

「キットはどこ？　救急車？」

「ううん。とってこいっていわれたから、キットを持って歩いてるときに……」

フェアチャイルドになにかをとってきてと頼んだ記憶はなかった。爆風の衝撃でまだ頭が混乱しているらしい。「どこ？」

「手から吹っ飛ばされたみたい」

この闇の中では永遠に見つからない。そう思ったが、あたりを手探りすると、ほとんどすぐ、懐中電灯に指先が触れた。驚いたことに、壊れていなかった。スイッチを入れるとすぐに点灯する。それを大きく前後に振って、救急車のドライバーに見えるように合図した。

「そんなことしちゃいけないのよ」とフェアチャイルド。「灯火管制だから。ドイツ軍が……」

なにをする？　またV2を発射する？　メアリは懐中電灯のレンズのまわりを囲っているテープを剝がした。

「あのときふたりで……ちゃんと話をしといてよかった」とフェアチャイルドがいった。

ああ、もう。「いいから。そんなこといっちゃだめ」メアリはフェアチャイルドの体におそるおそる懐中電灯の光を向けたが、大きな出血はなかった。片腕に板切れが突き刺さっているだけ。それを含めて何枚かの厚板が胸と腹の上に交差するように重なっているが、血のあとは見当たらない。両脚の上にはなにもなかった。

救急車を呼んでこなければ。それから——

「いったでしょ、前触れなしに、いきなりこういうことが起きるんだって」とフェアチャイルド。「もしあたしになにかあったら——」

「しいっ。ペイジ、だいじょうぶよ、元気になるから」メアリはフェアチャイルドの体の上から木材をどかそうとしたが、ごちゃごちゃに重なり合っている。両手が必要だ。煉瓦の山の上に懐中電灯を置き、光がフェアチャイルドのほうを照らすように角度を調節してから、仕事にかかった。

「なにかあったら」とフェアチャイルドがくりかえす。「あなたに——うわっ！　怪我してるじゃない。血が出てる！」

「印刷インクよ」メアリは木材の山の下からフェアチャイルドの体を引き出そうとした。

子供がやる積み木崩しのゲームみたいだ。フェアチャイルドの腕に刺さった板切れに触れないように注意しつつ、一度にひとつずつ、慎重にピースをとりのぞかなければならない。

そのときとつぜん、ヒューーッ、ドカーンと音がして、救急車のシルエットの背後でオレンジ色の炎が噴き上がった。「またV2？」とフェアチャイルドがたずねた。

「ううん、ガス管だと思う」メアリは炎のほうを見やって答えた。救急車二台と消防車一台がやってくるのが見えた。「救助が来たわ。こっち。こっち！」車のドアがバタンと閉まる音が何度か響き、それから声がした。「こっちに負傷者！」

メアリは立ち上がり、懐中電灯をサーチライトのように大きく前後に振り動かし、それからまたフェアチャイルドの脇にひざまずいた。

フェアチャイルドがうなずいた。「あたしになにかあったら——」

「なにも——」といいかけたとき、おそろしい考えが頭に浮かんだ。死ぬのはスティーヴンじゃない。フェアチャイルドだったんだ。だからネットはあたしを通して、ふたりの仲を割くことを許した。あたしがなにをしようが、歴史になんの影響も与えないから。どのみちフェアチャイルドはV2で死亡したから。

でも、あたしが来なければ、フェアチャイルドがこうして瓦礫の中に横たわっていることもなかった。キャンバリーと勤務を替わらなかっただろうし、あたしと話をするために救急車をとめたりしなかった。救急車をとめなかったら、V1の音を聞くこともなく——

「ううん、聞いて、メアリ」とフェアチャイルドがいった。「もしあたしになにかあったら、スティーヴンの面倒をみてほしいの。彼は——」

走ってくる足音がして、セント・ジョン救急隊の作業服を着た女性隊員がメアリのかたわらにひざまずいた。

「わたしじゃないの」とメアリ。「負傷者はこの子。腕が——」

「担架をよこして！」とセント・ジョンの隊員が叫び、だれかべつの人間が走ってきた。

「うわ、びっくり、フェアチャイルド？」と新しく来た隊員の声。目を上げると、キャンバリーだった。「フェアチャイルドとダグラスよ！　早くこっちに来て！」そくざに救急キットを携えたリードがあらわれ、パリッシュと担架がすぐあとにつづいた。

「ここでなにやってんの、デハヴィランド？」メアリの横にかがみこんで、リードがたずねた。「ストリーサムに行ったと思ってたのに」

　そう、あたしたちはストリーサムへ行くはずだった。どうして行かなかったんだっけ？　思い出せない。

「飛行爆弾が落ちたあとで事象現場に行くのがあたしたちの仕事なのよ、ダグラス。落ちる前じゃなくて」とキャンバリーが快活にいって、メアリのかたわらにひざまずいた。

「そうしたのよ」とメアリ。「まずV1が落ちて、現場に来たら――」

「冗談だってば」とキャンバリー。「ほら、こめかみを見せて」

「あたしのことはいいから。ペイジの腕を――」といって、キャンバリーの体越しにフェアチャイルドのほうを見た。パリッシュとセント・ジョンの隊員が木材をどかし、彼女を担架に乗せて、毛布をかけている。「彼女、だいじょうぶ？　腕を――」

「ペイジの心配はあたしたちにまかせて」といって、キャンバリーはメアリのあごを片手で押さえて、頭を横向きに動かした。「ヨードチンキを」とリードに向かっていう。「それと包帯」

「救急車にあるわ」とメアリがいうと、キャンバリーとリードが目を見交わした。

「なに？　どうしたの？」

「なんでもない。頭を見せて」

パリッシュとセント・ジョンの隊員がフェアチャイルドを乗せた担架を持ち上げて、瓦礫の上を運びはじめた。

メアリはついていこうとしたが、リードが許さなかった。「出血してる」

「血じゃない」といったが、リードはそれを無視して、メアリの頭に包帯を巻きはじめた。

「血じゃないのよ」とくりかえす。「印刷機のインク」そのとき、脚に止血帯を巻いた男のことを思い出した。「彼を搬送しなきゃ」

「じっとしてて」リードが命令する。

「出血してる人が」メアリは立ち上がろうとした。

「どこへ行くつもり？」キャンバリーが押しもどしてすわらせた。「こっちに担架を！」と叫ぶ。

「違う、彼はあっち」メアリは黒い瓦礫の向こうを指さした。

「わかった。こっちで面倒みるから」とキャンバリー。「いったいぜんたい担架はどうしたの？」

「ねえ、歩けると思う、ダグラス？」とリードがたずねた。

「もちろん歩ける」とメアリ。「彼、出血がひどいの。片足は止血帯をしたけど、もう片方が――」

「あたしの首に腕をまわして」とリード。「いい子ね。さあ、行くよ」といって、瓦礫の上をゆっくり歩き出した。リードに支えてもらえてよかった。地面はひどく凸凹《でこぼこ》していて、バランスを保つのがむずかしい。

「彼は、火の手が上がってる場所のそばにいる」とメアリはいったが、火事の場所が違っていた。救急車のそば、道路の上で火が燃えている。

あの火じゃない。そう思って立ち止まり、瓦礫の上を見渡して、男がいる場所を見定めようとしたが、キャンバリーがそれを許さず、早く行けと急《せ》きたてる。「片足が切断されてたのよ。早く救出して――」

「他人のことを心配するのはやめて、最後のひと踏ん張りに集中して。やれるから。あともうちょっと」

「彼はあっちのほうだった」とメアリは指さし、そのとき、ふたりの応急看護部隊《FANY》隊員が、そちらの方角から、負傷者を乗せた担架を運んでくるのを見た。

よかった。運び出したんだ。メアリはそう思って、キャンバリーに促されるまま、救急車のほうに歩いていった。二台の救急車はすでに走り去るところだった。一台はブリクストン支部の所属。火明かりに照らされて、車体に記された文字が読める。それにこっちはベラ・ルゴシだ。でも、フェアチャイルドと乗ってきた救急車はどこだろう。

「フェアチャイルドは新しい救急車で病院に――?」

「さあ、着いた」キャンバリーがベラ・ルゴシの後部扉を開けた。メアリはそのへりに腰かけ、だしぬけに大きな疲労感に襲われた。

「だれか手を貸して」キャンバリーが呼んだ。

メアリの知らないFANY隊員ふたりがやってきて、メアリを救急車に運び込み、寝台に横たえるのに手を貸した。毛布で体をくるみ、輸液袋を吊り下げる。

「血じゃないの」とメアリはいった。「彼はだいじょうぶだった？」しかし隊員たちはすでに後部扉を閉め、救急車はもう動き出していた。それから病院に到着し、救急車から下ろされ、中に運び込まれ、ベッドに寝かされた。

「震盪《しんとう》、ショック、出血」キャンバリーが看護婦にいった。

「印刷機のインクだってば」メアリはいったが、両手を広げてみせると、てのひらは黒ではなく赤に染まっていた。ペイジの腕は思ったよりひどく出血していたにちがいない。

「フェアチャイルド少尉はもう運ばれてきた？」と看護婦にたずねた。「ペイジ・フェアチャイルドは？」

「訊いてきます」といって、べつの看護婦のほうに向かって病棟を歩いていった。

「内出血」とそちらの看護婦が囁き、首を振るのが見えた。

死んだんだ、とメアリは思った。あたしのせいだ。あたしがタルボットを押し倒さなかったら、あたしがスティーヴンに出会うことはなく、スティーヴンが支部に来ることもなかった。でも、そんなはずはない。航時史学生は過去の出来事を変えられない。でも、きっと変えてしまったんだ。頭がひどく痛んで考えられない。だって、ペイジが死んでしまったのだから。

しかし、夜明けのすぐあと、フェアチャイルドが運ばれてきて、となりのベッドに寝かされた。顔色が青白く、意識がない。朝になると、土埃《つちぼこり》と煉瓦の粉に覆われたキャンバリーがメアリのようすを見にこっそり病棟にやってきて、フェアチャイルドは夜じゅうずっと脾臓《ひぞう》破裂の手術を受けていたけれど、全快すると担当医が請け合ったことを教えてくれた。

「よかった」メアリはそういって、となりのフェアチャイルドを見やった。目を閉じ、胸の上で両手を組んで、眠れる森の美女のように横たわっている。腕には包帯が巻かれていた。

「彼女に申し訳なくて」とキャンバリーがいった。「あの救急車に乗ってたのはフェアチャイルドじゃなくてわたしのはずだったのよ。わたしのせいで――」

ううん、そうじゃない。あたしのせい。

「V2が落ちたとき、現場の向こう側にいて、ほんとにラッキーだったのよ」

そのときあたしは、あの男の脚を止血していた。「彼は無事だった?」とたずね、キャンバリーがぽかんとしているので、「あたしたちが応急処置していた男の人。片足が切断された」

「知らない。わたしたちは搬送してない。看護婦に訊いてみる」

しかし、看護婦によれば、ゆうべ運ばれてきた他の患者は、幼い男の子ふたりとその母親の女性だけだという。

「よその病院に運ばれたのかも」キャンバリーはそういって、クロイドンに電話して訊いてみると約束してくれた。

しかしキャンバリーはもどってこず、面会時間に花とぶどうを持って見舞いにきたタルボットいわく、「キャンバリーからの伝言で、あんたがいってた男はセント・フランシスには運ばれてなかったし、クロイドンが搬送した患者はフェアチャイルドだけだって。でも、どこかの病院にいるはずだっていってた。現場に来ていた遺体運搬車も確認したけど、運んだのは即死の遺体一体だけだったそうだから」

真っ二つになっているのを目撃したあの死体だ。「ブリクストンに電話して、搬送したかどうかたずねるように頼んで。ブリクストンの救急車が現場に来てたから」とメアリはいった。

タルボットはフェアチャイルドのほうを見やった。まだ麻酔から覚めていないが、前より顔色がよくなり、いまはただ眠っているだけに見える。いつもよりさらに若く、子供のように見えた。

「ラング空軍将校はどうする？」とタルボット。「電話して、伝えたほうがいい？」

「退院してからにして」

タルボットは、そうだよねというようにうなずいて、「いつ帰してもらえると思う？」

「きょうの午後。だと思うけど」

退院したら、消えた男を自分で捜しにいこう。そう思ったが、脳震盪を起こしている可能性があるからまだようすを見るようにと医師が退院を許さず、メアリが看護婦に彼のことを説明しようとしても、「ゆっくり休んで」といわれるだけだった。しかし、彼がゆうべ、暗闇の中でだれにも発見されず、いまもそのまま瓦礫のあいだに横たわっている可能性があるのに、じっと休んでいることなど不可能だった。

タルボットにバッグを持ってきてくれと頼めばよかった。財布があれば、自分でブリクストンに電話をかけられる。看護婦が電話に近づくことを許してくれれば。これまでのところ、ベッドを出ることさえ許してもらえない。

目を覚ましたフェアチャイルドに呼ばれて、五十センチとなりのベッドまで歩み寄っただけで叱られたくらいだ。

「無事でほんとによかった」フェアチャイルドはぐったりした声でそういうと、メアリの手を握りしめた。「ほんとに心配で――」

「あたしもよ」とメアリはいった。「でも、お医者さんの話では、ふたりとも、多少の怪我はあるけど全快するって」

VEデイまでここにいる予定で助かった。こんな姿でオックスフォードにもどったら、ダンワージー先生はけっしてロンドン大空襲に行くことを認めてくれないだろう。その日の午後遅く、レントゲン撮影に連れていかれる直前、キャンバリーが現場からの帰りに寄ってみたといって顔を出した。

「ブリクストンに電話してくれた?」とメアリ。

「うん。でも、現場には行ってないって。もしかして、その救急車はブロムリー支部のじゃない？」

「かもしれない」ちらつく炎の明かりで名前を読み違えた可能性はある。

「それとも、検査を受けて退院したとか？」とキャンバリーがいった。しかし、切り傷少々と打撲だけのメアリさえ、まだ病院から出してもらえずにいる。

「まさか。大怪我だったもの。ここセント・フランシス病院の霊安室はたしかめた？　搬送の途中で亡くなって、だから入院記録が残ってないのかもしれない」

「調べてみる」といってからキャンバリーはちょっと口ごもり、「ゆうべ、その男を見たのはたしかか？　もしかして脳震盪がひどくて、それで記憶が混乱して――」

「混乱してない。彼は――」

「ブリクストンの救急車の件は記憶が混乱してたじゃない。もしかしたら、よその現場で応急処置をした患者ととり違えて――」

「ううん、その人なら、あたしも見たから」フェアチャイルドがとなりのベッドから口をはさみ、メアリは彼女にキスしたい気分になった。「その人のために、救急キットをとってきたところだったのよ」

看護助手が、メアリをレントゲン室に連れていくために、車椅子を押してやってきた。

「こんど来るとき、あたしのバッグを持ってきて」とキャンバリーに頼んだ。「救急車の中にあるから」

レントゲン室に行く途中、メアリは公衆電話を探した。病室を出てすぐのところに一台ある。よかった。さいわい、メアリのベッドは、病室のドアを開けてすぐ内側だ。バッグを受けとったらすぐ、こっそり抜け出してクロイドンに電話をかけ、もういちど事象現場をたしかめてもらおう。しかし、検査を終えてもどると、フェアチャイルドが泣いていた。

恐怖がメアリを鷲掴みにした。「彼が見つかったの？」

フェアチャイルドは首を振る。声を出せず、涙が頬を伝う。

「なに？」まさか。スティーヴンが。「なにがあったの？」

「キャンバリーが……」といって嗚咽《おえつ》する。

「キャンバリーがどうしたの？　彼女になにかあったの？」

「キャンバリーじゃない」とすすり泣く。「救急車よ」

「どの救急車？　ブリクストンの？」そんな。彼を病院に搬送する途中で、ロケット弾が……。

「じゃなくて、うちの救急車。キャンバリーがいってた。V2が命中したって」

最初に頭に浮かんだのは、〈バッグは救急車に置いたままだったのに、クロイドンに電話するコインをどうしよう〉だった。それにつづいて、〈二度めの爆発音はそれだったんだ。あの炎も。やっぱりガス管じゃなかった。救急車のガソリンタンクが爆発したんだ〉

担架はいいから、先に救急キットを持ってきてとフェアチャイルドを呼ばなかったら、V2が落ちたとき、彼女はまだ救急車にいたかもしれない。でも、もしそうだとしたら――

「来たばっかりだったのに」とフェアチャイルドが泣きながらいう。「新しいのはもうぜったい手に入らない」

「ばかばかしい」とメアリはいった。「こっちにはデネウェル少佐がついてるのよ。本部を説得して救急車を調達できる人間がいるとしたら、彼女よ。ねえ、ひょっとして現金持ってたりしないわよね」

「持ってる」フェアチャイルドが涙を拭いていった。「すくなくとも、あたしの靴がこの病院に来てれば、持ってるはずよ。靴の中にいつも半クラウン入れておきなさいって母親にいわれてて。厄介なことに巻き込まれて、電話で助けを呼ばなきゃいけなくなるかもしれないからって」

「お母さんのいうとおりだったわね」ふたりのベッドのあいだの戸棚にフェアチャイルドの靴があることを祈った。

靴はあり、半クラウン貨もちゃんとその中に入っていた。メアリはそれを枕の下に隠してベッドにもどり、次に看護婦が病室を離れた隙に、忍び足で公衆電話まで歩いていって、ブリクストンに電話をかけた。

「ゆうべ、うちはクロイドンに行ってませんよ」

「でも、たしかに――」

「あなたが見たのはきっとベスナル・グリーンの救急車でしょう」

いいや、違う。そう思ったが、ベスナル・グリーンにも電話をかけた。彼らも現場には行っていなかった。

クロイドンに電話した。彼らは、新聞社のオフィスがあった場所をもう一度チェックすると約束してくれた。「でも、レスキュー隊がくまなく捜索してるけど」とFANY隊員がいった。ほかにどこの救急車が事象現場に来ていたかとたずねると、「ノーベリー」という返事だったが、ノーベリー支部もやはりそれらしき患者を搬送していなかったし、他の支部の救急車を目撃していなかった。

「おたくの以外はね」とノーベリー救急支部の隊員がいった。「見逃すことは考えにくいな。捜しているその男性が軍人だったっていう可能性は？　もしそうなら、オーピントンに運ばれたかも」

彼は民間人の服装だったが、それでもメアリはオーピントンの病院に連絡した。そのあと、搬送中に死亡した可能性を考えて、オーピントンとセント・マークの死体保管所にも電話した。

該当する死亡者はなく、ということは彼はどこかべつの病院に運ばれたことになる。いまもまだ新聞社の残骸の中に横たわっているのでないかぎり。

もう一度クロイドンに電話した。「いわれた場所を捜索したけど、だれもいませんでしたよ」電話に出たFANY隊員が請け合った。「なにかの理由で、セント・バートかガイ病院に運ばれたんでしょう」

それをたしかめるには長距離電話になるから、支部にもどるまで待つしかない。いずれにしても、看護婦が捜しにくる前にベッドにもどらないと。立ち上がり、電話ボックスのドアを開けた。

スティーヴンが廊下の突き当たりにいた。受付のデスクの前で、行く手をさえぎる看護婦と押し問答をしている。「このフロアには入れませんよ！　面会時間は終了しています」

「面会時間がいつだろうが知ったことか。フェアチャイルド少尉に会うまで帰らない」

メアリはすばやくまた電話ボックスに飛び込み、ドアを閉めた。腰を下ろして受話器を耳に当て、追いすがる看護婦にかまわずずんずん歩いていくスティーヴンに顔を見られないようにうしろの壁のほうを向いた。

「重大な規則違反ですよ」という看護婦の声と、病室の二枚扉がバーンと開き、また閉まる音が聞こえた。スティーヴンが追い出される音か、かんかんになった看護婦が助けを呼びにいく音を待ったが、それきりなにも聞こえない。

用心深く外を覗き、それから電話ボックスを忍び出て、病室の扉のところまで行くと、小さなガラス窓越しに中のようすをうかがった。ベッドの上に身を起こしたフェアチャイルドはとても若く、輝いているように見えた。スティーヴンはベッドの端に腰かけている。

メアリは廊下のほうをふりかえってから、二枚扉の片方を押して、細い隙間から聞き耳をたてた。

「ついさっき、ここにいるって聞いたんだ」スティーヴンが話している。「知り合いに、クロイドンのＦＡＮＹ隊員とデートしてるやつがいて、ホイットっていうんだけど、そいつが教えてくれて。それで、できるだけ早く飛んできた。ほんとにだいじょうぶなのか、ペイジ？」

「ええ。メアリも怪我したの、聞いた？　脳震盪を起こしたの」

ああもう、あたしの話なんかしないで。しかしスティーヴンはいった。「ホイットに聞いたよ。V2が命中したのに、死なずに済んだのは奇跡だって」

「メアリが命を救ってくれたの」とフェアチャイルドが義理がたくいう。「救急キットを持ってきてくれってメアリに呼ばれなかったら、V2が落ちたときもまだ救急車にいたはず」

「忘れずにメアリに礼をいわなきゃな」とスティーヴンがペイジの両手を握りしめた。「おまえが死んでたかもしれない……そう思ったとき……」

メアリはそっと扉を閉め、そこに立って扉を見つめたまま、感嘆の念に打たれていた。ネットが彼女の通過を許し、自分がふたりの仲を裂いてしまったのは、彼らのロマンスが悲恋に終わる運命だったからじゃないかと、ずっとそのことを恐れていた。スティーヴンが――それともペイジか、あるいは両方が――死んでしまったんじゃないかと恐れていた。メアリがなにをどうしようと、最後にはふたりが結ばれる運命だったなんて、思いもしなかった。たとえ一時は変わってしまったように思えたとしても、過去の出来事を変えることなんかできないとわかっていてしかるべきだったのに。最後にはすべて、おさまるべきところにおさまるのよ。

「そしたらまっすぐ突進してきたんですよ」と背後で女性の声がした。廊下の角を曲がって、看護婦がこちらにやってくる。姿を見られたら、ベッドにもどされてしまう。ペイジとスティーヴンのとなりに。

メアリは電話ボックスに飛び込み、ドアを閉めようと手を伸ばしたが、その必要はなかった。さっきの看護婦が婦長と看護助手にはさまれて、こちらには目もくれず大股に通り過ぎ、病室の二枚扉を押し開けた。

「もう心配ないよ」とスティーヴンが話しているのが聞こえた。「もうこれ以上、飛行爆弾がそばに落ちてこないようにするから。必要なら、ひとつ残らずぼくが自分で撃ち落とす」

「ラング将校」婦長が厳しくいった。「残念ながら、おひきとりいただきます」

「すぐ済むよ」とスティーヴン。「ペイジ、なにがあったか聞いたとき、自分が莫迦《ばか》だったことに気がついたんだ。おまえがどんなにだいじな存在なのか気づかなかったなんて。目からうろこが落ちるって話が聖書にあるだろ。まさにあれだよ」

扉が閉じて、そのつづきは聞こえなくなった。

メアリは電話ボックスのドアを閉め、中の椅子にすわって、スティーヴンが追い出されるのを待った。ベッドにもどるのはそのあとにしよう。航時史学生が過去の出来事を変えるのは不可能だとしても、またふたりのあいだに割り込んで、関係をややこしくするリスクはおかしたくない。全員にとってようやくすべてがまるくおさまりそうなこのときに。

FANY隊員たちはみんな喜び、少佐は勤務スケジュールをもとにもどすだろう。リードとグレンヴィルはメアリに腹を立てるのをやめ、議論の的は、だれがイエロー・ペリルを押しつけられるかと、ドナルドがメイトランドにプロポーズするようどう仕向けるかとにもどり、メアリはここに来たそもそもの目的にふたたび専念できる。すなわち、V1とV2攻撃の渦中の救急支部を観察すること。

だから、こんなふうになにかを……失ってしまったような気分になるいわれはない。不合理だ。有頂天になっていいはずなのに。きっと、ショックに対する反応が遅れてやってきたんだろう。ペイジが救急車のことであんなにとり乱していたみたいに。泣く理由なんてぜんぜんない。彼はたしかにハンサムだし、あの左右非対称の笑みはすばらしく魅力的だけれど、だからといってそれが実を結ぶわけじゃない。あたしが生まれるずっと前に死んでるんだから。

「でも、戦争で死んだわけじゃない」とつぶやき、それから今後七カ月のあいだに飛来する数千基のV1とV2のことを思い出して、「だといいけど」とつけ加えた。

ダンケルクでなにがあろうとも、われわれは戦いつづける。

——ウィンストン・チャーチル、
一九四〇年五月二十六日

40 ロンドン 一九四一年冬

教区牧師のグッド氏の休暇は四十八時間しかなかったので、マイクの告別式は翌日の午後に催された。一座のメンバーと、ミセス・ウィレットが参列した。シオドアは風邪を引いて出かけられず、近所の家に預けられていた。

その他の参列者は、ミセス・リアリー、マイクと契約を結んでいたデイリー・イクスプレス紙の編集長、ミス・スネルグローヴ、それに、いかにも着慣れていない風の黒のスーツにぎこちなく身を包んだふたりの男。ポリーは一瞬、あらゆる予想を覆して、ついに回収チームがあらわれたのかと思って心臓が止まりそうになったが、ふたりは、二十九日の夜、マイクに命を救われた消防士だと判明した。壁が倒れてきたとき、マイクがいちはやく警告してくれたおかげで助かったことを説明し、その恩返しに彼を救うことができなくて残念ですと彼らは話した。

アルフとビニーもやってきた。茶色く萎れかけた百合《ゆり》の花束を携えていたが、きっとよその墓から盗んできたものだろう。「新聞に時間が載ってたから」とビニーがいって、セント・ポール大聖堂の中を畏敬の目で見まわした。

「うひゃあ、すげえなあ、この教会」とアルフ。「立派なもんがいっぱいある」

「ええ。そして、盗もうとした人はまっすぐ地獄に堕ちるのよ」とアイリーンがいった。その口ぶりは、マイクが死んでからはじめて、以前の彼女をとりもどしたかのようだった。

教区牧師がやってきてから、アイリーンはエスカレーターの下での不寝番をやめ、マイクの告別式を開くことに同意した。そして、とにかくあの緑色のコートを着て参列することはできないのよとミス・ラバーナムに説得されると、サイズがはるかに大きすぎる黒のコートを彼女に借りることに同意した。

素直すぎる、とポリーは思った。アイリーンはまだ口数が少なく、内にこもっている。否認の段階から絶望の段階へと移行しただけじゃないかと心配だった。もっとも、絶望しないでいるほうがむずかしいだろう。マイクとミスター・シムズが亡くなり、あのやさしい教区牧師が戦争へ行くというのだから。アイリーンのいうとおりだ。グッド氏はほぼ確実に戦死するだろう。

アイリーンが現実と向き合ってくれることを願っていたけれど、いまはその現実に彼女が押しつぶされはしまいかと案じずにはいられない。だから、ホドビン姉弟をきびしく監督しはじめたアイリーンに、本来の彼女の活力がいくらかもどってきたのを見てほっとした。

「じっとすわって、静かにしてるのよ」とアイリーンはふたりに命じた。

「わかってるよ」アルフがむっとしたように、「前に――あ痛っ！」と叫び、その声が大聖堂の広大な空間にまだこだましているうちに、ハンフリーズ氏が急ぎ足で南の側廊をこちらにやってきた。

「ビニーが蹴った！」

「教会内で人を蹴るのは禁止だよ」とグッド氏がおだやかにいった。

「それに、献花で殴り合うのも」といって、アイリーンはふたりの手から百合の花を奪いとり、教区牧師に手渡した。

アイリーンはアルフとビニーを連れ、礼拝堂の門扉をくぐって中に入ると、席に着いておとなしくしているようふたりにいい聞かせてから、ポリーの腕をとって南の側廊へと導いた。

「アルフとビニーに聞いたけど、あなたがふたりを見つけてマイクのことを話したんだって」

「ええ」裏切りだととられやしないかと心配しながら、「あのふたりに会えば、もしかしたらすこしは気分が――」

「どこで見つけたの？　ホワイトチャペル？」

「ううん。住所を知らなかったから、駅へ捜しにいったの」

アイリーンは、やっぱりというようにうなずいた。

「まもなく式をはじめます」と、教区牧師が礼拝堂から出てきて声をかけた。

「はい、すぐ行きます」とアイリーン。

ふたりは礼拝堂にもどり、アイリーンはアルフとビニーのあいだに着席して、静かにしているようにいい聞かせてから、祈禱書《きとうしょ》の正しいページを教えた。ポリーはそれを見て、またほっとした。

しかし、式がはじまると、大きすぎるコートを着て子供のようにすわっているアイリーンは、またあの奇妙な、内にこもった表情を浮かべていた。ほんとうはどこかべつの場所にでもいるような顔。

でも、そうじゃない。祈りの言葉を聞きながらポリーは思った。あたしたちはこの一九四一年にいて、マイクは死んでしまった。こうして彼の葬儀に参列しているのが、ありえないことのように思える。しかし、遺体があろうとなかろうと、これは彼の葬儀だった。アイリーンが信じるのを拒否したのも無理はない。こんなことが事実ではありえない。

しかも、故郷から遠く離れたこの場所で死んだだけではなく、自分の名前で葬られることさえない。亡くなったのは、ネブラスカ州オマハからやってきたアメリカ人の戦争特派員、マイク・デイヴィスであって、史学生のマイクル・デイヴィーズではない。英雄的行為を観察するために過去へとやってきた彼は、そこから帰れなくなり、助けもないまま、仲間を救おうとして死んでしまった。

ポリーが死者への頌徳の言葉をグッド氏に頼んだのは、あの日、バックベリーで聞いた彼の説教を思い出したからだった。きょうの教区牧師は、ダンケルクでのマイクの勇敢な行為に触れて、こういった。「わたしたちは、地上でなす善行が天国で報いられるという希望を抱いて生きています。戦争に勝つという希望も抱いています。正義と善が勝利し、この戦争に勝った暁《あかつき》には、よりよい世界がやってくるという希望も抱いています。わたしたちは、その目的のために力を尽くし、戦勝国債を買い、焼夷弾を消し、靴下を編み――」

　かぼちゃ色のマフラーを編み、とポリーは心の中でつけ加えた。

「――疎開児童を進んで受け入れ、病院で働き、救急車を運転し――」ここでアルフがにやっと笑ってアイリーンの脇腹を肘でこづいた。「――高射砲を動かします。国土防衛軍や婦人国防軍《ATS》や民間防衛隊に加わります。しかし、自分たちが集めるくず鉄や、前線の兵士に書く手紙、庭で育てる野菜が、最後には戦争に勝つ助けになるのかどうか、わたしたちにはわかりません。わたしたちは信じて行動します。

　しかし、重要なのは行動することです。希望だけに頼っているわけではありませんが、希望はわたしたちの砦、暗い日々とさらに暗い夜を照らしてくれる光です。わたしたちは働き、闘い、耐え忍びますが、わたしたちが果たす役割が大きいか小さいかは問題ではありません。神が地に落ちる一羽の雀にも目をとめるのは、世界にとってはそれがブルドッグや狼とおなじようにだいじなものだということをご存じだからです。わたしたちもみな、全員が、〝みずからの分〟を尽くさねばなりません。なぜなら、わたしたちの行動を通じて、この戦争に勝利が得られるからです。わたしたちの親切と献身と勇気を通じて、わたしたちが求めるよりよい世界が実現するからです。

天国もそれとおなじです。わたしたちの地上での行動、求める世界とはほど遠いこの悲惨な世界でわたしたちがなすことが、天国の到来を可能にするのです。わたしたちは、天国を待ち望んで生きるだけでなく、それぞれの分を尽くすことで、天国の到来に力を貸しているのです」

　マイクは分を尽くした。あたしたちを救うためにできることをすべてやった。ダンワージー先生のように。コリンのように。

　こうして教区牧師の説教を聞いているうちに、コリンが必死になってポリーを捜したこと、オックスフォードとラボをくまなくあたって、いったいどんな不具合があったのかをつきとめ、彼らを救い出す計画を考え出そうと努力したことを、ポリーは百パーセント確信した。行動を要求し、開く降下点はないかとかたっぱしから試し、歴史記録と新聞とタイムトラベルに関する本をひっくり返して、なにが起きたのか手がかりを探し、あきらめることを頑として拒むコリンの姿が目に浮かんだ。そして、もし彼が失敗したとしたら、もしコリンが彼らを救い出す前に死んでしまったとしたら、それはコリンのせいではないし、おなじくマイクのせいでもない。彼らは努力した。それぞれの分を尽くした。

　式が終わるなり、ハンフリーズ氏は教区牧師をフォークナー大佐記念碑のところへひっぱっていき、アイリーンはアルフとビニーを急《せ》きたてて礼拝堂から連れ出したので、あとに残ったポリーが参列者ひとりひとりに感謝の言葉を述べ、悔やみの言葉を聞いた。

「神のお導きを信じましょう」とミス・ヒバードがいって、ポリーの手を叩いた。

ミセス・ワイヴァーンもおなじようにしながら、「神はわたしたちが耐えられる以上の試練はけっして与えません」

「起こることすべては神の御業《みわざ》の一部なのです」と主任牧師が抑揚をつけていった。

サー・ゴドフリーが帽子を片手に持って近づいてきた。もし彼が、「われわれの目的にちゃんとかたちを与えてくれる神の力というものがある（『ハムレット』5幕2場）」とか、「いまに何もかもうまくいくよ（L・フランク・ボーム『オズの魔法使い』より）」とか、気の利いた引用で励まそうとしたら、一生許さないから。

「ヴァイオラ」といって、サー・ゴドフリーは悲しげに首を振った。「『来る日も来る日も、雨ばかり』（『十二夜』5幕1場）」

愛してる。涙に瞳を潤ませて、ポリーは思った。

ミス・ラバーナムがやってきた。「こういう試練の時代にこそ、信じる心を持たなければ」といい、サー・ゴドフリーのほうを向いて、「考えてたんですけれど、『メアリ・ローズ』の朗読をやるべきじゃないでしょうか。死んだ母親を捜して息子がやってくるせつない場面が……」

ミス・ラバーナムがサー・ゴドフリーをひっぱっていき、ポリーはアイリーンを捜しにいった。アイリーンもホドビン姉弟も見つからない。主任牧師やミセス・ワイヴァーンの陳腐なお悔やみは聞きたくなかったから、ポリーは身廊に足を向け、ドームのほうに歩いていった。

アイリーンが、アルフとビニーといっしょに『世の光』を眺めていた。というか、アルフとビニーが『世の光』を眺め、アイリーンが例のなにも見ていないような、内にこもった表情でアルフとビニーを見つめていた。教区牧師の言葉がマイクの死と折り合いをつける助けになることを祈っていたが、見たところ、あまり役に立ったようには見えない。

それに、ホドビン姉弟は明らかになんの役にも立っていない。「この人、なんでドレス着てんの？」とアルフが絵を指さしてたずねる。「それに、なんのために立ってんの？」

「そこに住んでる人を訪ねてきて、ドアをノックしてんだよ、とんちき」とビニー。

「とんちきはそっちだろ」とアルフ。「だれも住んでねえよ。ドアを見ろ。もう何年も、一回も開いてねえよ。賭けてもいいけど、中に住んでた人は黙って引っ越しちゃったんだよ。それとも死んじゃったか。いつまでノックしたって、だれも出てこねえよ」

いまのアイリーンにいちばん聞かせたくない言いぐさだ。ポリーはあわてて口をはさみ、「もう行かなきゃ。ここでサイレンに捕まりたくないから」といったが、アイリーンはその言葉がまるで聞こえなかったかのように、アルフとビニーのほうを茫然と見つめている。

ポリーはもういちどトライした。「アイリーン、教区牧師を救出にいかなきゃ。ハンフリーズさんにフォークナー大佐記念碑の見学に連れていかれて、それっきり――」

「アルフ、ビニー、いっしょに来て」アイリーンが唐突にそういって、もう無人になった礼拝堂のほうにふたりを連れもどし、門扉を開けた。

「なんでもどんの？」中へ入れとアイリーンにうながされたビニーがたずねた。

「なんも盗んでねえよ」とアルフ。

うわ、そういうことか。今度はなにを盗んだんだろう。

「中にも入ってねえのに」とアルフ。「ずっとあの絵を見てたんだ」

アイリーンは門扉を閉めて掛けがねを下ろし、それから姉弟のほうを向いた。

「なんにも盗《と》ってないって」とビニー。「ほんとに」

アイリーンは、その言葉も聞こえていない顔で、「お母さんはいつ亡くなったの？」とたずねた。

亡くなった？

「バカいうなよ」とアルフ。「ママは死んでねえよ」

「いまもピカデリー・サーカスにいるよ」と答えて、ビニーが門扉のほうににじり寄った。

「呼んでくる」

アイリーンは姉弟と門扉のあいだにしっかり立ちはだかった。「どこにも行かせない」ふたりの肩越しにポリーを見やって、「去年の秋、母親が空襲で亡くなって、それ以来ずっと、このふたりはそれを隠してきた。ふたりだけで、あちこちの防空壕に寝泊まりして暮らしてるの」と説明した。

「そうなんでしょ？」アイリーンは子供たちをまっすぐ見すえて問いただした。「いつ亡くなったの？」

「いっただろ」とアルフ。「ママは――」

「セント・バートで亡くなったんでしょ」とアイリーン。「だからあなたは病院の場所を知ってた。だから早く病院を離れたがった。会ったことのある看護婦に見つかって、なにがあったのかをわたしにしゃべられると困るから」

「違うよ。セント・ポールに来なきゃいけないって自分でいったんじゃないか。だからおれらは——」

「いつ死んだの、ビニー？」

「いっただろ——」

「去年の九月」とビニーが答えた。

アルフが憤然と姉のほうを向いて、「なんでばらすんだよ。これで引き渡されちゃうぞ」

ビニーは弟を無視して、「でも、それがわかったのは十月。ママが二、三日帰ってこないことはよくあったから、なんとも思ってなかった。でも、しばらくしてから心配になって捜しにいったら、ママの友だちが教えてくれたんだ。ママのいたパブに千ポンド爆弾が落ちたって」

そして、身元の確認できる遺体は残っていなかった。マイクみたいに。〝ママの友だち〟というのは、娼婦仲間か、ひいきの客か、どっちかだろう。どちらにしても警察と関わりになることを望まず、そのため、ミセス・ホドビンの死は当局に通報されなかった。

「わたしがマップを借りにいったときは、もう亡くなってたのね」とアイリーン。「だから部屋に入れずに、ママは寝てるといった」

ビニーはうなずいた。「大家にもそういってた。どうせママはうちにいるときはいつも寝てるし、配給手帳は自分たちで持ってたから、問題なかった。お金がなくなって、家賃が払えなくなるまでは」

「それと、大家にミセス・バスコームが見つかるまでは」とアルフ。

「ふたりが飼ってるオウムの名前」とアイリーンがポリーに説明した。

「だから、田舎に住んでるママの妹の家に家族三人で引っ越すって、大家にいったんだ」

「そして、地下鉄の駅で暮らすようになった」とアイリーン。

「でも、無一文でどうやって暮らしてきたの？」とポリーは思わず口をはさんだが、答えは見当がついた。掏摸《すり》と置き引きだ。

ハンフリーズ氏と教区牧師がもどってきた。ハンフリーズ氏はまだフォークナー大佐の話をしている。

ビニーは凍りついたような表情で、「教区牧師に告げ口しないよね」

「だれにもいわないって約束して」とアルフ。「でないと孤児院に送られちゃう」

「ああ、こちらでしたか」とハンフリーズ氏。

教区牧師がこっちに目を向けた。掛けがねを下ろした門扉と、歩哨のようなアイリーンの立ち姿、それに子供たちの表情を見てとって、「どうかしたんですか、ミス・オライリー」とたずねた。

おねがい、とビニーが口だけ動かしていった。

アイリーンがそちらに向き直り、門扉を開けると、ふたりを礼拝堂に導き入れた。「アルフとビニーから、いましがた、ふたりの母親のことを聞いたんです。去年の秋に空襲で亡くなって、それからふたりは、自分たちだけで、防空壕で生活してきたんです」

ビニーは手ひどく裏切られたという顔になった。

「なんでそんなことというんだよ」アルフがわめいた。「これで施設に送られちゃう。おれらにやさしくしてくれたのはアイリーンだけだったのに」

「面倒みてくれるひとなんかだれも要らない」ビニーがけんか腰でいった。「あたしとアルフだけで暮らしていけるんだ」

「わたしがふたりをひきとります」とアイリーンがいった。

「なに?」とポリー。「そんなの無理に――」

「だれかがそうしなきゃいけないの。地下鉄の駅でずっと暮らすなんて不可能に決まってる」とアイリーンがいった。「グッドさん、わたしがふたりの後見人に指名されるようはからっていただけますか」

「ええ、もちろん。しかし……」教区牧師はハンフリーズ氏のほうを向いた。「おそれいりますが、子供たちに大聖堂の中を少し案内してやっていただけませんか? ちょっと話をする必要が――」

「もちろんですとも」とハンフリーズ氏。「かわいそうに。さあ、いっしょにおいで」

「だいじょうぶよ」とアイリーンがビニーにいった。

「誓う？」

「ええ、誓うわ。さあ、ハンフリーズさんといっしょに行ってて」

三十日の朝みたいにぱっと逃げ出すだろう。ポリーはそう思ったが、ふたりは従順に聖堂番のあとについて歩き出した。

「さあ。『世の光』を見せてあげよう」とハンフリーズ氏が通路を歩きながらいうのが聞こえた。

「もう見たよ」とアルフ。

「そうか。でも、見るたびに違ったものが見つかるんだよ」とハンフリーズ氏が答えた。

たしかに、とポリーは思った。

三人の足音が遠のき、聞こえなくなった。「ほんとうにふたりをひきとるつもりなんですか、ミス・オライリー」と教区牧師がたずねた。「けっきょくのところ、ホドビン姉弟は——」

「わかってます」とアイリーン。

「ミセス・リケットはぜったい許してくれない」とポリーはいった。「あの下宿の規則は知ってるでしょ」

「それに、ロンドンから離れて暮らすほうが安全です」と教区牧師。「疎開委員会が——」

「いいえ」とアイリーン。「疎開させたら、逃げ出すに決まってる。そしたら、ふたりだけでは生き延びられない。アルフは不発弾で遊ぶし、ビニーは若い娘よ。防空壕で野良猫みたいに暮らすだけじゃなくて……」

母親のようになってしまうだろう。

「ほかにだれもいないのよ」とアイリーンがポリーにいった。「もしわたしたちが救い出さなかったら――」

「でも、ミセス・リケットのことはどうするの？ 規則は知ってるでしょ――室内での調理、ペット、子供はすべて禁止。それに、グッドさんの休暇はきょうまでだし――」

「教区民に関わることですから、期限を延ばしてもらえないか、かけあってみますよ」とグッド氏。「それに、状況に鑑《かんが》みて、規則をゆるめてもらえるよう、ミセス・リケットを説得できるかもしれない」

それはどうだか、とポリーは思った。予想どおり、ミセス・リケットは教区牧師の司祭服にも彼の訴えにも眉ひとつ動かさなかった。

「規則は知ってるはずだよ」ミセス・リケットは、胸の前で好戦的に腕組みして、「子供は禁止」

「しかし、空襲で母親を亡くして」と教区牧師。「ほかに行くところがないんです。寝台と寝具は教会が用意します」

「ご迷惑をかけないようにわたしたちが面倒をみますから」とアイリーンがつけ加えた。

そんな論法ではミセス・リケットは動かせない。ポリーは口を開き、「子供たちの下宿代を追加で払いますから。それに、子供たちには余分のミルク配給があります」

「配給はどのぐらい?」ミセス・リケットがぎらりと目を光らせてたずねた。とても食べられない味のミルク・プディングやクリーム・スープをつくろうと考えているのだろう。

「一日に半パイントです」と教区牧師。

「いいだろう」とミセス・リケットはいって、アイリーンの手からほとんどひったくるようにして子供たちの配給手帳を受けとった。「ただし、賄《まかな》いはあさってからだよ」

もちろんそうでしょうとも。

「それと、もし階段で遊んだり、うるさくしたり――」

「だいじょうぶです」アイリーンが熱をこめていった。「ふたりとも、とても行儀のいい子供たちですから」

話がついてミセス・リケットが引き上げたあと、ポリーはアイリーンに向かって、「あんたこそ、芝居の一座に入るべきね」といった。「あたしよりずっと演技がうまいもの」

アイリーンはそれを無視して、「ほんとうにありがとうございました、グッドさん。あなたの助けなしではとても無理でした。すばらしかった」

そのとおりだった。教区牧師は余分にとりつけた二日間の休暇を使って、アルフとビニーの新しい配給手帳と新しい服を手に入れたばかりか、アイリーンを一時的な後見人に指名し、学校の手配まで済ませてくれた。

「学校?」火あぶりにするとでもいわれたような顔で、アルフとビニーが異口同音にくりかえした。

「ああ」教区牧師がきびしくいった。「毎日ちゃんと学校に行って、ミス・オライリーにいわれたとおりにしないと、ただちに孤児院に送られるように手配するからね」

ホドビン姉弟は、ミセス・リケット同様、なにをいわれても動じないだろうとポリーは思った。しかし、それをいうなら、ハンフリーズ氏に引率されて『世の光』を見学にいったときも、ポリーとアイリーンがミセス・リケットと話をするあいだ、ノッティング・ヒル・ゲート駅で待つようにいったときも、どうせまた逃げ出してしまうだろうと思ったのに、ふたりは逃げなかった。それどころか、みんなで教区牧師を駅まで見送りにいったとき、アルフは彼にたずねた。「これでアイリーンがおれらのママになんの?」

教区牧師の返事は聞こえなかったけれど、アイリーンは見違えるように元気になったし、ホドビン姉弟をひきとることにした決断を悔やむことはできなかった。とりわけ、教区牧師が戦地勤務を命じられたとアイリーンに打ち明けてからは。従軍牧師は——しばしば激戦地に派遣されたにもかかわらず——武器を携帯しないし、やせっぽちの体とおだやかな物腰の教区牧師は、およそ兵隊向きのタイプではない。彼のように戦争に協力したいと願った熱心な若者たちが、北アフリカの砂漠やノルマンディーの海岸で、いったい何人死んだことだろう。親しい人を失うことにアイリーンがこれ以上耐えられるとは思えなかった。

教区牧師の見送りに、みんなでヴィクトリア駅へ行った。「そうしなきゃいけないんだよ」とアルフがいった。「おれらがロンドンに来た日、牧師さんが見送ってくれたんだから。覚えてる、牧師さん? あの日、さよならをいいに駆けつけてきたこと」

「ああ、覚えてるよ」といって、教区牧師はアイリーンを見た。

「で、今度はおれらが牧師さんにさよならをいう番。不思議だよね、アイリーン」

「ええ」アイリーンは涙を隠して目をしばたたいた。「ほんとうに、いろいろありがとうございました、グッドさん」

「役に立ててよかった」と教区牧師は生真面目にいった。ダッフルバッグをとって、「もう乗車しないと。当面の連絡先は伝えたとおりです。任地が決まったらなるべく早く連絡する。アルフとビニーのことで助力が必要になったらすぐ手紙を書くと約束して。ぼくがなんとかするから」

もしできたらね、とポリーは思った。もし戦死しなかったら。

別れのあいさつを交わして、教区牧師は列車に乗り込んだが、せっかくのロマンティックな雰囲気を、アルフとビニーのいさましい掛け声がぶちこわした。「ドイツ人を山ほど撃ち殺せ!」「ヒトラーのクソ野郎をぶっ殺せ!」

アイリーンは列車が視界から消えるまで見送った。

「なにぐずぐずしてんの?」ビニーは不思議そうにたずねた。

「なんでもない」とアイリーン。「さあ、帰りましょう」

「だめだよ」とアルフ。「まずブラックフライアーズ駅へ荷物をとりにいかないと」

「荷物って?」

「わかるでしょ」ビニーは無邪気に、「服とかいろいろ」

「それに、アイリーンにもらったロンドン塔の本とか」といいながら、アルフは地下鉄の入口に向かって、先に立って歩き出した。「ベストは、スコットランド女王メアリの首を刎《は》ねるとこだね」

ブラックフライアーズ方面行きの電車に乗ると、アルフはその話を事細かに披露した。

「処刑人がばっさり首を斬り落としたんだ」車両の中にいる他の乗客のために実演してみせ、「それから髪の毛をつかんで頭を持ち上げた。当時はそんなふうにしてたんだよ。血まみれで、ぼたぼた血が滴《したた》り落ちてる生首をつかんで、こういったんだ。『これが反逆罪をおかした女王に対する刑罰だ』って」

「それからロンドン橋に首をさらした」とビニーがひきとった。

「メアリの首は違うよ」とアルフ。「メアリはかつらをつけてたから、髪の毛つかんで持ち上げたら首が床に落っこちて、処刑台の下にごろごろ転がり込んだ。そしたらメアリの飼ってた犬がそれを追いかけて――」

「ブラックフライアーズよ」アイリーンが立ち上がり、ふたりをうしろから追い立てて戸口に向かった。

「押すのやめてよ」とビニー。

「スコットランド女王メアリの犬がなにしたか知りたくねえの？」とアルフ。

「知りたくない」とポリー。

「荷物をとりにいくっていってたけど」とアイリーン。「場所はどこ？　ホーム？」

「あんたバカ?」ビニーが先に立って歩き出し、「それじゃあ盗まれるに決まってるじゃん」

「トンネルの中だよ」とアルフ。一行がホームに降り立つと、「ここで待ってて」

子供たちは、アイリーンが止めるまもなくホームの端まで一目散に駆けていって、線路に飛び下り、トンネルの暗闇の中に姿を消した。

「電車に轢《ひ》かれて死んじゃう」とアイリーン。

「そんな幸運はありえないわね」とポリーはいった。しばらくすると、ふたりはそれぞれ腕に荷物を抱えてもどってきた――帽子、ぼろぼろのカーディガン、ゴム長靴、それに映画雑誌ひと山。

アルフは自分の分をアイリーンの腕に押しつけると、「ミセス・バスコームを連れてこなきゃ」といって、また走ってトンネルに引き返した。

「ミセス・バスコーム?」とポリー。「ミセス・バスコームってだれ?」

「さっき説明したでしょ。ふたりのオウム」アイリーンは絶望的な口調でいった。「シェルターに引っ越したとき、アパートに置いていったんだと思ってたのに」ビニーのほうを向いて、「地下鉄駅は動物禁止なんじゃなかった?」

「そうだよ」とビニー。「だからトンネルに置いとかなきゃいけなかったんじゃん」

「それって、空襲警報の真似ができるってオウムじゃないでしょうね」わかりきった答えを聞きたくないような気持ちで、ポリーはたずねた。

「それにオール・クリアのサイレンもね」アルフが大きな錆びた鳥かごを持ってホームにあらわれた。グレイと赤のオウムがとまり木に止まっている。「でも、あのあと、ほかにもいろいろ教えたんだ」

It Is Over.（終戦）

――ロンドン・イヴニング・ニュース紙の見出し、
一九四五年五月七日

41 ロンドン
一九四五年五月七日

あれはメロピーだ。そう思いながら、ナショナル・ギャラリーの石造りの手すりから身を乗り出し、トラファルガー広場に立つ、緑色のコートを着た若い女性に目を凝らした。まちがいない。ああ、よかった。メロピーはずっとVEデイに来たがってたから。

手を振って名前を呼ぼうと思ったが、考え直した。なんという名前でこっちに来ているかわからない。たぶんメロピーじゃないだろう。メロピーという名前がポピュラーになるのは二〇二〇年代以降。それに、どういう偽装なのか、時代人の連れがいるかどうかもわからない。メロピーのすぐ左には、英国空軍の軍服を着た中年の男性が立っている。

手を下ろしたが、すでに手を振りかけたところをペイジに見られていた。

「リアドンが見えた？」とペイジがたずねた。

「ううん。知り合いがいたような気がして」

「そりゃ、いるでしょうよ。今夜は英国人全員がここに集まってるみたい」

過去と現在のね、と彼女は思った。

「リアドン！」ペイジが叫び、ちぎれんばかりに手を振った。ペイジが見ている方向に視線を向け、それからメロピーが立っていたほうに目をもどしたが、もういなくなっていた。メロピーの姿を求めて群衆に視線を走らせる。街灯のそば、ライオン像のそば、記念碑の向こう。しかし、緑色のコートはどこにも見えない。あの鮮やかな緑色は、目立つからすぐわかるはずなのに。それに、メロピーの赤毛も。

「しまった、見失っちゃった」とペイジがいって、人間の海をきょろきょろ見まわす。「リアドン、どっちに行った？　どこにも見えない。リアドンは――いた！　それにタルボットも」また勢いよく手を振りはじめた。「タルボット！　リアドン！」

「聞こえないと思うけど」といったが、驚いたことに、ふたりは決然と群衆をかき分けて歩き出し、階段をこちらに上がってきた。

「フェアチャイルド、ダグラス、ああ、よかった」合流したリアドンがいった。「二度と会えないかと思った！」

タルボットがうなずき、「下はもう大混乱」と朗らかにいった。「だれか、パリッシュとメイトランド見なかった？　はぐれちゃった。かがり火のそばにいたんだけど」

その言葉にしたがって全員がそちらの方向に目を向けたが、だれだろうと、かがり火を背にした人間の顔を見分けられる望みはなかった。

「どこにも見えない」とタルボット。「待って——フェアチャイルド、あれ、あんたの運命の恋人じゃないの？」

「そんなはずない」ペイジはタルボットが指さすほうを見ながら、「いま、フランスだもの。彼……うわあ、ダグラス、見て！」ペイジが彼女の腕をつかんだ。「スティーヴンだ！　スティーヴン！　帰国が間に合わなくて、これをぜんぶ見逃すんじゃないかと思ってたの。わーい、メアリ、彼が帰ってきてくれてすごくうれしい！」

あたしもよ、とメアリは思った。晴れやかなスティーヴンの顔をこうして見るのはすばらしかった。ペイジが入院しているとき、彼の顔に浮かんでいた不安と緊張、毎日Ｖ１の方向をそらす任務についていたときの疲労と集中力は、もうあとかたもない。最後に会ったときより何歳も若返っているように見えた。

残念なことに、それでもあたしには年寄りすぎる。もっとも、あたしが史学生じゃなくて応急看護部隊《FANY》隊員なら、それは問題にならないだろうが、それでも彼を手に入れることはできない。群衆のなか、彼はまだペイジを見つけていないけれど、明らかに捜している。そして、ペイジを見つけたら、もうその視線は彼女から離れない。

それでも、最後にもう一度だけ姿を見られてよかった。押すな押すなの人混みのなか、ペイジを捜して元気よく歩くスティーヴンを見ながら思った。あの黒髪……。

「こっちに気がついてない！」とペイジが叫んだ。「手を振って、メアリ！」

メアリは仲間たちといっしょに手を振り、叫び、パリッシュは鼓膜が破れそうなかん高い口笛を吹いた。爵位を持つ両親が聞いたら身震いしそうだが、たしかに効果はあった。スティーヴンが顔を上げ、ペイジに気づき、あのおそろしく魅力的な左右非対称の笑みを浮かべて、まっすぐこちらに歩き出した。

「ああ、よかった」とタルボット。「気がついてくれた——うわわわ！　あれ、少佐？」タルボットが指さしたのは、かがり火の向こう、広場の遠いほうの端に近いあたりだったが、全員がそくざに少佐の顔に気づいた。なお悪いことに、向こうもこちらに気づいてしまった。

「ぜんぶあんたのせいだからね、フェアチャイルド」とタルボットがいった。「スティーヴンに手を振ってなかったら、少佐に気づかれることもなかったのに」

「少佐、なにしてるんだと思う？」リアドンが心配そうにいった。

「少佐のことだから」とパリッシュ。「たぶん、わたしたち全員が呼び出しを食うんじゃない」

「それとも、エッジウェアに絆創膏《ばんそうこう》をとりに行かされるか」とペイジ。

「みんなで賭けてみる？」とリアドン。

　タルボットが笑って、「みんなと会えなくなったらさびしいね」

「また会えるわよ」とペイジが自信たっぷりにいった。「あたしの結婚式に招待するから。ダグラスが花嫁の付添い《メイド・オブ・オナー》をしてくれる。でしょ、メアリ？」

　あいにく、それは無理よ。

「イエロー・ペリルを着せないと約束してくれるならね」とメアリは軽口を叩いた。

「戦争が終わってくれてほんとにうれしい」とパリッシュ。「だって、もうイエロー・ペリルを着なくていいってことだから」

「タコ野郎《オクトパス》を車で送っていかなくてもいいしね」とタルボット。

それに、自分がいつ死ぬかとおびえなくてもいい。ばらばらになった遺体や死んだ子供を瓦礫の下から掘り出さなくてもいい。メアリは、クロイドンの新聞社の爆撃現場にいた男のことをふと思い出した。退院したあと、セント・バート病院とガイ病院に電話をかけ、それから半径六十キロ圏内のすべての救急支部にも連絡してみたが、男の消息は杳《よう》として知れなかった。ありえない気がするけれど、きっと思ったほど重傷ではなかったのだろう。

生き延びてくれたことを祈ろう。今夜ここにいて、この光景を見ていることを祈ろう。

「やめて」タルボットがいった。「少佐がこっちに来る！」

「帰れっていわれると思う？」とリアドン。

いいえ。帰るのはあたしだけ。少佐がここにいるなら、支部にもどるタイミングとしては、いまがパーフェクトだ。『母が危篤なので、すぐに発《た》ちます』と書き置きを残してから、降下点へと向かおう。

最後にもう一度だけ、メイトランドやサトクリフ－ハイスやリードに会えないのが残念だ——この一年で、FANYの全員と驚くほど親しくなっていた。でも、メアリがいま経験しているようなことは、このトラファルガー広場に集まっている全員が、これから数日もしくは数週間のあいだに、ひとしく経験することになる。これは、ただ戦争の終わりというだけじゃない。無数の友人関係やロマンスや仕事にピリオドが打たれる。ありとあらゆる離別、ありとあらゆるさよなら……。

もし行くとしたら、いますぐ発つ必要がある。終電が出てしまう前に。少佐とスティーヴンがここにやってくる前に。スティーヴンはもう階段の近くまで来ていた。名残《なご》り惜《お》しい最後の一瞥《いちべつ》を彼に投げてから、隊員たちを見やった。彼らはまだ少佐のほうを見ている。少佐の頭には、いまさっき、通りすがりの防空監視員がかぶせていったネルソンふうの三角帽が載っている。

「逃げられるうちに逃げたほうがいいかな」とパリッシュがたずねた。

「ううん。捕まったときに事態が悪くなるだけ」とタルボット。

「いっしょにお祝いしようと思ってるのかもよ」とリアドン。

「お祝いっぽい顔してる?」とタルボット。

お祭り気分の三角帽にもかかわらず、そんな顔はしていなかった。あなたに会えなくなるのもさびしいです、少佐。メアリはそう思いながら、まだスティーヴンの名を呼びながら手を振っているペイジのほうに身を乗り出し、頬にキスをした。ペイジは気づきもしなかった。

メアリはゆっくりとすこしずつ彼女から離れ、きびすを返すと、人混みをかき分けてポーチを歩き、来たときの道を逆にたどって階段を降りた。いなくなったことに気づいてペイジが捜しはじめた場合に備えて、帽子をとり、頭を低くする。

もし気づかれても、スティーヴンを迎えに降りていったら、群衆に巻き込まれてどこかに運ばれたんだと思ってくれるかもしれない。気をつけないと、ほんとにそうなりそうだと思いながら、階段の正面にたどりついた。

チャリング・クロス駅の方角に向かって、トラファルガー広場を斜めに突っ切りはじめた。半分ほどいったところで、めざす方向に進んでゆく人の流れに乗り、そのまま運ばれていった。この調子なら、まっすぐ地下鉄駅の入口まで送り届けてもらえるかもしれない。

広場の端で立ち止まって腕時計に目をやった。まだ時間の余裕はある。

山高帽の小男が前とまったくおなじ場所にいた。

「パットン将軍に万歳三唱！」と叫んだが、「ばんざーい、ばんざーい、ばんざーい」の声は、近づいてきたダンス行進《コンガ・ライン》のにぎやかなリズムに呑み込まれてしまった。メアリは群衆を押し分けて地下鉄駅のほうに進んだ。願わくは、来たときほど混雑していませんように。どう見ても、ここに集まった人たちはすぐにはだれも帰りそうにないし、電車がホルボーン駅を過ぎれば、きっと――

「おいで、嬢ちゃん」たくましい船員が耳もとで叫び、メアリの腰をつかんで行進の列に無理やりひっぱりこみ、すぐ前にいる兵士の腰を両手でつかませた。

「だめ！　そんな暇ないの！」と叫んだが無駄だった。船員はメアリのうしろから、万力のようにがっちりと腰をつかんでいる。地面に両足を踏ん張って動くまいと抵抗しても、あっさり体ごと持ち上げて運ばれるだけ。

トラファルガー広場へと容赦なく連れもどされ、「ダン・ダ・ダン・ダ」のリズムに合わせてスネーク・ダンスするコンガ・ラインの列といっしょに広場を横切ってゆく。行進はまっすぐナショナル・ギャラリーを目指していた。

「やめて！」とメアリは叫んだ。「駅に行かなきゃいけないのよ！　どうしても――」

「わかったわかった、その子を離してやってくれ。よしよし、いい子だ」と男の声がしたかと思うと、メアリの体は腰をつかんで持ち上げられ、行進の列からするりと抜けた。さっきの船員とコンガ・ラインの列はなにごともなく彼女の前を通って進んでいく。

「ありがとう」ふりかえって救い主のほうを向いたが、顔もよく見ないうちに――彼が兵士で、聖職者用カラーをつけていることぐらいしかわからなかった――噴水のほうで大きな爆発音が響き渡った。

「ごめん。いまの音の犯人を知ってる気がする」といって、彼は群衆を突っ切って大股に歩き出した。またべつのだれかを救出しにいくらしい。

「だれだか知らないけど、ほんとにありがとう」と背中に声をかけて、メアリはまた地下鉄駅に歩き出した。今度は、広場と通りのなるべく端っこのほうを歩くようにした。

山高帽の男はまだ駅の外に立って、万歳の音頭《おんど》をとっていた。「ダウディング空軍大将に万歳三唱！」と叫ぶ。

いずれ万歳する英雄の名前がタネ切れになりそうだ。そう思いながら、男の前をすり抜けて入口に向かったが、その予想ははずれた。階段を駆け下りるとき、男の叫び声が聞こえた。

「火災監視員に万歳三唱！　ＡＲＰに万歳三唱！　われわれ全員に万歳三唱！　ばんざーい、

ばんざーい、ばんざーい！」

お父さん、わたしたちは二度とお父さんに会えないと思っていました。

——サー・J・M・バリ『あっぱれクライトン』

42　ロンドン　一九四一年冬

ミセス・リケットの下宿では、二週間も保《も》たなかった。もっとも、アルフとビニーは、大家の目から——それと耳から——オウムを隠しておく技術にかけては熟練していることを証明した。ミセス・バスコームは呑み込みが早く、アルフはたった一日で、本物の空襲警報が鳴っているとき以外、サイレンの真似をしてはいけないことと、だれかが鳥かごに近づくたびに「ヒトラーは最低のクソ野郎だ！」と叫ぶのをやめることを教え込んだ。

しかし、不幸なことに、ミセス・バスコームはたまたま耳にしたことをなんでもすぐに覚え込み、それとそっくりの声でくりかえすくせがあった。アルフとビニーがあんなに長いあいだ母親の死を隠し通せたのも、それが理由のひとつだった。

しかし、その技術は同時に、「なにこの生ゴミ。最低の味じゃん」というビニーの声を聞いたと思い込んだミセス・リケットが（のちにアイリーンに語ったところによれば）さては室内で料理しているにちがいないと、合い鍵を使って彼らの部屋に足を踏み入れる事態を招いた。そしてミセス・リケットがかわりに出くわしたのは、ミセス・バスコームのビーズ玉のような目だった。

「心配ねえよ」とオウムはアルフそっくりの声でいった。「ちゃんと隠すから。あのクソばあにはぜったい見つかんねえ」

かくして四人と一羽は下宿を放り出されて住む家をなくし、それから二晩はノッティング・ヒル・ゲート駅に泊まることになった。

このオウムは一座の新しい芝居で使う小道具なんですとポリーが駅員に説明しているとき、たまたまうしろからやってきたサー・ゴドフリーは、「なんたること！　まさか、次の芝居が『宝島』に決まったなどといわんでくれ！」と叫んだ。ミセス・バスコームを見たミス・ラバーナムは、「まあ、『ピーター・パン』にぴったりね！」といった。

「いつまでもここに置いておくわけじゃありませんから」といって、ポリーはだれか空き部屋を知りませんかとたずねたが、だれも知らず、サー・ゴドフリーが貸してくれたタイムズ紙の『貸します』欄にもなにも見つからなかった。

「住んでた人が死んじゃって空き家になってる家が山ほどあるよ」とビニーが提案した。

「どうすれば中に入れるかも知ってるよ」とアルフ。

「死んだ人の家に忍び込んだりしません」

「死んだ人の家ばっかりじゃないよ」ビニーが反論した。「ただ空き家になってる家もあるのに」

「だれの家にも忍び込まないの」

「待って、それで思い出したんだけど」とアイリーン。「レイディ・キャロラインの友だちが、ロンドンの留守宅に住み込んで管理をしてくれる人がなかなか見つからなくて困ってるといってた。いまは空襲のせいで状況はもっと悪くなってるんじゃないかな」

アイリーンは新聞の求人欄に目をやって、「聞いて。『住み込みの管理人求む』住所はブルームズベリ」

翌日、アイリーンは広告に載っていた不動産会社を訪ね、意気揚々とタウンゼンド・ブラザーズにもどってきた。「子供ふたりとオウムがいるんですけどっていったら――」

「そんなことまで話したの？」とポリー。

「うん。そしたら向こうは、『うちで管理している屋敷のうち、この一カ月で空襲の被害に遭ったのが四軒ですよ。子供ふたりとペットくらいじゃ、なにをどうしようが、損害のうちにも入らないでしょう』だって」

それはどうかな、とポリーは思った。相手はホドビン姉弟なんだから。

「家はミルライト・レーン」とアイリーン。「安全な住所？」

それはポリーにもわからない。リストの住所が安全だったのは昨年十二月末までのこと。しかし、すくなくとも大英博物館のそばではないし、ベッドフォード・スクエアの中でもない。それに、ブルームズベリの空襲のほとんどは、たしか秋のあいだだった。

とはいえ、ロンドン市内であることに変わりはない。「アルフとビニーは田舎に連れていったほうがいいと思うけど」とアイリーンにいった。「ロンドンに残った子供たちの統計は調べたでしょ。疎開したほうがずっと安全なのはわかってるはず」

「でも、田舎に引っ越したら、あなたはタウンゼンド・ブラザーズを辞めなきゃいけない。回収チームにどうやって見つけてもらうの？」

　回収チームは来ないのよ。ポリーはそう思いながら、

「前にやったみたいに新聞に広告を出せばいい。行き先を伝えるの」

「ううん。回収チームにとっていちばんの手がかりはオックスフォード・ストリートよ」

「じゃあ、バックベリーに行けばいい。それとも、あたしだけここに残って、あんたたちが行くか——デッドラインがあるのはあたしなんだし。回収チームが来たら、あんたの居場所を教える」

「ううん。ふたりのほうが、見つけてもらうチャンスが倍になる。離ればなれにはならない。いっしょにここにいようよ」

　そして翌日、アイリーンは、不動産業者と話をして、仕事を決めてきたとポリーにいった。

「でも、戦時労働は？」

「不動産管理の仕事とホドビン姉弟のことを話したら、きっと引っ越さなくてもできることを探してくれるはずよ」

　アイリーンのあてがはずれて、ロンドン以外のどこか安全な場所での任務が与えられることを祈っていたが、アイリーンに割り当てられた戦時労働は、将校を車で送迎する婦人国防《AT》

軍の運転手の仕事だった。

すくなくとも、高射砲手として働くよりは安全だ。あるいは、弾薬工場で働くよりも。工場はしばしばルフトヴァッフェの標的になっている。

それに、引っ越し先の家は、空襲の被害に遭わなかったラッセル・スクエアの近くだった。しかし、隣家は瓦礫の山になり、向かいの家は屋根が崩れ落ちていた。「ていうことは、うちは爆撃されないってことだよ」とアルフがいった。

ビニーは訳知り顔でうなずいた。「爆弾はおなじ場所には二度と落ちない」

ポリーはそれが正しくないことを経験から知っていたが、反論はしなかった。ロンドンに安全な場所はどこにもない。でも、すくなくともここは、ひっきりなしに爆撃されていたイースト・エンドではないし、この家には頑丈そうな地下室がある。それにアイリーンとポリー自身の料理も、ミセス・リケットよりはましだった。「でも、だんだん彼女に同情できるような気がしてきた」と、一週間してアイリーンがいった。「一週間に肉一ポンドと卵八個で、どうやって四人家族の食事をつくれっていうの？」

「料理に使う鳥をとってこようか」とビニーがいった。「ここには山ほど鳩がいるから」

「それにリスも」といって、アルフがぱちんこを振りかざした。

このふたりをナチス・ドイツに送り込んで、あたしたちじゃなくてヒトラーの気を狂わせられたらいいのに。もっとも、全体的に見ると、事態は思ったよりうまく進んでいた。子供たちは学校に通っているし、無人の家々は、アルフとビニーに悩まされる隣人がいないことを意味している。それにアイリーンは前よりずっと元気になっているようだ。

「ダンケルクのことを考えてたんだけど」とアイリーンはいった。「マイクの話だと、海岸にすわって待っていた兵士たちは、だれも迎えにきてくれないままドイツ軍の捕虜になると思ってた。彼らは、汽艇や手漕ぎボートや渡し舟が船団を組んで自分たちを迎えにやってくるのを知らなかったのよ。Dデイに海から歩いて上陸した兵士たちも、背後でなにがおこなわれているかを知らなかった。欺瞞作戦とか——なんていうんだっけ？」

「フォーティテュード」

「フォーティテュードのことも」とアイリーンはいった。「フランスのレジスタンスがしていることも、それにウルトラのことも。わたしたちだって、彼らとおなじかもしれない。わたしたちがぜんぜん知らないところで、いろんなことがおこなわれているかもしれない。ダンワージー先生は、いまこの瞬間にも、わたしたちを救出する計画を考えているかもしれない。それとも、もうすでにこっちに向かっているかもしれない」

でも、これはタイムトラベルだ。ポリーはそう思ったが、アイリーンに理解させることはあきらめた。もし回収チームが来るなら、もうとっくに来ている。

「希望を捨てちゃだめ」とアイリーンはいった。「ダンケルクでは、最後にはぜんぶうまくいったんだから」

「けっしてあきらめるな」背後からアルフの声がしてふたりは飛び上がった。

しまった。どこまで聞かれてしまったんだろう。しかし、あわててふりかえると、声の主はオウムだった。

「ごめん」とアイリーン。「アルフとビニーにわたしがいったのよ、『ヒトラーは最低のクソ野郎だ!』のかわりに、なにか愛国的な言葉を教えなさいって」

「壁に耳あり」とミセス・バスコームが金切り声でいった。

「まあ、いまのはたしかにそのとおりね」とポリー。「子供たちの前でしゃべることに気をつけないと」

「くず鉄を寄付しよう」とオウムががなる。「勝利をめざしてがんばれ。みずからの分を尽くせ」

アイリーンは、アルフとビニーをひきとることで、たしかに分を尽くしている。勲章に値する献身だ。でも、彼らの知るだれもがそれぞれの分を尽くしている――教区牧師、ミスター・シムズの火災監視員の仕事を引き継いだミスター・ドーミング、タウンゼンド・ブラザーズに辞表を出して航空輸送補助隊《ATA》に志願したドリーン。

「アーター・ガールになってタイガー・モスを飛ばすんだ」と、ドリーンは誇らしげにいった。

ドリーンとサラ・スタインバーグの退店――サラは英国空軍の飛行経路図操作係《プロッター》として兵役に就くことになった――のおかげで四階は深刻な人手不足に陥ったため、ポリーが職にとどまれるよう、タウンゼンド・ブラザーズが雇用者救済特例を申請しているとミス・スネルグローヴが話してくれた。

アイリーンは大喜びだった。「あなたが戦時労働に就いたら、回収チームがどうやって見つけるだろうとずっとすごく心配だったの」

「ミス・スネルグローヴには、ありがたいけどそのお話は断ってくださいといったの。救助隊に志願するつもり」

「救助隊？　でもどうして？」

あたしにはデッドラインがあって、それが近づくのをただじっと待っていると、気が狂いそうになるからよ。

それと、だれも救出に来てくれないまま瓦礫の下にじっと横たわっていたマージョリーのことをたえず思い出すから。どんな気分かは正確にわかる。ほかのだれかがおなじことを経験すると考えるだけで耐えられない。それに、もしコリンがここにいたら――この時代に囚《とら》われているのがコリンだったら――きっと救助隊に志願するだろう。

そういうことはすべて胸にしまったまま、ポリーはいった。「もし特例が認められなかったら、ほぼまちがいなく、ロンドン市外での任務が与えられることになる。いま志願しなきゃいけないのよ」

「でも、救助隊だなんて。危険すぎる。救急車の運転手になるのはだめなの？　前にやってた仕事でしょ」

「ええ。でも、それだとリスクが大きすぎる。前の現地調査で知り合ったＦＡＮＹの支部に配属されて、パラドックスを引き起こすかもしれないから。それに、救助隊の仕事はそんなに危険じゃない。爆弾が落ちるまで事象現場には行かないのよ。ビニーの話を聞いたでしょ。爆弾はおなじ場所に二度は落ちない」

「でも、回収チームのことは？　どうやって見つけてもらうの？」

「配属される部隊が決まったら、ミス・スネルグローヴに知らせる」

翌朝、ポリーは職場に退職届を出してから、戦時労働斡旋所《あっせんじょ》に赴いた。登録書類を提出して待ち、やがて、鼻眼鏡をかけた厳格そうな女性に名前を呼ばれた。

「ミセス・セントリーです。かけてください」女性は書類から目を上げずにいった。「最後の職は、百貨店の売り子ですね。じゃあ、計算はできるわね。タイピングは？」

イエスと答えたら、ホワイトホールで陸軍省の接収書類をタイプして過ごすことになりそうだ。「いいえ。救助隊に配属されたいと思ってたんですが」

ミセス・セントリーは首を振った。「ものを持ち上げたりする仕事がありますからね。体が細すぎますよ」

「だったら、なにか民間防衛の仕事を」

ミセス・セントリーは鼻眼鏡越しにこちらを見た。「わたしの仕事は、あなたにいちばん合う仕事を見つけることです。結婚は？」

「いいえ」

ミセス・セントリーは、書類の『計算が得意』の下に、『独身』と書き、「パズルは得意？」とたずねた。「アクロスティックとかクロスワードとか、そういう言葉のパズルは？」

しまった。ブレッチリー・パークに送るつもりだ。だから結婚しているかとたずねたんだ。ブレッチリー・パークに行くわけにはいかない。いちばん行くべきじゃない場所だ。

「パズルはぜんぜん得意じゃないんです。それに、ほんとは計算もできなくて。タウンゼンド・ブラザーズの上司はいつもわたしの売上伝票を訂正してました。それに、結婚はしてませんが、被保護者がいます。従妹といっしょに、ふたりの戦争孤児を育てています」

「子供たちの年齢は？」

ブレッチリー・パークに行かずに済むには、何歳と答えればいいんだろう。ポリーは年齢について嘘をつくべきかどうか逡巡したが、ミセス・セントリーは確認をとりそうなタイプに見える。

「アルフは七歳、ビニーは十二歳です」とポリーはいった。「母親は空襲で亡くなりました」

ほんとうのことをいったのは正解だった。ミセス・セントリーは疑り深げな視線をこちらに投げ、「あなたのお名前はなんといいましたっけ？」

しまった、彼女はアルフとビニーのことを知っている。地下鉄駅でハンドバッグを盗まれそうになったのかも。

「ポリー・セバスチャンです」

「セバスチャン」ミセス・セントリーは考え込むような顔で、「あなたの顔に見覚えがあるのだけれど。どこかで会ったことがあったかしら」

スティーヴン・ラングの再来か。FANY隊員のあたしを知られていたらどうしよう。ミセス・セントリーの顔に見覚えはないが、でも……。

でもいまは一九四四年じゃない。前の現地調査で出会ったとしても、それはまだ起きていない。

「たしかにどこかで会った気がするの」とミセス・セントリーはなおも言い募る。「でもどこだったか……たしかクリスマスの……」

「タウンゼンド・ブラザーズにクリスマスの買い物でいらっしゃったときとか？」と煙幕を張った。

「いいえ、買い物はいつもハロッズだから。たしか、芝居に関係したことのような……」

思い出そうとするように眉間にしわを寄せた。

ミセス・セントリーが思い出す前に仕事を斡旋してもらわなければ。シオドアが「帰りたくない！」と叫んでいたのを思い出したら、ポリーが母親として不適格であるという結論を下して、やっぱりブレッチリー・パークに送ろうとするかもしれない。「ARP支部か高射砲手に配属していただければ――」

「どこで見たのかわかった。地下鉄のピカデリー・サーカス駅でやってたお芝居。『クリスマス・キャロル』。さっき『高射砲』っていったときに思い出したのよ。高射砲の音がうるさくて、あなたは大声を張り上げてたって。スクルージのむかしの恋人役じゃなかった?」

「はい」すくなくとも児童劇《パントマイム》じゃなくてひと安心だ。

「とにかくすばらしかった」いまのミセス・セントリーは、鼻眼鏡越しに、厳しい表情どころか満面の笑みを浮かべている。「あのお芝居がどんなにありがたかったことか。戦争やなにかですっかり暗い気分だったけど、あれを見て、娘時代のクリスマスのことを思い出したの——家族みんなが煖炉《だんろ》のまわりに集まってディケンズを読んだものだった。戦争が終わったらまたああいうクリスマスがもどってくるんだっていう希望を持つことができた。だから、そういう未来が来るように分を尽くそうと決心したのよ。履歴書にどうして女優だって書かなかったの?」

「女優なんかじゃありません。あれはただのアマチュア劇団で。地下鉄駅で上演はしてますが、本物の芝居では——」

しかし、ミセス・セントリーは聞いていなかった。「あなたにぴったりの仕事があるわ。待ってて」立ち上がり、ファイル・キャビネットに急ぎ足で歩み寄ると、一枚の紙をとりだし、急いでもどってきた。「完璧よ。家族といっしょにロンドンにいられるし。住所だけ書いて渡すから待ってて」といって、一枚のカードに活字体でENSAと書いた。

ENSAとはエンターテインメンツ・ナショナル・サービス・アソシエーション(慰安奉仕会)の略で、兵士のためにショーやミュージカルのレビューを上演する団体だ。

ミセス・セントリーは住所を手渡して、「アルハンブラ劇場に行って、ミスター・タビットのところに出頭して。シャフツベリー・アベニューのすぐ先で、フェニックス座の近くよ」

フェニックス座は例のクリスマス児童劇《パントマイム》が上演された劇場だ。

「あなたをどこで見たか思い出してほんとによかった。もしあなたがピカデリー・サーカスであの役を演じてなかったら……」

そうしたら、劇場ではなく、ARP支部の住所をもらって出頭できていたのに。ポリーはうんざりする思いだった。

しかし、ミセス・セントリーを説得して考えを変えさせようとしても無駄だ。表情からして、すっかり自己満足に浸っている。また出直して、べつの担当者に相談するしかない。それまでは、タビット氏に気に入られないことを祈ろう。

どのみち、気に入ってくれるとは思えない。ENSAの舞台は演劇ではなくミュージカル・レビューだし、あたしは歌も踊りもできないのだから。しかし、そのことをタビット氏──救助隊の隊員かと思うような、屈強な大男だった──に話すと、彼はいった。「うちのキャストも全員だめだよ」

ポリーが訪ねたときは稽古の最中で、両手を腰に当ててステージに立っていたコーラス・ガールたちは、タビット氏のその言葉を聞くと、あざけるように囃《はや》したて、中のひとり──黒のカーリー・ヘア──はいった。「あたしたちは名前に恥じないパフォーマンスを心がけてるだけだよ。ENSA──毎晩なにかひどいもの《エヴリ・ナイト・サムシング・オーフル》」

タビット氏は彼女を無視して、「プロフェッショナルの舞台経験はどの程度？」

「ゼロです。さっきもいったように、これはまちがいなんです。ARP支部に配属されるはずだったのに」

「ここはARPよりずっと危険だよ」とカーリー・ヘアのコーラス・ガールがいった。「こないだの晩、『驚異のアンティオキア』のステージで観客が蕪《かぶ》を投げてきたんだ」

「蕪？」とべつのコーラス・ガールが訊き返した。

「ほら、だれもトマトを無駄にしたくないんだよ」とカーリー・ヘアが説明し、またべつのコーラス・ガールが、「いつも思ってるんだけど、なにかいいもの投げてくれないかな。オレンジとか」

「食糧配給切符とか」

「五分休憩」タビット氏がぴしゃりといい、コーラス・ガールたちはステージをだらだら降りてきた。

「失礼」タビット氏はポリーに向き直って、「まちがいがどうとかいってたね」

「ええ。ARPに配属されるはずだったんです。斡旋所に電話して、わたしは使えないとミセス・セントリーに伝えていただければ、きっと——」

「使えないとだれがいった？　きみは台詞《せりふ》を覚えられるだろう。スカートを持ち上げて」

「はい？」

「スカートを持ち上げて。脚が見たい」

「でも——」

「オールドミスの小姑《こじゅうと》みたいな反応はやめてくれ。ここはウィンドミル劇場じゃない。服を脱げといってるわけじゃないんだ。さあ」とスカートをたくしあげるように身振りをする。「見せてくれ」

ポリーはスカートをひざまで、それから太腿までひっぱりあげた。タビット氏は短くうなずき、それから「ハッティ！」と大声で呼んだ。カーリー・ヘアのコーラス・ガールがサンドイッチを頰張りながらステージにもどってきた。「彼女を楽屋に連れていって、ARP監視員の衣裳のサイズが合うかどうか見てやってくれ。着られるようなら、またここに連れてこい。寸劇《スキット》の通し稽古をやる」

ハッティがうなずいた。

「さあ、行ってくれ」とポリーに向かっていった。「ARPに配属されるはずだったんだろ。これでARP監視員だ」

ハッティに向き直り、その手からサンドイッチをひったくって、「それと、おまえの衣裳も彼女に試着させろ。そんな調子で食ってるとすぐに入らなくなるだろうからな」

「わあ、その台詞、すごく気が利いてる。ショーに使ったほうがいいよ」といってハッティはポリーを連れ、舞台の袖に向かった。

「それと、規則を教えろ！」タビット氏がうしろから声をかけた。

「楽屋では禁酒、禁煙——これは消防法ね」ハッティはポリーを先導して、ロープや迫《せ》り出しの障害物コースを歩きながらいった。「ペットの持ち込み禁止」

ミセス・リケットの下宿みたいだ。そう思いながら、ハッティのあとについて、ぐらぐらしそうな鉄の螺旋《らせん》階段を降りていく。

「男性ファンを自分の楽屋に入れるのも禁止。これは自分専用の楽屋があればの話で、あんたの楽屋は、リジー、コーラ、あたしと共同」

ハッティがドアを開けて、メイク用の鏡が一枚だけある雑然としたせまい部屋を見せ、またドアを閉めると、廊下の先の、衣裳がぎっしり詰まったさらにせまい部屋へと導いた。

衣裳の山をかきまわして、ヘルメットとARPの腕章とスパンコールがついた濃紺の水着をとりだした。「さあ、着てみて」

「これがARP監視員の衣裳？」

「ええ。着るとき気をつけてね。そのスパンコールはあたしがぜんぶ縫いつけたんだから。あんた、ひょっとして裁縫ができたりする？」

「できない。演技もできないの。タビットさんにもいったけど、まちがいなのよ。あたし、ほんとは――」

「ARPに行くはずだったんでしょ」ハッティは水着を突きつけ、「さあ、試してみて」

ポリーはスカートを脱ぎ、水着に体を押し込んだ。

「ぴったりね」とハッティが宣言した。「その脚なら、お客が蕪を投げてくる心配もない。タビットはきっとあんたを手放さないわよ」

失望が顔に出てしまったらしく、ハッティは、「個人的にはまったく理解できないけど」と言葉を継いだ。「もし、芝居じゃなくて本物の防空監視員になりたいんなら、その衣裳を着たところをタビットが見る前に斡旋所に行ったほうがいいよ。その姿を見たら、タビットはすぐさまあんたの名前をポスターに入れるから。そしたら、この紙不足のご時世、ぜったい抜けられない。当分はENSAにいることになる」

ブレッチリー・パークとおなじだ。

「衣裳直しと、台詞を覚えるのに、いったん帰宅してもらったといっとくから」とハッティが台本を手渡し、「それに、あした午後三時のリハーサルに来る予定だ、って」

「ありがとう」ポリーはコスチュームを脱ぎ、そそくさと自分の服を着た。「ものすごく助かりました」

楽屋口から急いで外に出ると、斡旋所にひきかえした。ミセス・セントリーが勤務を交替していることを祈っていたが、まだ彼女がいた。あしたの朝早く出直すしかない。

「それで？」ポリーが帰宅すると、アイリーンがたずねた。「救助隊に配属された？」

「ううん。配属先はENSA。軍隊のためにショーを上演するところ」

「歌って踊って、ってこと？」とアルフ。

「ええ」

「できんの？」とビニー。

「できない。でも、それは問題じゃないみたいね」

「軍隊の慰問にエジプトへ行ったりとかしなくてもいいんでしょ？」アイリーンが心配そうにたずねた。

「もちろん。ロンドンのアルハンブラ劇場で舞台に立つの」

「よかった」アイリーンはほっとしたようにいった。そして、ポリーとふたりきりになるなり、「アルハンブラは爆撃されてないんでしょ？」

「ええ」と答えたものの、確信はなかった。上演中に爆撃された劇場がひとつもないことは知っているが、舞台の前後や稽古中に被害に遭った可能性は残るし、アルハンブラは火事になるとおそろしく危険そうだ。

しかし、アイリーンにそれをいうつもりはなかった。「まだ本決まりじゃないの。かわりにＡＲＰ支部に配属されるかもしれないし」

そうなるべく手配するために翌朝早く戦時労働斡旋所に行った。さいわい、ミセス・セントリーの姿はなかった。いちばん同情してくれそうな人を選んで相談したが、すべての職業の重要性に関するまったく同情的ではない説教――「それぞれの仕事は、どんなにささやかでも、どんなにつまらなく思えても、戦争協力にとって重要な意味があるんです」――と、ＡＲＰ支部への再配属は不可能だという言葉だった。「部隊司令官からの認可があればべつですが。でも、ないんですよね」

いまのところは。ポリーはブルームズベリとオックスフォード・ストリートとケンジントンのすべてのＡＲＰ支部をまわった。しかしどこも、「いまのところ欠員なし」だった。

「もしかしたら半年後には」とノッティング・ヒル支部の監視員はいった。

ロンドン大空襲はあと四カ月で終わるのに。いらいらしながらそう思って、部隊司令官に会わせてほしいと掛け合った。

「三時までもどりません」と監視員は答えた。

しかし、三時にはリハーサルに行かなければならない。すでに一時を過ぎてる。受け入れてくれる支部を見つける時間的猶予は二時間。支部から支部へとしらみつぶしにあたっている余裕はない。どの支部なら欠員があるか知っていそうな人と話をしないと。だれかそういう人が——

セント・ポール大聖堂のハンフリーズ氏だ。彼なら、あのあたりの民間防衛関係者を全員知っているだろう。もしかしたら、そのうちのだれかに口ぞえしてくれるかもしれない。

急ぎ足で地下鉄駅に向かい、電車でセント・ポールへ行くと、駅の階段を駆け上がって、坂道を大聖堂へと急いだ。

そしてまた茫然とした。ここを訪れるのはマイクの告別式以来だった。そのあいだに、作業員がパタノスター・ロウとニューゲートとカーター・レーンの焼け跡をきれいにかたづけてしまい、平坦な灰色の荒地にセント・ポール大聖堂だけがぽつんと建っている。

「ピンポイント爆弾が爆発したみたい」ポリーは通りを急ぎながら口の中でつぶやき、ふとオックスフォードのことを思い出した。あのときもこんなふうだったんだろうか。

「気をつけて」女性の声がいい、ポリーは空軍婦人補助部隊《WAAF》の制服を着た女性と衝突する直前で、はっと我に返った。

「すみません」といって脇に寄り、坂を登りつづけた。中庭を走り抜け、階段を上がり、大聖堂の中に入った。

案内デスクにも南の側廊にもだれもいなかった。ハンフリーズ氏がきょうは非番だったら？　不安にかられて身廊を歩き出したが、彼は北の袖廊《そでろう》にいた。フォークナー大佐記念碑を囲う山積みの砂嚢《さのう》の前に、三人の水兵といっしょに立っている。

「英国海軍の一員なら、きっと興味がおありでしょう」とハンフリーズ氏はいったが、水兵たちの表情からはなんの興味もうかがえない。退屈し、おちつきがないようすだった。「フォークナー大佐は、わが国でもっとも偉大な海の英雄のひとりです。もっとも、サー・フランシス・ドレイクやネルソン卿ほどには知られていませんが。彼は――」

「ハンフリーズさん」ポリーは急ぎ足で歩み寄った。「お邪魔してすみませんが、折り入って――」

「ミス・セバスチャン」と身振りの途中でこちらを向き、「おいでになればいいのにとずっと思っていました。きょういらっしゃるとは、なんと思いがけない僥倖《ぎょうこう》」

水兵たちのほうに向き直り、「みなさん、ちょっと失礼します。こちらのミス・セバスチャンと話があるものですから。すぐもどります」といって、ポリーをドームのほうにひっぱっていった。

「会わせたい人がいるんですよ」と聖歌隊席に導き、「あなたとおなじく、『世の光』の大ファンで。何時間も何時間も、じっと絵を見ているんです」

「あいにくきょうはあまり時間がなくて――」と口を開いたが、ハンフリーズ氏は聞いていない。

「さっき身廊にいたとき、こっちに歩いてくるところを見ました」ハンフリーズ氏はポリーを後陣に導いた。祭壇は修理のために囲われている。「おやおや」はしごや足場を見まわして、「いませんね。さっきたしかに――」

「ハンフリーズさん、折り入ってお願いしたいことがあるんです」とポリーは口をはさんだ。「わたしがＡＲＰ監視員として採用されるのに手を貸していただけないでしょうか」

「ＡＲＰ監視員？　若い女性の仕事ではありませんよ」と、まだあてもなくあたりを見まわしながらハンフリーズ氏はいった。「空襲を相手にする、汚い、危険な仕事です。それにひと晩じゅう、冬の寒さにさらされる。風邪を引いて死んでしまいますよ」

なにをしようと、どうせ死んでしまうのよ。

「防空監視員の仕事の危険は、火災監視員と変わらないでしょう」と反論したが、ハンフリーズ氏はまだ、ポリーに会わせたいという人物を捜している。

「まだ中にいてくれるといいんですが」気を揉むようにいいながら、聖歌隊席の通路を引き返す。「ぜひとも会ってほしいんです。あなたのことはくわしく話しましたから。とても素敵な紳士ですよ。『世の光』をはじめて見たとき、彼がなんといったと思います？　『なんでも許してくれそうに見えますね』ですよ。あの絵に人々がなにを見るか、じつにおもしろい。見るたびに違うものが――」

「防空監視員でなければ、なにか民間防衛の仕事を――」

「ホッブさんは――紹介したいと思っている方ですが――病院から退院されたばかりなんです」南の袖廊の暗い奥のほうに目を凝らし、「かなりたいへんな経験をされたようで。爆風で頭を負傷して、まだ完全には恢復《かいふく》していません。ちょっと北の袖廊を見てみましょう」といったが、ホッブ氏がそちらにいるとは思えない――ふたりはいま、そっちのほうから歩いてきたところだ。

水兵たちも姿を消していた。チャンスだとばかりに逃げ出したのだろう。

「ホッブさんは、『世の光』とほとんどおなじくらい、フォークナー大佐記念碑のことがお気に入りなんですよ」といったが、それは疑わしい。もしかして、ホッブ氏も逃げ出してしまったんだろうか。

「先週、空襲警報が鳴ったあと、彼を見つけたんです」ハンフリーズ氏は委細かまわず先をつづけた。「柱にもたれて腰を下ろし、フォークナー大佐像を見ていました」

砂嚢に囲われているんだから、それは不可能だ。

「フォークナー大佐が二隻の船を結わえつけた話をしようとしたら、ホッブ氏はそれをご存じでした。『二隻を縛って一隻にしたんだ』といって――」

「ホッブ氏は家に帰ってしまったみたいですね」とポリー。「わたしも行かないと。民間防衛隊に配属してもらうために話ができる方をもしどなたかご存じでしたら――」

「しかし、家には帰れないんですよ。家がないんだと思います。負傷することになった爆撃で、破壊されてしまったんでしょう。あれ以来、何度か、夜ここにいるのを見ましたから」

「夜？」

「ええ。最初の夜、火災監視員のだれかに家まで送らせようと思って——ホッブさんの体の具合がよくなくて、灯火管制下にひとりで出歩かせたくなかったもので——家《ホーム》はどこですかと聞いたら、『存在しません』と答えたんです」

「存在——？」

「ええ。おそろしいことですよね。この寒空に空襲で家を失い、防空壕に身を寄せるしか——」

「毎日来ているとおっしゃいましたね」とポリー。「いつからですか？」

「数週間になります」ハンフリーズ氏はドームのほうへ引き返しながら、「はじめて来たのは新年のちょっと前でした。どうやら、きょうはタッチの差ですれ違いになったようですね。残念です。ぜひとも引き合わせたかったのに——」

「どんな外見ですか？」

「外見？　年齢はわたしと同年配か、ちょっと上くらい。長身で、痩せて、眼鏡をかけています。校長先生だったんじゃないかと思いますね。セント・ポール大聖堂の歴史についてなにもかもご存じなんですよ。見るからに、なにか悩みを抱えているようで。ご家族を空襲で亡くされたのかもしれません。すごくさびしそうですから。それも、あなたをご紹介したい理由のひとつです。あなたが『世の光』にご興味をお持ちになっていることが、彼を元気づける――」

ハンフリーズ氏は唐突に立ち止まった。「どこにいるかわかりました。彼はいつも、ここを出る前に『世の光』を見ていくんです」そういって身廊を歩き出したが、ポリーはすでに彼を追い越して、まだいてくれることを祈りながら南の側廊へと走り出していた。

まだいた。絵の正面に佇《たたず》み、両手に帽子を持ち、疲れたようにがっくり肩を落として、茨の冠をいただくキリストの顔を見つめている。

「見るたびに違うものが見える」とハンフリーズ氏はいったけれど、そのとおりだった。今回、キリストの顔には退屈も怯えもなく、彼らふたりに対するかぎりない憐れみの情を浮かべていた。

ポリーは前に進み出て、片手をダンワージー先生の袖の上に置いた。

「もうだいじょうぶです」といって、ポリーは泣き出した。

「でも――なぜ殺人をやったのかわからない――
そのとおりですか、どうですか？」

――アガサ・クリスティー『ABC殺人事件』（堀内静子訳／クリスティー文庫）

43 ロンドン　一九四一年冬

『世の光』の前に立つダンワージー先生を見て、ポリーは一瞬、人違いだったと思った。あの夜、大聖堂の外で先生を見たと思ったけれど、それが他人の空似だとわかったときのように。

彼は、ポリーの知っているダンワージー先生よりずっと年老いて見えた。それに、身につけているみすぼらしいコートや古ぼけた帽子には、衣裳部のストックがついぞ出せない本物らしさがある。それに、ひどく疲れて見えた。ハンフリーズ氏は、彼が〝悩みを抱え〟て〝具合が悪そう〟に見えるといったが、それよりはるかにひどい状態だった。憔悴《しょうすい》し、うちひしがれているように見える。ダンワージー先生は、生まれてこのかた、なにかにうち負かされたことなど一度もないのに。

しかしポリーは、彼の顔を見もしないうちから、それがダンワージー先生だとわかっていた――なお悪いことに、あの夜、大聖堂のドームを見上げているところを目撃した男も、やはりダンワージー先生その人だった。そして彼があんなにうちひしがれ……うちのめされて見えたのは、先生もまた、ポリーやアイリーンとおなじようにこの時代に囚われ、なすすべもないからだ。救出者としてやってきたのではない。彼もまた、難破した仲間だった。

けれど、先生がここにいるという事実だけをとりだしてみれば、オックスフォードがすくなくともまだ存在していることを意味している。彼らが歴史を変えたせいで、戦争に負けてしまったわけではない。オックスフォードがなんらかの災厄で壊滅したわけでもない。向こうにいるみんなが死んでしまったわけではなかった。そして、たとえダンワージー先生まで難破したのだとしても、彼はここにいるのだし、先生に会えたことがうれしかった。

「先生に会えてほんとうに――」と口を開くと、ダンワージー先生がこちらを向いてポリーを見たが、その顔には驚きも喜びもなく、ポリーが歩み寄るとずるずるあとずさって、背中が『世の光』にどしんとぶつかった。

ああ、どうしよう。ハンフリーズ氏の話では、先生は爆風で頭を負傷して入院したらしい。脳に損傷があったんだろうか。あの夜、あたしと目が合っても気がつかなかったのは、そしていま、こんなに怯えた顔をしているのは、そのせいだろうか。あたしのことがわからないから？

「ダンワージー先生？」ハンフリーズ氏がいつ追いついてもおかしくないので、ポリーはそっと呼びかけた。「わたしです……」

「ポリー」とダンワージー先生がつぶやいた。「ほんとうにきみなんだな？　夢じゃなく？　病院で何度か思ったよ。なにもかもが――オックスフォードも、タイムトラベルも、きみのことも――ただの夢だったんじゃないかと」

「違います。それにわたしはほんとうにここにいます。アイリーン――メロピーもいます。先生に会えたらきっとすごく喜ぶわ。すばらしい！」ダンワージー先生の体を抱きしめようと歩み寄った。

「いや」といって、先生は両手を上げてポリーを押しとどめた。「すばらしくない。もしきみが――」

「いいんです。降下点が作動していないことはもうわかってます。マイクルが――」かろうじて間に合って口をつぐんだ。いずれマイクルの死を告げなければならないが、それはもっとあとだ。いまのダンワージー先生は、とてもその知らせに耐えられそうにない。

「わたしたちがここに置き去りになっているのはわかっています」とかわりにいったが、先生はかぶりを振っている。

「きみにはわかっていない」ダンワージー先生が荒々しくいった。「ポリー」といいかけたが、伝えるに忍びないというように口をつぐんだ。この時代を脱出できないと知ること以上に悪いことだなんて、いったいなにがありうるだろう。先生がこんな表情になるような……。

ああ、どうしよう。コリンだ。コリンがダンワージー先生といっしょに抜けてきたんだ。先生を説き伏せてついてきた。それとも、十二歳のときにやったように、先生の目をかすめて、最後の瞬間、ネットに飛び込んだか。なんにしろ、ふたりともここにやってきて、ふたりとも爆風に吹き飛ばされた。そして、ダンワージー先生がひとりでここにいるという事実が——二十九日にセント・ポール大聖堂にひとりで来たという事実が——意味することはひとつしかない。

「コリンが——?」

「おお、なんとまあ」ハンフリーズ氏がそそくさとやってきて、「ふたりはお知り合いでしたか。なんとしあわせな偶然でしょう! ふたりを引き合わせるべきだという考えは、きっとまちがいじゃないと思っていました」晴れやかな笑みを双方に向け、「しかし、お知り合いだとは思いもしませんでした。ミス・セバスチャンとはどういう関係なんですか、ホッブさん?」

「学校時代の先生なんです」ポリーはダンワージー先生が答えずに済むように口をはさんだ。「ホッブさんは学校の先生じゃないかと思いますと、ミス・セバスチャンに話していたんですよ」ハンフリーズ氏がうれしそうにいった。「セント・ポール大聖堂のことをほんとうによく——」

「そして、ハンフリーズさんのおっしゃったとおりでした」とポリー。「ほんとうにありがとうございました。わたしたちふたりを引き合わせてくださって。それに、こうして見学するチャンスを与えてくださって」と言外の意味を汲んでくれることに期待してつけ加えたが、ハンフリーズ氏は気づくようすもなかった。

「教科はなんだったんですか、ホッブさん」とハンフリーズ氏。

「歴史です」とポリー。

「やっぱり！　ホッブさんは歴史のことをなんでもご存じだと、さっき申し上げたでしょう、ミス・セバスチャン」ダンワージー先生の顔がこわばった。「思ったとおり、あなたはやっぱり歴史家《ヒストリアン》だった」

やめさせなければ。どうにかしてダンワージー先生を連れ出さなければ。

「ハンフリーズさん、もしかしてホッブさんがお疲れなんじゃないかと……」ポリーはダンワージー先生の腕をとって、「退院なさったばかりでしょう。よろしければ――」

わたしが家までお送りしますというつもりだったが、ハンフリーズ氏の反応のほうが早かった。「ああ、もちろんですとも。これはわたしの考えが足りませんでした。すぐに椅子をとってきます」といって、身廊のほうに急ぎ足で歩いていった。

彼が声の届く範囲を出るなり、ポリーはいった。「ダンワージー先生、コリンなんでしょう？　コリンがいっしょに来たんじゃないですか」

「コリン？　いや、コリンが来ることなど許すものか」

安堵感のあまり、ひざの力が抜け、柱に片手を当てて体を支えなければならなかった。

「可能なかぎり早くきみを連れ出したかった。ずれが急激に増大して、デッドラインまでここに囚われたままになるんじゃないかと不安だった」

「でも、それだったら、どうして九月に来なかったんですか？」

「そうしたとも。しかし、ずれのせいで十二月に抜けたんだ」

三カ月のずれ。ということは、降下点が開かなかったのは、やっぱりずれのためで、ロンドン大空襲の最初の二、三カ月はまるごと分岐点だったのかもしれない。そして、十二月二十九日が過ぎたいま……。

しかし、ずれだけの問題なら、ダンワージー先生はすべての希望を失ったような、こんな顔はしていないだろう。爆風で降下点が破壊されたのでないかぎり。

「先生の降下点はどこなんです？」と訊いてから、ハンフリーズ氏の話を思い出した。ダンワージー先生は北の袖廊を何度も訪ねてきたという。「ここなんですね？　セント・ポールの中？　だから毎日ここに来る。降下点が開くのを待って」

ダンワージー先生は首を振った。「開かない」

「どういう意味です？」

おそろしい予感がポリーをうちのめした。先生は前にもロンドン大空襲《ブリッツ》に来たことがある。もしそれが今年の二月だったら？　「ダンワージー先生」と切迫した口調でたずねた。「前はいつここへ？」

「さあ、どうぞここへ」木製の折り畳み椅子を運んできたハンフリーズ氏が、ガタンと音をたてて椅子を開き、絵の正面に置いて、「すわってください」とダンワージー先生の腕をとる。

ダンワージー先生は椅子にどっかりと身を沈めた。その動きはいかにも苦しげで、体はひどくかよわそうに見える。デッドラインの直前になったら爆弾かその破片で命を落とすんだろうと思っていたけれど、パラドックスを生み出すかもしれない人間を連続体が消去する方法は他にもある――負傷後の合併症とか、肺炎とか。

「もっと早く気づくべきでした」とハンフリーズ氏が話している。「ここにはいつも椅子を置いておいたほうがいい。お客さんがゆっくりすわって『世の光』を眺められるように」うれしそうな視線を絵に投げて、「何秒か見れば理解できるという絵ではありませんからね。時間が必要だ」

「時間」とダンワージー先生が、苦い口調でいった。

ああ、どうしよう。先生にもデッドラインがあるんだ。

「ミス・セバスチャン、ご自分も『世の光』の愛好者仲間だということはもうホッブさんに伝えました？」とハンフリーズ氏が明るくたずねた。「だからおふたりを引き合わせたかったんですよ、ホッブさん。セント・ポールにこの絵を残すべきだと言い張ったのはやっぱり正しかった。たとえ複製であってもね。『これはここにあるべき絵なんです』とマシューズ首席牧師にいったんですよ。『大聖堂を訪ねてきた人がこの絵を見ることで、どんないい結果が生まれることか』と。そうしたら、どうです。おふたりがこうして巡り会えた。まさに、不可思議な神の御業で――」

そのとき、身廊の向こうから話し声が響き、ハンフリーズ氏は口をつぐんでそちらに目をやった。さっき北の袖廊にいた三人の水兵が、煉瓦で囲われたウェリントン記念碑を眺めている。

「おやおや、帰ってしまったわけではなかったのか」とハンフリーズ氏。「ちょっと失礼して、あの方々と話をしてきます。フォークナー大佐の話が途中だったので」

ハンフリーズ氏はそそくさと歩いていった。ポリーはダンワージー先生の正面にひざまずいた。「前のときは、いつロンドン大空襲に？」

「十七歳のときだ。そのあと、もう一度は――」

「いえ、そうじゃなくて、日付。ここで観察していたときの日付はいつでした？」

「十月と十一月、それに五月」

「それでぜんぶ？」

「いや」ダンワージー先生の表情から、それが悪い知らせなんだとわかった。

ああ、どうしよう。

「九月十七日」

しかし、その日付も、十月も十一月も、安全な過去に属している。あたしがダリッジに行ったときのように、五月の大空襲を観察するお膳立てを整えるため、早めにこの時代に来たんだろうか。「大空襲の最後を調査するためにこちらに抜けてきたのはいつ？」

「五月一日だ」

「こっちに来たのはその三回だけ？　二月や三月や四月は？」

ダンワージー先生は首を振った。

やれやれ。あした来ているといわれるんじゃないかと心配だった。それとも今夜とか。五月というのはじゅうぶんおそろしいけれど、それでもまだ三ヵ月ある。もし問題がずれだけなら……。

「心配ないわ。そのときまでには降下点のどれかが開くから。アイリーンのか、わたしのか、ハムステッド・ヒースのか。それに、なにが問題なのかをもし先生が知ってるなら……知ってるんですよね」

「ああ」と気怠《けだる》げに答えた。「なにが問題なのかはわかっている。ほかのことであってくればいいと、ずっと願っていたが。十二月に抜けたとわかったときは、もしかしたらだいじょうぶかもしれないとまだ思っていた。きみがつつがなく現地調査を終えてオックスフォードにもどったんじゃないかと。しかし、セント・ポール大聖堂できみの姿を見たとき――」

「わたしも先生を見ました」とポリーはいったが、先生はそれが聞こえなかったかのように話をつづけた。

「――そして、その翌朝、大聖堂前の階段にすわっているきみたち三人を見たとき、もしかしたら彼が正しかったんじゃないかと思った」

「メロピーとマイクルとわたしを見たんですか？」頭が混乱していた。気づいていたのなら、先生はどうして近づいてこなかったんだろう。それに、彼ってだれ？　正しかったんじゃないかって、なにが？

理解できないことがたくさんあるのは明白だが、いまは根掘り葉掘り質問している場合ではない。ダンワージー先生は消耗し、具合が悪そうだ。顔は寒さにこわばり、体が震えはじめている。しかも、ハンフリーズ氏の話では、先生は昼からずっとここにいるらしい。退院したばかりなのに、こんな寒い日に、こんな底冷えのする場所にいていいわけがない。すでに一度、意識不明になったんだから。『世の光』のランタンも、金橙色《きんだいだい》の輝きにもかかわらず、すこしも体をあたためてはくれない。家に連れ帰って、本物の火であたたまってもらわなければ。

「ダンワージー先生。いっしょにここを出て――」

「それから、マイクルのことだ。彼が死んだと知ったときに確信した。ポリー、ほんとうにすまない」

「先生があやまることはなにもありません。先生のせいじゃないんですから」とポリーは短くいった。「とにかく、こんな寒いところにいてはだめ」

先生の両手を両手で包み込んだ。氷のように冷たい。「いっしょに帰りましょう。それから――」

先生は苦い笑い声でポリーの言葉を断ち切った。「帰るのか」

「こっちの家にです。ブルームズベリの、メロピーといっしょに住んでる家に」いったいどうしたら先生を連れて帰れるだろう。タクシーがベストだが、持ち合わせが足りない。家に着いたらタクシーに先生を待たせて、中に入ってお金をとってくることはできる。でも、かなりの金額になる。防空監視員として実際に採用されるまで、なるべく節約を心がけたほうが……

そのときようやく、アルハンブラ劇場の三時の稽古に行くとハッティに約束していたことを思い出した。ダンワージー先生がここにいることで事情がすっかり変わってしまったけれど、それでもハッティには借りがある。行けないなら行けないで、そのことをちゃんと伝えなければ。家に帰るとしたら、ゆうに五時は過ぎてしまう。なんとか先生といっしょに地下鉄駅まで行って、そこから電話しよう。

「来てください」とポリーはいった。「メロピーとふたりで、熱くておいしいお茶と夕食をふるまいますから」

ダンワージー先生は首を振った。「きみにいわなければならないことがある」

「それは家に着いてから」ポリーは子供にするように先生のコートのボタンを留め、手を貸して立たせた。「行かないと。もうすぐサイレンが鳴ります。空襲に捕まる前に出ましょう」

先生はまた首を振った。「今夜の空襲は真夜中過ぎだ。ウォッピング上空」

先生は空襲の時間と場所を知っている。助かった。これでもう、自宅やアルフとビニーの学校が吹き飛ばされる心配をしないで済む。未来を見分けがつかないほど変えてしまう心配も、戦争に負ける心配も。残る唯一の心配は、先生をどうやって家に連れ帰るかだ。

「それでもやっぱり帰らないと。灯火管制のなか、外にいたくないですから」といって腕をとったが、先生はまだ『世の光』を見つめている。「ダンワージー先生――」

「けっして開かない」といって、先生はまた椅子に身を沈めた。

ハンフリーズさんがここにいて手を貸してくれたらいいのに。しかし、もどってくる気配はない。「すぐもどります」といって、北の袖廊に急いだが、袖廊にも身廊にも聖堂番の姿はなかった。水兵たちを連れて、囁きの回廊に上がったにちがいない。ポリーは急いで引き返した。

ダンワージー先生は姿を消していた。

ポリーは南の側廊を走った。

先生は扉の近くまで達していた。「どこへ行くんです？」とたずねたが、答えは明らかだった。ポリーがいないあいだに、こっそり逃げ出そうとしていたのだ。

思っていたよりずっと具合が悪いんだ。もしかしたら、病院に連れていくべきかもしれない。

しかし、本人が絶対うんといわないだろう。すでに、重い扉を押し開けてポーチに出ようとしている。外は雨だった。こんな天候のもとで歩かせるわけにはいかない。地下鉄駅までのほんの短い距離でも。タクシーに乗らないと。

「ここにいて」と命令した。「タクシーを呼んできます」しかし、先生はすでに階段を降りはじめている。「雨ですよ」止めようと腕をつかんだ。「ポーチにもどってください」

「いや」先生はふるえながらいった。「きみが知らないことがある」

「家に帰ってから聞きます」

「莫迦《ばか》なことといわないでください。話は道々うかがいますから」

「いや。この話を聞いたら、きみはきっとわたしを家に入れたくないと――」

「そんなこと思うわけないでしょう」ほんとうにようすがおかしい。

「いや、いまだ」ダンワージー先生が咳き込んだ。

「わかりました」と急いでいう。「でも、こんな冷たい雨の中で立ち話をするわけにはいかない。どこかあたたかい場所を見つけないと。先生が住んでいる場所は近くですか？」

先生は答えなかった。住所を知られたくないらしい。自分のことを見つけてほしくないと思っている。ということは、チャンスがあればまた逃げようとするだろう。そのチャンスを与えずに、どこかあたたかい場所に連れていく必要がある。

しかし、パタノスター・ロウ沿いの店はすべて二十九日の夜に焼け落ちている。あの最初の日曜、セント・ポール大聖堂からの帰り道に、ニューゲートのそばでパブを一軒見かけた覚えがある。あの店がまだ残っていればいいのだが。

店はまだあった。しかも、火事と悪天候のおかげで商売は上がったりと見えて、店内は無人だった。ポリーは、どうしようもなくふるえているダンワージー先生を導いて、煖炉の前の長椅子にすわらせると、自分のコートを先生の肩にかけてから、パブのカウンターに歩み寄った。

「連れがひどいショックを受けていて」と、赤い髪をした中年のウェイトレスに声をかけた。「ひとりにしておきたくないの。お茶をポットで持ってきてもらえます？」

「もちろんですとも」とウェイトレス。「空襲で家をなくしたの？」

「ええ」といって、急いで煖炉のそばにもどった。ダンワージー先生は立ち上がり、ポリーのコートを畳んで長椅子の背にかけ、戸口のほうに歩き出そうとしていた。

ポリーはその前に立ちはだかり、「お茶が来ますから」といって長椅子に押しもどし、先生のひざにコートをかけた。「もうすぐですよ」

ウェイトレスがキッチンからこっちにやってきた。ティーポットとティースプーン二本と受け皿二枚、曲げた指にふちの欠けたティーカップ二個の把手《とって》をひっかけ、茶色い液体をなみなみと満たしたグラス一個を持っている。「あたしも十一月に爆撃で家をなくしたのよ」とダンワージー先生に声をかける。「ひどいもんだった。すっかりうちのめされちゃってねえ。これで元気が出るよ」

ダンワージー先生の前にグラスを置いて、「ブランデー一杯」とポリーに向かって説明する。「気力をとりもどすにはこれがいちばん」

「ありがとう」ポリーはポットの紅茶をカップに半分まで満たし、残りの半分はブランデーを注いで、先生にさしだした。

「さあ、どうぞ。お茶を飲んで、それから話したいことを話してください。さあ、ぐっと飲みほして」

ダンワージー先生がカップの紅茶を飲み、ポリーは二杯めを注いだ。しかし、ポリーが促しても、先生はそれに口をつけず、茫然と煖炉の火を見つめている。両手でカップを包み込むようにしているが、てのひらをあたためているというより、カップに命がけですがりついているように見えた。

連れ帰ってベッドに寝かせなければ。そして医師の往診を頼まないと。

「ダンワージー先生。どんな話があるにしても、あとまわしにできるでしょう。メロピーが夕食をつくりますから、あたたかいものをおなかに入れたら元気が出ますよ」

返答なし。

「今夜はうちに泊まってください。あしたになったら先生の荷物を回収して、先生の気分がよくなってから、どの降下点を使って——」

「降下点は開かない」

「でも、問題がずれだったら——」

「ずれは指標だった」

「わたしたちはこの時代に永遠に囚われている。それが先生のいいたくないこと？」

「そうだ」

「マイクルのルームメイトのチャールズはどうなんです？　彼はシンガポールへ行ったんですか？　それとも、わたしたちが帰還できないことに先に気がついて——」

「いや」

ということは、チャールズは日本軍が侵攻してきたときもシンガポールにいる。他の英国植民地の住民たちといっしょに集められてジャングルの捕虜収容所に押し込められ、マラリアか栄養失調で死亡する。あるいは、さらに悪い運命に直面する。

「デッドラインのある他の史学生は？」

「きみひとりだけだ。ほかは全員、引き上げさせた。きみが予定していた現地調査のうち、一九四四年の分を先に済ませていたことを知らなかったのだ。だから、他の史学生が回収されたあとも、きみは回収されなかった」

「デッドラインまでにわたしたちが帰れる望みはないんですか？」

「ない」とダンワージー先生はいったが、その声に、とうとう真実を告白したという安堵感はなかった。ということは、もっと悪い知らせがあるわけだ。コリンじゃないとしたら、あとはひとつしか考えられない。

「わたしたちが囚われているのは、歴史上の出来事を変えてしまったからなんですか？」

ダンワージー先生はうなずいた。

ということは、マイクの説が正しかったんだ。

「どうしてわかった？」とダンワージー先生がたずねた。

「マイクが——マイクルが——ダンケルクでハーディというひとりの兵士を救って、その兵士が英仏海峡を何度も往復して、五百人以上の兵士を連れ帰ったんです。それが変化をもたらさないはずがないというのがマイクの考えで、だからわたしたちは齟齬を探しはじめたんです」

「で、見つかったのか？」

「たしかに齟齬だと確信できるものはなにも。でも、歴史に影響を与えそうなことをしたのはマイクひとりじゃないんです。アイリーンは——メロピーは——ふたりの疎開児童がシティ・オブ・ベナレス号に乗船するのを止めました。わたしは、百貨店の売り子が怪我をしてあやうく死にかけた出来事に責任があります。でも、歴史の流れを変えることが可能だとは知らなかった。ずれがそれを防ぐものだと——」

ダンワージー先生は首を振った。「ずれの機能に関するわれわれの考えはまちがっていた。ずれは、われわれが時空連続体に与えるかもしれないダメージに対する防御機構ではなかった。すでに起きてしまった攻撃に対する後衛戦——すでに城壁を突破されてしまった城を守るための、後方部隊による戦いだったのだ」

「タイムトラベルによる攻撃に対する戦い」

「そのとおり。数十年にわたって、ほとんどの場合、この防衛戦は城を守るのにじゅうぶんだった。しかし、すべてではない。同時多発攻撃に対しては守りきれなかった。あるいは、決定的に重要な箇所を突破された場合」

たとえばダンケルク。あるいは一九四四年の秋——スピットファイアの翼がV1のフィンにごく軽く触れただけで、だれが生き延び、だれが死ぬかの結果が変わってしまう。

「あるいは、最初の突破が大規模すぎた場合」ダンワージー先生が話《な》しつづけている。「そうした場合には、ずれをいくら大きくしたところで、城壁を越えて雪崩れ込んでくる敵を防ぐには足りない。そこで、連続体がとりうる唯一の対策は、侵入されたエリアを切り離して

——」

アイリーンの領主館が隔離されたみたいに。

「——損害の修復を試みることだ」

「過去へのアクセスをシャットダウンする。連続体がそれを実施したと考えてるんですね」

ダンワージー先生はうなずいた。「その結果、きみたちはこの時代に閉じ込められてしまった」

それに先生も。「ほんとうにすみません、ダンワージー先生」

先生は首を振った。「きみの責任ではない」

「でも、V1、V2攻撃の調査を先に済ませたことを話していれば。理由は知らなくても、先生が降下をキャンセルし、スケジュールを変更していたことは知っていました。わたしの降下もキャンセルされるんじゃないかと、それが心配で報告に出頭せず、コリンにも黙っているように約束させたんです」

ダンワージー先生は、驚くにはあたらないというようにうなずいた。「コリンはきみのためならなんでもするだろう」

「ああ、もうぜんぶあたしのせいなんです！　コリンにあんな約束をさせなければ、あたしがちゃんと出頭していれば、先生はあたしをここに来させなかった。こうしてあとを追ってくることも——」

「いや、きみはまだすべてを知っているわけではない」片手を上げて、ポリーの言葉をさえぎり、「きみが一九四四年に行く前でさえ、ずれの増大は見られた。だが、大きなものではなく、深刻に考えてはいなかった。ずれの量は、状況が要求するよりも大きくなることがしばしばだったし、逆にずっと少ない場合もあった。わたしが考えたのは、イシカワが到達した仮説よりもシンプルな説明だった。彼に数式を見せられたあとでも、それは変わらなかった。史学生を引き上げてすべてのタイムトラベルを中止する必要性など、むろん感じなかった。もっとデータが集まるまでのあいだ、デッドラインのある史学生の降下を中止し、各史学生の降下スケジュールを時系列順に変更するだけでじゅうぶんだと思っていた。しかし、イシカワ博士が正しかった。全員を引き上げるべきだった」

「でも、ずれの増大がなにを意味するかなんて知りようが――」

「イシカワ博士はそれがなにを意味するか、正確に語ってくれた。それを信じることを、わたしが拒否したんだ。われわれは四十年にわたってなにごともなく過去に旅してきた。われわれが歴史の流れに対する危険因子だと信じることは不可能だった。しかし、彼に耳を傾けるべきだった。もしきみを引き上げていたら、マイクル・デイヴィーズは死なずに済み、きみとメロピーは――」

「メロピー？」ポリーははっとした。「彼女にはデッドラインがありません。今回がはじめての現地調査です。そうですよね」

「ああ」と先生は答えたが、まだなにかある。

「シャットダウンは、連続体が自己修復しようとする試みの結果ではないかもしれない」と先生はつづけた。「ダメージに対する一種の反射的な反応かもしれない。外傷を負った患者が起こすショック症状のような。そして、もし自己修復の試みだとしても、それが成功する保証はない。ダメージが大きすぎて、あるいは広がりすぎて、修復不可能かもしれない」

「でも、不可能じゃないんです。あたしたちは戦争に負けなかった。あたしはVEデイに行った――」

「それは、マイクルが兵士を救う前のことだ。きみとメロピーが――」

「ええ、でもメロピーもそこにいた。彼女を見たんです。彼女はまだ帰っていなかった。マイクがハーディを救い、あたしと彼女がいろんなことをしてしまったあとで、メロピーはVEデイに行った――行くことになるんです。だから、戦争の結果に影響があったはずはない」

しかし、ダンワージー先生は首を振っている。「きみが彼女を見た時点では、まだ彼女の行けるVEデイが存在した。歴史の流れは――過去と現在は――積み重なった改変が臨界《ティッピング・》点《ポイント》を越えるまでは、もとのままでありつづける。だから、改変されていない未来の一部であるにもかかわらず、われわれがここにいることができる。だから、アイリーンがVEデイに行くこともできた。最終的な改変が加えられて、連続体が修正不能となるその瞬間まで、変わらないままでありつづける」

「そしてその瞬間が来たら、すべてが変わる」

「そうだ」

「でも、先生はいったじゃないですか……」ポリーは眉間にしわを寄せて、必死に理解しようとつとめた。「わかりません。その臨界点にはもう到達したんじゃないんですか？　降下点は作動を停止しています」

「完全に、ではない。わたしの降下点は、十二月中旬には作動していた」

「じゃあ、臨界点に達したのは、あたしたちがメロピーと再会した時点から十二月中旬までのあいだ？」

「いや、それよりあとかもしれない。いつなのか、正確にはわからない。セント・ポール大聖堂の階段できみたち三人を見た日の夜まで、わたしは降下点に行くことができなかった」

きっと、二十九日の夜に、あたしたちのだれかがしたことだ。大聖堂の階段で、防空監視員をひきとめた。そのせいでだれかを救うのに間に合わなかったとか。あるいはシオドアが大声で叫んで劇場をあとにした際の中断でパントマイムの進行に二、三分の決定的な遅れが出て、観客のひとりが帰宅してアンダースン式シェルターに入るのが間に合わなかったとか。あるいは、ポリーが大聖堂の屋根に上がったことが火災監視員の行動になんらかの影響を与え、それが運命を左右したことがのちに判明するとか。

もしくは、アイリーンが負傷者を病院に運んだことや、マイクが消防士たちの命を救ったことだった可能性もある。カオス系では、ポジティブな行動がネガティブな結果を招くこともありうる。戦争に負けるとか。

第二次世界大戦は、もともと薄氷の勝利だった。「われわれは首の皮一枚で持ちこたえている」とチャーチルの幕僚は語ったことがある。戦争を左右した出来事は、ナイフの刃の上で危ういバランスをとっている。バランスを失って倒れてしまえば、ドイツ軍が戦争に勝つ。

ヒトラーがチャーチルと英国王と王妃とサー・ゴドフリーを処刑し、サラ・スタインバーグとレナードとヴァージニア・ウルフをアウシュヴィッツ送りにして命を奪い、ミスター・ドーミングとミスター・ハンフリーズと教区牧師のグッド氏はロシア戦線で戦死する。ヒトラーは、マージョリーやミセス・ブライトフォードやその娘のベスのようなブロンド女性を青い瞳のアーリア人と交配させ、シオドアの母親やライラやミス・ラバーナムを餓死させる。そしてシオドアやトロットは若きナチ党員になる。

でも、アルフとビニーは違う。それにコリンも。たとえどんな世界に生まれ落ちようとも、彼らはけっしてその運命に流されはしない。

ヒトラーは最初に彼らを殺すしかない。そして、きっとそうするだろう。

「なんてこと」ポリーはつぶやいた。「マイクのいうとおりだった。あたしたちは戦争に負けた。あたしたちのせいでなにもかもだめになってしまった」

「いや」とダンワージー先生がいった。「わたしのせいだ」

わたしは最悪を知り、それに直面しなければならない。

——サー・J・M・バリ『あっぱれクライトン』

44 ロンドン 一九四一年冬

「どういう意味です、先生のせいとは？」ポリーのコートをひざにかけ、パブの煖炉の前に腰を下ろしたダンワージー先生を見つめて、ポリーはいった。先生のふるえは止まったものの、やはり骨まで凍えているような顔をしている。

「先生のせいで戦争に負けたなんてありえない。どうやって？　あたしを連れもどしにきたことで？　それとも、こちらに来てからしたことで？」

「いや。きみとマイクルとメロピーがまだ生まれてもいないころの話だ。わたしが十七歳だったとき」

「でも——」

「第二次大戦への降下としては三度め、ロンドン大空襲に対しては初めての降下だった。時空座標設定の精度を上げている段階で、わたしの任務は、時空位置をたしかめて帰還することだけだった。ネットを抜けた先は、地下鉄駅の非常階段だった。一九四〇年の九月十六日ではなく十七日に着いたと気づいたときは、マーブル・アーチ駅にいるんじゃないかとこわくなった」言葉を切り、煖炉の火に暗い目を向けた。「もしかしたら、そのほうがよかったのかもしれない」

「何駅にいたんですか？」とポリーはたずねた。

「セント・ポール駅だ。それに気づいたとき、ちょっと寄り道して大聖堂を見物しても害はないだろうと思った」苦い笑みを浮かべて、「子供のころ、はじめて火災監視記念碑《ファイア・ウォッチ・ストーン》を目にして以来、セント・ポール大聖堂に魅せられていたからね。そして、ここではセント・ポール大聖堂がまだ存在している。だから、一瞬だけでも大聖堂を見ようと、通りを駆けていった」先生は両手を頭にあてた。「進んでいく先をよく見ていなかった——タイムトラベルの歴史全体をいいあらわすのにぴったりのメタファーだな。そして、ひとりの若い女性、海軍婦人部隊の隊員とぶつかって、彼女のバッグが肩から落ち、中身がすべて舗道へこぼれ落ちた」そのさまを眼前に見ているかのように、まっすぐ前を見つめながら、「硬貨がそこらじゅうに散らばり、口紅が側溝のほうに転がっていった。彼女が抱えていたいくつかの包みも手から吹っ飛んだ。ふたりの通行人が——海軍の将校と黒いスーツ姿の男性——立ち止まって手を貸してくれたが、それでも、すべてを拾い集めるのに数分かかった」

「それから？」

「それから、サイレンが鳴り、海軍婦人部隊員とふたりの男性は急ぎ足で立ち去り、わたしはセント・ポール駅の降下点にもどって、オックスフォードに帰った」

「それから？」

「それから、ひとりの海軍婦人部隊員が、その夜、アヴェ・マリア・レーンで死んだ」

「その隊員が、先生とぶつかった人だった？」

「わからない。ぶつかった相手の名前は知らずじまいだったからね。その彼女にわたしが影響をおよぼしたのかどうかさえわからない。もしかしたら、黒いスーツの男性だったかもしれない。その夜、海軍将校が死んだという記録はないから、将校のほうではないだろうと思う。もっとも、わたしのせいで時間をとったことがそのあとで一連の出来事を引き起こし、翌日もしくは翌週に命を落としたかもしれない」

「でも、彼らのうちのだれかが死んだとはっきりしたわけじゃない。ぶつかったことでなにかが変わったかどうかもわからないじゃないですか」

「そのとおりだ。あの衝突のせいではなかったかもしれない。駅名を教えてもらうために、子供ふたりに一シリングやったし、駅員と言葉を交わした。それに、駅にいた他のおおぜいの人々とも、押し分けて進んだり、向こうがわたしをよけたりしたことで関わりを持っている。その中のだれかが、そのために決定的な数秒を失って、そのことがのちに大きな変化を生んだかもしれない」

マイクも、ダンケルクで救った男たちについておなじことをいっていた――目に見えるかたちでの変化が数カ月後、数年後にあらわれるかもしれない、と。

「その場合には、改変の起点になった出来事までたどることは不可能だ」

「でも、いまの話からすると、改変の起点になった出来事があったかどうかわからないじゃないですか」とポリーは反論した。「先生がなにかを改変したという証拠はない」

「いや、あるとも。その時点まで、ずれは存在しなかった。その次の降下からはじまったんだ。不幸なことに、その降下の行き先はトラファルガーの戦いで、その次はコヴェントリー空襲だったから、われわれは、ずれが歴史上の出来事を変えるのを不可能にしているのだという、誤った結論にとびついた」

「でも、予定より一日遅く抜けたといったじゃないですか」

ダンワージー先生は首を振った。「座標の計算にまちがいがあったんだ。帰還してすぐチェックしてみた。ネットは十七日にセットされていた」

「空間的なずれは？　マーブル・アーチ駅に抜けたんじゃないかと思ったんでしょう？」

「いや、そうだったかもしれないといったんだ。当時は場所をそこまで細かく指定することはできなかった。おおまかな地域だけで」

「だったら、空間的なずれがあったのかもしれない」

「しかし、もしそうだったとしたら、わたしがあの海軍婦人部隊員とぶつかるのを防いでいたはずだ」苦い笑みをこちらに向け、「いや、わたしがずれを引き起こし、そしてその原因を誤って解釈したのだ。そしてわれわれは、歴史の中をさまよいはじめた」苦々しい口調で、「戦争や災厄や大聖堂にあんぐり口を開けて見とれ、自分たちのしていることの結果など考えもしなかった」

ポリーはそこにすわっているダンワージー先生を見た。世界の重みを肩に載せているようだとハンフリーズさんはいっていたけれど、まさにそのとおりだ。

「この四十年にわたって、われわれは、陶器店で暴れる雄牛のように過去を傍若無人《ぼうじゃくぶじん》に踏み荒らしながら、災厄を招かずにいられるとおめでたくも信じていた。とうとうそれが自分たちの上に——そしてきみたちの上に——崩れ落ちてくるまでは」

「でも、先生には知りようがなかったんです」ポリーは手を伸ばして、先生の腕をやさしく叩いた。

ダンワージー先生は乱暴に腕をひっこめると、怒りをあらわにした口調で、「手がかりは何十もあったのに、わたしはそれを見ようとしなかった。そんなことは不可能だと知りながら、カオス系のありようを変えることなくその中に入っていけるのだと信じていたかったのだ。航時史学生の存在そのものが、たとえただ呼吸することしかしなくても、パターンに影響を与えて結果を変えてしまうとわかっていたのに」

「でもそれがほんとうなら、あたしたちみんなのやったことでしょう。過去に行ったことのある史学生全員に責任がある」ポリーは眉間にしわを寄せて、「でも、どうして二、三カ月前まで、その徴候がなかったんです？　なぜ四十年もかかったんです？」

「わたしにもそれはわからない。カオス系では、すべての行動が重要な結果を招くわけではない。他の出来事によってくじかれるものもあれば、吸収されたり打ち消されたりするものもある。臨界点に達するのにじゅうぶんな量の変化が蓄積するのにそれだけ長くかかったのかもしれない」

　陶器店のテーブルに並ぶ花瓶や皿やクリスタルのようなものだ。雄牛がテーブルにぶつかるたびに、床をどしんと揺らすたびに、すこしずつ縁に近づいていく。最後の小さなひと押しで、それがひっくりかえる。マイクとアイリーンとあたしがしたことがそれだ。最後の小さなひと押し。そして連続体がガラガラと音をたてて崩れ落ちた。

　でも、マイクはハーディの命を救う前に降下点を抜けて帰還しようとした。なぜ連続体はそれを許さなかったのか？

「どうして連続体は――」といいかけて、ダンワージー先生がこれ以上質問に答えられる体調ではないことに気がついた。げっそりしたひどい顔で、煖炉の火にあたためられているにもかかわらず、またふるえはじめている。

「帰る時間ですよ」ポリーは紅茶とブランデーのお金をテーブルに置き、先生のひざからコートをとって袖を通した。

　ポリーが腕をとっても先生は抵抗せず、導かれるままにパブを出た。通りは、雨に濡れ、もう暗くなっていた。ポリーはタクシーをとめると、先生の手をとって乗り込ませた。先生の手は熱かった。「熱がある。病院に行ったほうがいいわ。セント・バートまで」と運転手に指示した。

「いや」ダンワージー先生がポリーの腕をつかんだ。「あそこの人たちにはとても親切にしてもらった。彼らには……頼む。病院はやめてくれ」

「わかりました。でも、家に着いたら、医者を呼びますからね」

それに、先に家の中に入って、アイリーンに前もって知らせておかないと。先生が回収チームだと思って、むなしい希望を抱かないように。

でも、先生は回収チームだったんだ。そう思うと心が冷えた。先生はあたしを救い出すためにネットを抜けてきた。そしていま、あたしたちとおなじこの底なし沼にはまりこみ、抜け出せなくなっている。

タクシーが家の前に着いた。「ひとっ走り家にもどってお金をとってきます」と運転手にいった。「すぐもどりますから」

しかし、運転手は首を振り、「その人を中に入れるのに手を貸したほうがよさそうだ。あんたひとりじゃとても無理だよ、お客さん」

そして、ポリーが返事をしないうちに運転席を出て、ダンワージー先生が降りるのに手を貸したので、アイリーンに警告するチャンスはなかった。

しかし、アイリーンはひとめで状況を見てとったらしく、「この人をベッドに寝かせるのに手を貸していただけますか」と運転手に頼んだ。

「だれ？」片手にパン切れ、反対の手にスプーンを持ってキッチンから出てきたアルフがたずねた。

「ダン――」とアイリーンが口を開いた。

「ホッブさんよ」とポリーがいった。

「酔いつぶれてんの?」とビニー。

「いいえ。具合が悪いの」とポリー。

ビニーがしたり顔でうなずいて、「ママがよく酔っ払いのことをそうやって――」

「ビニー、ベッドに行って、上がけをはがして、すぐに寝られるようにしてきて」アイリーンがいった。

「ビニーじゃない。ラプンツェル。名前はラプンツェルに決めたの」

ああもう、この娘を絞め殺してやりたい。ポリーはそう思ったが、アイリーンはおだやかに、

「おねがいだから、ベッドの準備をしてちょうだい、ラプンツェル」

ビニーは、いつもほどけているヘアリボンをラプンツェルの三つ編みのように揺らしながら、おとなしく指示にしたがった。ポリーはダンワージー先生に手を貸して濡れたコートと靴を脱がせ、そのあいだにアイリーンが角の公衆電話まで走っていって医者を呼んだ。

アルフとビニーがやってきて、うるさく質問するんじゃないかと心配だったが、しばらく戸口に立ってふたりでなにごとか囁き合っていたかと思うと、ふたりとも姿を消した。

ポリーが部屋を出て、ダンワージー先生の濡れたシャツをオーヴンの扉にかけ、やかんをこんろに載せていると、アルフがやってきて、「あの人、補導員とか、地下鉄の駅員とかじゃないよね」とたずねた。ということは、先生の顔をどこかで見たことがあるんだろう。先生がセント・ポール大聖堂へ歩いていく途中に、なにかを盗もうとしたんじゃないといいけ

ど。

「いいえ。あの人はアイリーンがむかし通ってた学校の先生よ」

どうやら、学校教師は補導員とおなじくらいこわい存在だったらしく、ふたりはポリーのあとについて先生が寝ている部屋にやってこようともしなかった。もっとも、往診の医師がやってきたときには、いつものふたりにもどっていた。

「はしかじゃないよね？」とビニー。「隔離されたりしない？」

もうとっくに隔離されてるのよ。

「あの人、死ぬの？」とアルフ。

ええ。五月一日もしくはそれ以前に。

「すっかり元気になりますよ」医師が誠意のこもった口調でいった。「必要なのは、あたたかくしてゆっくり休み、くよくよ心配しないことだけ。体力をつける必要がありますから、毎日、ビーフステーキと卵――粉末卵ではなくて全卵を食べさせてください」

「でもどうやって？」とアイリーン。「配給が――」

「いま処方箋を書きますから、配給窓口に持っていって、必要な切符を受けとってください」そういって、処方箋と、小さな紙の包みひとつをアイリーンに手渡し、「それと、この粉薬を、コップ一杯の水に溶かして、就寝前に飲ませてください」

「アガサ・クリスティーの小説みたい」医師が帰ったあと、薬の包みを見ながらアイリーンがいった。「被害者はいつもそうやって殺されるのよ」

「だれが殺されたの?」アルフが勢いこんでたずねた。

「だれも。宿題をしなさい」アイリーンがなおも粉薬の包みを調べながらいった。「でも、この薬の中に熱冷ましになるものが入ってるとは思えない。役に立つのはアスピリンだけよ」

役に立つものなんてなにもない。そう思いながらも、ポリーは薬局に行って錠剤を調達する役を買って出た。「どうせ、劇場に電話して、きょうは行けないって伝える必要があるから。薬局の公衆電話を使うわ」

「稽古のこと、すっかり忘れてた。いまからでも行ってくれればいいのに。ダンワージー先生の面倒はわたしがみてるから」

「もう手遅れよ。着くころには舞台が終わってる。それに、だれかがアスピリンを買ってこなきゃいけないし」

それに、しばらくひとりになって、アイリーンにどう話すかを考える必要がある。話しているうちに自分がとり乱してしまうことはないにしても、脱出できないと打ち明けたときに彼女の顔に浮かぶだろう表情を見るのが耐えられなかった。なお悪いことに、デッドラインがあるのはポリーひとりではない。ダンワージー先生にもある。それも、すぐ目の前に。

薬局に着くなり、アルハンブラ劇場に電話した。

「あんた、ついてるわよ」とハッティがいった。「カニング・タウンがゆうべ空襲に遭って、きょうはタビットが来られなかったの。でも、あしたには来るから、あんたも来たほうがいいね。それと、もしあたしがあんただったら、そのあいだにべつの言い訳を考えておく。いまの言い訳じゃ、タビットはぜったい信じないから」間があった。「おっと、行かなきゃ。出番なの。勝利の曲。じゃあね」

でも、勝利の曲なんか存在しない。灯火管制の闇の中を手探りで帰宅しながら思った。戦争に負けたら、ハッティはどうなるだろう。それに、他のコーラス・ガールたちは? どうなるかは知ってるでしょ、と自答する。でも、たぶんそうはならないだろう。ダンワージー先生は、時空連続体が崩壊しつつあるのか、自己修復しているのか、どちらかわからないといっていた。それに、ダンワージー先生の説には辻褄が合わないところがある。もしあたしたちの行動が連続体にとって脅威なのだとしたら、なぜネットを抜けることを許されたのか? なぜジェラルドのように、最初から降下点を閉じなかったのか?

それに、こっちに来てしまったあとで、なぜこの時代を去ることが許されなかったのか? ダンワージー先生は、汚染を封じ込めるためだといったが、もしあのとき降下点が開いていれば、ショック状態のあたしがタウンゼンド・ブラザーズに茫然とやってくることもなく、マージョリーがジャーミン・ストリートで空襲に巻き込まれた挙げ句、看護婦になろうと決断することもなかった。そして、炎上するダンケルクを海岸で見物する人々のせいでマイクが降下点に行き損ねることがなかったら、彼がレイディ・ジェーン号でうっかり眠り込んでダンケルクに行ってしまい、ハーディの命を救うこともなかった。もしアイリーンの降下点が開いていたら、ホドビン姉弟のシティ・オブ・ベナレス号乗船につながる手紙を握りつぶすことはできなかったし、彼女が二十九日の夜に救急車を運転して患者の命を救うこともなかった。

　それがいちばん残酷なアイロニーだった。人を助けたいと願ったばかりに、彼らは未来をだいなしにしてしまった。アイリーンは、ビニーの熱を下げるためにアスピリンを服《の》ませ、子供たちを溺死させないために手紙を握りつぶした。マイクは十四歳のジョナサンを死なせまいと海に飛び込み、倒れてくる壁の下敷きになるのを防ごうとふたりの消防士を突き飛ばした。

　すべてのはじまりになったダンワージー先生の行為さえも、悪意から出たものではなく、美しいものを見たいという無邪気な願いからだった。アイリーンのいうとおりだ。思いやりと親切が破壊の武器になるというのは、ありえないことに思える。その正反対であってしかるべきじゃない？　たしかにカオス系では、よい行動も悪い結果につながりうる。でもどうして——？

　とつぜん、その答えがわかるという気がした。のどもとまで出かかっている言葉のように、すぐ手の届きそうなところにある。ポリーは通りで立ち止まり、灯火管制の敷かれた暗闇を見つめ、心の中でそれに手を伸ばした。アルフとビニーがアイリーンの行く手をふさいだことと、ホルボーン駅のシェルターに関係がある——

　五メートルも離れていない場所でサイレンがけたたましく鳴り響き、ポリーは思わず飛び上がり、そのあと、思考の流れが断ち切られたことに腹をたてた。ホルボーン駅のシェルターに関係がある……いや、それは正しくない。アルフとビニーがいたのはブラックフライアーズ駅で、ホルボーン駅じゃない。でも、ホルボーンだった。それはまちがいない。ホルボーンと、マイクがバスに乗り遅れたことと……。

だめだ。もう消えてしまった。そしてこの空襲警報は、爆撃までに二十分の余裕があるものではなかった。すでに飛行機の音が聞こえはじめている。それに、ダンワージー先生になるべく早くアスピリンを届けなければ。

しかし、帰りついてみると、先生は眠っていた。アルフは、驚いたことに、キッチンテーブルで宿題をやっていた。駅員だか補導員だかになにをしたのか知らないが、アルフにとってさえ相当まずいことだったらしい。

ビニーはアイリーンに向かってお伽噺《とぎばなし》の本を朗読していた。「『時計が十二時を打つまでにかならず帰ってこなければなりません』と妖精のおばあさんはシンデレラにいいました。『でないと呪文が解けてしまいますよ』」

ポリーはそれをさえぎってアイリーンにたずねた。「ダン――ホッブさんを起こしてアスピリンを服《の》ませたほうがいいかしら」

「ううん。睡眠がいちばんの薬よ」

「呪文が解けるってどういう意味？」ビニーがたずねた。「真夜中過ぎたらどうなんの？」

「きっとシンデレラが爆発するんだよ」とアルフが答えた。「どっかーん！」

「ベッドに行ったほうがいいわ、ポリー」アイリーンがいった。「くたくたの顔してる」

そのとおり。みんなくたくた。そして真夜中がやってくる。

ベッドに行ったが、まるで眠れなかった。夜中にダンワージー先生の咳が聞こえると、ポリーはそっと起き出して、コップに水を汲み、アスピリンを持って先生のところへ行った。

先生はベッドに体を起こしていた。「よかった、きみか」ベッドの横のランプをつけると、先生がいった。「きみにいっておくことがある」それがなんだとしても、さらなる悪い知らせにちがいない。先生は、セント・ポール大聖堂にいたときやパブにいたときとおなじ、絶望の表情を浮かべていた。

「まずこれを飲んで」といって、先生がアスピリンを飲み下しているあいだにひたいに手を触れた。まだ熱い。「熱が下がりませんね。眠らないと。話はあしたの朝に」

「いや。いまだ」

「わかりました」といってポリーはベッドのへりに腰かけた。

ダンワージー先生は大きく荒い息をした。「連続体は、成功しようがしまいが、自己修復の試みをつづける」

雄々しく戦いをつづける敗軍のように。

「そして、われわれがダメージの源であり、未来へのアクセスが絶たれている以上——」

「これ以上のダメージを与えるのを防ぐために、あたしたちを殺す必要がある」

ダンワージー先生はうなずいた。

「だからマイクが——マイクルが——殺されたと思ってるんですね。これ以上、過去の出来事を変えるのを止めるために」

「ああ」

「連続体はあたしたちにもおなじことをする。アイリーンを含めて」

先生がうなずいた。

「いつ?」

「わからない。おそらくはロンドン大空襲のあいだだろう。いちばんのチャンスだ。いまから五月十日までのあいだに、大規模な空襲が何度もある」

「でも先生は、どこで空襲があり、いつどこに爆弾が落ちるかを知っているし、そういう夜にはノッティング・ヒル・ゲート駅にいるようにすればいいだけ。心配ないわ!」しかし、自分でそう主張している最中にも、ミセス・ブライトフォードが『眠れる森の美女』をトロットに朗読する声が脳裏に甦《よみがえ》っていた。王は国じゅうの紡ぎ車をすべて燃やさせたが、運命を変えることはできなかった。

「なにかできることはないんですか?」

ダンワージー先生は黙りこくっている。まだぜんぶ話したわけじゃないんだ。そう思ってぞっとした。悪い知らせはまだ残っている。でも、アイリーンへの死刑宣告以上に悪いことなんてあるだろうか。

「なんなんです?」とたずねたが、答えはもうわかっていた。あたしたちの行動は、戦争の流れに影響を与えただけではない。シオドアとスティーヴンとペイジとハンフリーズ氏にも影響を与えた。アイリーンはアルフとビニーがシティ・オブ・ベナレス号に乗船するのを妨げ、マイクはハーディがダンケルクで死ぬのを防いだ。こうした変更も修正されなければならない。ほかに何人？　マージョリー？　デネウェル少佐？　ミス・ラバーナムと一座の他の面々？　ポリーがサー・ゴドフリーといっしょに『テンペスト』の朗読をやらなかったら、一座が結成されることはなかった。そのために、本来は自宅で空襲に遭って死んでいたはずの人々が、毎晩、安全なノッティング・ヒル・ゲート駅にいることになった。

「連続体が殺すのはあたしたちだけじゃない。そうなんですね？」恐怖でのどがからからになっている。「あたしたちが接触した人間もみんな殺されてしまう。そういうことなんですね」

「そうだ」とダンワージー先生はいった。

これは、いずれそうなる未来の影でしょうか、それとももしかしたら、そうなるかもしれない可能性の影にすぎないのでしょうか？

——チャールズ・ディケンズ
『クリスマス・キャロル』

45　ロンドン
一九四一年冬

ダンワージー先生の話を聞いてから、長い数分間、ポリーはただじっとベッドにすわっていた。駅のホームや非常階段に寝つかれぬまま横たわって過ごした長い夜、自分たちの苦境について は、考えられるあらゆる可能性を想像し、あらゆるおそろしい結果を覚悟したと思っていた。しかし、これは、想像もできないほど、はるかにずっとおそろしい。自分たちが死ぬだけではなく、友だちになったすべての人間、手を貸してくれたり親切にしてくれたすべての人間が——マージョリーに教区牧師にダフニにミス・ラバーナムにサー・ゴドフリー、あたしたちが気にかけている全員が——死んでしまうなんて。

「じゃあ、そういうことなんですね」とポリーはようやくいった。

「ほんとうにすまない」とダンワージー先生がいい、ポリーはうなずくことしかできなかった。先生に対する、自分たちに対する涙が目にあふれる。それと、自分たちが殺してしまった、そしてこれから殺すことになる、すべての人々に対する涙。われ知らず声を出してしまったらしく、ダンワージー先生が片手をこちらに伸ばして、懇願するようにいった。「ポリ――」

ポリーは立ち上がり、先生の手からコップをとって、「休んでください」といってからランプを消した。光を消して、そして命の光を消せ（『オセロー』5幕2場）。コップを持って暗いキッチンへ行き、テーブルの上に置いて、ビニーのお伽噺の本を閉じ、それから地下室に降りて、階段のいちばん下の段に腰を下ろし、闇を見つめた。

マイクが死ぬ前から、いや、ジョン・バーソロミューに伝言を託すことに失敗する前から、救出される望みは捨てたつもりでいた。しかしいま、自分の心の一部はそれでもなお希望を抱きつづけていたのだとさとった。アイリーンがいったように、なにかべつの、魔法のような謎解きがあって、それですべての事実がきれいに説明されるのだと――最初から目の前にぶらさがっていたのに、ずっと気がつかないでいた驚くべき真相が明らかになるのだと――心のどこかで信じつづけていた。でもこれは、鮮やかな解決とハッピーエンドのあるアガサ・クリスティーのミステリではない。この世界にはハッピーエンドなど存在しないし、殺人犯はポリー自身なのだ。

彼ら全員が殺人犯だった。ダンワージー先生はあの海軍婦人部隊員を殺し、マイクはコマンダー・ハロルドとジョナサンを殺し、アイリーンは教区牧師の入隊をあと押しし、ポリーはマージョリーの陸軍看護部隊入りをあと押しした。

次はあたしたち三人の番？　それとも、ハーディ二等兵か、アルフとビニーか、サー・ゴドフリーか？　それともミセス・セントリーか、ポリーが消耗品を調達したストリーサムとクロイドンのFANY隊員か、クリスマス・パントマイムの劇場でポリーにしいっといった男の子か。それとも、タウンゼンド・ブラザーズか地下鉄駅かトラファルガー広場で、連続体が——焼夷弾のように跳ねまわり、火花を散らし、時空を溶かして貫きながら——ポリーかダンワージー先生かアイリーンを殺すとき、たまたま不幸にもその場に居合わせた他人か？

爆弾の破片で死亡した、タウンゼンド・ブラザーズ書籍売り場のエセルのことをふと思い出した。あたしがABC時刻表と航空機観察のことをたずねたせいで、彼女は死んだんだろうか？

ポリーはひと晩じゅう地下室にすわっていた。とうとうアルフがドアを開けて叫んだ。

「ポリーは下にいたよ！」

ポリーは一階に上がった。アイリーンが朝食をつくり、ビニーがテーブルをセットしているところだった。「下でなにやってたのさ」とアルフがたずねた。「空襲警報も鳴んなかったのに」

「考えごとしてたの」とポリー。

「考えごとかよ！」アルフが囃《はや》したてた。

「静かにして」とアイリーン。それからポリーに向かって、「心配しちゃだめ。ホッブさんはよくなるわ。熱は下がったし」

アイリーンは着替えてきなさいと子供たちを部屋に追い立てた。「防空監視員に採用されたりしてないわよね？　救助隊員にも？　ゆうべはいろいろ大混乱だったから、訊くのを忘れてた」

大混乱。

「採用されてない」

「きょうもまたトライするつもり？」

しない。あたしは救助隊には――瓦礫の下から被害者を助け出し、応急処置をする仕事には――いちばんふさわしくない人間だから。脚に止血を施したクロイドンの男のことを思い出した。彼が死んだんじゃないかと心配していたけれど、もともと彼は瓦礫の中で死ぬ運命だったのに、ポリーが助けたばかりに、もっと苦しい、長引く死を病院で迎える結果になったのかもしれない。そして、あのとき止血帯を施したことが、バランスを崩す最後のひと押しになり、すべてを押し流す雪崩《なだれ》を引き起こしたのだとしたら？

いや、そんなはずはない。あの時点では、降下点はまだ作動していたし、あたしはそれを使ってオックスフォードにもどり、またこちらに抜けてきて、現地調査を完遂するのだから。

しかし、テーブルを揺らして花瓶をさらにへりへと近づける効果はあったかもしれない。

「つまり、夜おもてをうろうろしているのがどんなに危険か、ダンワージー先生といっしょにその目で見たわけでしょ」とアイリーンが話している。「防空監視員として働くことはそれよりはるかに危険なのよ」

「そのとおりね。やっぱりやらないことにした」

「ああ、よかった」アイリーンは両腕をポリーの体にまわして、「すごく心配だったのよ！　さあ、すわってお茶を飲んでて。ダン――ホップさんのところにも持っていくから」

ポリーはそれにしたがった。

アイリーンは数分後にもどってくると、「アルハンブラ劇場のことを先生に訊いてみたら、爆撃されてないって。ロンドン大空襲のあいだに被害に遭った劇場は二カ所だけで、どっちも公演中のことじゃなかったそうよ」

アイリーンに打ち明けなければ。ポリーは絶望的な気分だった。でも、まだだ。いまはとても耐えられない。アルフとビニーがキッチンにもどってきて、どっちがオウムに餌をやるかで口喧嘩している。「隙間《マインド・ザ・ギャップ》に気をつけてください、ビニー！」とオウムががなった（ホームと列車の隙間に転落しないよう注意を呼びかける、地下鉄駅アナウンスの決まり文句）。

「あたしの名前はビニーじゃない」とビニーがいった。「ヴェラよ。ヴェラ・リンみたいに」

アルフは口の中をいっぱいにしたまま、「ラプンツェルじゃなかったのかよ」

「ラプンツェルはとんまだった」とビニー。パンのかけらをオウムにさしだし、「『隙間に気をつけてください、ヴェラ』っていってごらん」

ふたりをここから引き離さなければ。安全のためには疎開させるしかない。笑いたくなるほど皮肉な成り行きだ。

「ラプンツェルはなんでじっと塔の中にすわってたわけ？」とビニー。「なんで髪の毛をロープにして自分で降りなかったの？　あたしならそうするね。古い塔に閉じ込められたままでなんかいるもんか」

テーブルをかたづけ、子供たちの宿題を回収し、ビニーのヘアリボンを結び直す大騒動にとりまぎれて、アイリーンとふたりだけで話をするチャンスがなかった。

「アルフ、靴下をちゃんとひっぱりあげて」アイリーンはコートを着ながら、「ビニー、やめなさい。ポリー、ホッブさん用の肉と卵を肉屋にとりにいってくれる？」医師が書いた指示書を手渡して、「それと、だしをとる骨がないかも見てきて。スープをつくりたいから」

ポリーは、肉屋に行くついでに、ダンワージー先生の滞在先に行って荷物をとってくると約束した。着替えと皿洗いを済ませ、もうこれ以上は引き延ばせなくなってから、ダンワージー先生のところへ行った。灰色の朝の光に照らされて、前よりさらに衰えて見えた。頬骨の上やこめかみの皮膚がほとんど半透明のようになっている。しかし、再会してからはじめて、悪い知らせを隠している表情は消えていた。「顔色がすこしよくなったみたい。気分はどうですか？」

「わたしがきみにするべき質問だな」

ポリーは皮肉っぽい笑みを浮かべて、「まだなんとか立っています」

「セント・ポール大聖堂のように」

まさにセント・ポール大聖堂そっくり――ぼろぼろになり、損傷をこうむりながら、荒廃の風景を見下ろしている。

「ゆうべ、ほかにもいっておくべきことがあった。この戦争に負けたと、たしかにわかっているわけではない。われわれが引き起こした損傷の修復に連続体が成功する可能性がある」

「でもそのためには、わたしたちを殺さなければならない」

でも、もうひとつの可能性にくらべればそのほうがましだ。ヒトラーが戦争に勝つのを食い止めるためにポリーが命を落とすとしても、それは数万人の英国人兵士や民間人がこれまでにしてきたことと変わらない。彼らにもやはり、自分たちがその目的を果たせるという保証はなかった。

しかし、すくなくとも彼らは、自分たちがそこにいるというだけで、おなじ避難場所や防空壕にいるすべての人間を危険にさらすことを心配する必要はなかった。「ほかの人たちはどうなんです？　わたしたちと関わった時代人は？」

「わからない。連続体を長きにわたり守りつづけてきた要素――影響を吸収したり縮小したり打ち消したりする能力――も、やはり修正の対象になっているかもしれない」

要するに、連続体は彼らのうち少数しか殺さないかもしれない。

「もしわたしたちが時代人から離れて、これ以上は接触しないようにすれば、彼らが死なずに済む可能性もある？」

「わからない。かもしれない」しかし、その声に希望の響きはあまり聞きとれなかった。「損傷がどこまで広がっているか、打ち消さねばならない改変がすでに生じているかどうかを知ることは不可能だ」

アルフとビニーは、シティ・オブ・ベナレス号に乗船して溺死するはずだったのか？ それとも、ピカデリー・サーカスで母親といっしょに空襲に巻き込まれて死ぬはずだったのか？ マージョリーは瓦礫の下で、ハーディ二等兵はダンケルクで、スティーヴン・ラングはヘンドン航空基地からロンドンへ向かう途上で、死ぬはずだったのか？ それとも、ミセス・ホドビンは手紙を破り捨て、ハーディ二等兵はべつの船に拾われ、ほかの兵士も生き延びて、おなじ運命をたどっていたのか？ 確実な答えは知りようがない。

でも、すでに彼らの人生を変えてしまったんじゃないとしたら、今後離れて過ごすことで、あたしたちの死の爆風から守れるかもしれない。もうミセス・リケットの下宿にも、ノッティング・ヒル・ゲート駅にも滞在していなくてよかった。

それに、慰安奉仕会《ENSA》に入ってしまえば、サー・ゴドフリーの一座を辞める完璧な口実になる。

ポリーは配給切符を受けとって、肉屋で卵と牛肉四分の一ポンドを調達したが、スープ用の骨は品切だったので、ブイヨンのキューブで妥協した。

それを持って帰宅し、ダンワージー先生のために半熟卵をゆでてから、先生が住んでいた部屋に荷物をとりにいった。カーター・レーンの、二十九日の空襲で焼け残った唯一の一画にある、暗くて寒々しい貸間だった。ホッブ氏を無事に連れ帰ったことをハンフリーズさんに報告するつもりだったが、彼の命を危険にさらしたくなかった。ハンフリーズさんはいつも親切にしてくれた。その彼を、まさか……。

そこまで考えて、舗道の上でとつぜん足を止めた。ゆうべ、セント・バート病院へは行きたくないといったとき、ダンワージー先生がいいかけていたことがわかった。とても親切にしてくれた看護婦を、まさかそのために死なせるわけにはいかない。

案内デスクにいるボランティアにハンフリーズさん宛ての伝言を残そうかと考えたが、そもそも自分がセント・ポール大聖堂に行っていいかどうかもわからない。とはいえ、ハンフリーズさんが心配してダンワージー先生の行方を追うようなことにもなってほしくなかった。けっきょく、大聖堂の中に入ろうとしている女性に、これを聖堂番に渡してほしいといって、メモを託すことにした。このほんの一瞬の接触さえも、修正が必要になるとしたら？　または、おとといの午後、アルハンブラ劇場に行ったときのハッティとのやりとりも？

「やりたがってた救助の仕事にはありつけた？」稽古に到着したポリーに、ハッティがたずねた。

「いいえ」

「じゃあ、第二幕を救助して。ほら」といって、ユニオンジャック柄に彩られた水着をさしだした。「元気を出して。ＥＮＳＡは救助隊の仕事ほど英雄的じゃないかもしれないけど、兵士たちの士気を高め、二、三時間のあいだ、悩みを忘れさせてあげるのよ。歌と踊りだって、戦争に勝つ助けになるんだから」

タビット氏は早くもその夜のショーに、手品師のアシスタントとしてポリーを出演させた。ポリーの出来はひどいものだったが、手品師のほうも同様だったし、ほぼ百パーセント兵士から成る観客の主な関心は、生地が節約されたポリーの衣裳にあるようだった。

「おっぱいとピカピカ」とハッティがいった。「それがうちのモットーなの」

「モットーは、ＥＮＳＡ――エヴリ・ナイト・セクシー・アクトだと思ってた」さらに露出度の高いコスチュームをまとったコーラス・ガールのひとりがそういいながら、ふたりの前を通って舞台の袖に立った。

「あれはジョイス。いい子だけど、ちょっと男が好きすぎるのよね」とハッティがいった。

空軍パイロットの衣裳を着たハンサムな若者がふたりの前を通過した。

「いまのはレジー」とハッティ。「やっぱり、ちょっと男が好きすぎる。それがＥＮＳＡのいいところなのよ。お尻を撫でられる心配をしなくて済む。ただし、われらが親愛なる舞台監督、マッチンズだけは例外。彼には気をつけるのよ。危険だから」

あたしもそうよ、とポリーは思った。だれかがうかつに近づくと爆発する、たちの悪い遅発爆弾みたいなもの。

アイリーンに打ち明ける勇気を奮い起こすのに二日かかった。ポリーのデッドラインのことを知ったとき、アイリーンがどんなにやつれて見えたかは覚えていたし、マイクの死を知ったとき、アイリーンがエスカレーターの下から梃子《てこ》でも動かなかったことも覚えていたから、おなじようなことが起きるんじゃないかと心配だった。しかしアイリーンは、ぞっとするくらいおだやかにいった。「先生を連れて帰ってきたときから、ひどいことだってわかってた。戦争に負けるって、先生は確信してるの？」

「ダンワージー先生は、確証を得る方法はない、連続体が自己修復できる可能性もあるって――」

「でも、わたしたちの役には立たない」

「ええ」ポリーは患者に末期癌ですと診断を下す医師になったような気分だった。

「そして、やってしまったことをとり消すためにわたしたちにできることはなにもないと、先生は確信している」

「ええ」

「じゃあ、わたしたちは勝利不能状況に置かれている」

「ええ」

勝利することが不可能というだけではなく、逃れるすべさえ存在しない状況。もしポリーが自殺しても、あるいは、都合よく降ってきた高性能爆弾がかわりにポリーを殺してくれたとしても、ポリーが与えうるダメージ、ポリーが影響しうる変化に終止符を打つことにはならない。瓦礫を掘って彼女を捜索する救助隊員を危険にさらすだろう。あるいは、だれかべつの人間の救出に向かうのを遅らせる結果になり、そのあいだに、ガス管破裂によって無関係な他人が命を落とすかもしれない。そしてポリーの死は周囲の人々に影響を与える。タウンゼンド・ブラザーズの元同僚やミス・スネルグローヴや一座の面々に。

そして、サー・ゴドフリーは——前回、ポリーが瓦礫の下に埋まっていると思ったときは、ありとあらゆる手を使って彼女を見つけ出そうとした——あらゆる方向に波紋を広げるだろう。

あたしは遅発爆弾じゃなくて、不発弾だ。だれかが信管をはずさないかぎり、いつか爆発する——でも、もしだれかが信管をはずそうとしたら、爆発の危険性がさらに高くなる。そして、爆発物処理班は、いったん時計がチクタク動き出すようにセットしたら、もう止めようとはしない。安全に処理する唯一の方法は、バーキング湿地のような、だれにも害の及ばない場所に爆弾を運び、そこで爆発させることだ。

しかし、連続体にバーキング湿地は存在しないし、死ぬこともままならないとすると、ENSAで働いて、観客の兵士たちはもちろん、キャストの全員を危険にさらすことを逃れるすべはなかった。

ポリーは、いく晩もベッドに横たわったまま、自分が心ならずも危険にさらしてしまったかもしれない人々のことを考えた。フェアチャイルドにデネウェル少佐、押し倒されたせいでひざの靭帯《じんたい》を損傷したタルボット、サラ・スタインバーグをはじめとするタウンゼンド・ブラザーズの売り子たちと、彼女を追いかけてきたパジェットの警備員、爆撃後のセント・ジョージ教会を目にしてその場にくずおれそうになったときに手を貸して縁石にすわらせてくれた、房飾りつきのシルクの枕を携えた老人。アイリーンが面倒をみていた疎開児童や、アガサ・クリスティーや、オーピントンの病院の——それにセント・バート病院の——看護婦や医師や患者たちはどうなんだろう？

ダンワージー先生は明らかに、自分を担当した看護婦や医師たちを危険にさらしていると思っていた。同時に、彼らが接触した全員が連続体の自己修復に含まれるとはかぎらないともいった。とはいえ、たとえその中の少数でも……。

いまではシオドアの隣家の女性の気持ちがよくわかった。階段の下の押し入れに隠れ、そこに閉じこもっていたい。たとえそれがなんの防護にもならなくても。でも、そうすることは不可能だ。ダンワージー先生に半熟卵とお茶を届け、爆風に吹き飛ばされるのはどんな気分かとアルフが先生にたずねるのをやめさせ、ビニーがお伽噺に関する見解を披露するのを押しとどめ、芝居の台詞を覚え、タップのステップを練習し、衣裳のフリルをとってスパンコールを縫いつけなければならない。それに、アイリーンの揺るがぬオプティミズムと対決すること。

「ダンワージー先生のいうことが正しいとは思わない」ポリーが打ち明けた翌日、アイリーンはいった。「人の命を救うのはいいことよ。それにけっきょく、ダンワージー先生だってあの海軍婦人部隊員にわざとぶつかったわけじゃないし——」

「ロンドン大空襲のきっかけをつくったドイツ軍パイロットも、わざと現在地を見失ったわけじゃなかったし、デッキで煙草に火をつけた水兵も船団を敵に爆撃させるつもりじゃなかった。歴史はカオス系なの」とポリーは反論した。「原因と結果は——」

「直結しない。わかってる。でも、いくらカオス系だって、善行や善意は――それに勇気や親切や愛は――きっとそれなりに意味があるはずよ。でなきゃ、歴史は、いまよりもっと悪いものになるはずだもの」

アイリーンは、アルフとビニーを疎開させることも拒否した。

「去年の夏、バックベリーを離れる前、教区牧師がふたりの受け入れ先を探したときも、だれも手を上げなかった。もし万一、だれか見つかったとしても、すぐロンドンへ逃げてきて、またふたりだけで暮らしはじめるのがおちよ。そして、不発弾を収集する。わたしといっしょにいるのと、危険は変わらない」

連続体がふたりを殺そうとしないかぎりは。「でも、疎開させたら、あの子たちの命を救うことになるのよ」

「人の命を救うのはよくないことだっていったのはポリーじゃない」とアイリーンがいった。「そもそものために泥沼にはまったんだって。もしわたしがアルフとビニーをシティ・オブ・ベナレス号に乗船させて溺死させていたら、もしわたしがあの男を救急車の中で失血死させていたら、すべては安泰だったんだって」

「アイリーン――」

「わからない？　もし疎開させたら、ふたりは死ぬかもしれない。もしここに置いておいたら、ふたりは死ぬかもしれない。でも、もし疎開させたら、ふたりはわたしに見捨てられたと思って、そのせいで死ぬことになるのよ。ふたりはこれまでの人生で、知っている人間全員に見捨てられてきた。もう二度と、見捨てられることには耐えられない。だから、わたしがふたりの面倒をみると誓ったの」

でも、わからないの？　そんなことは無理なのよ。

でも、アイリーンのいうとおりだった。これは勝利不能状況だ。ということは、彼らがどこにいようが、たぶん、なんの違いもない。アイリーンはふたりの命を一度、ビニーの命を二度救っている。それは明らかに修正の必要がある改変だ。ホドビン姉弟は自分で自分の面倒をみられる。そう思って、みずからを納得させようとした。歴史の修正を——もしくは戦争を——生き延びられる人間がいるとしたら、それはあのふたりだ。

彼らふたりは——それ以外の、すくなくとも何人かも——生き延びることができると、必死に信じようとした。たとえいまからでも、彼らを守るためになにかできることがあると信じようとした。心の奥底では、それが、『眠れる森の美女』の国王が国じゅうの紡ぎ車を焼かせたのとおなじくらい無益なことなんじゃないかと恐れていたとしても。

それでも、とにかくセント・ポール大聖堂とケンジントンには近づかず、地下鉄ではなくバスに乗り、人と並んですわらずに済む席を探し、だれともぶつからないよう、前方に注意して歩いた。オックスフォード・ストリートにはぜったいに近寄らず、タビット氏から衣裳用のサテンやリボンを買ってこいと命じられたときはリージェント・ストリートかハロッズへ行き、「五メートルください」しか口にしなかった。

ただそれだけでも売り子の運命を決めてしまうにじゅうぶんかもしれないが、すくなくとも、タウンゼンド・ブラザーズの売り場で同僚やミス・スネルグローヴの命を危険にさらしているわけではないし、ノッティング・ヒル・ゲート駅で一座といっしょにいるわけでもない。そして、新たな人々との接触を避けようと努力するうちにも、心はついつい、これまでに接触した人々の輪の広がりについて考えてしまう。ダリッジに駐屯していたあいだに救った爆撃の被害者たち。バックベリーまで乗ったバスの運転手。領主館の使用人たち。ポリーやアイリーンやマイクとおなじ列車に乗り合わせた乗客たち。そして、ブレッチリーでマイクを助け起こし、埃を払ってくれた女の子たち。

そして、心はたえずダンワージー先生のもとへと向かう。卵と、アイリーンのアスピリンと、アルフとビニーがどこからともなく（アイリーンもポリーも、出所は穿鑿《せんさく》しないのがいちばんだと思った）調達してきたスープ用の大きな骨にもかかわらず、先生が恢復する兆《きざ》しは一向になかった。

「先生のことが心配」とアイリーンがいった。「お医者さんの話だと、頭の怪我はもうほとんど治ってるから、そのせいじゃないって。それに肺炎でもないって。原因がわからないっていってた」

原因は、あたしたちの身になにが起きるかと考えること。あたしたちと、日本軍が侵攻してきたときにもまだシンガポールにいるだろうチャールズ・ボーデンと、だれだか知らないけれど先生がバスティーユ襲撃の現地調査へと送り出した史学生。そして、それとおなじくらい危険な時代と場所にいるときに降下点がとつぜん閉じてしまって途方に暮れている、神のみぞ知る数の他の史学生たち。ダンワージー先生の病気の原因は、世界の重みだ。

「恢復しないんじゃないかっていう気がする」なんについてもあきらめることを知らないアイリーンまでもがそういうようになっていたから、ある晩、楽屋口の外でアルフとビニーが待っているのを見ても、ポリーは驚かなかった。

「アイリーンに、呼んできてっていわれて」とビニー。

「ホップさんのこと？」とポリー。

「ホップさん？」とアルフ。「ぜんぜんちがうよ。ミセス・リケットの下宿屋。ゆうべ、爆撃されたんだ」

「直撃弾」とビニー。

「どっかーん！」アルフが叫んだ。「おれら、追い出されててラッキーだったよね」

「花はとても赤く色づいている。くりかえす。花はとても赤く色づいている」

——Dデイ（ノルマンディー上陸作戦の決行日。一九四四年六月六日）前にフランスのレジスタンスに向けて放送されたBBCの暗号メッセージ

46 ケント

一九四四年四月

「ワージング！」セスが呼びかけてから、ドアを開けた。

「今度はなんだ？」アーネストは、『クラリオン・コール編集長さま。不運にも——』とタイプしながらいった。

セスはむっとした顔で、「レイディ・ブラックネルが着いたら教えろっていっただろ。来てるぞ」

アーネストはうなずきながら、『——わたしの住まいは——』とタイプしたところで手を止め、「プリズムとグウェンドリンがつくってるダミーのキャンプはどこだっけ？」

「コゲシャルのすぐ北」とセス。

『——米軍落下傘部隊基地にほど近い、コゲシャルにありますが、このところ、日曜の朝になると、わが家の前の道に、ビールの空き瓶や——』キーの上で指をとめ、「新聞に〝コン

ドーム〃って単語は使えたんだっけ?」

「いや」とセス。「彼はおれたちに会いたがっている」

『――避妊具が落ちているのにうんざりします。基地司令官に掛け合いましたが埒《らち》が明きません』

「いますぐ談話室で会いたいそうだ」

「これが最後の一本だ。聞いてくれ。アドバイスがほしい」といって、原稿の文面をセスに向かって読み上げた。

「ああ、ドイツ軍はまちがいなくだまされるよ」とセス。「ビールの空き瓶に使用済みコンドームってのは、兵隊がいるいちばんの証拠だからな」

「いや、この投書の差出人をだれにするのがいいか、アドバイスがほしいんだ。怒れる地方名士か、それともオールドミスか」

「教区牧師だな」セスが即答した。「さあ、来てくれ」

「すぐ行く」と約束して、セスに手を振って部屋から追い出すと、あと二行タイプしてから、手紙に『T・W・リンゴルズビー師』と署名し、その紙とカーボン紙を記事といっしょに封筒に入れ、その封筒を『書式14C』ファイルの中に隠して、下の談話室に赴いた。

レイディ・ブラックネルに向かってグウェンドリンが報告している最中に、アーネストはセスのとなりの席に腰を下ろした。「キャンプ・オマハは完成しました」とグウェンドリンがいった。「バラック五十棟、駐車場、食堂、それに煙突から煙が出ているキャンプ・キッチン。しかし、煙がいつまで保つかよくわからないので、ドイツ軍の偵察機がこちらの沿岸防備を突破する機会がなるべく早くあれば、最高ですね」

レイディ・ブラックネルはうなずいた。「あすの午後、手配しよう。気象レポートによれば、あすの夜までは好天がつづく」メモをとりながら、「建物のあいだを歩いたり、備品の荷を下ろしたり、隊形の訓練をしたりする兵士が必要だ」

「その兵士ってのがだれになると思う？」セスがアーネストの耳もとで囁いた。「おれの十《お》八番《はこ》だよ——豪雨の中での訓練」

レイディ・ブラックネルは錐《きり》のような視線をふたりに向けた。「チャズブルとワージングをのぞく全員が、明日一四〇〇《ひとよんまるまる》時にキャンプ・オマハに出頭。チャズブル、きみは来週の金曜、シシングハーストの飛行場でのテープカットの式典を手配してくれ」

チャズブルはけげんな顔で、「シシングハーストに飛行場なんてありましたか？」

「来週金曜までにできる。ワージング、きみはドーヴァーへ行ってくれ」

「病院に？」と用心深くたずねた。

「いや、港にだ。繋留されている船に届けてほしい小包がある」

「ぼくひとりで？」

「もちろん、ひとりでだ。ワージング少尉、小包ひとつ運ぶのに何人必要だと？」

「すみません」アーネストは、わくわくする気分を押し殺して、残念そうな表情をつくった。ようやくだ。とうとう自分ひとりで、交通手段まで確保されたうえでロンドンに行ける。それに、サドベリー・ウィークリー・ショッパーやクロイドン・クラリオン・コールにも、セスやプリズムから肩越しに覗かれることなく、記事を届けることができる。とくにコールに。編集長のジェパーズ氏は、OKを出す前にいつもすべての記事を朗読し、あらゆる質問を浴びせてくる。

両方まわるつもりなら時間が足りなくなりそうだが、さいわい、ドーヴァーくらい遠ければ、二、三時間早く出ても怪しまれない。レイディ・ブラックネルがいますぐ送り出してくれないのでないかぎり。

「可能なかぎり早くだ。「いつ出発いたしましょうか」彼の船が港にいるのは一日か二日だ。また出航してしまう前に捕まえる必要がある」

ますます好都合だ。任務を終えていつもどってくることを期待しているのかたずねようかと思ったが、それは藪蛇《やぶへび》になりかねない。「承知しました」

「出発の用意ができたら出頭しろ」

「イエス、サー」

会合が終わるなり、ワージングはチャズブルのピーコートを借りにいき、おあつらえむきのシャツを持っている人間がいないか捜した。出発が早ければ早いほど、ブラックネルの気が変わってだれかをいっしょに行かせるといいだす可能性が減る。

水兵の普段着だといって通りそうなシャツを持っている人間はだれもいなかったが、セスがくたくたになった冴えないグレイのプルオーバー一着と、キャンバス地の運動靴一足を持ってきた。

「セーターはモンクリーフので、運動靴はプリズムのだ」とセス。プリズムの足のサイズはアーネストより小さいが、どうせずっと車で行くんだからかまうことはない。

「パーフェクト。助かった」といって、プルオーバーを着込んだ。「もしかして、ダッフルバッグもあったりする？」

「ああ」と答えて、セスはたちまち、重そうなキャンバス地のバッグひとつと傘一本を持ってもどってきた。「これも必要になる」

「屈強な海の男は傘なんか持ち歩かない」アーネストはバッグに着替えを突っ込みながらいった。「それに、どうして雨になるとわかる？　ブラックネルは、晴れの予報だといってたぞ」

「彼は、牧場に牛はいないともいってたじゃないか」セスは傘をさしだして、「それに、おれたちが外にいなきゃいけないときはかならず雨が降る。石油精錬所のテープカットを覚えてるか？」デスクに傘を置いて出ていった。セスがいなくなるなり、アーネストはファイルを開いて『書式14Ｃ』から封筒を回収し、ダッフルバッグに詰めた着替えの下にしまった。

セスがまた顔を突き出して、「ブラックネルが呼んでるぞ」

やっぱり話がうますぎると思った。しかしブラックネルの用件は、問題の小包――紐でくくられた平たくて四角い箱――と手紙を渡すことだった。「この両方を、マドモワゼル・ジャネット号のドゥーリトル船長に渡してくれ」

「マドモワゼル・ジャネット号？」

「フランスの釣り船だ」繋留されている場所を伝えてから、「きみはコーンウォール出身のヒギンズ水兵だ。コーンウォール訛《なま》りは使えるか？」

アーネストはうなずいた。「方言は専門です」

ブラックネルは書類の束をさしだし、「必要書類一式だ。きみは傷病兵として英国海軍を除隊になり、仕事を探している。きみは、ドゥーリトル船長に――ドゥーリトル船長だけに――こう話しかける。『水兵のヒギンズです。ピカリング大将より、船長が乗組員を探していると聞きまして』と、上流階級の正確なアクセントで読み上げた。「するとドゥーリトル船長は、『ピカリング大将か！　あの古狸《ふるだぬき》はどうしてる？』と応じるから、きみはその小包を手渡す」

「承知しました」セスは自分の台詞を、なるべく退役した水兵っぽく聞こえるアクセントを心がけてくりかえし、それからブラックネルにたずねた。「オースティンに乗っていけばいいんでしょうか、それとも参謀用乗用車《スタッフ・カー》で？」

「どちらでもない。徒歩で行ってもらう」

話がうますぎると思った。「ドーヴァーまでずっと歩いていけと？」

「いや、もちろん違う。ヒッチハイクだ。そうすれば、農夫など地元の人間と、上陸作戦について話をすることができる。それに、途中にあるパブに立ち寄って、常連客とやはり上陸作戦について会話を交わすことができる」

しかし、自分で記事を届けることも、ロンドンへ行くこともできない。

「そうした会話は、無電や新聞記事を通じてわれわれが流している偽情報を補強する役割を果たす」とブラックネルはいった。

「新聞記事といえば、コールとショッパーの締切が両方ともあしたなんです。それを過ぎると、どちらの新聞にも、米第一軍集団《FUSAG》に関する記事は再来週《さらいしゅう》まで載らなくなる。両紙とも、米軍およびカナダ軍に関する記事を毎号載せてきました。それが急に——それも二紙同時に——ストップすれば、ドイツ軍が怪しむかもしれません。閣下がいつも力説するとおり、このような作戦行動では、パズルのピースがひとつ欠けただけで、計画全体が瓦解する可能性があります」

「自分が口にしたことはよくわかっている」ブラックネルはぴしゃりといった。「記事はもう書いたのか？」

「ええ。しかし——」

「では、セスに届けさせよう」そして、アーネストが止めるまもなく、「セシリー！」と怒鳴った。

「でも、セスは編集長と面識がありません。セスがドーヴァーへ行って、わたしが残るほうが理にかなっています。キャンプ・オマハへ行く途中に、自分で記事を——」

「いや、アルジャナンは、この小包を届ける人間としてとくにきみを指名している」

ぼくを指名している？　どうして？　アーネストは首をひねった。

「お呼びでしょうか」セスが戸口に顔を出した。

「アーネストが書いた偽情報の記事を明朝、新聞社に届けてくれ。オースティンを使え」とアーネストの傷口に塩をすり込むような指示をつけ加えてから、手を振ってふたりを下がらせた。

「ありがとう」廊下に出ると、セスがアーネストにいった。

「なんの礼だ？」

「雨中の訓練から救い出そうとしてくれた礼だよ。たとえうまくいかなかったにしても、試みてくれたことには感謝する」

「それがぼくの人生の物語だよ」自分で思った以上に苦い口調になってしまう。そして、もの問いたげなセスの表情に答えて、「うまくいかない試みの連続」

「おれが配達する記事はどこにある？」

「とってくる」アーネストはセスを追い払うべく、「借りられるようなダンガリーのズボン持ってないか？」とたずねた。「ぼくのは水兵のズボンにしては品が上等すぎるんだ」

「雄牛と喧嘩した日にはいてたやつは？」とセス。「あれならじゅうぶんぼろぼろだろ」

「たしかに」とうなずいてから、もう一度トライした。「ニット帽を借りられないか、プリズムに訊いてきてくれないか」

セスがいなくなるなり、ドアを閉め、ダッフルバッグから封筒を掘り出して、封をこじ開けると、書類を半分まで出して、セスに預けるわけにはいかない記事を引き抜きはじめた。

か。

「帽子見つかったか？」廊下からセスの声がした。

「ああ。しかし、かなりひどい状態だぞ」とプリズム。

暗号メッセージを入れた原稿になにかマークをつけておくんだった。記事の束をぱらぱらめくりながら思った。それとも、コードブックみたいに、濡れたら溶ける赤いインクで書くか。

暗号メッセージ入りの原稿はぜんぶで四本。四本めはいったいどこだ？　あった。『探しています。ＥＯとイニシャルの入ったロケット……』

アーネストはそれを引き抜き、他の三枚といっしょにダッフルバッグに突っ込んで、封筒にもういちど封をし、剃刀とひげ剃り石鹸をバッグに入れているとき、セスが帽子を持って入ってきた。さっきのセーター以上に冴えない色で、さらにぼろぼろだった。

「完璧だ」といってアーネストは封筒をセスに手渡し、帽子をかぶって、「どうだい？」

「じつに船乗りっぽい。あと必要なのは、魚臭いにおいと二日分の無精ひげだな。ということは、その剃刀は必要ないわけだ」といって、セスがダッフルバッグに手を伸ばした。

アーネストは、その手が届かないようにバッグをぐいとひっぱって、「そう思うのは勝手だが」といいながら、バッグの紐を引いて口を閉じた。「帰りにいろんなパブに寄って、パ・ド・カレーの話を広めることになってるんだ。ウェイトレスをこわがらせたくない」

「ああ、雄牛と鋤《すき》亭には近づかないほうがいいな」とセス。「チャズブルはダフニとよろしくやってるのをだれにも邪魔されたがらないから」

「ダフニ?」アーネストははっとして訊き返した。

「ウェイトレスだよ。知ってるだろ。かわいい小柄なブロンド娘で、大きな青い目をしてる。チャズブルが首ったけだ。この記事、どこへ持っていけばいい?」

「オリジナルはサドベリーのウィークリー・ショッパーへ。カーボン・コピーはクロイドンのクラリオン・コールだ」アーネストはそういいながらキャンバス地の運動靴を履いた。サイズが小さすぎて、もう足が痛い。「オフィスはハイ・ストリートにある。編集長はミスター・ジェパーズ」運動靴の紐を結び、「あしたの午後四時までに届けてくれ」

立ち上がり、ダッフルバッグを肩に担いだ。「ニューエンデンまで送ってもらえたりしないかな。あそこからのほうがヒッチハイクできる可能性が高いんだけど」それに、ロンドン行きの列車にも乗れるし、明朝にはロンドンからドーヴァー行きの列車に乗れる。

「悪いな。チャズブルが出たばかりだ」とセス。「それにモンクリーフが乗っていったオースティンは今夜までもどらない。ほらよ」と、オイル・サーディンの缶詰をさしだした。

「これをどうしろと?」

「ズボンにちょっとこぼしたら本物っぽくなるんじゃないかと思って」

「向こうに着いてからにするよ」早く出発したい一心で答えた。ロンドンは無理としても、運がよければ、ホークハーストまで行く車を捕まえて、そこからクロイドン行きのバスに乗り、セスが他の記事を届けるより早く自分の記事を持っていけるかもしれない。とはいえ、二便に分けて記事を届ける必要があった理由をジェパーズ編集長にどう説明したものか。

それは、バスに乗ってから考えよう。それと、その前段階のヒッチハイクに成功してから。しかし、小さすぎる運動靴で足をひきずりながら、三十分とぼとぼ道路を歩きつづけても、車は一台も通らなかった。第一軍が実際はここにいないのが残念だ。もしそれがほんとうなら、第一軍の車両にヒッチハイクできたのに。

とうとう止まってくれたのは、教区牧師の代理としてとなり村に向かう老牧師の車だった。「教区牧師が従軍牧師に志願して、前線へ行ってしまったもんでなあ」窓から顔を出し、アーネストに向かっていった。「となり村はほんの三キロ先だ。もっと遠くまで行く車が通るまで待ったほうがいいんじゃないかね」

どちらとも決めかねたが、このときには足の痛みが我慢できないほどひどくなっていたので、老牧師の車に乗せてもらうことにした。しかし、乗り込んだ直後、美人の米陸軍婦人部隊員が運転するジープがどこからともなくあらわれ、猛スピードで追い越していった。それに懲りて、老牧師の車を降りたあとは、次に止まってくれた農場のおんぼろトラックに乗せてもらうのを辞退したが、そのあと三時間にわたって、車は一台も通らなかった。

ようやくホークハーストにたどりついたときには、その夜十時近くになっていたが、考えてみれば——考える時間はたっぷりあった——それでよかったかもしれない。アーネストがそれを知ったら、どうしても自分で届けなければならないほどだいじな原稿とはなんだったのか知りたがるに決まっている。それにセスはすでに、アーネストがタイプしている原稿の内容に関心を持ちすぎている。

　もうへとへとで、パブにすわって水で薄めたビールをちびちびすすりながら上陸作戦に関する偽の噂を広めるどころではなかった。ありったけのエネルギーを使って、水ぶくれができた足から運動靴をむしりとり、ベッドに倒れ込んでこんこんと眠りこけるのがせいいっぱいだったから、ドーヴァーまでヒッチハイクする最上のチャンスをふいにする結果になった。

「ホロックスさんとちょうど入れ違いになったわね」朝食を運んできたウェイトレスがいった。「ドーヴァーまで行くんだっていってたのに」

　ぼくの人生の物語だ。そう思いながら、その日一日かけて、さまざまなトラックにヒッチハイクして、ドーヴァーへと少しずつ接近した。同乗者は、ニワトリの群れに豚の群れや、あの牧場で対決したのとおなじやつとしか思えない巨大な雄牛。泥だらけの小道に折れたところで農夫がトラックをとめて降ろしてくれたときにはほっとしたが、ドーヴァーまではまだ〝もうちょっと〟距離があり、いまにも雨が降り出しそうな空模様だった。

　予想どおり、雨が降ってきた。陸軍伍長が運転するダグラス社製のバイクのうしろにまたがって、ようやくドーヴァーにたどり着いた午後三時ごろには、雨は土砂降《どしゃぶ》りになり、荒れ狂う風に吹かれた雨粒がまっすぐ正面から顔にぶつかってきた。

　セスもかわいそうに。そう思いながら桟橋に向かった。それにひきかえ、ドゥーリトル船長がまだここにいるのは確実だ。この天候ではだれも船を出さない。

　アーネストは、木箱の山や巻いたロープや燃料缶のあいだを縫うようにして雨ですべりやすい桟橋を歩きながら、繋留されている船の舳先《へさき》にペンキで描かれた船名を読んだ。ヴァリアント号、キング・ジョージ号、ドレッドノート号。メアリ・ローズ号もシー・スプライト号も見当たらない。戦争のせいで船の名前もすっかり変わってしまった。いまは勇ましい名前や愛国的な名前ばかり。船の甲板にはカモフラージュ用の網が下がっている。ユニオンジャック号、ドーントレス号……

いまいましいマドモワゼル・ジャネット号は、どうせいちばん最後の一隻だろう。たどり着くころにはきっとずぶ濡れになっている。フィアレス号、ブリタニア号……あった。マドモワゼル・ジャネット号。

しかし、これが探している船のはずはない。船殻はフジツボに覆われ、塗装は剝げかけている。英国情報部の任務を果たすことはおろか、港を出るまで海に浮かんでいるのも無理そうに見える。こんなに航海に向いていない船を見たのは、それこそ――

「おーい《アホイ》、そこの人」タフそうな体つきの若者が舳先から声をかけた。「なんか用？」セーターにくたびれたズボン姿で、さっきまでエンジンと格闘していたらしく、顔と両手は黒く汚れ、油まみれのレンチを武器のようにつかんでいる。

「ドゥーリトル船長を捜してるんだけど」とアーネストは若者に向かって叫んだ。「これは船長の船？」

「うん」若者は船に乗れと手を振って、「下にいるよ。船長！」と呼んだ。しばらく待っても返事がないと、ハッチのところまで歩いていって、下に向かって叫んだ。「ドゥーリトル船長！　会いたいって人が来てるよ！」といって、エンジンのほうにもどっていった。

アーネストは急ぎ足で渡り板を渡り、それから立ち止まって、ワニスを塗っていない甲板を当惑の目で見まわした。まさかそんな……沈んだはずだ。しかし、舵輪といい、ロッカーといい、ハッチといい、なにもかもそっくりだ。

うわ、そういうことか。マドモワゼル・ジャネット号。船名でぴんと来てしかるべきだった。

「なにをわあわあ怒鳴ってる？」下から声が叫んだ。その声は、まちがいようがなかった。それにハッチからあらわれたヨット帽も、活力に満ちた目も、半白のひげも。生きてたんだ。アーネストは感嘆の念に打たれた。

「だれだ？　それにいったいなんの用だ？」

ぼくの顔がわからないんだ。ニット帽と無精ひげのおかげ。「ドゥーリトル船長ですか？」とたずねた。

「おう」

「ぼくは水兵の――」

「そんな雨の中に突っ立ってないで、降りてこい」と船長はアーネストを手招きして、はしごを降りはじめた。

アーネストはそのあとについてはしごを降りた。船倉はそっくりおなじに見えた――散らかったギャレー、灰色の毛布が山になった寝棚、床には以前と同様、深さ十センチの海水混じりの水。それにテーブルには、薄暗い、ちらつく光を投げるカンテラ。願わくは、その光があんまりはっきりとこの顔を照らしませんように。もし小包を渡して、すばやくここを出ることができれば……。

最後の二段を降りて船倉を歩き出したが、ざぶざぶと二歩も行かないうちに、コマンダーの両腕にがっしと抱擁された。

「こいつは驚いた！」と大声でがなり、背中をどやしつける。「いったいぜんたいここでなにをやってるんだ、カンザス？」

何年ものあいだ、王子はさまよいつづけ、とうとう、魔女がラプンツェルを閉じ込めた、人里離れた森の奥にやってきました。

――『ラプンツェル』

47　ロンドン、帝国戦争博物館
一九九五年五月七日

博物館に着いたのは午前九時十五分だった。開館は十時だが、彼らが早めにやってくれば、館内に入る前に話ができるかもしれないと期待して、早めの時刻にネットを抜けた。

しかし、正面玄関の前や階段の上にはだれもいなかった。戦車と高射砲とモーターボートが展示されている中庭も、やはり無人。ロビーが開いているというわずかなチャンスに賭けて正面玄関の扉を試してみたが、思ったとおり施錠されていた。ガラスの向こう、チケット・デスクの前にも、まだだれもいない。

中庭に歩いていって、戦車を見ながら、彼らが来てくれることを願った。きょうは、セント・ポール大聖堂も、『ロンドン大空襲下のセント・ポール』と題する展示の初日だ。そちらに行くことも検討したが、来訪者が多い分、帝国戦争博物館のほうが確率が高いだろうと判断した。それに、こっちに早く来れば、もしかしたら両方に行けるんじゃないかという虫のいい期待もあったのだが、いざ着いてみれば、ここには人っ子ひとりいない。

ボートのほうにぶらぶら歩いていった。舳先には、リリー・メイド号と船名がステンシルされている。船尾のほうには、機関銃の銃痕が一列に並んでいるのが目を引く。ボートの前の案内板には、『ダンケルクから34万人以上の英国および連合国兵士を撤退させる作戦に志願した、民間人の操縦する多数の小型船舶の1隻』と書かれていた。

弾痕を間近で観察してから、だれかがボートの風防に置いていった博物館パンフレットを回収して、玄関前に引き返し、階段にすわってそれを読んだ。『最良の時《ファイネスト・アワーズ》——第二次世界大戦五十周年記念特集』とあり、博物館の今後の特別イベントおよび特別展の予定がリストアップされている。『バトル・オブ・ブリテン』、『北アフリカ戦線』、『戦時の女性たち』、『戦争の勝敗を左右した機密』、『学童疎開』。ここでもセント・ポール大聖堂でも目当ての人間がだれも見つからなかった場合には、最後の展示をぜったいに見にこなくては。

もし来ることが可能なら。バードリとリナは、数カ月にわたって努力し、範囲をヨークシャーまで広げたにもかかわらず、『戦時の女性たち』の特別展がはじまる日の前後に降下点を設定することができなかった。『学童疎開』はいつだろう？　もし近々なら、はじまるまでここに残る手もある。しかし、スケジュールをたしかめると、『学童疎開』展の開催は九月だった。わずかなチャンスに賭けて四カ月も無駄にするわけにはいかない。メロピーがロンドンへ行ったあとも彼女と連絡をとりあっていた疎開児童や、デネウェル荘園にほかにどんな子供たちがいたかを知っている疎開児童と出会える可能性は低い。

疎開委員会のファイルは、セント・ポール大聖堂を蒸発させたピンポイント爆弾によって消滅していた。地元の記録から判明したのは、領主館にいた疎開児童たちがそれぞれ決められた受け入れ先の家庭や施設にひきとられていったというより、ろくにあてもないまま放り出されたに近いという事実だった。一九六〇年に話を聞いたある女性委員長は、デネウェル荘園にいた三十人の子供たちのうち、三人の名前を挙げることしかできなかった。しかも、そのうちのふたりについては、手のつけられない問題児だったから名前を覚えていたにすぎない。

「ビニーとアルフのホドビン姉弟はおそろしい子供たちでした。彼らを屋敷で引き受けるなんて、レイディ・デネウェルは本物の聖人でした」と彼女はいった。「ものは盗む、家畜にはいたずらする、他人のものに損害を与える。捕まえると、真っ赤な嘘をついて言い逃れをする」戦後、彼らと接触がなかったかとたずねると、「ありがたいことに、まったくありません。あのふたりが刑務所にいても驚きませんね」

三人めの疎開児童――エドウィナ・バリー、旧姓ドリスコル――については居場所を知っていたが、ミセス・バリーはアイリーンが屋敷を離れる前にべつの家に移されていたことが判明した。彼女もホドビン姉弟の消息は知らなかったが、ふたりはホワイトチャペルの出身だと教えてくれた。そこで、それから半年かけて、刑務所の収監者リストとホワイトチャペルの住宅賃貸記録を洗った。姉弟の住所はつきとめたが、その下宿屋は一九四一年二月の空襲で全焼していた。そのときの爆撃の犠牲者名簿にホドビン姉弟の名前はなかったが、ロンドン大空襲全体の死亡者リストを調べた結果、ふたりの母親が死んでいることがわかった。だとすれば、たぶん姉弟もおなじ運命をたどったのだろう。

『学童疎開』特別展がはじまる日付を書き留めてから、他に有益な展示の情報はないかとパンフレットの他のページを熟読しはじめ、しばらくしてふと顔を上げた。

だれか来る。一瞬はっとしたが、観光客の男女だった。どちらも五十代で、見たところアメリカ人のようだ。ふたりとも白のランニング・シューズを履き、大きなカメラを首からぶら下げている。妻のほうは、いまにも雨が降りそうな天気だというのにサングラスをかけ、夫のほうは、「どうせまだ開いてないといったじゃないか」と文句をいっている。

「遅すぎるよりは早すぎるほうがましですよ」といって、妻は階段を上がりはじめ、「博物館は開いてます？」とたずねてきた。

「もし開いてたら、この人がこんなところにすわってるわけないだろう」と夫がうなるようにいう。

「ブレンダです」と妻がいい、「こちらは夫のボブ」

立ち上がって彼女と握手した。「カルヴィン・ナイトです」

「ああ、英国アクセントって素敵」

適当な答えを思いつかなかったので、かわりに、「『ロンドン大空襲を生き抜く』展のオープニングにいらっしゃったんですか？」とたずねた。

「いいえ、いまやってるのがそれなんですの？　ぜんぜん知らなくて。ボブが来たいといったのは、第二次世界大戦に興味があるからというだけで。空軍博物館とチャーチル博物館にはもう行ったんです。ねえ、聞いた、あなた？」と階段の下にいる夫に呼びかけた。「ロンドン大空襲の特別展がきょうからはじまるんですって」

ほんとにそうだといいけど。ボブとブレンダはそのことを知らなかったし、客はまだだれも来ていない。もしかして、日にちが違っているとか？　ずれはなかった。きょうはまちがいなく五月七日だ。しかし、タイムズ紙の記事が特別展の初日をまちがって書いていたのかもしれない。

他の記録と照合してたしかめておくべきだった。いますぐ調べる方法はあるだろうか。博物館がまだ閉まっているとなると……。

「わたしたちはインディアナポリスから来たの」とブレンダ。「あなたはロンドンにお住まい？」

イエスと答えたら、観光情報をいろいろ質問されそうだ。一九九五年のロンドンになにがあったかなんて、見当もつかない。「いえ、オックスフォードです」

駐車場にアウディが一台入ってきた。乗っている人間に、特別展の日程をたずねてみよう。「もうすぐ開館ですよ」とブレンダに向かっていった。「それまで中庭の展示をごらんになったらいかがですか。興味を引きそうなものがいくつかありますよ」

しかし、ブレンダは聞いていなかった。

「オックスフォードにお住まい？」と声をあげ、「わたしたち、水曜日に行く予定なの。滞在中になにを見たらいいか、ぜひ教えてもらわなきゃ」

駐車場のほうを見やった。アウディから降りてきて、後部座席のドアを開けようとしている女性は、年齢が若すぎて、捜している女性のひとりではありえない。見たところ、せいぜい四十歳くらいだ。ビジネス・スーツにハイヒール姿で、後部座席からひと抱えの本と書類をとりだすところだった。ここで働いている人だ。ロンドン大空襲特別展の初日がきょうなのかどうか、まちがいなく知っているだろう。

「オックスフォード大学を見学したくて」とブレンダが話している。「でも、いくら地図を探しても見つからないの。カレッジばっかりで」

そのカレッジがオックスフォード大学なんですよと説明し、ベイリアル・カレッジを見物するようにすすめた。「それとモードリンですね」一九九五年のオックスフォードになにがあっただろうと考えながら、「あとは、アシュモレアン博物館」

「それって、ドードー鳥を展示してるところ？」とブレンダ。「ドードー鳥とか、『不思議の国のアリス』に出てくるいろんなものを、ぜひ見てみたいわ」

「いえ、ドードーはロンドンの自然史博物館です」

「まあ。それはどこ？」トート・バッグの中を探りながら、「ボブ！」と夫に呼びかけた。「ガイドブック持ってる？」

しかし、ボブは中庭のほうに行って高射砲を見物していて妻の声が聞こえないか、聞こえないふりをしている。

「夫がガイドブックを持ってますの。中に載ってる地図で場所を教えてもらえますか、その博物館の——なんて言いましたっけ？　自然博物館？」

「自然史博物館です」駐車場にすばやい視線を投げたが、スーツの女性はまだ車から荷物を下ろしている最中だし、ほかに入ってくる車はない。ブレンダにつきあって階段を降り、中庭のほうへ歩いていった。

ボブはガイドブックを持っていなかった。「きみが持っていると思ったが」

「いいえ、あなたに渡したじゃないの。ホテルを出る直前に」といったが、もうしばらくトート・バッグを探ったあと、ブレンダは問題のガイドブックを発見し、地図のロンドンのページを開いた。アシュモレアン博物館の場所を教えてから階段のほうにもどると、さっきのスーツの女性が階段を上がって博物館の中に姿を消すところだった。ということは、開館したにちがいない。しかし、玄関まで行ってみると、ドアはまだ施錠されていた。駐車場に入ってくる車は、あいかわらず一台もない。それに、雨が降りはじめていた。

襟を立て、玄関のひさしの下に飛び込んだ。ブレンダも、頭の上にガイドブックを広げて、階段を駆け上がってくる。夫がそのうしろから、「だから傘を持ってくるようにといったじゃないか」

「ロンドンの雨の多さになかなか慣れないのよ、カルヴィンさん」とブレンダ。「高射砲の説明書きに、もともとケンジントン・ガーデンに設置されていたものだと書いてありましたけど、ピーター・パン像がある、あのケンジントン・ガーデンじゃないですよね」

「いえ、そのケンジントン・ガーデンですよ」

「まあ。行ってみたいわ。あたし、ピーター・パンが大好きなのよ」と、またガイドブックのページをめくりはじめた。「それに、バリが子供のころに住んでたスコットランドの家にも」

「イギリスに滞在するのは半年じゃなくて十日なんだぞ」とボブがいった。

「わかってますよ。すごく見たいものがたくさんありすぎるっていうだけ。とにかく、時間が足りないの」

そのとおりだ。博物館の扉を見ながら、カルヴィンは思った。時間が足りない。

「それは博物館の予定表ですか？」カルヴィンが持っているパンフレットを指さして、ボブがたずねた。

「ええ」パンフレットをさしだすと、ボブが受けとり、妻といっしょに覗き込んだ。

「『バトル・オブ・ブリテン』はよさそうね。あら、はじまるのは七月一日だって。もう帰ってるわね。『戦争の勝敗を左右した機密』」と声に出して読み、「これってなんのこと？」

「さあねえ」ボブがじれたような口調でいった。

「ウルトラとブレッチリー・パークのことでしょう」とカルヴィンはいった。

「ウルトラ？」

「ナチの暗号メッセージを解読するための極秘プロジェクトです」

「まあ」ブレンダは夫のほうを向いて、「あなた、戦争の勝敗を左右したのはアメリカの参戦だっていったじゃない」

ボブには、困った顔をするだけのたしなみがあった。

「戦争の勝敗を左右した要因はたくさんあるんだよ」とボブ。「レーダー、原子爆弾、ヒトラーがロシア侵攻を決断したこと――」

「それに、ダンケルク撤退」とカルヴィン。「バトル・オブ・ブリテン、ロンドン市民が大空襲に耐え抜いたこと――」

ブレンダは満面の笑みをカルヴィンに向け、「あなた、うちの主人とおなじくらい、第二次世界大戦の大ファンなのね」

大ファン。第二次世界大戦の。「じつをいうと、ぼくはジャーナリストなんです。きょうここに来たのも、ロンドン大空襲特別展の初日を取材するためで」

「まあ。うちの娘のステファニーはジャーナリズムを教えてるの。ぴったりの組み合わせね。ご結婚は？」

「ブレンダ」と夫が口をはさみ、「そんなぶしつけな――」

「莫迦《ばか》おっしゃい」とブレンダ。「ご結婚は？」

カルヴィンは首を振った。

「おつきあいなさってる方は？」

「いまのところだれも」

「ほらね」勝ち誇ったように夫のほうを見てから、こちらに向き直り、「おいくつかしら。

三十歳？」

「ブレンダ！　こちらの方は結婚相手を探しているわけじゃ――」

「ステファニーは二十六なの。勤務先は――」

「戦車を見にいこう」とボブが妻の腕をとった。

「だって、雨が――」

「もうやんでいる」ボブがきっぱりいった。

「はいはい、わかりました」ブレンダは階段を降りかけたところで立ち止まり、カルヴィンのほうを向いて、「戦車の前で、わたしたちふたりの写真を撮っていただけません？」

ブレンダにカメラを渡され、ふたりのあとについて歩いていくと、高射砲とボートの前でふたりの写真を撮った。「リリー・メイド号だって。あんまり戦争っぽい名前じゃないわね」

「彼らは戦争に行くことになるなんて知らなかったんだよ」とボブがじれったげにいう。

「そうですよね、カルヴィンさん」

ええ、そうです。カルヴィンは心の中でうなずいた。彼らは戦争に行くことになるなんて知らなかった。

どこへ行くことになるのか知らなかったから、ただ短いメモを書いて、通過する駅でそれを投げたんだ。

――マーティン・マクレーン上級曹長、ダンケルクからの帰郷について

48　ドーヴァー　一九四四年四月

「カンザス！」コマンダー・ハロルドがアーネストの体を抱きしめたまま、耳もとで怒鳴り、背中をばんばん叩いた。「信じられん！　おまえさんか！」

そしてアーネストは、おそらく三十秒ほどのあいだ、人違いだと言い張ろうかと逡巡していた。二日分の無精ひげとコーンウォール訛りを利用して、困惑した表情を装い、「すみませんが、もしや、だれかべつの人とおまちがえでは」と応じることができるかもしれない。だが、それももう手遅れだ。この船がレイディ・ジェーン号だと気がついたときの表情をコマンダーに見られている。さあ、どうしよう。もしコマンダーがレイディ・ブラックネルに話したら……。

そのときふと、「アルジャナンは、この小包を届ける人間としてとくにきみを指名してい

る」というブラックネルの言葉を思い出した。テンシングは、ぼくがコマンダーの知り合いだということをとっくに知っている。だからぼくを派遣したんだ。でも、どうしてわかったんだろう。それにコマンダーはいったい――

「ここでなにをしてるんだ、カンザス？」コマンダー・ハロルドがたずねた。

「ぼくがここでなにをしてるか？　コマンダーこそ、なにをやってるんです？　レイディ・ジェーン号はてっきりダンケルクで海に沈んだと――」

「沈んだ？」コマンダーは顔を真っ赤にして吠えた。「レイディ・ジェーン号が？」やれやれ、甲板にいるさっきの水夫に聞こえてしまう。「話をするなら、それを――」と、ハッチのほうを指さした。

「たしかにそうだな」コマンダーはじゃぶじゃぶ歩いていって、手をのばし、ハッチを閉めた。「わかっているはずだぞ。どんなものでもレイディ・ジェーン号を沈めることなどできん。たとえナチのUボートでも」

「でも、だったらなにが？　ジョナサンはどこに？」答えを聞くのがこわいような気持ちでたずねた。「ちゃんと帰ってこられた？」

「帰ってこられたかって？」コマンダーは驚いたように、「さっき甲板で会っただろうが」というと、ハッチを持ち上げ、「ジョナサン！　降りてこい！」と怒鳴った。

「アイ、アイ、ドゥーリトル船長」と男の声が答え、さっきの水夫がまだレンチを持ったままはしごを降りてきた。とがめるような口調で、「じいちゃん、ジョナサンって呼んじゃいけないんだよ。ぼくの名前はアルフレッド――」アーネストに気づいて口をつぐみ、不安そうな視線を投げた。レンチを握る指に力がこもる。

これがジョナサンだなんてありえない。肩幅の広い、長身の水夫を見つめながら思った。おとなの男じゃないか。

「すみません、ドゥーリトル船長」とジョナサン。「お客さんといっしょだとは思わなくて」

「そのドゥーリトル船長だのなんだのって茶番はやめろ」とコマンダー。「これがだれだかわからんのか？　マイク・デイヴィスだ！」

ぼくのことなんかもう覚えてもいないかもしれない。四年も前なんだから。

「ほら」とコマンダーがじれったげにいう。「カンザスだよ！」

「うわあ、びっくり！」ジョナサンが叫び、レンチを左に持ち替えると、右手をさしだして握手した。「ミスター・デイヴィス！」と満面の笑顔で、「すごいや！」

たしかに〝すごい〟というしかない。ふたりは生きていた。彼がスクリューを動かしたせいで死んでしまったわけじゃなかった。とくに、ジョナサンのことでは気がとがめていた――ダンケルクに向かって出航したとき、コマンダーは自分がどんな運命に立ち向かうのかを知っていたが、ジョナサンは違う。彼はまだほんの子供だった。

しかし、もう子供じゃない。「信じられない！」握ったアーネストの手を勢いよく振り動かしながら、ジョナサンがいった。「会えてすごくうれしいよ。命を助けてくれたお礼をいうチャンスがなかったから。あなたがいなかったら、ぼくらはダンケルク港の底に沈んでた。それにあなたはあやうく命を落とすところだったんだ。この船を――」急に口をつぐんで、アーネストが立っている溜まり水を見下ろした。「つまり、足やなんかのこと。切断しなきゃいけなくなるかと思ってた」

ぼくもそう思ったよ。

「あなたがいなかったら、とても切り抜けられなかった」とジョナサン。「ひとめでわかるはずなのに、でもすごく感じが変わってたから」

「ぼくが変わってたって？　こっちの台詞だよ！　もうすっかり大人じゃないか！」

「Uボートに追いかけられてると、早く年をとるんだよ。でも、デイヴィスさんはここでなにを？」

「おじいさんにおなじ質問をしてたんだよ。ダンケルクへ二度めに渡ったあと、もどってこなかったと聞いたのに」

「もどらなかったとも」とコマンダー。「わしらは徴用されたんだ」

「ドイツ軍の捕虜にさせるわけにはいかない情報将校がオステンドにいて、その救出に向かう船が必要だったんだ」とジョナサンが説明した。「それで、こっちの乗客をグレイホー号に移して、かわりにレイディ・ジェーン号がベルギーへ行くことになって」

「で、そいつをラムズゲートに連れ帰ったら、情報部のためにもうちょっと仕事をしてくれないかといわれてな。たとえば――」

「じいちゃん、そこから先は機密事項だよ」とジョナサンが注意した。「話していいのかどうか――」

「莫迦《ばか》いうな。カンザスには話していいに決まってるだろう。なあ、カンザス？」

「カンザスじゃないよ。いまの名前はアーネスト・ワージング」

「いっただろ、ジョナサン。それに、賭けてもいいが、カンザスはわしらよりもっと大きな秘密を握ってる。だろ？」

「うん、まあ」そのほとんどは、あんたたちが相手でも話せないけど。

「よし、ダンケルクからこっち、わしらがなにをしていたかはもう話した」とコマンダー。「今度はおまえがこの四年間なにをしてたのか教えてくれ」

ふたりの史学生仲間をこの世紀から脱出させようとしてたんだよ。新聞社に投書したり、まだ生まれてもいない人間宛てに暗号メッセージを書いて三行広告や死亡広告にまぎれこませたり。それに、上陸作戦の部隊集結地域《ステージング・エリア》のどこかにいるはずのデニス・アサートンを捜し出そうとしてきた。ポリーとアイリーンの居場所をオックスフォードに伝え、ポリーのデッドラインが来る前にふたりを回収してもらうために。でも、そのデッドラインは、四カ月前に過ぎてしまった……。

「小包を配達してたんだ」と答え、けげんな顔をしたコマンダーに笑みを向けて、「水兵のヒギンズです。ピカリング大将から、乗組員を探していると聞いてきたんですが」

「やっぱりな」コマンダーがうれしそうにいった。「テンシングがきっとおまえを採用するだろうとジョナサンにいってたんだ」

「大佐のこと、テンシングって呼んじゃいけないんだよ」とジョナサン。「アルジャナンって呼ばないと」

「それは、ドイツ軍のスパイがそばにいるかもしれんときの話だ」コマンダーはアーネストのほうを向いて、「こういう偽名は――ドゥーリトル船長だの、アルフレッド一等航海士だのっていうのは――茶番もいいところだ。わしは、キャピテーヌ・ミリエルになれだとさ。そんなのがなんの役に立つ？　もしドイツ軍に捕まったら、フランス人じゃないことは一分でバレる。名前の心配をする前に、わしらが捕まらんよう気を配ってくれといってやったんだ」ジョナサンのほうを向いて、「それに、このカンザスはやつの名前がテンシングだと知ってる。病院でいっしょだったんだ。そうだろ、カンザス？」

「ええ」と答えて、なにがどうなっているのかを理解しようとした。英国情報部に頼まれた仕事でテンシングと知り合ったふたりがマイクの名前を出したのだと思っていたけれど、もしテンシングが病院にいたときから知り合いだったのだとすると……。

「テンシングとはどこで？」とたずねた。

「オステンドで回収した情報将校ってのがテンシングだったんだ」とコマンダー。

「ひどい怪我をしてた」とジョナサン。「背骨を撃たれて」

「で、彼を連れてもどってくるとき、ぼくのことを話した？」

「あんときゃ、話を聞けるような状態じゃなかった」とコマンダー。「ずっと意識がなかったからな」

「とても生き延びられないと思った」とジョナサン。

「そしたら、その半年後、新品同様の体になって、いきなりやつがあらわれた。おまえを捜してるっていうじゃないか。病院でいっしょだったって。わしらがおまえをダンケルクから連れ帰ったことをだれかに聞いたらしい。オックスフォードの近くのなんとかいう町で一度再会したが、また消息が知れなくなったから、居場所を知らないか、と。それと、おまえについて知ってることをなんでも教えてほしいと。要は、おまえが信用できる男かどうかって――」

「で、なんと話したんです？」

「居場所は知らないけど、でも、ソルトラム・オン・シーで訊いてみれば、だれか知ってるかもって」とジョナサン。

そこから先は知っている。テンシングとファーガスンはソルトラム・オン・シーへ行き、ダフニに住所を残し、ぼくはそれが回収チームの居場所だと思い込んだ。彼らがダフニのところまでどうやってたどりついたのか、一度もたずねたことはなかったが、いまのいままで、ダフニが見舞いにきたことを病院の看護婦に聞いたんだろうと勝手に思っていた。

「ちゃんと見つけられたみたいだね」とジョナサンがいった。

「ああ、テンシングはぼくを見つけたよ」というか、ぼくがテンシングを見つけた。ダフニにもらった住所のメモを頼りに、回収チームに出会えると思ってエッジボーンへ行ったら、そこに彼がいた。

いやもう、驚いたのなんの。スパイとして逮捕されるんじゃないかと思ったが、そうじゃなくて、彼は仕事をしないかと持ちかけてきた。その仕事はずっと断っていたけれど、ポリーのデッドラインはデニス・アサートンがここに来る二カ月前だと判明し、それで事情が変わった。

「テンシングには、ほかにどんなことを？」

「そりゃ決まってるだろ」とコマンダー。「あれはとびきり勇敢な男で、レイディ・ジェーン号のスクリューを直し、わしらと兵士たち全員の命を救った、と。採用しないとしたら大莫迦だといってやったよ。たとえおまえが米国人《ヤンク》でもな」

エッジボーンで会ったあの日、「きみに対しては強力な推薦があってね」とテンシングはいった。ハーディと話をしたんだろうと思っていたが、推薦者はコマンダーとジョナサンだったわけか。

もしふたりがいなかったら、ブレッチリーで行方をくらましたあと、テンシングと巡り会うことはなかったし、情報部の仕事を――アサートンを見つけ出し、ポリーとアイリーンの居場所を彼に伝えられる可能性を――提示されることもなかった。いまこうしてフォーティテュード・サウスで働いていることもなかった。それどころか、もしふたりがテンシングを救出していなかったら、そもそもフォーティテュード・サウスは存在しなかったかもしれない。そして、ぼくがスクリューにからんだ死体をはずさなかったら、ふたりがテンシングを救出することはできなかった。

「テンシングに採用されたの?」十四歳のときとおなじように興奮した口調でジョナサンがたずねた。ふと、コリン・テンプラーのことを思い出す。「スパイになったの?」

「残念ながら、そんなに派手な仕事じゃないよ。小包の配達をしてないときは、たいてい机に向かってる。さあ、そろそろ今回の小包をコマンダーに渡して、もう行かないと」

ダッフルバッグに手を伸ばしたが、コマンダーがそれを制して、「まだ行かせるわけにはいかん。最後に会ってからいままでなにをしていたか、ぜんぶ話を聞いてからだ」

記憶喪失を装い、アラン・チューリングをあやうく殺しかけ、倒れてきた壁にぶつかって意識を失い、自分の死を偽装し、王妃に謁見した。

「長い話なんだ」

「時間はたっぷりある」コマンダーが彼のために椅子をひっぱってきた。「すわれ。この嵐だ、どうせ外には出られん。コーヒー飲むか? シチューは?」

コマンダーのシチューを思い出した。「じゃあ、コーヒーを。すみません」といって椅子に腰を下ろした。こちらにも、訊き出しておきたいことがある。

コマンダーはコーヒーポットを火にかけた。「ジョナサン、戦勝祝い用にとってあったあのブランデーを探してきてくれ」テーブルの上に散らかる空き缶や海図の中からマグカップを一個とって、コーヒーを注ぎ、それをこちらにさしだした。

マグは、彼がこのまえレイディ・ジェーン号に乗ったときから一度も洗ってないように見えた。用心深くひと口すする。シチューを頼むべきだった。

「あったよ」ジョナサンがブランデーを運んできた。「戦争が終わらないうちに飲んでしまうのはゲンが悪いんじゃ？」

「ほんとに開けていいんですか？」とたずねた。

「もう勝ったようなもんだ」とコマンダーがいった。「でなくても、一ヵ月後には勝利が決まる。そうだろ、カンザス？」

プロパガンダには完璧なタイミングだ。上陸作戦の実施は早くても七月二十日だと力説し、米第一軍集団とパットン将軍とカレーについて言及する完璧なチャンス。

もし彼らがドイツ軍の捕虜になって尋問されたら、情報部の欺瞞工作を補強する力になれる。

しかし、ぼくがふたりの命を救ったのと同様、ぼくもふたりに命を救われた。真実を打ち明けるだけの借りがある。それに、自分がほんとうはだれなのかを明かすことはできないのだから、せめてこの件については真実をいおう。

「そうだよ。ただし、ドイツ軍には七月中旬だと思わせなきゃいけないけど」

コマンダーはうなずいて、「ヒトラーが戦車軍団を動かさないようにな。おなじ理由で、上陸地点がカレーだと思わせなきゃならん」アーネストの驚いた顔を見て、「この二週間、わしらはその偽装工作のためにカレーの港で掃海作業をやってたんだ。ドイツはひっかかると思うか、カンザス？」

「ひっかかってくれなかったら、この戦争には勝てない」

「じゃあ、しっかりひっかけなきゃな。マグを出せ」コマンダーはアーネストのコーヒーとジョナサンのコーヒーにブランデーをちょっぴり垂らし、自分にはマグ一杯分ブランデーを注いで腰を下ろした。「さて、と。じゃあ、いままでなにをやってたのか話してもらおうか」

「そっちが先だよ」といって、椅子の背にもたれ、コーヒーを――ブランデーを垂らしても味のひどさは隠せない――すすりながら、彼らの冒険物語に耳を傾けた。

コマンダーとジョナサンは、ユダヤ人の難民や撃墜されたパイロットをひそかに乗船させては英仏海峡の向こうから連れ帰る一方、消耗品や暗号メッセージをフランスのレジスタンスへ届けた。

ふたりがやったことが――彼がスクリューを動かし、レイディ・ジェーン号があのシュトゥーカに掃射されるのを防いだことが――歴史を改変してしまったんじゃないかと心配すべきなのはわかっていた。ハーディ二等兵の一件以来、ずっとそのことを心配してきた。しかし、妙なことに、いまはそれがぜんぜん心配じゃなかった。

自分のせいでコマンダーとジョナサンが死んでしまったと思っていたのに、そうじゃなかった。ということは、自分が信じていた他のことも、それとおなじように、真実ではないかもしれない。デニス・アサートンを見つけ出してデッドラインが来る前にポリーとアイリーンを脱出させることができなかったというのも、あの夜ダンケルクでやったこと――ハーディの命を救ったり、あの犬を甲板に助け上げたりしたこと――のせいで戦争に負けたというのも、真実ではないかもしれない。コマンダーとジョナサンが生きていたんだから、どんなことだってありうる。

それとも、自分が殺人者じゃなかったことがわかって安心したというだけかもしれない。それとも、ブランデーのせいか。

「この四カ月は、ノルマンディーの海岸を測量するのを手伝ってた」

海岸を測量する。いやはや、信じられないほど危険な仕事だ。それに、もし彼らが捕まったら、フォーティテュード・サウスがこの数カ月、必死に成し遂げようとしてきたことすべてが水泡に帰す可能性がある。

「おまえの番だぞ」とコマンダーがいった。「そっちはなにをしていた？　どのぐらい入院してたんだ？」

「三カ月半。あんたたちと連絡をとろうとしたんだ。それで、死んだと思ったんだよ。手紙を書いたら、ダフニが――」

「王冠と錨亭の、われらがダフニか？」

「うん。コマンダーとジョナサンはダンケルクからもどってこられなかったという知らせをわざわざ伝えにきてくれたんだ。生きてるってことは連絡した？」

ジョナサンは首を振った。

「お母さんにも？」

「伝えてない。テンシング大佐を連れて帰ってきてすぐ、ドイツ軍の上陸に備えて機雷を設置する作業に派遣されて、もどってみたら、もう死んだもんだと思われてたから」

「まあ、いつ死んでもおかしくなかったがな」とコマンダー。「そのあと、情報部のための任務を果たすようになると、なにもかも秘密にしなきゃならなくなった。情報部からやれといわれた仕事の性質からすると、どのみちわしらは死んだも同然だった。ほんとに死ぬのがちょっと先になるだけのことだ。それに、もしジョナサンが生きていることを母親が知ったら、こんな仕事をするのはぜったいに許さなかっただろうしな」

ジョナサンはうなずいた。「だから、どう考えても、死んだと思わせておいたほうがいいっていう気がしたんだ。ひどい話だと思うだろうけど」

「いや」アーネストは、自分がポリーとアイリーンにしたことを考えながらいった。「ときにはそういう嘘も必要だってことはよくわかるよ」

コマンダーがうなずいた。「もしそれが、戦争に勝つか負けるかを決めるとしたら」あるいは、ポリーとアイリーンを脱出させられるかどうかを決めるとしたら。「それだけの犠牲を払う価値はあるんじゃないか」

ああ。犠牲を払うだけの価値はある。犠牲といえば……。

「行かないと」

「行く？　この天気の中？　莫迦か？　聞いてみろ」コマンダーはパイプの先で天井を指した。「土砂降りだぞ。風邪を引いてくたばるのがおちだ。いや、ここにいろ。そこの寝棚で寝ればいい」

心惹かれる提案だ。

しかし、前回その誘惑に負けたときは、気がつくと英仏海峡のど真ん中にいた。

「残念だけど、もうひとつ、荷物を届けなきゃいけないところがあって」といって立ち上がった。じゃぶじゃぶ歩いてダッフルバッグのところへ行き、小包と手紙をとりだして、それをコマンダーにさしだした。

「で、これはなんだ？ 爆薬か？」とコマンダーはたずねたが、小包を開くと、中にはアーネストが例の雄牛のいる牧場でかけたようなレコードが入っていた。コマンダーは手紙を読みはじめた。「ここにとどまって、船に拡声器をとりつけろとさ。侵攻がはじまったという連絡が来たら、カレーへと向かい、沖でこれを蓄音機にかける」レコードを掲げてみせる。上陸部隊が陸に上がる音――鎖の音やボートが降ろされる音や兵士の叫び声が録音されているのだろう。それを聞いたドイツの将校は、侵攻がはじまったと思ってくれるかもしれない。

海岸線の測量よりさらに危険な任務だ。

「幸運を」アーネストは心からいった。もうほとんど乾いているコートを着込み、ダッフルバッグを肩にかついだ。「さよなら、コマンダー」

「中佐《コマンダー》じゃない――大佐《キャプテン》だ」と誇らしげにいう。

「じいちゃんは将校に任官したんだよ」とジョナサンが説明する。

「おめでとう、大佐」といって敬礼すると、コマンダーは顔をくしゃくしゃにして笑った。

「幸運を祈ってるよ、ふたりとも」

「幸運なんざ必要ないさ。おまえのおかげで、わしらにはレイディ・ジェーン号がある。彼女は期待を裏切らない。この戦争を無事に切り抜けるさ。保証する」

「そうなるといいけど」といってジョナサンと握手をかわし、はしごを上がって甲板に出た。

外はまぎれもないハリケーンだった。風に身をかがめ、海の中に吹き飛ばされないことを祈りながら、船を下り、桟橋を一歩一歩そろそろと進みはじめた。背後で「ヒギンズ水兵！」と呼ぶジョナサンの声がしたときは、もし連れもどそうとして彼が追いかけてくるんだったら、船にもどろうと思った。

しかし、ジョナサンが追ってきたのは、渡すものがあるからだった。油布でくるんで撚《よ》り糸で縛った平べったい包み。「これをテンシングに渡せと？」アーネストは本名を使って、大声でいった。この強風の中では、だれにも盗み聞きされる心配はない。

ジョナサンが首を振り、濡れた髪の先から雨のしずくが散った。「母さんに」と怒鳴る。

「ぼくらがもどれなかったときのために。ほんとはなにがあったのかわかるように」

「上陸作戦のあとで？」とアーネストは叫んだ。

「違うよ！」ジョナサンが叫び返した。「戦争が終わったあと。そうすれば、こんな秘密なんか、ぜんぶどうでもよくなるから」

いや、そうはならない。

「届けるよ」と約束して、シャツの中に包みをしまい、桟橋を走って船へともどっていくジヨナサンを見ながら思った。ぼくもこういう包みをつくって、セスに送ってもらうことができるかもしれない。

でも、なんと書く？　『親愛なるアイリーン。ほんとうはあの夜、ぼくはハウンズディッチで死んだわけじゃなかった。バンク駅が爆撃されるまで待ってから、民間防衛隊がまだ到着していない事象現場を探して、書類とマフラーを残した。きみが好きなアガサ・クリスティーの小説に出てくる犯人みたいに。あんなに苦労して手に入れてくれたコートを燃やしちゃってごめん……』

手紙の文面を考えている場合じゃない。早く駅に行かなければ。

雨と風の中、駅を探しに出発した。あの最初の九月、降下点へ行こうとしてドーヴァーに来たときの経験から、駅の場所はわかっている。それに、あのときよりはずっと速く歩けるようになった。しかし、やっと着いたときには体が凍えきっていて、かじかんだ両手に息を吹きかけて感覚をとりもどしてから、公衆電話のスロットにコインを入れると、オペレーターを呼び出し、ポーツマスの英国軍司令部につないでもらった。

この三カ月というもの、ロンドンの軍司令部を訪ねたり、英国南西部一帯の英国軍野営地に――さまざまな口実を使って――電話をかけ、デニス・アサートンの居場所をつきとめようとしてきたが、まだリストの半分しか消化していない。それに、もしアサートンがアメリカ訛りの識閾下速習《インプラント》を受けて、米兵としてこっちに来ていたとしたら、どうしようもない。現在、英国には八十万以上の米国人兵士が展開している。

オペレーターは、サウサンプトンにつないでくれた。アーネストは午後の残りと夜を使って電話をかけつづけ、事務所から事務所へ、将校から将校へとたらい回しにされたあげく、デニス・アサートンという名前の人物は、サウサンプトンにもエクセターにもプリマスにも駐留していないことをつきとめ、しばらくぶりのアメリカ人アクセントを使って、渋る海軍婦人部隊員から、ウェイマスの主計官の電話番号を聞き出した。インプラントの効果はとっくの昔に切れているが、あまりに長くアメリカ人のふりをつづけたおかげで、米国訛りはすっかり体にしみついていた。

海軍婦人部隊員との電話を切るころには、咳が出ていた。駅で一夜を過ごすわけにはいかない。寒すぎるし、窓口係はうさんくさげな目でこちらを見はじめている。この天気では、乗せてくれる車も見つけられそうにないし、桟橋の近くの宿屋に泊まって、パブでコマンダーとジョナサンに出くわす危険をおかすこともできない。なにか熱いもの――それとアルコール――を摂取して、もう感じはじめているこのさむけを追い払わなければ。

病気になるわけにはいかない。アサートンを見つけ出すタイムリミットまで、あと一カ月半しかないのだから。それに、上陸作戦プロパガンダを広める任務もまだ終わってない。その目的をはたすべく、町はずれまで足を引きずって歩いていって、地元の人間が集まるパブへ行き、ホット・トディ（ウイスキー、ブランデー、ラム酒などを湯で割り、砂糖とスパイスを加えた飲料）を注文して、七月十八日にまちがいなくカレーで大作戦がはじまるとふたりの将校が話しているのを聞いたと、やってきた客にかたっぱしから話してまわる態勢を整えた。

しかし、戦争のこの時期には珍しく、本物のビールとウイスキーを出すパブだったにもかかわらず、客はひとりも来なかった。どうやら、タフな船乗りにとってさえ、きょうは相当な悪天候らしい。次から次へとホット・トディをおかわりしながら、頭の中で想像上の手紙を書いて夜を過ごした。

『親愛なるアイリーン。ぼくらは離れればなれになるべきじゃないといったのは覚えてるけど、でも、ポリーのデッドラインを過ぎてからじゃないとデニス・アサートンはやってこないし、彼にメッセージを伝えるにはこの方法しか思いつかなかった。シャクルトンがクルーを残して助けを呼びにいった話をしたよね。もしそうしないと、彼らの居場所がだれにもわからず、全員死んでしまうから。じつは、あのときに話さなかったことがある。シャクルトンが島に着いたとき、島の反対側に位置する目的の場所へ赴くために、山脈を越えて歩かなきゃいけなかったんだ。それとおなじことがぼくにも起きた……』

そして、もう二杯飲んだあと、

『親愛なるポリー。マンチェスターからもどったとき、きみに嘘をついた。ソルトラム・オン・シーでぼくのことを訊いてまわっていた人物は、フォーダムじゃなくて、テンシングだったんだ。彼は、ブレッチリー・パークで偶然出会ってからずっと、ぼくの行方を追っていた。でも、きみの推測はまちがいだった。ウルトラじゃなくて、特殊工作班にリクルートするつもりだったんだよ。その申し出を受ければ、デニス・アサートンのもとにたどりつけるかもしれないと思ったんだけど、実際は……』

しかしポリーに手紙を書くことはできない。なぜならデッドラインが過ぎて、ポリーはもう死んでしまっているから。十二月に死んでいる。

　アーネストはあの夜も酔っぱらい、ダリッジにいるポリーに電話して警告しようとしたところで、Dデイのあとまで彼女がやってこないことを思い出して受話器を置いた。そして、なにをしてるんだとセスに訊かれたときは、「彼女はまだこっちに来てないんだ。死んでる」と答えた。

　そして今夜も、もしこれ以上トディをおかわりしたら、バーテンになにもかもしゃべってしまいそうだ。悪くすれば、ほんとうに手紙を書いてしまうかもしれない。しかし、そんなことをしても無駄だ。手紙はダリッジのポリーのもとには届かない。なぜなら、ポリーはそんな手紙を受けとっていないから。そして、もしアイリーンがここにいて、手紙を出せるとしたら、彼の計画はうまくいかなかった——彼がアサートンを見つけ出すことも、伝言を届けることもなく、ポリーは死んでしまった——ことになり、もしそれが事実だったとしたら、自分が生きていることは——死を偽装してまでふたりのもとを離れたのがまったくの無駄だったということは——知らせないほうがいい。ジョナサンの場合とは事情が違う。ジョナサンの母親には、息子と祖父が英雄として死んだのだという、せめてもの慰めがあるのだから。

　ふらつく足で立ち上がり、コマンダーがコーヒーを注いでくれたマグよりはずっときれいなマグをテーブルに置いて、もうベッドに入ろうとよろよろ歩き出したが、階段まで行かないうちに、ひとりの農夫がそこらじゅうに雨のしずくを散らしながら入ってきて、今夜は

〝まったく最低のひどい夜〟だといい――アーネストはその意見に心から同意した――ビールを一パイント注文した。

「急ぎで頼む。子豚をひと山、はるばるホークハーストまで運ばなきゃなんねえから」

アーネストはすぐさま同乗させてほしいと頼み込み、農夫のトラックに首尾よく乗り込んだあと、上陸作戦の時期と場所をどう思うかと質問されるおまけまでついた。農夫はアーネストの答えを待たず、「いいか、よく聞けよ。上陸地点はカレーだ」といって、道中ずっと、いかにしてその結論に到達したかという話でもてなしてくれた。

アーネストはひとこともしゃべる必要がなかったが、その道中とおなじく、カーデュー館に帰りつくなり、今度はチャズブルが口を開き、「ああ、すばらしい。ちょうどいいところにもどったな――やれやれ、なんだそのにおいは？」

「豚」

「海へ行ったと思ってたが。まあいい。ひげを剃って風呂に入って、とくに風呂だな、それからこれを着ろ」といって、ディナー・ジャケットとブラックネルの小さすぎる靴を渡してよこし、十分間の猶予をやると宣言してから、アーネストとセスをまたべつの歓迎レセプションにひっぱっていった。今回の主役はモントゴメリー将軍だった。

「ただし、モンティじゃないけどな」と、参謀用乗用車に乗り込んだあとでセスがいった。

「どういう意味だ、モンティじゃないって？」アーネストはバックミラーに写してネクタイを結びながらいった。

な?」

うわ、一難去ってまた一難か。「俳優って、サー・ゴドフリー・キングズマンじゃないよ

「替え玉なんだ」とセスがいった。「俳優だよ」

「そんなわけないだろ」とセス。「彼は死んだ。撃墜されて」

「いや、それはレスリー・ハワードだ」とチャズブル。

「違うよ。彼は兵士の慰問に行く途中で——」

「そっちはジェイン・フローマン」とチャズブル。「キングズマンってどんな顔だ? 俳優がだれなのかは知らないが、モンティに生き写しのはずだ」


だったらサー・ゴドフリーじゃない。俳優はメイキャップとかつらで見違えるように変身するが、身長までは変えられない。モントゴメリーは、サー・ゴドフリーより、ゆうに二十センチは背が低い。

それに、セスのいうとおりだ。レセプションにあらわれた将軍は、モンティに瓜二つだった。高い頬骨にちょび髭、傲然とした態度まで。「モントゴメリー本人じゃないっていうのはたしかなのか?」彼ら全員が、さまざまな将校やパットン将軍の副官として彼に紹介されたあと、チャズブルが囁いた。「おやじさんそっくりの口調だったぞ」

「たしかだ」とセス。「それに、あいつがきっちり役を守るように監督するのがおまえの仕事だ。モンティは絶対禁酒主義者だが、彼は違う。だからぴったりうしろについて、あいつがレモネード以外のものに手を出さないように見張ってろ。これは、あいつがうまくやれる

かどうかをたしかめるための、文字どおりの予行演習《ドライ・ラン》なんだ（dryには「酒抜き（の）」の意味がある）」

「で、もしうまくやれたら？」小粋な将軍がゲストたちと歓談しているのを見ながら、アーネストはいった。全員、すっかりだまされているように見える。

「ジブラルタルに派遣して、ドイツ軍に上陸地点が地中海沿岸だと思わせる。もしそれを信じそうになかったら、七月まで上陸はないと思わせる」

どうせそのときも、彼についていって、素面《しらふ》でいるように監督する役を押しつけられるんだろうな、と自分の不運を呪った。モンティの替え玉を上陸作戦の部隊集結地域に派遣して、モンティ本人をジブラルタルに送ればいいのに。

彼についていく任務を割り振られるという予想は的中したが、〝モンティ〟はまだ出発する予定がなく、翌週は、雨の中、エンジンの回転数が上がる音を蓄音機で鳴らしながら、自動車のヘッドライトをひっぱって偽物の滑走路を走ることに費やした。その任務が終わるころには、ドーヴァーで引いた風邪のつぼみが満開のインフルエンザとなって花咲き、いままで抗ウイルス薬に――あるいはティッシュ・ペーパーに――心から感謝したことがなかった自分を反省した。

その一方、ジブラルタルには行かずに済んだ。医師は一週間の安静を指示し、その時間を利用して、ベッドに持ち込んだタイプライターをひざの上に載せて、遅れに遅れていた新聞記事の原稿をほぼ消化し、暗号メッセージを書いた。

『売ります。温室栽培のポインセチア、ハイビスカス、真珠色のヒヤシンスの切り花。ハーバー・ハウスのE・O・ライリーまで連絡を』のあとにミセス・リケットの下宿の住所。『探しています。ノッティング・ヒル・ゲート駅で紛失した金のモノグラム入りコンパクト。文字は、〝セバスチャンからポリーへ〟』それに、タウンゼンド・プレイヤーズによる『テンペスト』公演の劇評。配役にアイリーン・ヒルとメアリ・ノッティンジの名を挙げたうえで、『物語の起点となる難破の場面は上出来だが、結末には疑問も残る。評者としては、時間とともに向上することに期待したい』

そして、ベッドを出ることを許された翌日には、レイディ・ブラックネルの命令で、チャズブルといっしょに雄牛と鋤亭へ赴いて上陸作戦プロパガンダを広めることになり、チャズブルがウェイトレスといちゃついている隙に、トーントンの主計官に電話するチャンスがあった。しかし、トーントンでもプールでも、給与支払い名簿にデニス・アサートンの名はなく、残り時間は尽きようとしている。

思っていたよりもさらに早く。パブで話をしたパイロットはいった。「とにかく、もうすぐだよ。三週間後には、部隊集結地域全体がゲートを閉める。そうなったらだれも出入りできない。駐屯地にさえも」

「それはドイツ軍を欺いて六月だと思わせるためだろ」とアーネストはいった。「六月にも侵攻はあるが、それはドイツ軍をひっかけるための、ただの陽動作戦。本物の上陸作戦は七月中旬だ」といいながらも、アーネストは考えていた。もし来週までにデニス・アサートンが見つからなかったら、オースティンを盗んでウィルトシャーへ捜しにいかなければ。

しかし、その必要はなかった。翌朝、セスがオフィスの戸口に顔を出し、ふたりでピックアップ任務に行くよう、レイディ・ブラックネルに命じられたと告げた。

「無理だよ」とアーネスト。「この記事を仕上げてあしたの五時までにクラリオン・コールに届けなきゃいけない。ついさっき書きはじめたばっかりなんだ」

「今度の大ニュースはなんだ？」タイプしているアーネストの肩越しにセスが覗き込んだ。暗号用の記事じゃなくて助かった。「またガーデン・パーティか？」

アーネストは首を振り、「親睦《フレンドシップ》ダンスだ」といって、記事を朗読した。『ベッジベリー歓迎クラブは、新たに赴任したアメリカ軍兵士のためのフレンドシップ・ダンスを——』

「おれたちは将校だ」とセス。「歩きじゃなくて、ブラックネルのロールスロイスで行く。泥の心配はない。それに、雄牛の心配も」

「いや。いっただろ。記事の締切があるんだって。チャズブルはいっしょに行けないのか？」

「だめだ。あいつはダフニとディナーの約束がある」

「あしたの夜に延ばせないのか？　それとも、あさっての夜に」

「ダフニとの約束はあさっての夜だよ。でもチャズブルは、この任務に出たらそれまでに帰ってこられないんじゃないかと心配してる。モンティに会うためサヴォイへ行ったとき、チャズブルはすでに一度、デートの約束をキャンセルして、ダフニの機嫌を損ねてるんだ」

あさっての夜？　「ピックアップに行く場所って？」

「正確には知らない」とセス。「レイディ・ブラックネルに地図を渡された。ポーツマスがどうとかいってたな」

　アサートンがいる、部隊集結地域のど真ん中だ。「わかった。民間人の服装で行くのか？」

　セスは首を振った。「いっただろ。軍の将校だ」

ということは、場所はともかく、軍のキャンプに行くことになるのはまちがいない。だとすれば、将校がデニス・アサートンの駐留地をたずねても、だれも不審には思わないだろう。下士官に命じて記録を調べさせて、アサートンを捜すことさえできる。そのためにはセスを撒《ま》く必要があるが、二日間の旅のあいだには、いくらでもチャンスがあるはずだ。出発があしたの朝なら、それまでに記事を仕上げて、旅の途中にクラリオン・コールの編集部に届けられるかもしれない。

「出発はいつ？」

「明朝九時。行く気になったってことか？」

「ああ」と答え、セスが行ってしまうなり、『音楽は、第48歩兵師団音楽隊が演奏する』とタイプして、タイプライターから原稿を引き抜くと、新しい紙をセットして、『アッパー・ノッティングのジェイムズ・タウンゼンド夫妻は、長女ポリーが、現在ケントに駐留している第二十一空挺部隊のコリン・テンプラー空軍将校と婚約したことを発表した。結婚式は六月末の予定』と書いた。

セスがドアを開けて顔を出した。将校の軍服を着込んでいる。「準備はどうした?」

「出発はあしたの朝だといったじゃないか」

「いや。レイディ・ブラックネルがいますぐ出発しろといってる」筋が通らない——ポーツマスまでは車で二、三時間なのに。しかしアーネストは反対しなかった。早く着くならそれに越したことはない。それに、途中で一泊するなら、アサートンについて訊いてまわるチャンスがさらに増える。

「二十分くれ」

「十分だ。地図がどこにあるか知らないか」

「地図はブラックネルにもらったんじゃなかったのか」

「そうじゃなくて、このへんの地図」

「プリズムが持ってたと思う、たしか」と嘘をつき、セスがそれを探しにいくなり、デスクの山から問題の地図を掘り出して、ポケットにつっこむと、食堂まで駆けていき、食器棚の引き出しの中に突っ込んだ。

それから洗面所に走って剃刀と石鹸をバッグに放り込み、「プリズムのあとでおまえが使わなかったか?」というセスの質問に答え、バッグと将校用の軍服を持ってオフィスにもどった。軍服に着替えてから、また猛然とタイプライターを叩きはじめた。

暗号メッセージをあとひとつ——『セント・セバスチャン校で先週開催された戦時郵便貯金切手購買促進コンテストで、女生徒メアリ・P・カードルが優勝を飾った。友人にはポリーと呼ばれているメアリは十四歳。使い走りのアルバイトでお金を貯めて切手を買った。ダンワージー・タウンゼンド校長は、〝みんながメアリに負けないくらい戦争協力に貢献できることを願っています〟と語った』——書き上げたとき、セスが地図を持ってまた顔を出し、「思いもつかない場所で見つかったよ」といったあと、なぜまだ支度ができていないのかと文句をいった。

記事を封筒に入れて封緘し、急ぎ足で外に出ると、すでにセスがロールスロイスのエンジンをかけて待っていた。アーネストがまだドアを閉めないうちにセスは車を出し、道路を走り出した。「クラリオン・コールのオフィスに寄って、この記事を届けないと」といって、アーネストは封筒をセスに振ってみせた。

「それは帰り道だな」

「でも、クロイドンは通り道じゃないか」

セスは首を振った。「まずグレーヴズエンドまで北上してから、南にもどってドーヴァーとフォークストンへ行かなきゃならん」

「なに？」ポーツマスの件がセスの嘘だったら、絞め殺してやる。「どうして？」

「道中にあるすべての道路と村の名前を書き留める必要があるんだ」

「どうして？　地図から書き写せばいいだろ」

「ああ。しかし、ランドマークは地図に載ってない。それに、距離も正確じゃなきゃいけない。ドイツ軍最高司令部の人間が、戦争前にたまたま休暇旅行でケントを通ったことがないとはかぎらないからな」

「ドイツ軍最高……？　いったいだれをピックアップするんだ？」

「ドイツ軍の大佐だ。捕虜収容所で車に乗せて、ロンドンまで送っていく。彼は重病で、スウェーデン赤十字がドイツに帰国させる手配をした。しかし、その前にまず、ケントの部隊集結地域を通ってドーヴァーへ向かう。上陸作戦準備をじかに見られるように」

「ゴム製の戦車が二、三台と、木製の飛行機が数機、それに下水管製の石油貯蔵所ひとつを？　あれは高度二万フィートを飛ぶ偵察機の目を欺くためのもので、とても――」

「だから本物を見せるんだよ」とセス。「船も飛行機もぜんぶ本物。ただし大佐は、自分がケントにいるもんだと思い込む。だから、きょうこれからグレーヴズエンドまで行かなきゃならない。いまどこを走っているのかについてのおれたちの会話を大佐が偶然小耳にはさめるように、偽のルートをつくって頭に叩き込んでおくんだ」

よくできた計略だ。英国全土で標識が撤去されているいま、大佐は運転手たちの会話から自分の居場所を推測するしかない。そして、ケントにいると思わせることに成功し、大佐が帰国後、最高司令部にその話をしたら、連合軍の上陸地点がカレーだと思わせる役に立つだろう。

しかし、アサートンを見つけ出すための計画は、これでだいなしだ。ドイツ軍の大佐がいる前で、デニスの居場所を兵士に訊いてまわるのはまず無理だろう。大佐とセスから逃れる必要がある。

「予定は二日だといったよな」とアーネスト。「どこに泊まる？　軍のキャンプ、それともポーツマス？」

「どっちでもない。まっすぐロンドンまで連れていく」

「でも、チャズブルのデートまでにもどれないといったじゃないか」

「チャズブルがそういったんだ。あいつは、なにか事件が起きておれたちが大失敗をやらかすと信じてるから」とセス。「いや、トイレ休憩以外はどこにも止まらない。それと、大佐からは一瞬たりとも目を離さない。おれたちふたりとも、つねに彼といっしょにいろというのがレイディ・ブラックネルの命令だ」

ふたたび平和が訪れ（もちろん、そうなります）、ふたたび照明が灯されたとき、わたしたちはこの時代のことをふりかえって、いちばん暗かったときにも元気と希望を与えてくれたもののことを思い出し、感謝するでしょう。

――新聞広告、一九四一年

49　ロンドン、帝国戦争博物館
一九九五年五月七日

十時五分前になっても、待ち人たちの一行はまだ博物館に到着せず、雨は土砂降りだった。アメリカ人夫婦は娘を花嫁候補に推薦するのをあきらめ、「どこか濡れていない場所」を見つけて「おいしいコーヒーを一杯いただいてくるわね、カルヴィンさん。もしそんなものがこの国にあればだけれど」といって、どこかへ去ってしまったのでほっとしたが、しかし他の見物客がやってくる気配はまったくない。

全員、ここではなくセント・ポール大聖堂の展示を見にいってしまったんだとしたら？　それとも、きょうが初日じゃなくて、あしたからだったとしたら？　それとも、もうきのうからはじまっていたとか。

十時一分前に、年配の博物館警備員が姿をあらわし、ドアの錠をはずして、ロビーに入れてくれた。

「きょうは、『ロンドン大空襲を生き抜く』展の初日ですよね？」と警備員にたずねた。

「ええ、そうです」

「それに、戦時労働に従事した民間人の無料招待日？」

「ええ」警備員は、彼がその生き残りとしてタダ見しようとしているんじゃないかと疑っているかのように、用心深く答えると、「特別展の入場券売り場はあちらです」と、まだだれもいないデスクのほうにぎこちなくうなずいてみせた。「常設展は入場無料です。まもなく開館します。それまでは、どうかギフトショップでもごらんになっていてください」と、チケット・デスクのすぐ向こうを指さした。

「ありがとう。ロビーを見学してますよ」と答えて、高い天井を指さした。スピットファイア一機と、V1およびV2飛行爆弾各一基が吊り下げられている。

警備員がいなくなるなり、窓辺にもどって、だれか来ないか外を覗いた。

こちらにやってくる人間はだれもいない。〈講演と催しの予定〉のポスターに目を走らせた。『6月18日　数的劣勢——バトル・オブ・ブリテン』その次は、『6月29日　第二次世界大戦の知られざる英雄たち。戦争に勝つために命を捧げた民間人たちの姿をスライド上映で振り返ります。楽団を率いたグレン・ミラーから、暗号解読の天才ディリー・ノックス、シェイクスピア俳優サー・ゴドフリー・キングズマンまで』

駐車場はまだがらんとして、ほとんど車が見当たらない。チケット・デスクのうしろの時計に目をやった。十時十分。きっとみんな、セント・ポール大聖堂にいる。あきらめて、いまからでも向こうにまわるべきだろうか。しかし、地下鉄で大聖堂まで行くにはすくなくとも三十分かかる。その途中ですれ違って、こっちでもあっちでも出会い損ねるかもしれない。あと十分だけ待とうと心を決めた。

十時十五分になって、彼らは全員、いっせいにあらわれた。駐車場に滑り込んできた二台の大型バンからぞろぞろ降りてくる二十人ほどの老婦人たち。距離が遠すぎて顔ははっきり見えない。博物館の階段のほうに歩いてくるときも、それぞれ傘をさしていたから、その下に顔が隠れてしまい、階段のてっぺん近くに来るまで見えなかった。

もしあの中にメロピーがいたら？　いまのいままで、その可能性には思い至らなかった。ポリーの知り合いだった人間を見つけることばかり考えていた。ミセス・リケットの下宿を出たあと、ポリーがどこに行ってしまったのか、手がかりがほしかった。もしミセス・リケットの下宿を出ていたなら。ポリーとメロピーがあの夜の爆撃で死んでしまったのでなければ。

しかし、ふたりの名前は犠牲者名簿には載っていなかったし、万一載っていたとしても、かならずしも決定的な情報だとはかぎらない。

あの朝、ふたりはミセス・リケットの下宿にいなかった。心の中で自分にそういい聞かせた。かつて下宿屋だった場所にぽっかり口を開けた黒い穴の前に立ちつくしたあのとき以来、毎日そういい聞かせてきた。ふたりは安全な防空壕にいて、爆撃で住む家をなくしたあと、よその下宿に引っ越した。それとも、もしポリーが応急看護部隊に加わったのなら、支部の宿舎に移ったはずだから、いまやってきた老婦人たちのだれかがその場所を知っている。

　かつてミセス・リケットの下宿だった木材と漆喰の山を目にしたとき、最初の衝動は、一九四一年に残ってふたりを捜すことだった（訂正、最初の衝動は、素手で瓦礫の山を掘り返してポリーを捜すことだった）。しかし、爆弾が落ちたのは何日も（ことによると何週間も）前だった。それに、もしこのままここに残ってふたりを捜すのに一日を費やせば、ネットを抜けてやってくることのできる日が一日減ることを意味している。もしかしたらそのうちの一日が、ポリーを救い出すためにどうしても来なければならない日――そうしなければ彼女が死んでしまう日――になるかもしれない。

　それに、ノッティング・ヒル・ゲート駅とランプドン・ロードとオックスフォード・ストリートで過ごした経験から、おなじ時空位置にいるだけではじゅうぶんじゃないとよくわかっている。救出に赴くには、ポリーの居場所を正確に知っていなければならない。

　この女性たちのひとりがそれを知っているかもしれない。ポリーとおなじ応急看護部隊の一員だったかもしれないし、ポリーとおなじ防空壕とか、ポリーとおなじ下宿屋にいたかもしれない。

　でも、もしメロピーが博物館の扉を開けて入ってきたら？　ポリーとメロピーが彼によって回収されることはなく、五十年後のいまもメロピーがまだここに残っていたとしたら？　いや、もしそうだとしたら、こんな催しにメロピーがやってくるわけはない。戦争は、メロピーにとっていちばん思い出したくないもののはずだ。しかしそれでも、彼は入ってくる女性をひとりずつ確認できるように入口のすぐ脇に陣どり、神経を張りつめて、階段を上がりきった老婦人たちが足をとめて傘を畳み、傘を振って水を切るのを見つめた。彼女たちの顔を、いまようやく見ることができる。

最初の一団は、みんな天気の話をしていた。「よりによって、きょう雨が降るなんてねえ」とひとりがいい、もうひとりが、「でも、うちの薔薇には恵みの雨よ。かわいそうに、すっかりカラカラになってたから」

やっぱり特別展の招待客じゃないかもしれないと不安になった。たしかに全員、年齢は合っているし——七十代と八十代——スーツに帽子という、よそゆきの服装だ。帽子のひとつは、つばの上にぐるりと巨大な花飾りがついている。とても高齢で、とてもはかなげに見える女性は、白い手袋をしていた。

しかし彼女たちは、第二次世界大戦の同窓会じゃなく、園遊会にでも来たような態度だ。それに、焼夷弾を消し止めたり、瓦礫の下から遺体を掘り出したり、高射砲を運用したりすることはもちろん、お茶を注ぐより淑《しと》やかじゃないことをしている姿はとても想像できない。

やっぱり人違いだ。目当てのご婦人たちはみんなセント・ポールへ行ってしまった。ここにいるのは、月に一度の遠足にやってきたアッパー・マッチングズ婦人協会のメンバーたちだろう。歩き出そうとしたとき、はかなげな老女が白い手袋の指を上げて天井のＶ１を指し、

「まあ、あれ見て！　飛行爆弾《ドゥードゥルバグ》よ。あれに追いかけられてピカデリーを逃げ惑ったことがあ

るわ」

「まさか、あれ、中身もそのままだったりしないでしょうね」いっしょに入ってきた女性がいった。それから、「ウィットロー！」とキーキー声で叫び、いかめしい顔の女性を両腕で抱きしめた。「あたしよ！　ブリジット・フラニガン。空軍婦人補助部隊《WAAF》でおなじ部隊だった！」

「フラナーズ！　わあ、びっくり。信じられない！」そして、いかめしい顔がとたんに満面の笑みに変わった。

　やっぱりこれが、待ちかねていた団体だった。また一台、バンが到着して、ロビーにどんどん客が入ってくる。今度はスピードが速すぎて追い切れない。それぞれ傘を振り、レインコートの裾を払って水を切りながら、興奮した口調でしゃべっている。全員が中に入るまで玄関の脇で待ち、それから喧騒に満ちたロビーを巡回しはじめた。老婦人たちがたがいの名を呼び、喜びの叫び声をあげて再会のあいさつをかわすなか、だれにも目をとめられることなく人混みのあいだを歩きまわり、入口でチェックし損ねた顔をひとりずつたしかめて、アイリーンを捜した。

　その途中で、会話の断片がふと耳に入った。

「ううん、来られなかったのよ、かわいそうに。ほら、リウマチがひどくて……」

「で、あなたはまだあのアメリカ人と結婚してるの？　名前なんだっけ？　ジャック？」

「ジャック？　まさか。そのあと二回結婚して……」

「……最低の運転手だったじゃないの。覚えてる？　あなたが轢いた、あのかわいそうな米軍大将」

「大将なんかじゃない！　ただの中佐だったし、反対方向を見てたのが悪いのよ。もしアメリカ人が車に道路のまともな側を通行させるようにしてたら、道路を横断するときどっちを見るのが正しいかちゃんとわかったのに……」

「みなさん《レイディーズ》！」顔の血色がいい、白髪交じりの大柄な女性が玄関ドアの前に立って叫んだ。「みなさん！」名札と、金の星のシールを貼ったシートを手に持っている。「みなさん！聞いてください！」と叫ぶが、効果なし。老婦人たちは、古い友人を捜し、懐かしい顔を見つけるのに夢中になっている。

　ぼく自身みたいに。そう思いながら、名札を持つ女性の前を通って、まだ顔をよく見ていない四人の女性が集まっている隅のほうへと歩いていった。見せ合っているスナップ写真は、子供か孫のものだろう。手帳をとりだし、V1とスピットファイアについてメモをとっているふりをしながら、彼女たちの顔を観察した。

　どうか、だれもメロピーじゃありませんように。

　全員、ひたいを集めて写真を覗き込んでいたので、顔が見えるようになるまでにはしばらくかかった。

　メロピーはいなかった。ということは、ぼくはしくじらなかったことになる。すくなくとも、まだいまのところは。それに、一九四一年三月以降のポリーの居場所を教えてくれるだれかを捜して、ポリーとメロピーを見つけ出し、ふたりとも脱出させる時間はまだ残っている。そして、そのだれかが見つかる場所はここだ。ここに集まった女性たちは、全員、戦時労働に従事し、そのほとんどが大空襲下のロンドンにいた。ひとりくらい、ポリーを知っている人間がいるはずだ。

手はじめは、さっきから観察しているこのグループ。ひとわたり写真を見終えて、いまは戦争の話をしている。すこしずつ近寄って彼女たちの話に耳をそばだて、会話に混じるきっかけを探した。「ビギン・ヒルのあのダンスに行ったときのこと覚えてる？」写真をまわしていた女性が、となりの女性にたずねた。「それとあの空軍パイロット――なんて名前だったかしら」

「ボイド空軍将校。もちろん覚えてるわ。おれの飛行機を見にこないかってしつこくて」と彼女は答えたが、相手がどんな男にしろ、しつこく誘われるタイプには見えなかった。太った体にくたびれた雰囲気、顔は路線図のようにしわだらけ。「それでいってやったの、まともな娘は、出会ったばかりの男と暗くなってからふたりきりで出歩いたりしないって。そしたら、いまは戦時中だから、あしたにはふたりとも死んでるかもしれないじゃないかといって――」

「独創的」と、となりの女性がいった。

「あたしのお気に入りは、『これは愛国者の義務なんだ』ってやつ」と三人めの女性がいい、ほかの三人がうなずいた。「みずからの分を尽くすことになるんだと考えろ、って」

なんとなく、いまは会話に割って入るべきときじゃない気がして、スピットファイアをじっと見上げた。

「それで、いっしょに行ったの？」とひとりがたずねた。

最初の女性はむっとした顔で、「行くもんですか。そういう古くさい口説き文句につきあう気はないし、どこへも行くつもりはないって答えたわ。ことわって正解だった。そのしばらくあとに、彼の飛行機が直撃弾を食らったの。ばらばらに吹き飛んで、もともとどこにあったのかもわからなくなって。あとかたもなく消え失せてしまった。あたしが彼の命を救ったの。だから、いってやったのよ。『あたしがまともな娘だったことに感謝すべきね。もしそうじゃなかったら、ふたりとも死んでるところだったんだから』って」

「で、感謝された？」ふたりめの女性がそっけなく訊いた。

「あとかたもなく消えちゃった女の子を知ってるわ」と彼女のとなりの女性がいった。

ぼくもだ。そして、こうやって立ち聞きしているだけでは、この女性たちがポリーを知っているかどうかつきとめられないのは明らかだ。手帳を手に、彼らのほうに歩み寄った。

「なんて名前だったかしら」と女性が話している。「Sではじまる名前だった。覚えてるでしょ、ロウリー。高性能爆弾に直撃されて。完全に蒸発――」

「お邪魔してすみません、みなさん」と彼はいった。「カルヴィン・ナイトと申します。特別展の初日を取材しにきたんですが、お話を聞かせていただけないかと思いまして。みなさん、戦時労働をなさってたんですよね？　全員、ロンドンにいらっしゃったんですか？」

「彼女はそう」レースの襟の服を着た白髪の老婦人が、あとかたもなく消えた女の子の話をした女性を指さした。「そしてこのふたりは」としわくちゃばあさんと写真の女性を指さして、「WAAC」

「陸軍婦人補助部隊員」しわくちゃばあさんが説明した。「無線オペレーターだったの」

「で、あなたは？」と彼はレース襟の女性にたずねた。

「つい二、三年前までは、訊かれても答えられなかったんだけど」とえくぼをつくり、「情報部にいたの」

「この人、スパイだったのよ」としわくちゃばあさん。「でも、わたしはそれよりもっとスリリングな仕事をしていた。死体運搬車の運転」

「ロンドン大空襲のときに？」

「いいえ。わたしはこの人たちより若いのよ。大空襲のときはまだサリーの学校にいた。入隊したのは四四年の七月」

それでは時期が遅すぎる。そのころ、ポリーはもうクロイドンの近くで救急車を運転していた。デッドラインを過ぎている。「おふたりは、大空襲下のロンドンにいらっしゃったんですか？」と元WAACたちにたずねた。

「いいえ、わたしたちはバグショット・パークに駐屯してたから」と最初の女性がいい、ふたりめの女性が、さっきみんなに見せていた写真をこちらにさしだした。孫の写真だろうと思っていたがそうではなかった。制服姿のスリムでかわいい女の子ふたりが——ひとりは金髪、ひとりは黒髪――戦車に腰かけて笑っている。

「ブロンドのほうがわたしで、こっちはルイーズ」写真の中で自分のとなりにすわっているカーリー・ヘアの娘を指さし、それから友だちを指さした。

「これがあなた？」写真を見つめたまま訊き返した。目の前にいる、すっかりくたびれた肥満体の老女は、写真の中で生き生きと笑っているカーリー・ヘアの娘とは似ても似つかない。

「ええ」ルイーズがこちら側にまわってきて、写真を覗き込んだ。「このころはブルネットだったの」

メロピーと最後に会ってから八年になるし、いまの彼女はあの頃よりずっと年老いているはずだが、それでも会えばわかると思っていた。でも、この写真を見てしまうと……。あまりに長い時間。あまりに長い時間が過ぎてしまった。

メロピーは、いまこの瞬間、このロビーにいるかもしれない。もしかしたらほんの一メートル先にいるのに、それとわからないだけかもしれない。もし彼女がぼくに気づいたら、こちらに近寄ってきて、「どこにいたの？　どうして迎えにこなかったの？」とたずねるだろうか。

彼はまだ茫然と写真を見つめていた。「だいじょうぶ？」とルイーズがたずねた。

「わたしたちがあんまり変わっていないものだから、きっとショックを受けてるのよ」と友だちがいい、老婦人たちは邪気のない笑い声をあげた。

「そのとおりです。みなさん、ちっとも変わってなくて」と、われに返って答えた。写真を返してから、四人に名前をたずねた。「記事にお話を引用させていただくときのために」

さいわい、その中にメロピーは――あるいは、時代名のアイリーン・オライリーは――いなかった。しかし、ここにいる全員に名前を訊いてまわるわけにはいかない。名札を持っていた女性のことを思い出し、彼女が名札を配れたかどうか捜しにいったが、姿が見えない。いや、あそこにいた。チケット・デスクのそばで、さっき駐車場で見かけた女性となにか相談している。たぶん、マイクロフォンを使わせてくれと頼んでいるのだろう。

彼女に必要なのはマイクだ。話し声は喧騒になり、相手の言葉を聞きとろうと、耳に手をあてている女性も何人かいる。しかし、ARPの腕章をつけた女性に、大空襲のときロンドンにいましたかとたずねると、「すみませんねえ、そっちの耳は聞こえないのよ」といわれた。

それに、べつのひとりも似たようなものだった。「大空襲《ブリッツ》のときロンドンにいましたか？」と大声でたずねると、「リスト？　なんのリスト？」と訊き返された。もうしばらく粘って耳もとで質問をどなり、なんとか結婚前の名前――ヴァイオレット・ラムフォード――を聞き出してから人混みの巡回を再開し、女性たちの会話に耳をそばだて、名前を聞きとろうとしたが、ほとんどはあだ名――〝ストッダーズ〟に〝B1〟に〝フォックストロット〟――で呼び合い、残りは名字を使っていた。

名札の女性は、マイクを調達することも全員の注意を喚起することもあきらめたらしく、群衆の中を歩きまわって、ひとりずつ名札を手渡している。よかった。カルヴィンはそちら

のほうへ歩いていった。

「名札に名前を書いて、隅にこの金の星を貼ったら」といいながら、まとめ役の女性は女たちに名札をさしだし、「あのドアの向こうへ行って」

でもその前に、ぼくに名前を確認させてもらわなきゃ。

「どっちの名前を書くの？」ピンクの羽根飾りがついた帽子の女性がたずねた。「いまの名前、それとも戦争中の名前？」

「両方よ」まとめ役の女性がいった。「それと、名前の下に、どんな戦時労働をやっていたかも書いて」

ありがとう。心の中で感謝しつつ彼女のあとについて歩き、老婦人たちが名札に書く名前をチェックした。ポーリーン、デボラ、ジーン。ネタートン、ハーリー、ヨーク。アイリーンもオライリーもなし。もっとも、まとめ役の女性は、女たち全員におなじ指示を与えているわけではないらしい。ひとつの名前しか書いていない女性も五、六人いたし、戦時中に属していた組織の名前を書いているのはごく少数。ARP（防空監視団）、WAAF（空軍婦人補助部隊）、WVS（婦人義勇隊）。

女性たちはロビーから博物館の中へと少しずつ移動しはじめている。チケットを買わなければならないが、まだ名札をつけていないご婦人が数人残っている。ウォルターズ、レディング……。三人めは中風を患《わずら》っているようで、名前を書くときに手が震え、胸につけた名札を見ても、字が解読できなかった。一文字めはOのような気がする。博物館内に入ったら、

彼女を追いかけて、たしかめなければ。

　四人めは、ぽきんと折れてしまいそうなほど小柄な女性。まだ名札に名前を書き終えていないが、どう見てもメロピーではありえない。メロピーはもっと長身だった。でも、ぼくはあれから大きくなったし、この時代の人間は年齢とともに縮んでいくんじゃなかったっけ？

「どのユニットにいたか書くようにっていってた？」と女性はたずねた。

「ええ」ウォルターズと、名札の名前を判読できない女性とが異口同音にそういってから吹き出した。そして、判読不能のほうの女性が、「ウォルターズ？　あなたなの？」

　ウォルターズはあんぐり口を開けて、「うわあ、びっくり！　信じられない！」と叫び、両腕を相手の体にまわした。

　ゲデス。よかった。Oじゃなくて G だった。

「イーストリーの駐屯地でいっしょだったの」ゲデスがレディングに説明する。「あたしたち、アーター・ガールズだったのよ」

「航空輸送補助隊《ATA》」とウォルターズが補足する。「空軍のために、新しい飛行機を航空基地まで現地輸送するのが仕事」このふたりがイーストリーに駐屯していたのなら、ロンドンの近くにいたはずはないし、ポリーを知っているはずもない。

「戦争中はなにを？」とウォルターズがレディングにたずねた。

「あいにく、ぜんぜんロマンティックな仕事じゃないの。婦人農耕部隊《ランド・ガール》の隊員。豚の糞をシャベルですくってた。シュロップシャーで」

ということは彼女も除外される。残るは小柄な女性。ようやく名前を書き終えて、名札を胸につけた。『ミセス・ドナルド・ダヴェンポート』とあり、その下には、『シンシア・キャンバリー少尉』。

　知らず知らず詰めていた息をほうっと吐き出した。この中にメロピーはいない。助かった。でも、ポリーの居場所については、あいかわらずなんの手がかりもない。そして、大空襲のあいだロンドンにいたかどうかをまだ口にしていないキャンバリーは、すでに他の女性たちといっしょに博物館に入ろうとしている。追いかけようとしたところで、まだチケットを買っていないことを思い出し、あわててデスクに走っていったが、チケットを買って中に入ったときには、キャンバリーたちの姿は消えていた。

　入ってすぐのところに真っ赤な案内板があり、矢印がさまざまな展示の場所を示している。『北大西洋の戦い』、『ホロコースト』、『ロンドン大空襲を生き抜く』。最後の矢印が示す方向に廊下を歩いていくと、砂嚢が高く積み上げられた入口の前にやってきた。水を満たしたバケツがひとつ、砂嚢の山の手前に置いてあり、中に手押しポンプが入っている。戸口の上には、『「これが彼らの最良の時《ゼア・ファイネスト・アワー》だった」ウィンストン・チャーチル』（一九四〇年六月十八日の下院演説より）と書かれたパネル。戸口を抜けると、空襲警報のサイレンがむせび泣きはじめた。

　いまいる短い廊下は、左右の壁に、額に入れたモノクロ写真がいくつも掛けてある。全焼した教会、ロンドン上空に列をなして浮かぶ無数の防空気球。爆撃された住宅街。煙と炎の海の上に浮かぶセント・ポール大聖堂のドーム屋根。廊下の端にはもうひとつ戸口があり、その前にはぶあつい黒のカーテンが下がっていた。その向こうから、飛行機の低いうなりとバリバリという爆発音が聞こえてくる。

カーテンをくぐると、真っ暗闇だった。「灯火管制にご注意ください」と録音された音声がいう。闇に目を凝らし、シンシア・キャンバリー少尉を捜した。彼女の姿は見えなかったが、目が慣れてくると、ふたつのまるく白い光が見分けられた。何本も黒い横線が入っている。きっと、自動車のヘッドライトだろう。床には白線で順路が示され、それにしたがって進むと、またカーテン付きの戸口があり、ヘッドライトの薄暗い光で照らされている。そのカーテンのすぐ先に、キャンバリー少尉がいた。そちらに向かって歩き出したとき、

「コナー？」と背後で女性の声が呼びかけた。くるっと振り向いた瞬間、ここでの自分の名前がコナーじゃなかったことを思い出して動きを止め、思わず反応したのが闇にまぎれて相手にさとられずに済んだことを祈った。とつぜん本名で呼びかけるのは、ナチが英国のスパイを捕まえるのによく使った手だ。

彼はまたキャンバリーのほうに歩き出した。

「コナー？」女性の声がまた呼びかけ、片腕をつかんだ。「やっぱりあなただった。なんてラッキーな偶然！　ここでなにしてるの？」

見えるのは宮殿の塔のてっぺんだけで、それさえも、遠く離れなければ見えません。
――『眠れる森の美女』

50　ウェールズ　一九四四年五月

捕虜収容所の場所は、ポーツマスの近くではなく、グロスターシャーだった。アーネストとセスは、収容所まで行くのにひと晩じゅうドライブする羽目になった。道に迷うこと二度。一度めは灯火管制でなにも見えないため、二度めは標識がないため。

「じっさいは、そのほうが好都合だ」セスが地図と格闘しながらいった。「もし標識があったら、この任務を遂行するのは不可能だからな」

大佐を見つけられなかったら、やっぱりこの任務の遂行は不可能だよ。アーネストはいらいらしながらひとりごちた。こんなにくたびれたのは、ソルトラム・オン・シーで過ごしたあの果てしなく長い一日以来だ。もしここにレイディ・ジェーン号が碇泊《ていはく》していたら、喜んで船倉の寝棚に寝そべるだろう。しかし、この近くに海はない。海以外のなにかもない。

「ここがどこなのか、ちょっとでも見当はついてるのか？」とセスにたずねた。

「いや、それがどこをどう探しても――ああくそ、変だと思ったら、違う地図を見てた」セスはべつの地図を開いて覗き込み、それから周囲の道路を見まわして、「さっきの十字路までもどってくれ」といった。アーネストが車をバックさせてUターンすると、「いま思いついたんだが、道に迷ったほうがいいな」

「迷ってるだろ」

「じゃなくて、フォン・シュプレヒト大佐を乗せたあと。どこを走っているのかわからなくなったふりをするんだ」

「ふりをする必要はないかもしれない」車は十字路の手前までやってきた。「どっちの道を行く？」

セスはそれを無視して、「おまえが『ここはどこだ？』とたずね、おれが地図を指して、『ほら、ここだよ、カンタベリーだ』と答える。そしたらおまえが『地図をよこせ』といって、大佐に見えるような角度でふたりして地図を覗き込んで、いまどこにいるのか議論する。人間、議論に夢中になってるときは、いってはいけないはずのことをつい口にするもんだろう。そのほうが、なんの脈絡もなく、『さあ、カンタベリーまでやってきたぞ』とおれが唐突にいうより、よっぽど自然だ。おまえはどう思う？」

「どっちの道に行くのか教えてほしいと思うよ」

「左だ。ああ、それと、なにか暗号を決めておく必要があるな。大佐に知られたくないことを伝える場合に備えて。たとえば、おれが『パンクしたんじゃないか？』といったら、おまえは車を止めて、ふたりで外に出て話をするとか」

「いや、タイヤがパンクしたんなら、向こうにもわかるはずだ。『エンジンからノッキング音がしてる』はどうだ？」

「おう、そいつはいい。そうなるとボンネットを開けて調べるから、そのあいだなにをしゃべっても、唇を読まれる心配がない。ノッキング音がするとおれがいったら、おまえは車を止めて——いや、いま止めろっていってるわけじゃない。どうして止める？」

「左に曲がったのは、どう見てもまちがいだったからだよ」アーネストは道の先を指さした。羊でいっぱいの牧草地の真ん中で道が終わっている。

「おや。すまん」セスはまた地図を覗き込んで、「さっきの十字路にもどって、右に曲がってくれ」

「ここがどこなのか、ぜんぜんわからないんだろ？」といいながら車をバックさせた。

「ああ」セスは快活に認めた。「しかし、もう明るくなる。それで道も見つけやすくなるさ」

こんなふうに何時間も何時間もウェールズをさまよって過ごすことになるとわかっていたら、もっとがんばって、途中でクラリオン・コールの編集部に寄って記事を届けると言い張るべきだった。たった三十分の回り道だし、そうしていれば、このやくたいもない旅にもなんらかの成果があったといえたのに。デニス・アサートンの居場所をたずねてまわるチャンスがないことは明らかだ。それどころか、捕虜収容所の場所をたずねる相手さえ見当たらない。

「で、今度はどっち?」とセスにたずねた。

「左……いや、右……」とセスがあいまいな口調でいった。「いや、まっすぐだ」と指を差し、「収容所だ」

アーネストはゲートの前に車を止めた。「ぼくらがだれなのか、もう一回教えてくれ」

セスが書類を調べて、「おれはウィルカースン少尉、おまえはアボット少尉」

「アボット少尉とウィルカースン少尉だ。フォン・シュプレヒト大佐を迎えにきた」とアーネストは警備兵にいった。警備兵は書類に目をやり、返してよこすと、所長室のある建物のほうに手を振った。

指示された建物に行って用件を告げると、当番の軍曹が、「所長に伝えてきますので、こちらでお待ちください」といって、所長室に姿を消した。

一時間後、ふたりはまだ待たされていた。

「なんでこんなにかかるんだ?」セスが不安そうにいった。立ち上がり、窓べに歩み寄って外を見る。「もし晴れたら?」

「天気予報では、きょうは一日じゅう曇りだ。午後からは雨」アーネストは、帰りに通ることになるルートをチェックしながら答えた。上陸作戦のための部隊集結地域のど真ん中。デニス・アサートンもそのどこかにいる。見つけることさえできれば。

「もし天気予報がまちがってたら? ドーヴァーのニセ石油貯蔵所開所式の日は大はずれだったぞ。天気予報では晴れだったのに、洪水みたいな大雨が降った。もしきょう晴れたら、大佐は、太陽の位置で車がどっちの方角に進んでいるかがわかるから、おれたちがなにをいおうが無駄になる」

「晴れないよ。心配するな」といいながらも、アーネストはまだアサートンのことを考えていた。ドイツ人捕虜が車に同乗していて、どうしてアサートンを捜せる？　セスを納得させられるような口実を思いついたとしても、質問した相手はほんとうの地名を口にするかもしれない。遂行中の任務をだいなしにする危険はおかせない。

何百回となく思ったことだが、いまもまた、時間旅行者が歴史に影響を与える可能性があるのかどうかを知りたいと思った。それに、フォーティテュード・サウスの欺瞞工作のうち、どれが成功したのかも。ドイツ軍はフォン・シュプレヒト大佐が話したことを信じたのか？そもそも彼は軍に尋問されたのか？　彼らが捏造《ねつぞう》した会見写真とか、周到な計画のもとにコールやショッパーやバナーに載せた新聞記事とかを、ドイツ軍は信じたのか？　信じたとすればどれを？　きのうクラリオン・コールに届けるはずだった記事？

「まちがいなく晴れてきてる」とセス。「いま雲間にちらっと青空が見えた。もし彼が逃げようとしたら？」

「だれが？」

「捕虜だよ。もし彼が逃げ出そうとしたら？　それともおれたちを殺そうとしたら？　もしかしたら危険な男かも――」

「病気なんだよ」地図をにらんだまま答えた。「だから本国に送還されるんだ。それに、もし危険な相手なら、ぼくらをよこすもんか」

「そんなことがよくいえるな。あの雄牛を忘れたのか？」

「それに、手錠をはめられてる。フォン・シュプレヒト大佐だよ、雄牛じゃなくて。こっちにきて、帰りの道順を教えてくれ」

セスが地図の上にルートを指で描いた。「ウィンチェスターを通過して――カンタベリーだということにするんだ――それから南に折れてポーツマスに向かい、大佐に上陸艦隊を見せてから――」

「ウィンチェスターはだめだ」とアーネスト。「ウィンチェスター大聖堂は、カンタベリー大聖堂とは似ても似つかない。迂回する必要がある」セスがうなずき、もう一方の地図にメモした。「それから、ソールズベリーにも近づかないほうがいい。尖頂に気づくかもしれないから」

「あの尖頂は十キロ四方から見えるぞ」セスがいらいらした口調でいった。「ルートを最初からつくりなおさなきゃ」

よし。これでセスも、しじゅう窓の外を覗かなくなるだろう。

セスのおかげでこっちまで神経がびくびくしてくる。どうしてこんなに時間がかかるんだろう。これだけ時間があれば、ドイツ軍全軍を本国に送還できそうだ。

セスが新しいルートを考案し、アーネストが暗記できるようにそれを書き留めてから、また窓辺に歩み寄って空をたしかめた。「もしアメリカ軍が新しい標識を立てていたら？もし大佐が窓の外を見て、走っている場所が――」

「見ないよ。心配するなって。それに、話しかけないでくれ。大佐が連れてこられる前に、このルートを覚えてしまわないと」

セスが黙っていてくれたのは五分間だった。「書類三枚にサインするのになんでこんなに時間がかかる？　おれたちのことを調べてるわけじゃないよな？　アルジャナンが所長にこの任務のことを伝えてなくて、おれたちの身元が書類と違うことがばれ、ドイツのスパイだと疑われてるんだとしたら？」

「ぼくらはスパイだ」

「いってる意味はわかってるだろ」

「ぼくらの正体はばれないし、空は晴れない。やきもきするのはやめろ。映画見たことないのか？　スパイっていうのは、いつも氷のような冷静さを保ってるもんだろう」

「でももし――」ドアが開き、さっきの軍曹が入ってきた。そのうしろに、警備兵ふたりをしたがえた収容所長。そして、警備兵にはさまれているのは、ドイツ軍の軍服を着た捕虜だった。

さっきの予測はまちがっていた。手錠はしていない。しかし、その必要はなかった。両脇から体を支える警備兵の腕にぐったりよりかかり、顔は土気色。

「少尉」と所長がこちらに向かってうなずき、それから捕虜のほうを向いた。「フォン・シュプレヒト大佐、あなたはスウェーデン赤十字が定めたとりきめに基づき、ドイツに送還される。このふたりの将校があなたをロンドンまで送り、そこで赤十字に引き渡され、ドイツに向かう」

フォン・シュプレヒト大佐の態度に、所長の話を理解したようすはまったくなかった。テンシングの情報がまちがいで、英語がわからないんだとしたら？　しかし、所長が、「わかったかね、大佐？」とたずねると、彼はドイツ訛りのほとんどない英語で、「よくわかった」と答えた。答えるときだけは背すじを伸ばしたが、車まで歩くときは、警備兵ふたりが両側から抱きかかえるようにしていた。船旅はおろか、ロンドンまでの自動車旅行を生き延びる体力もなさそうに見える。どうやらセスもおなじことを考えていたらしく、警備兵が大佐の体を後部座席に押し込むのを見ながら、アーネストの耳もとで、

「もし彼が道中で死んだら？」と囁いた。

セスとアーネストは車に乗り込んだ。アーネストはエンジンをかけ、バックミラーの角度を調整して大佐の姿が見えるようにした。大佐は後部座席にぐったり身を沈め、目を閉じている。

道中ずっとあんなふうにしていたら、この計画はまったくの無駄になってしまう。そう思いながら、スウィンドンに向かって車を南に走らせ、ときおりミラーに目をやって大佐のようすをたしかめた。まだ目を閉じたままだ。車が町に入ると、急に不安になってきた。もしスウィンドンと書いた標識がひとつでもあったら……。

しかし、米軍が標識を立てたんじゃないかというセスの心配にはなんの根拠もない。それ

に、国土防衛軍だかどこだか知らないが、開戦当時、標識の撤去を担当した連中の仕事ぶりは徹底していた。鉄道駅に名前はなく、〈中心街はこちら〉と書いた矢印さえない。

「この町はブリードだろ？」セスが地図を見ながらいった。アーネストがうなずくと、「次の交差点で北へ折れて、ホーンズ・クロスまで行ってから、オクスニー・ロードをベックリーへ向かう」

「しいっ。大佐が聞いてるかもしれないだろ」とわざとらしい囁き声でいった。

「心配ない。眠ってる」セスがうしろをふりかえっていった。「ナウンスリーで車を止めるわけにはいかないよな？」

「どうして？」

「知ってる子が住んでるんだ。海軍婦人部隊員で、名前はベティ。パットン将軍の運転手だよ」

「パットンの司令部はエセックスだと思ったが。チェルムズフォード」

「ああ。しかし、彼女はナウンスリーに宿舎を割り当てられたんだ。その下宿の大家が、すごくものわかりのいい人でね。どうかな」

「だめだ。ナウンスリーでは止まれない。ドーヴァーでも。命令はわかってるだろ。捕虜をまっすぐロンドンに連れていって、陸軍省に引き渡し——」

「しいっ」セスが親指で後部座席を指し、「起きてるぞ」

アーネストは肩越しにふりかえって、大佐に声をかけた。

「フォン・シュプレヒト大佐。なにか不都合はないですか？」

「ないよ。ありがとう」と大佐は答えた。

「なにか必要なものがあれば、遠慮なくおっしゃってください。しっかりお世話するよう命令を受けていますので」

「お茶はどうです？」セスが魔法瓶をかざしてたずねた。

「いや。ありがとう」

「煙草は？」

「いや」そっけなく答えたものの、すくなくとも大佐は目を覚ましているし、大佐に見せるためにここまで連れてきた光景を見ている。テントと軍用車両と軍用装備でいっぱいの野原。標識の助けなしにセスから指示されたルートをちゃんと走れるかどうか心配だったが、どの道を通ろうが関係なかった。せまい田舎道まで含めて、これまでに通過してきたあらゆる道の左右に、かまぼこ型兵舎の群れや、バンパーとバンパーをくっつけるようにして駐車された無数のジープや、野戦高射砲が見えた。ある牧場では、戦車の轍《わだち》がジグザグに走っていた。例の雄牛の牧場でアーネストとセスが骨を折って捏造したのとそっくりだが、木立ちの下に隠された戦車は空気でふくらませるゴムの戦車ではなく、本物だった。それに、行く手に見える石油缶の巨大なピラミッドも、山積みにされた弾薬箱も。

　しかし、アーネストがバックミラーに目をやると、大佐はまた目を閉じていた。こんなに乗り心地のいい車で来たのがまちがいだった。「フォン・シュプレヒト大佐」と声をかけた。

「うしろは寒くないですか？　毛布もありますが」

「いや」大佐は目を開けずに答えた。

「五月にしてはかなり寒くて」とアーネストがいい、大佐の返事がないと、今度はセスが、

「ドイツにもこういう天気はあるんですかね」とたずねた。やはり返事がない。

「ドイツのどのあたりのご出身ですか？」とアーネストがたずねたが、大佐はいびきをかきはじめた。


眠っちゃだめだ。あなたのためにこれだけの準備をしたんだから。砂利道にできた大きな穴にわざと車を突っ込んだが、ガクンという揺れも大佐の目を覚ますことはなかった。車をとめたら起きてくれるだろうが、いま走っている原野は兵士だらけだ——行軍の訓練や徒手体操をしたり、弾薬を積み込んだり、給食テントの列に並んだり。うかつに停車すると、道に迷っているのかと思って、そのうちのひとりが近づいてくる可能性が高い。だから、眠れる大佐が目にするはずのもののすべてをあっさり通り過ぎて、車を走らせつづけるしかなかった。

前方に村が見えてきた。よし。ガソリンスタンドがあったら、車をとめて給油しよう。だが、村で一本きりの通りにスタンドはなく、すぐ先に見えてきたのは、ああくそ、標識だ。遠すぎてまだ字は読みとれないが、左右の矢印と地名らしきものが書いてあるのはわかる。標識を避けようにも、分かれ道はひとつもない。

大佐がまだ眠っていることを祈りつつバックミラーに目をやった。大佐は起きていた。一

分後には標識を目にすることになる。

「あれ！」アーネストは道路の反対側を指さして叫んだ。「落下傘兵だ！」

「どこ？」セスが身を乗り出し、大佐もセスの視線の先を見ている。

「あそこ」アーネストはなにもない空を指さし、「上陸作戦の前夜に、米軍が二万人の落下傘兵をパ・ド・カレー周辺に降下させる計画だって聞いてる」

セスと大佐が空を見上げているあいだに、車は標識の前を無事通過した。

パニックを起こす必要はなかった。矢印の横に書いてある地名は、片方が〈ベルリン〉、もう片方は〈古き良きアメリカ〉だった。

大佐に見せたいと思ったくらいだが、後部座席に目をやると、大佐はまた目を閉じていた。

もう二キロほど車を走らせたあと、航空機でいっぱいの飛行場の向かい側で急停止させた。

「道が違うんじゃないか」とアーネストはいった。「この飛行機の前はさっきも通ったぞ」

「いや、ここのはハリケーンだ」とセス。「さっき通り過ぎたのはテンペストだった」

「いや、そうじゃなかった。きっと、さっきの十字路で左に曲がらなきゃいけなかったんだ」セスが一向に話を合わせようとしないので、「道に迷ったんだよ」とだめ押しした。

「そうか」セスもようやく気がついたらしく、「いや、道はこれで合ってるとも」といって地図を広げた。「ほら、いまいるのはここ。ニューチャーチを抜けてきたんだ。ホーキンジはあっちの方角だ」

「ちょっと地図を見せてみろ」といって、アーネストはセスの手からひったくり、後部座席の大佐から見えるようにして地図を広げた。「いまどこにいるって?」

「ここだよ。ニューチャーチのすぐ北」とセスが指さす。「ほら、ここがグレーヴズエンド。大佐を乗せた場所だ。ここからベックリーを横断して、オクスニー・ロードを通ってきた」

アーネストはバックミラーを盗み見た。大佐は、セスが指先でルートをたどっている地図を熱心に見つめている。

「で、いまいる道路がこれ。このまま走ればドーヴァーを通過するから、そのあとオールド・ケント・ロードに出てロンドンへ向かう」

「たしかにそうだな」アーネストはエンジンをかけ、シフトレバーをぐいと動かした。ギアがガリガリと音をたてる。ノブを前後に動かしてギアを一速に入れようとしたが、なかなか入らない。とうとうギアがバックに滑り込んだ。車をバックさせて道路に出すと、ふたたび走らせはじめた。いくつもの軍用キャンプと軍用品置き場、P-51やDC-3がところせましと並ぶ、数え切れないほどたくさんの航空基地を通り過ぎる。

「いやはや、たいした見物じゃないか」とセスが畏敬の念に打たれたようにいった。大佐に聞かせるためだけの台詞でもなさそうだった。ノルマンディー上陸作戦が一大プロジェクトだということは知っていたが、この計画のとてつもない規模は、人間が把握できる限界を超えている——何千何万という飛行機に戦車にトラック、何万トンもの装備。

車を走らせるうち、大佐の顔色がますます悪くなり、空気が抜けたニセ戦車のようにだんだんぺしゃんこになっていくように見えた。

これを相手にして戦争に勝てるわけがないとさとったんだ。そうなることも計画の一部だったんだろうか。この旅行の目的は、フォン・シュプレヒトを欺いて連合軍がカレーに上陸すると思わせることだけではなく、上陸作戦に参加する連合軍の圧倒的な兵力を見せつけることで、ドイツ軍の抵抗は無駄だと実感させることだったのかもしれない。だとしたら、その計略は成功しつつある。一キロ進むごとに、大佐の表情はうちひしがれた色が濃くなってゆく。

しかし、どこまでも広がるテントの町や、演習場で訓練したりトラックに詰め込まれて移動したりしている小隊や中隊や大隊にショックを受けたのは大佐ひとりではなかった。これだけの数のテント、これだけの数の兵士の中では、とてもアサートンは見つからない。これまでに通過してきた五十の演習場、数百のキャンプのどこにいてもおかしくない。あと五週間で——訂正、六月五日までの三週間で——捜しあてることなど不可能だ。たとえいますぐこの車からセスと大佐を放り出し、すべての軍司令部をしらみつぶしにあたってアサートンをたずね歩いたとしても。

「聞いた話だと、この地方に百万人が集結してるそうだが」とセス。「そんなことがあると思うか？」

いや、違う。アーネストは苦い思いでひとりごちた。二百万人だ。

「つまりさ、百万人も集まったら、その重みでケント州が沈みそうじゃないか。もしかしたら、防空気球はそのためかもな」セスは前方の空に浮かぶ、数百の銀色の染みを指さした。

「英国が沈むのを食い止めてる」にやっと笑って地図に目を向け、「そろそろドーヴァーにさしかかるはずだ」とつけ加えた。

ということは、ポーツマスが近い。ということは、出発が遅れたにもかかわらず、旅程はスケジュールどおり。うまく進んでいることが、すくなくともひとつはあるわけだ。この調子なら、三時にはロンドンに到着し、クラリオン・コールの締切前に記事をジェパーズ氏に届けられるかもしれない。

と思ったのはぬか喜びだった。それから一キロも行かないうちに、ものすごくのろのろ進んでいるトラックの隊列にぶつかった。すぐ前にいるのは帆布製の幌にすっぽりおおわれた巨大な四輪駆動トラックで、その前はぜんぜん見えない。四駆は歩くより遅いくらいまで速度を落とした。

「なんでこんなに渋滞してるか見えるか?」とセスにたずねた。

「いや」セスは窓を下ろして外に首を突き出した。「すぐ先に村がある。バーマーシュだな、たぶん」前を行くモンスターは、教会とパブのあいだでとうとう停止した。道幅がせまく、右からも左からも追い越せない。

セスがまた窓から頭を出し、それから車を降りると、前のトラックを過ぎて、ようすを見るために歩いていった。「まずいな」と車にもどってきて報告する。「見渡す限りどこまでも車両と戦車と大砲がつづいてて、しばらく動き出しそうにない。トラックのボンネットに腰かけてお茶を飲んだりサンドイッチを食べたりしてるやつもいる」

「ひきかえしてべつの道を探すしかないな」とアーネストはいった。セスがうなずき、地図に手を伸ばした。アーネストはクラッチを踏み、シフトレバーをバックに入れようとした。ガリガリとギアが嚙む音がして、つっかえた。車の前でなにかが動くのが視界に入り、アーネストは目を上げた。米軍の憲兵《MP》がこちらに歩いてくる。

まずい。きっとどこへ行くのかと訊かれるだろう。アーネストはレバーのノブを握る手に力をこめ、なんとかギアをバックに入れようとしたが、びくともしない。

「セス」アーネストはそう呼びかけて、バックミラーにすばやい一瞥を投げた。願わくは、大佐がまた眠ってくれていますように。いや、ぱっちり目を覚まして、興味津々の顔でまわりを見ている。「セス、大佐が風邪を引く前に窓を閉めてくれ。セス！」

「はあ？」セスが地図に顔を埋めたままでいった。

MPはもう車のすぐ横まで来ている。アーネストはクラッチを踏み込み、シフトレバーを思いきり引いた。どのギアでもいいから、とにかく入ってくれ。「窓を閉めろっていってるんだよ、セス！」

「なに？」といってようやく顔を上げたが、あとの祭り。MPは窓の横に来ている。セスがパニックの視線をこちらに投げた。「兵隊が――」

「わかってる」アーネストはむっつりいって、最後にもう一度だけ思いきりレバーを引いた。がくんと動いてバックに入った。クラッチをつなぐ。そして……エンジンを切った。

MPが助手席の窓から顔を覗かせた。「こっちは通れませんよ。前方の道路は兵員と装備でぎっしり詰まっています。もと来たほうにひきかえしていただかないと」

「たしかに」アーネストはエンジンをかけた。「すまない」

「どちらにいらっしゃるんですか？」

ポーツマスと答えるなよ。アーネストは心の中で命令した。ドーヴァーとも。「ベンベリー」とセスはいった。

「車はすぐに動かしますよ」アーネストはそういって、クラッチをつないだ。座席の背に腕をかけてうしろを向き、背後にやってきた半軌装車《ハーフトラック》を確認する。

「ベンベリー？」MPがくりかえした。「バンベリーのことですか？」

バンベリーはブレッチリー・パークのそばだ。アーネストはセスの体越しに助手席の窓に身を乗り出し、「これじゃ身動きがとれない。うしろの車に移動するようにいってくれないか」

MPはうなずいたが、ハーフトラックのドライバーはすでに自力で問題を解決すべく、アーネストたちの車の運転席側を、ほんの数十センチの隙間ですり抜けようとしていた。

よし。アーネストは車をバックさせはじめた。そのとき、海軍婦人部隊員が運転するジープがすぐうしろで停車するのが見えた。

「ベンベリーはブラックネルのそばだ」助手席の窓にまた身をかがめているMPに向かって、セスがいった。「アッパー・テンシングの西」

「アッパー・テンシング？　それはポ――」

「ロウアー・テンシングのそばだ」とセスは必死にいった。

災厄まであと数秒の猶予もない。なんとかしてMPを車から引き離し、大佐に聞こえない場所で任務のことを説明しなければ。書類をひっつかみ、車のドアを開けようとしたが、ハーフトラックとのあいだには数十センチの隙間しかなかった。この隙間から抜け出して助手席側にまわるには時間がかかりそうだ。そのあいだにMPがなにか致命的なことを口にしたら、止めようがない。

MPはすでに、「どっちも聞いたことがありませんね」と話している。「そこへ行く道は、ポー――」

「アサートン大尉を探してるんだが」とアーネストは助手席側に身を乗り出していった。「どこへ行ったら会えるか教えてもらえないか?」セスが安堵の表情を浮かべてこちらを見た。MPがそれに気づかなければいいのだが。

気づかなかった。MPはヘルメットを押し上げ、頭を掻いている。「アサートン大尉?」

「ああ。この先にいると聞いている。彼に伝言を――」

「どうして動かないの?」ジープを運転していた海軍婦人部隊員がMPのほうに歩み寄って詰問した。「なんで止まってるわけ?」

「こっちは通れませんよ」とMPがいった。アーネストはその機を逃さず運転席を抜け出し――書類をひっつかんで――せまい隙間から無理やり外に出ると、急いで車の助手席側にまわった。MPが海軍婦人部隊員に、ジープをUターンさせるしかないと説明している。「この師団全体が一時滞在キャンプに移動するんです。通り抜けるのは無理です」

海軍婦人部隊員は困り果てた顔で、「でも、どうしてもここを抜けてポー――」

「いますぐアサートン大尉と話がしたい」とアーネストは怒鳴った。「野戦電話のところに案内したまえ。いますぐだ」

「イエス・サー」とMPがいった。

「待って！」と海軍婦人部隊員。「いったいどうして――」

「それと、そのジープを動かしたまえ、少尉！」とアーネストは彼女に命令した。

「こちらです」MPがアーネストを先導して、ハーフトラックの前を過ぎた。「ただちにアサートン大尉のもとにお連れします」

それがほんとうだったらどんなにありがたいか。MPのあとについて歩きながら思った。MPに野戦電話を用意させて、アサートンの居場所をつきとめるというのは信じられないほど大きな誘惑だったが、数百人の兵士に囲まれたなかに大佐を置いていったりしたら、いつだれかが「ポーツマス」と口にしないともかぎらない。上陸部隊は英国南西部に集結していますとフォン・シュプレヒト大佐がヒトラーに報告したら、デニスを見つけてもなんにもならない。ここから脱出しなければ。早急に。そこで、大佐に声が聞こえない場所まで来ると――セスの莫迦《ばか》はまだ車の窓を閉めていない――アーネストはMPの前に出て、低い声でいった。「われわれは英国情報部の特別任務に就いている。是が非でも一四〇〇時までにポーツマスに行かなければならない」ポケットから書類をとりだし、てっぺんに捺された『優先命令』と『超最高機密《ウルトラ・トップ・トップ・シークレット》』のスタンプがMPに見えるようにした。

「上陸作戦のからみだ」

MPは目をまるくして、「イエス・サー」というと、前方で渋滞する車両の列を見渡した。

「できるだけ早くこの列を動かすように――」

アーネストは首を振った。「その時間はない。われわれの車の通行を妨げているものだけを移動させたまえ」

「イエス・サー」MPは車のほうに歩き出した。

海軍婦人部隊員が決然とした面持ちでこちらに歩いてくる。

「ジープは動かしましたか?」MPが詰問した。

「いいえ。わたしは是が非でもポーツマスに行かなきゃいけないの」

アーネストはあわてて車のほうを見た。セスはようやく窓を閉めていた。助かった。

「届けなければならない重要な文書があるの」と海軍婦人部隊員が話している。MPはそれを無視して、「アサートン大尉の所在をつきとめるのはどうしましょうか」

アーネストは首を振った。「その時間はない」

「アサートン?」海軍婦人部隊員がいった。「アサートン少佐のこと?」

アーネストは彼女の顔を見つめた。

「いや」とMP。「少尉が捜しているのはアサートン大尉――」

アーネストは話に割り込んで、「デニス・アサートン少佐?」と海軍婦人部隊員にたずねた。

「ええ」

なんてことだ。「居場所を知っている？」

「ええ。フォーディングブリッジの待機キャンプに」

「ここからの距離は？」

「五十キロです」と海軍婦人部隊員が答え、MPが「ソールズベリーのすぐ近くです」とつけ加えた。

ということは、きょう行くのは不可能だ。しかし、それはどうでもいい。キャンプの名前がわかった。アサートンが二、三日中に、この師団のように一時滞在キャンプに移動しないかぎりは。

海軍婦人部隊員がショルダーバッグの中をかきまわして、「電話番号もわかります」といって、メモをとりだし、こちらにさしだした。

これで終了。三年以上にわたって計画を練り、探し求めてきた情報が、こんなにあっさり手渡されるとは。こんなに簡単なわけはない。最後の瞬間になにか邪魔が入るにちがいない。

だが、そうはならなかった。海軍婦人部隊員は笑顔で手を振ってジープにもどり、アーネストは車に乗り込むと、「全師団が一時滞在キャンプに移動する。パットンの命令だ。われわれは、はるばるエイルシャムまでひきかえして、べつのルートでドーヴァーに行くしかないそうだ」といった。

車をUターンさせるまで、さっきのMPが他の車両を止めておいてくれた。ウィンチェスター・ロードはガラガラで、おまけに空の要塞B-17が道路の両側をびっしり埋めていた。

「あれは鮮やかだったな」ありもしないノッキング音をチェックするために車をとめたとき、セスがいった。「さっきはもうだめかと思ったが、おまえのおかげで助かったよ。アサートンがあそこにいるって、どうして知った？」

「知らなかった」大佐に聞こえないよう、声を低くして答えた。「まぐれ当たりだ。新聞に出す投書の名前を使ったんだ」

「ふうん。じつにラッキーなまぐれ当たりだな。それに、あの爆撃機の真ん前を通れたのもラッキーだった。大佐の顔見たか？　すっかり意気消沈してたぜ。完全にだまされてる」

「ロンドンに着くまでのあいだになにもなければな」とアーネストはにこりともせずにいった。「この先まだ、ポーツマスを抜け――」

「ドーヴァーだろ」とセスが訂正した。

「ドーヴァーを抜けなきゃいけない。次の障害に出くわしたときは、さっきほどラッキーじゃないかもしれない。そこを過ぎても、まだロンドンがある。もしセント・ポール大聖堂の位置がおかしいと勘づかれたら――」

「たしかにそうだな」とセス。「切り抜けたと思って安心したときに、いつもなにか大惨事が起きるんだ」

そのとおりだった。ふたりが車にもどるなり、雲のじゅうたんが割れ、ところどころ青空が覗きはじめた。アーネストはアクセルをぐいと踏み込み、海岸付近はもっと天気が悪いことを祈った。

祈りは通じた。ポーツマスに着くころには、霧のすじが道路に漂いはじめていた。

あんまり霧が濃くなると、今度は船が見えなくなる。アーネストは気を揉んだが、それは杞憂だった。海の上はきれいに見晴らせる。錨を降ろした兵員輸送船や駆逐艦や戦艦の群れが、見渡すかぎりどこまでもつづいている。霧は周囲の海岸線を隠すことで、むしろ役に立ってくれた。おかげでセスが「ドーヴァーの白亜の崖はどっちだ？」とたずねたとき、アーネストは見えない海岸のほうを自信たっぷりに指さして、「あっちだ」と答えることができた。

セスは「ドーヴァーの白い崖に青い鳥が飛ぶだろう」と歌い（ヴェラ・リンが歌った一九四一年のヒット曲「ドーヴァーの白い崖」。四四年には映画化もされた）、それから、「あとどのくらいで……」といいかけてから大佐のほうをふりかえり――大佐はすばやく目を閉じた――声を潜めて、「……はじまると思う？」

「早くても七月中旬だろう」とアーネストはいった。霧は薄くなりはじめているようだ。白い崖も白くない崖も存在しないことが大佐にバレないうちに、とっとと埠頭を離れ、内陸に車を向けた。「それ以前だと、好天が期待できない。それに、米兵もまだ全員は到着してないだろうし」

「弟の話だと――エセックスの第二軍にいるんだが――八月だとさ。でも」と〝眠っている〟大佐をこっそり盗み見てから、「ドイツ軍を欺くために、それ以前にどこかで攻撃を試みるかもしれんといってた。ここで曲がって」と地図を見ながら、「それから次の通りをまた右折。その道路がキングストンまで通じてる」そして車はつつがなくポーツマスを抜けて、ロンドンにつづく道を走り出した。

「おまえにいわせりゃ、安心するのはまだ早いんだろうが」部隊集結地域の境界となるゲートで書類を見せるために車をとめたとき、セスがうれしそうにいった。「おれにいわせりゃ、おれたちの任務は首尾よく終わったも同然だ」

たしかに、とアーネストは思った。それに、ぼくの任務も。ゼロに近い確率とさまざまな障害にもめげず、アサートンの所在を首尾よくつきとめた。しかも、タイムリミットまでまだ一カ月の余裕がある。しかも、万一それまでにアサートンに会うことができなくても、電話をかけて、ポリーとアイリーンの居場所を伝えることはできる。

でも、できるだけ早く電話しておく必要がある。ヘイズルミアに車を走らせながら思った。アサートンの降下点が部隊集結地域の外だったり、アイリーンの降下点のように週に一度開くスケジュールだったりした場合のために。でも、どうやって？　支部から電話するわけにはいかない。無許可の通話をしている現場をセスかプリズムに見られたら……。どうにかして電話をかけなければ。ジェパーズ氏に今夜原稿を届けるのはもう間に合わない。クラリオン・コールの編集部はもう閉まっているとセスに説明して、あしたひとりで原稿を届けにいけるように算段しよう。

でも、そうなると、暗号メッセージが新聞に載るのは再来週になる。そう考えてから、もうそんなことはどうでもいいんだと気がついて、喜びがこみあげてきた。アサートンが見つかったんだ！　あとは、だまされていると気づかれないようにしてフォン・シュプレヒトをロンドンまで連れていき、陸軍省に引き渡すだけ。

それさえも簡単に終わった。大佐の寝たふりがいつの間にか本物になり、アーネストは大佐とセス――ドアにもたれ、口を開けたまま眠りこけている――の睡眠を利用して、ギルドフォードとキングストンを猛スピードで通過し、ロンドンの南端を抜けて、ほんとうにドーヴァーから来た場合に通るルートへと接近した。そうすれば、セント・ポール大聖堂がありえない方向に見えたせいですべてがだいなしになる心配をせずに済む。

ふたりともまだ寝ているうちに、車はオールド・ケント・ロードに出て、北上しはじめた。もう楽勝だ。あとは当局に大佐を引き渡して――

セスが目を覚ました。「どこだ？」と眠たげにたずね、それから、「エンジンがノッキングしてるみたいだ」

うわ、今度はなんだろう。アーネストは後部座席に目をやったが、大佐はまだ眠っている。胸が上下しているから、死んではいない。

「その先にガソリンスタンドがある」とセスが指さした。

アーネストはそこに入って車をとめ、ふたりは車を降りた。

「どうした？」ボンネットを上げるなり、囁き声でたずねた。

「なんでもない。地図を見なきゃ。ここはどこだ？」

「オールド・ケント・ロード。どうして地図がいる？　この道を走ればまっすぐホワイトホールと陸軍省にたどりつく」

「陸軍省へ連れていくんじゃないんだ」とセス。「公式の晩餐会が予定されてる。パットン将軍との。最後のひと筆を加えるために」しばらく地図を眺めたあと、「ああ、こりゃいい。おれがプレス・リリースを届けるときにいつも使ってるルートで行ける。ほら」セスはアーネストに地図を見せ、「この道を通ってホルボーン陸橋まで行って、それからベイズウォーター・ロードをケンジントンへ向かい――」

ケンジントン？　なんてことだ。「その晩餐会はどこで開かれるんだ？」

「ケンジントン宮殿だよ。ケンジントン・ガーデンの西端。ノッティング・ヒル・ゲートのすぐそばだ」

自分の番号になるまで、ひたすら待って待って待ちつづける……
——戦争特派員。Dデイ前日の待機キャンプで

51

ロンドン　一九四一年春

下宿人のうち、あの夜、部屋に残ることにしたふたりが、ミセス・リケットとともに命を落とした。五百ポンドの高性能爆弾が落ちたのは、午前三時の数分前だった。前夜の空襲は、宵のうちがかなり激しく（そのため、ENSAの夜の公演のあいだ、ポリーは台詞を大声で叫ばなければならなかった）、だんだん間遠になっていった。真夜中には、ルフトヴァッフェもきょうはもう店じまいという感じになっていたから、午前二時半すぎ、ミセス・リケットは家に帰って自分のベッドで寝ると宣言したが、ベッドまでたどりつけなかった。玄関ステップの上で、飛んできたガラスの破片によって命を落とした。

さいわいなことに、ミス・ラバーナムとミス・ヒバードは家主と行動をともにしなかった——ミスター・ドーミングをはじめ一座の面々と、朗読する戯曲をジェイムズ・バリの『小牧師』にするか『親愛なるブルータス』にするかで議論していたのである。

いっしょに過ごした時間を基準にするなら、ふたりのほうがミセス・リケットよりずっと

長い。それなのに、傷つきもがく時空連続体は、ミセス・リケットを殺した。だとしたら、一座のメンバーやマージョリーやハンフリーズ氏が生き延びるチャンスは？　ハッティやENSAの同僚たち――ポリーが否応なく毎日接触し、みんな親切で、熱心にコツを教えてくれる――が生き延びるチャンスは？

あたしにはいっさい関わらないほうがいいのよ。彼らに向かってそう叫びたかった。連続体は、自己修復のむなしい試みをつづけるだろう。次は、あたしとあなたたちみんながその餌食になる。

しかし、ENSAの同僚を避けるすべはなかった。全キャストおよびスタッフと、午後は稽古、夜は大混雑の舞台袖でいっしょになるし、楽屋はほかの女の子たちと共有している。それでも、ポリーはベストをつくした。早く劇場に来てひとりでメイクを済ませ、舞台のあとの一杯や食事の誘いはすべて断り、楽屋での時間はほとんど〝本に鼻を埋めて〟過ごした。その本は、（赤毛の図書係がいつも親切にしてくれるホルボーン駅ではなく）レスター・スクエア駅のシェルターにいる図書係から借りた、アガサ・クリスティーのミステリだった。

「結末はぜったい予想できないわよ」とハッティがいったが、そのとおりだった。ポリーは茫然とページを見つめ、戦争に負けることと、ダンワージー先生のデッドラインと、なんの罪もないのに自分のせいで死んだかもしれないすべての人々のことを思った。スティーヴン・ラングが方向をそらしたV1が命中した人々、ポリーが買い物の包装に手間どったせいで防空壕へ行くのが遅くなった顧客、楽屋口でポリーの出待ちをしたせいで部隊長に夜間外出がばれ、その罰として北アフリカや北大西洋に送られる兵士たち——その中には、コリンと変わらない年齢の若者もたくさんいる。

　しかし、兵士たちにとっては、キャンプに帰るのが遅くなるほうがポリーとデートするよりずっと安全だろうし、ポリーとしては、観客より共演者のほうがはるかに心配だった。これでもまだ、同僚との接触が多すぎる。ＥＮＳＡは二週間ごとに演目を新しくするため、メンバーはいつも稽古に追われていた。

　ポリーが加入したときは「ＥＮＳＡ、プディングをかき混ぜる」の上演中で、翌週は「ＥＮＳＡ、クラッカーを鳴らす」が初日を迎え、二週間後には「ＥＮＳＡ、勝利に向かって跳ぶ」に変わった。もっとも、それぞれの演目をはっきり区別するのはむずかしい。どの舞台も、愛国的な歌とコーラスラインとコメディアンと戦争をネタにした各種のコントで構成されていた。

　ポリーはとても短いスカートをはき、さまざまな役をとっかえひっかえめまぐるしく演じた。高射砲手、ガムを噛む米陸軍婦人部隊員、弾薬工場で働く社交界デビュー娘《デビュタント》（ティアラに夜会服にスパナつき）、駅で兵士に別れを告げる娘。

「でも、ぼくはもうすぐ国を離れるんだよ」英国海外派遣軍の軍服を着たレジーが片腕でポリーを抱き寄せながらいう。「最後に一回だけ、小さなキスくらいいいだろ？」

　ポリーははにかむように首を振り、彼は握手の手をさしだす。ポリーはその手を見つめ、それから観客（「おいおい、頼むよ、キスしてやれよ！」と野次を飛ばし、チュッチュッの音を盛大に鳴らしている）のほうを見てから、彼の手をつかむと、ぐいとひっぱって相手の体を引き寄せ、情熱的な口づけをした。

「ヒャッホー！」レジーははっとわれに返ったふりでそう叫び、「さよならのキスはしてくれないと思ってたのに」

「しないつもりだったわ。でもそのときミスター・チャーチルの言葉を思い出したの。あたしたちは戦争に勝つためにできることをすべてやらなきゃいけないんだ、って」

「で、さっきのきみはそれをやってたのかい？」

「いいえ」といって、ポリーは目をパチパチさせた。「でも、駅でできることはあれがせいいっぱいだったのよ」

サイレンが鳴り出したら、とても短いスカートをはいて舞台に出て、観客に背中を向け、思いきり前かがみになって、スカートのうしろをめくりあげるのもポリーの仕事だった。サテンのパンツ《ニッカーズ》のおしりには、〈ただいま空襲中〉と赤いフランネルの文字が縫いつけてある。

この演《だ》しものは大ウケで、ＥＮＳＡに加わって五週間後には、タビット氏が『空襲《エアレ》アデレード《ード》』と名前をつけ、ポリーの写真（腰に両手を当て、かがみこまずに笑っている）をロビー入口の大看板に貼り出した。それからポリーを呼んで、四月の第三週からはじまる空軍基地慰問ツアーに参加するようＥＮＳＡのトップが求めていると残念そうに告げた。

「もっと金になるよ」とタビット氏はいった。「それに、これでトップ・スター入りだ」おまけに、アイリーンとアルフとビニーの三人（もしかしたら生き延びてくれるかもしれないと、まだ一縷《いちる》の望みを抱いていた）から離れることができる。

　でも、いつもよくしてくれるハッティがすでにツアーに参加することを決めていたし、もしOKすれば、彼女と相部屋になり、混み合ったバスで何時間もいっしょに移動することになる。そう考えて、ポリーは要請を断った。

「おお、それはすばらしい」とタビット氏はいって、次の日の夜、ポリーにエアレード・アデレードの衣裳を着せてカーテンの前に立たせると、「公演に先立ちまして公式発表があります。もし今夜、ルフトヴァッフェによる空襲があれば、『ただいま空襲中』の告知が舞台に上がります」

　口笛と拍手喝采。

「くりかえします。もし今夜、ルフトヴァッフェによる空襲があれば、その場合にのみ――」

　歓声、拍手、そして長く低い「ウ～～ウゥ～～ウ～ア～～」の声が二列目から上がり、それに数人が加わって音程が上下する空襲警報のむせび泣きになり、最後は観衆全員が唱和した。

　タビット氏が片手を耳のうしろにあてて、「よく聞いて。いま聞こえているのは空襲警報のサイレンかな？」といい、ポリーは舞台中央に歩いてくると（歓声、口笛、野次）カーテンのほうを向き、前かがみになった。

　大喜びのタビット氏はこの余興を公演ごとの定番の演目にすることを決め、その週の終わりには、ポリーは一公演につき六回もこれをくりかえす羽目になり、そのたびに〝愛《いと》しのサイレーン《セイレーン》へ〟とカードに書かれた花束やキャンディの箱を受けとった。

注目なんかされたくないのに。ポリーは絶望的な気分になり、かわりにハッティを起用してほしいとタビット氏に談判したが、すげなく拒否された。「きみのおかげで客が大挙して押し寄せてる」

ほんとにごめんなさい。兵士たちの熱心な顔を見ながら、ポリーは心の中で謝った。しかし、すくなくともここにいるかぎり、アルフとビニーや、タウンゼンド・ブラザーズの売り子たちや、サー・ゴドフリーと一座の面々を危険にさらすことはない。

次の日、舞台監督のマッチンズが幕間《まくあい》に楽屋のドアを開けて首を突き出した。

「ノックする決まりよ！」コーラが怒声を浴びせ、ハッティはタオルをつかんで胸を隠した。

マッチンズは開いたドアをノックして、「お客さんだよ、アデレード」といった。「紳士だ」

「楽屋に男は立入禁止のはずでしょ」コーラが詰問した。

マッチンズは肩をすくめて、「タビットにいってくれよ」と応じ、それからポリーに向かって、「おれは、あんたがまともななりをしてるかどうかたしかめて、もしまともだったら、その紳士をここに通せっていわれたんだ。いいか？」

「ええ」金色の靴を履こうとしているところだったが、片方のストラップのバックルがかたくて留められない。あきらめて部屋着を羽織った。「だれ？」

「見ない顔だ。老紳士」それからほかの女の子たちのほうを向いて、「タビットからの伝言で、みんなは楽屋を出るようにと――」

「楽屋を出る？」とコーラ。「そりゃいいわね。で、どこへ行けって？」

「それはいってなかったな。アデレードがお客とふたりで話ができるように席をはずせと」

うわ、きっとなにかあったんだ。ダンワージー先生がそれを伝えにきた――

だが、客はサー・ゴドフリーだった。

「おお、ヴァイオラ」楽屋のドアを開けたサー・ゴドフリーはいった。「『そうして娘もここで寝てらあ、湿った汚い地面の上に』（『夏の夜の夢』2幕2場）」

見つからないはずだったのに。恐怖に心を鷲摑みにされたまま、

「サー・ゴドフリー、いったいなんのご用です？」とたずねた。廊下のほうから、興奮した囁き声が聞こえてくる。

「サー・ゴドフリー・キングズマン？」

「ええ！」

「まさか、あのサー・ゴドフリー！　俳優の？」

いちばん望ましくないのは、キャストが集まってきて、ぜひ舞台を見ていってくれとサー・ゴドフリーにせがみはじめることだ。ポリーはあわてて彼を楽屋に入れてドアを閉め、つっかい棒がわりに椅子を押しつけた。

「帽子とコートを預かります」といって、それを受けとり、衝立《ついたて》に掛けた。「すわってください。いったいなんの用です？」

「きみを捜しにきたのだよ。それがこれほどたいへんだとは思わなかったが。タウンゼンド・ブラザーズの元上司たちは、きみがロンドンを離れたものと思っていた。一座の人間はみんな、きみからの消息がもう何週間も途絶えているという。捜索をさらに困難にしたのは、きみがヴァイオラでもレイディ・メアリでもない芸名で舞台に立っていたことだ。しかし、さいわいなことに、きみの写真が外に飾られていた」

やっぱりタビット氏に掛け合って、あたしの顔じゃなくてブルマーが写っている写真を使ってもらうべきだった。

「きみは防空監視団《ARP》の監視員になったと聞いたとミス・ラバーナムがいうので」とサー・ゴドフリーがつづけた。「かたっぱしから当たってみた。ARPの支部や、セント・ジョンの救急隊ユニットや、事象現場や——」

事象現場？

「どうしてわざわざそんなことを」ポリーは茫然とサー・ゴドフリーを見つめた。自分が姿を消したことまでもが、彼を危険にさらす結果を招いてしまった。

「どうしてもきみが必要だったのだよ。それに、また名探偵役を演じるチャンスだったしね——ひさしくやっていなかった役どころだ。手がかりを追って、戦時労働斡旋所とミセス・セントリーのもとにたどりついたが、悲しいかな、彼女は前の週に油脂焼夷弾で死亡していたし、残されたファイルには、きみが割り当てられた劇場の名前は記されていなかった。しかし、さっきいったとおり、きみの写真のおかげでここまで足跡をたどることができたし、昨夜の公演のあいだに、たしかにきみだということを確認できた。すばらしい舞台だったよ」

「シェイクスピアじゃないのはわかってますから」

「しかし、バリでもない。そこが長所だ。それに、いくつかたいへんおもしろいパートもあった。きみの空襲警報はとくに気に入ったよ。どうやらそれはわたしひとりではないらしい。芝居がはねたあと、楽屋口できみを捕まえようと思ったが、長蛇の列ができていたからね。とても競争に勝てないとあきらめて、もうひと晩待ち、もっと直接的なアプローチをとることにした」

そういって、サー・ゴドフリーはポリーにほほえみかけた。そのとき、彼に会えなくてどんなに寂しい思いをしていたか、ENSAとこの舞台のことをどんなに話したかったかに気がついた。

でも、話すことはできない。こうやって、差し向かいで言葉を交わすことさえ、してはならない。

「なにか用事がおありなんですか、サー・ゴドフリー？」ポリーはぶっきらぼうにたずねた。

「あいにくあまり時間がなくて。すぐに衣裳替えを――」

「もちろん。単刀直入にいおう。わたしが来たのは、ミセス・ワイヴァーンといっしょに現在とりくんでいる舞台にきみの力を貸してほしいと頼むためだ」

「ミセス・ワイヴァーンと？」

「ああ。きみも覚えているかもしれないが、ミセス・ワイヴァーンは、セント・ジョージ教会を再建し、大空襲で親を失ったイースト・エンドの子供たち——彼女の言葉を借りれば、〝かわいそうな、哀れを誘う、寄る辺《べ》ない戦争のみなしごたち〟——を救おうとかたく心に誓っている。その目的のため、両者の資金を集めるための慈善公演を開催すると決意したのだよ。その舞台は——」

「まあ」とポリー。「まさか、『ピーター・パン』じゃないといいけど」

「もっと悪い。児童劇《パントマイム》だ」

思わず笑ってしまう。「でも、パントマイムはふつうクリスマス・シーズンにやるものでは？」

「そのとおり。彼女に思いとどまらせようとして、わたし自身、何度かそのことを指摘した。しかし、ミセス・ワイヴァーンはおそろしく手強《てごわ》い相手だ。不撓不屈《ふとうふくつ》の合金だよ、マクベス夫人と——」

「ジュリアス・シーザー？」

「——ドイツの戦車が融合している」サー・ゴドフリーはむっつりといった。「とても太刀《たち》打《う》ちできない。彼女が連合軍の司令官でないのが残念だ。もしそうなら、とっくにヒトラーを打ち破っていただろう。いずれにせよ、気がつくとわたしは『眠れる森の美女』の悪い魔法使いを演じる羽目になっていた。だからここに来たのだよ。この公演にぜひ加わってほしい。われらがささやかな一座の他のメンバーはすでに参加してくれることになっている。主任牧師とミセス・ブライトフォードは眠れる森の美女の両親役、ミス・ラバーナムはよい魔法使い、ネルソンはよい魔法使いの犬。きみには主役をやってほしい」

「眠れる森の美女を？」

「とんでもない！　眠れる森の美女は三幕のあいだ眠りっぱなしで救出されるのを待っているだけだ。長枕でも演じられる。あるいは映画女優でも。いまこうしているあいだにも、ミセス・ワイヴァーンが出演交渉をしている」

「長枕と？」

サー・ゴドフリーはにっこりした。「いや、映画女優と。おそらくはマデリーン・キャロルか、あるいはヴィヴィアン・リーか。きみには主人公《プリンシパル・ボーイ》の少年をやってほしい」

「プリンシパル・ボーイ？」

サー・ゴドフリーはうなずいた。「『眠れる森の美女』の王子役。パントマイムの男性主人公は若い娘が演じることになっている。それに王子はこの芝居でいちばんの役だ――チュートン人の怒鳴り声と紫煙に満ちたわたしの役をべつにすればね。きみは剣を振りまわし、羽毛飾りの帽子をかぶり、エアレード・アデレードよりはかなり布地の多い衣裳を着ることになる。さあ、やるといってくれ」

「でも、ほかにいくらだって候補はいるでしょう。ライラとか――」

「彼女は空軍婦人補助部隊《ATA》に入隊した」

「まあ。じゃあ、ミセス・ブライトフォードとか。それともヴィヴィアン・リーか。きっと長枕の役より王子役のほうがずっと適任よ」

「わたしはヴィヴィアン・リーなど望んでいない。きみしかいないと心に決めている。これから一カ月、ミセス・ワイヴァーンとの仕事をすこしでも耐えられるものにしてくれる人間はきみだけだ。それにきみは、生まれながらにしてこの役を演じるさだめだ。少年の扮装をするヴァイオラ。これ以上完璧な組み合わせがあるかね？」

ないわ、とポリーは思った。またサー・ゴドフリーといっしょに、一座の人々と舞台に立つのは無上の喜びだ。でも、危険すぎる。こうして話をするだけでも……。

「無理です」といった。「ENSAが——」

「四週間ENSAを抜けることなど造作もない。きみの代役は喜んでだれか手配しよう。熱狂的な観客の前でパンツを見せるチャンスに飛びつく女優ならおおぜい知っている。それをいうなら、見せる相手は観客にかぎらないだろうが」

そしてもちろん、サー・ゴドフリーはタビット氏を説得してこの計画に協力させる力がある。

「きみに拒否されたら、サー・ゴドフリーを楽屋に入れることを許可した事実がそれを証明している。

いってくれ。そうすれば、わたしの命を救うことになる」

いいえ。ポリーは苦い思いで心ひそかにつぶやいた。そうすれば、あなたの死亡宣告に署名することになるのよ。避けられるかぎり、あなたを時空連続体の自己修復の一部にするつもりはない。

「ごめんなさい、サー・ゴドフリー。無理です」

「ENSAの会長は古い友人でね。『ヘンリー五世』の舞台で共演したことがある。われわれのリハーサルと公演の期間中、きみを戦時労働から解放することに喜んで同意してくれるはずだ」

ポリーは絶望的な目でサー・ゴドフリーを見た。ノーという答えを受け入れるつもりはないらしい。あしたの夜もあさっての夜も、彼はまたやってくるだろう。それでもだめなら、ミセス・ワイヴァーンを説得によこすだろう。それとも、悪くすればミス・ラバーナムが——それともトロットが——ここにやってきて、彼ら全員が危険にさらされることになる。そんなことには耐えられない。一座のだれかが、あたしの罪の代価を支払わされることになるのを見るなんて。サー・ゴドフリー、とくにあなたは。あなたがいなければ、わたしは生き延びられなかった。

そのとき、なにをしなければならないかがわかった。サー・ゴドフリーを永遠に遠ざける確実な方法、二度ともどってこないようにする手はひとつしかない。「ショーに出演することじゃないの」とポリーはいった。「あたしは……こんなことといいたくなかったけれど……だって、もしかしてあなたが……でもあたし、ある若者と出会って。それからずっとつきあってきて——」

「ある若者」サー・ゴドフリーはゆっくりといった。「具体的にどのぐらい若いんだね」

「ずっと若いわ。すくなくとも——」といいかけて口ごもり、どんなに残酷な言葉を口にしようとしていたかに気づいて、唇を嚙み、あわてていった。「二、三週間前に、ここで出会ったばかりよ。彼の連隊はまもなく国外に派遣される予定で、だからあたしたちにはあまり時間がないの」

すくなくともそれは事実だ。時間はほとんどまったく残っていない。「わかるでしょう？　恋をしたこと、ありますよね」

「ああ」サー・ゴドフリーは静かに答えた。「あるとも」

彼は長いあいだ、ポリーを見つめてじっとすわっていた。表情が読めない。やった。彼を永遠に遠ざけることに成功した。そして、残酷に傷つけることにも。ほんとにごめんなさい、サー・ゴドフリー。でも、あなたのためなのよ。

「ごめんなさい」ポリーはそっけなくいった。「ほんとにもう着替えないと」

靴の金のストラップを留めようとかがみこんだ。

「もちろん。わかるとも。出番に遅れるわけにはいかない」サー・ゴドフリーは、ポリーがかたい留め具と格闘するのをしばらく見つめていたが、やがて立ち上がり、ポリーが衝立にかけたコートを慎重な手つきでとり、きびすを返した。

もう二度と会えないのね。そう思いながらも、ポリーは視線をしっかり靴に向けていた。

「さよなら」と、顔を上げずにいう。

サー・ゴドフリーはドアの前の椅子をどかし、ノブに手を掛けると、何秒かそのまま立っていた。それからふりかえってこちらを向くと、「きみが最低の女優だという事実を指摘したことはあったかな、ヴァイオラ？」

心臓が激しく鼓動しはじめた。「舞台に立つために生まれてきた人間だといってませんでしたっけ？」と肩をそびやかして応じた。

「いったとも。しかしそれは、演技ができるからではない。きみの演技は、トロットをだませない。あるいはネルソンも」

「へえ。だったらさっきのお話を断ってよかったわけね」と怒りを込めていう。「さいわい、ENSAの観客はそんなに演技にうるさくありませんから」

ポリーはサー・ゴドフリーの目の前で、ハンガーにかけてある駅員の衣裳に手を伸ばした。

「さあ、もしお許しをいただければ――」

「許すことなどなにもないよ。おそらく、わたしの年齢に対する先ほどの無用かつ無情なあてこすりをべつにすればね。しかし、それもまた、わたしを追い払うためだったのだから――」

そして、うまくいかなかった。ポリーは絶望的な気分で思った。

「極端な物言いを採用したことについては酌量される。きみはたしかに、生まれつき舞台に立つべき天分に恵まれている。しかしそれは仮面をつける能力ゆえではない。むしろその反対だ。きみが感じていることすべてが――考えも、希望も、恐怖も――顔に出るからだよ」

サー・ゴドフリーは射すくめるような目でポリーを見つめた。「めったにない天分だ――エレン・テリーにはそれがあった。そして、ごくまれに、サラ・ベルナールもそれを発揮した。もっとも、この天分はかならずしも祝福ではない。嘘をつくのがまず不可能になる。この十五分間、きみの意図があまりにも明白に露呈していたように。きみがなんらかの問題に直面していることも、同様に明白だ——」

「ばかばかしい。いったじゃないですか。あたしはある若者と出会って、恋に落ちて——」

サー・ゴドフリーは首を振った。「わたしの頼みを拒む理由がなんであれ、それは、楽屋口で出会った尻の青いどこかの若造のせいではありえない。その問題を自分ひとりで解決しなければならないと考えていることも、同様に明白だ。でなければどうして友人たちから身を隠す？」ポリーに向かって穿鑿《せんさく》するように小首を傾げ、「おそらく、その選択は正しい。イリリア（『十二夜』の舞台）は危険な場所だからね。しかし、沈黙はかならずしも最上の防御策ではない」じっとこちらを見つめて、「わたしが助けになれないことはたしかなのかね？」

だれも助けにはなれない。それに、こうやってここに立って話をしているだけでも、あなたを危険にさらしているのよ。お願いだから行って。もしあたしを愛してるなら、おねがい……。

「あと二分」とレジーが戸口から顔を突き出していった。だれかの顔を見てこんなにほっとしたのは生まれてはじめてだった。

「いま行く」と叫び返し、「会えてとてもうれしかったですわ、サー・ゴドフリー。でも、ごらんのとおり、これから舞台が——」

「よろしい。きみが書いた筋書きどおりに演じよう。きみは若い恋人を見つけた。自分に莫《ば》迦《か》げた好意を寄せる老人につきあっている暇はない。そして、傷心のわたしは退場し、べつのプリンシパル・ボーイを捜しにゆく。タイツ姿のミス・ラバーナムは舞台映《ば》えするかもしれない」と思案をめぐらすようにいう。

「はるばる来てくださったのに、無駄足になってすみません」といって、ポリーは衣裳をとった。

「いや、無駄足ではなかったよ。さまざまなことがわかった。それに、われわれのパントマイムを上演する舞台も見つかった。昨夜、ここに来る途中、シャフツベリーを歩いていると き、フェニックス座が閉まっているのを見かけてね。オーナーと話をして――古い友人で、『リア王』の舞台にいっしょに立ったことがある――『眠れる森の美女』に使わせてもらえることになった。もし気が変わったら――」

「変わりません」

「もし気が変わったら」とサー・ゴドフリーは頑固にくりかえした。「今夜とあしたの夜はフェニックス座にいる。セットに使えそうなものはないか舞台裏を点検して、来たるべき災厄に先回りしようと思ってね。もしきみの若い恋人がどうしようもないごろつきだと判明して、考え直したときには――」

「ええ、あなたの居場所はわかってます」とポリーは軽くいうと、衝立の向こう側にまわった。「さあ、ほんとうに着替えをしないと。さようなら」肩を揺すって部屋着を床に落とし、それを拾って無造作に衝立に掛けた。「みんなによろしく伝えてください」

「承知した」サー・ゴドフリーはそういってから、ひとつ間を置いて、「マイ・レイディ」

衝立のうしろにいて、顔を見られずに済んでよかった。その台詞は、レイディ・メアリとクライトンの最後の場面の台詞だった。レイディ・メアリがしたように、彼に衝動的に手を伸ばし、「あなたのことはけっしてあきらめない」といわずにいるために、胸の前で衣裳をぎゅっと握りしめていなければならなかった。

ごくりと唾を飲み、「それに、舞台の成功を祈っていると」となにげない口調でいった。返事はなかった。しばらく待ってから衝立の向こうを覗くと、サー・ゴドフリーは姿を消していた。永遠に。なぜならそれが、『あっぱれクライトン』のあのラスト・シーンの眼目だから。永遠の別れを告げる恋人同士。あなたが望んだのはそれでしょ？ そのためにあなたは――

女の子たちが戸口からわらわらと飛び込んできて衣裳をひっつかみ、パフをはたいて化粧を直しはじめた。「楽屋口で待ってる連中に洟《はな》もひっかけないのも当然ね」とコーラがいった。「利口だわ。はるか上に狙いを定めてたんでしょ」

ポリーは答えなかった。衣裳を着て、ハッティにファスナーを締めてもらうために体の向きを変えた。

「わからないのは、なんでENSAなんかにいるのかってこと」とハッティがいった。「彼にいえば、本物の舞台で役をもらえるでしょうに」

レジーがまた顔を出した。「出番だ」

ポリーは急ぎ足で舞台に出た。サー・ゴドフリーのことから気持ちを切り替えられるのがうれしかった。ステージを降りると、エアレード・アデレードの衣裳に着替えるよう、タビット氏に指示された。

「でも、防空気球のコントは？」

「コーラがかわりに出る」とタビット氏。「今夜の空襲は激しくなりそうだ」

そのとおりだった。ブルマーを穿くか穿かないかのうちにサイレンが鳴り出した。空襲は激しかった――ほとんどすべてが高性能爆弾。病院のコントのために看護婦の衣裳に着替えるあいだも、一発落ちるたびに心臓がびくんと跳ね上がった。サー・ゴドフリーを追い返すのが遅すぎたとしたら？ そもそも彼と話をすべきじゃなかった。顔を見た瞬間に楽屋のドアを閉じるべきだった。

タビット氏がドアをノックして、顔を出した。「爆撃のせいで客がぴりぴりしてる。またアデレードをやってくれ」といって、またブルマーを見せにステージへとポリーを送り出した。

「いやな感じ」舞台を降りたポリーに、ハッティが神経質な口調でいった。「さっきのはまるですぐとなりに落ちたみたいな音だった」

「通り二本先だ」とレジーが将軍の制服を着ながらいった。「シャフツベリー」

「なんでわかるの？」とハッティ。

「さっき外でモク吸ってたら、防空監視員が教えてくれたんだよ。フェニックス座を直撃した」

パ・ド・カレー地域への連合軍側の上陸態勢を、人間の力で可能な限り長く保持しつづけることの重要性は、いくら強調しても足りない。

――ドワイト・D・アイゼンハワー将軍、一九四四年六月

52　ロンドン　一九四四年五月

アーネストは、上げたボンネットごしに茫然とセスを見つめた。「フォン・シュプレヒト大佐をケンジントン宮殿に連れていくって?」

「ああ」セスは車の中でまだ眠っている大佐のほうに視線を移し、「なにか問題でもあるのか、ワージング?」

ケンジントン宮殿は、ノッティング・ヒル・ゲート駅から通り二本しか離れていない。それが問題だ。ミセス・リケットの下宿からも、通り二、三本の距離だ。

「宮殿に着くまでに大佐が死んじまうと思ってるわけじゃないよな」セスが神経質にいった。

「ああ」アーネストはわれに返って、「もう任務は終わったと思ってたもんだから。それだけだよ。この車で彼を運ぶ距離が一キロ伸びるごとに、ぼくらの計略に気づかれる可能性も

それだけ高くなる」

「おれたちが口を閉じてりゃだいじょうぶだ」とセス。「外の景色でバレることはもうないからな。まったく冴えてたよ。大佐が眠ってるあいだのおまえの運転ぶりは。おかげでほんとうに東からロンドン市街に入ってこられた。それに、ケンジントン宮殿はもう遠くない」

「正確にはどのあたりだ？　地図で教えてくれ」セスのさっきの言葉ほどはノッティング・ヒル・ゲートに近くないことを祈っていたが、あてがはずれた。もっとも、宮殿にまっすぐ通じる道路があるから、ノッティング・ヒル・ゲート駅の前を通る必要はない。それに、パットンのような高官が集まっているなら、宮殿周辺への民間人の立ち入りは禁止されているだろう。

Dデイ後までもう空襲はないから、アイリーンが地下鉄駅のシェルターに行くこともなく、ノッティング・ヒルでもケンジントンでも、ばったり彼女に出くわす可能性はほとんどない。大空襲のあいだ、アイリーンとポリーを何週間も捜しまわったのに、見つけられなかったじゃないか。

たしかに。でも、ブレッチリー到着から十分でアラン・チューリングに衝突した実績もある。それにいまは、アイリーンが仕事を終えて帰宅する途中の時間帯だ。

しかし、いまもまだオックスフォード・ストリートで働いているということはないだろう。国民労働奉仕法が施行されたとき、なんらかの戦時労働に割り当てられたはずだ。ロンドンにもいないかもしれない。

それに、もしぼくがふたりを脱出させられなかったのだとしたら、それはそういうこと。アイリーンの姿を見たからといって（あるいは見なかったからといって）、彼女がこの時代にとどまっているかどうかが——ぼくがアサートンのもとにたどりつけるかどうかが——変わるわけではない。それは、すでに起きてしまったことなのだ。

しかし、いまはその恐怖が頭から離れない。アサートンと連絡がとれるという最後の瞬間に、あの緑のコートを着たアイリーンがバスを降りてくるところを（通りを歩いているところを）目撃して、なにもかも無駄になってしまうのではないか……。だから、宮殿に通じる道路に車を乗り入れ、ゲートの前にとめたときは、心の底からほっとした。

警備員が書類に目を通してから、「その参謀車のうしろに車をとめてください」といって、宮殿までずっとつづいている長い列の最後尾に位置する車を指さした。

「乗客は体の具合が悪くて、とても宮殿まで歩けない」とアーネスト。「玄関前まで車で運ばないと」

もういちど書類をたしかめ、後部座席の大佐に目をやったあと、警備員はそのまま進むようにと手を振ってくれたが、すでに駐車されている参謀車やロールスロイスの大群のあいだを抜けられるかどうか、アーネストには自信がなかった。針の穴に糸を通すようなもの。ここでチャーチルかパットンがいきなり車の前に飛び出してきて、うっかり轢いてしまうんだ。

そう思ったが、車はつつがなく宮殿の前に到着した。

階段のすぐ前に車をとめ、運転席を降りると、反対側にまわって、大佐を降ろすのに手を貸した。それにはふたりの手が必要だった。アーネストが大佐の体を支えて立たせているあいだに、セスが大佐のスーツケースをとりだし、車のドアを閉めた。

「手間をかけさせて申し訳ない」と大佐にいわれて、アーネストはふと、うずくような憐憫《れんびん》の情を覚えた。

あなたはドイツが戦争に負ける原因となるべく送還されるのに、そのことを知りもしない。

「すみませんが、こちらには駐車できません」近衛歩兵連隊の衛兵がひとり、急ぎ足で近づいてきて注意した。「車を移動させてください」

「大佐を中に入れるだけのあいだだ。すぐ済む」

「こちらはフォン・シュプレヒト大佐だ」とセスがいって書類をさしだした。「ドーヴァーからはるばるお連れしたところなんだ。モアランド将軍のところまでまっすぐ送り届けるよう命令を受けている」

しかし衛兵は首を振り、「申し訳ありませんが、ここにはとめられません」

「じゃあせめて、中へ行って、だれかウィルカースン少尉に手を貸す人間を連れてくるまでここに置かせてくれ」とアーネストはいった。「大佐は助けがないとその階段を昇れない」

「それも許可できません。連隊長の命令で。いますぐ車を動かしてください」

「連隊長と話がしたい」とアーネストはいったが、セスが首を振った。

「ここに突っ立って押し問答しているわけにはいかない。大佐はおれがなんとかするさ」セスは大佐の片腕を自分の肩にまわして、「おまえは車をとめてこい、アボット少尉」

「しかし――」と抗弁しかけたが、セスが階段のてっぺんにあごをしゃくった。ふたりの将校が手を貸そうと階段を駆け下りてくる。よかった。「どこに駐車すればいい？」と衛兵にたずねた。

「この道のいちばん端に」と衛兵は指さしたが、細い路地のそちら側も駐車された車がびっしり列をなしていた。応急看護部隊《FANY》や米陸軍輸送部の制服を着た若い女性たちが運転席にすわり、送ってきた将軍たちが出てくるのを待っている。

まずい。もしあの運転手のひとりがアイリーンだったら？　戦時労働の配属先をＦＡＮＹの運転手にしようかと考えているとアイリーンは話していた。バックミラーでようすをうかがった。参謀車がさらに二台、後方からこっちの路地にやってくる。なんてことだ、ケンジントンの表通りよりこっちのほうがさらに危険だ。

まびさしつきの帽子を目深《まぶか》にかぶり、可能なかぎりの速度で車を路地の端まで走らせた。またべつの衛兵がそこに立っていた。車のほうにやってきて、「サー、こちらにはとめられません」

「わかってる。ウィルカースン少尉に伝言を頼む。アボット少尉は角を曲がったところに車を駐車しにいったと」それからケンジントン・ロードにまで車を走らせ、ケンジントン・ガーデンの敷地に沿って引き返した。ポリーがデッドラインのことをふたりに打ち明けたのがこの公園だった。

ポリー。彼女も運転手の中にいる可能性がある。ただし、名前が違う。メアリ・ケントだ。

いまはオックスフォードの救急支部で、ダリッジへの転属を待っている。しかし、偶然知り合ったFANY隊員から聞いた話だと、将校を救急車で送っていく任務をしょっちゅう割り当てられるのだという。そして今夜は、英国じゅうのすべての将校がここに集まっているらしい。もしポリーもここに来ていたら？

そんなことはありえない。アーネストは自分にいい聞かせた。もしポリーがここにいたら、車の窓を叩いて彼女を呼び、警告することができる。もし警告したら、ポリーはオックスフォードにもどってダンワージー先生になにがあったのかを伝える。そうしたら、先生はけっして彼らがネットを抜けることを許さなかったはずだ。バーソロミューの場合とおなじこと。

全力を挙げて見つけ出すべき相手はアサートンだ。あそこに電話ボックスがある。セスはいない。レイディ・ブラックネルからは、大佐の移送中に館に電話する必要が生じた場合に備えて、小銭がぎっしりつまった財布を渡されている。縁石に車をとめ、グラブ・コンパートメントから財布をとりだし、車を降りた。電話ボックスに入って、オペレーターを呼び出し、海軍婦人部隊員に渡された番号を読み上げた。「少々お待ちください」とオペレーターがいった。

どうか電話が通じますように、通じますようにとくりかえし祈った。

「ただいま呼び出しています」とオペレーター。

「ありがとう。もしもし、アサートン少佐は？」

早すぎた。まだオペレーターだ。「呼び出しています」とくりかえす。「おつなぎします」

つながるのを待ちながら、いまにもあの角を曲がってセスが姿をあらわし、どこへ行ったのかときょろきょろあたりを見まわすんじゃないかとやきもきした。「つながりました」とオペレーターがいい、次の瞬間、アメリカ人女性の声がした。「アサートン少佐のオフィスです」

助かった。「もしもし」興奮を声に出さないように努力しつつ、「アサートン少佐と話がしたいんですが」

「申し訳ありませんが、現在、留守にしております」

もちろんそうだろう。「いつもどる？　緊急の用件なんだ」

「わかりかねます。もどりしだいお電話するように伝えますが。連絡のつく番号はございますか？」

「いや。こちらも移動中でね。今夜にはもどる？」

「はい。のちほどお掛け直しになりますか？」

いや。いま話がしたい。

「ああ。それと、電話があったことを伝えてくれ。こちらはマイクル・デイ――」

「やってねえよ」男の子の声がして、アーネストははっと顔を上げた。男の子と女の子のふたり連れが通りを電話ボックスのほうに歩いてくる。男の子は九歳か十歳、女の子のほうが年上。大声で口げんかしている。

「パクったじゃん」と女の子。

「パクってねえよ」と男の子。「もらったんだよ」

げげ、まいった。アルフとビニーのホドビン姉弟だ。

口げんかに夢中で、まだこっちには気づいていない。ここを離れないと。電話を切って電話ボックスを出ると、ダッシュで車にもどった。セスが助手席に残していった地図をひったくり、それを開いて顔を隠す。

「見たぞ」とビニー。

しまった。かんべんしてくれ。

「見てねえだろ」とアルフがいった。ぼくのことじゃなかった。なんだか知らないがアルフが〝パクった〟もののことで口論している。しかし、安堵も束の間だった。考えてみれば、イースト・エンドから遠く離れたこんな場所にふたりがいる理由はひとつしかない。アイリーンに会いにいく途中か、アイリーンに会ったあと家に帰る途中だ。ということは、彼女はまだここにいる。早くここを離れないと、アルフとビニーに姿を見られて、マイクがまだ生きていて、アイリーンたちを見捨てたんだと報告されてしまう。

手を伸ばし、イグニションを回そうとしたが、ふたりはすでに車のすぐ横まで来ていた。エンジンのかかる音がしたら、こっちを見て、彼に気づくかもしれない。行ってしまうまで待つしかない。

「いうからね」とビニー。

「やめとけよ！」とアルフ。それから、「見ろ！」

しまった。ふたりはまっすぐ車のほうに走ってくる。自分はアボット少尉で、マイク・デイヴィスなんて聞いたこともないとふたりに納得させなければならない。しかし、ホドビン姉弟をうまくまるめこめる人間なんているだろうか。

ふたりは車の横を走り抜けて通りに出た。アーネストは地図から用心深く目を出した。一台の参謀車が寄ってきて停車した。子供たちは運転席の窓に駆け寄った。

まいった、アイリーンが運転手になったという推測は当たっていたのか。

「ママはどこ？」とアルフがたずねた。

ママ？

「遅れるって」女性の声が――アイリーンじゃない――いった。

アーネストは座席の上で体をずらし、子供たちの姿が見える位置に動いた。ホドビン姉弟は車の運転席にかがみこんで、婦人国防軍《ATS》の制帽と制服を着たブロンド女性と話している。アドレナリンの分泌がおさまってみると、いままで気がつかなかったことが見えてきた。ふたりは学校の制服を着て、教科書を入れたかばんを持ち、髪の毛も、というか、すくなくとも女の子のほうの髪は、きれいに梳《と》かされている。顔と声は似ているが、アルフとビニーにしては身なりがきちんとしすぎている。

「お母さんは、ベイツ将軍をチャートウェルの会合まで送っていかなきゃいけなくなったの」とブロンド女性がいった。アイリーンから聞いた話では、将軍はもちろん、ホドビン夫人が車を運転してだれかをどこかへ送ることなどおよそ考えられない。「かわりにわたしがあんたたちふたりをピックアップして、夕食を食べさせてって頼まれたの」

「ライオンズ・コーナー・ハウスへ行ける？」と男の子がたずねた。「宿題をちゃんとやらせるようにともいわれてるんだけど」

「宿題なんか残ってないよ」と男の子。「学校でぜんぶやっちゃったから」女の子のほうを向いて、「だよな？」

「バカいわないで」と女の子がいった。「こいつは綴《つづ》り方、あたしは数学。でも、歴史の宿題はもう済ませた」通学鞄から紙をとりだして、ブロンド女性に見せた。

あの朝、セント・ポール大聖堂で見たアルフとビニーは、生まれてこのかた、宿題をやったことなど一度もなさそうだった。あるいは、自分から進んで学校に行くことも。あのふたりじゃない。アイリーンのことを考えていたから、ついそう思い込んだだけ。ああくそ、デニス・アサートンのオフィスにせっかく電話がつながったのに、むざむざ切ってしまった。どこのだれとも知れない子供たちが車に乗り込むのを見守り、車が走り去るのを待った。車がいなくなったあとで、また電話をかけよう。さっき切ってしまった電話の女性には、回線が切れてしまったといわないと。もしかしたら、この中断がさいわいして、アサートンがオフィスにもどっているかもしれない。それなら、伝言を残すかわりに本人と話ができる。

参謀車は角を曲がって姿を消した。アーネストは車を降りて公衆電話に歩き出した。そのとき、セスが手を振りながら小走りにやってきた。

「こっちまで駐車しにきたって聞いたから」と、アーネストの前まで来ていう。「大佐は引き渡した？」

「ああ」とセス。「あとはレイディ・ブラックネルに報告を済ませれば、晴れてお役御免だ。帰れるぞ」

　ほんとうに帰れるならどんなにいいことか。そう思いながら、ブラックネルに報告するため電話ボックスに歩いていくセスを見送った。さあ、アサートンにどうやって電話しよう。ひとりになれるチャンスはこのさき何日もないかもしれない。残り時間は切れようとしているのに。

「だめだ」電話ボックスから出てきたセスがいった。「つながらない」

「帰り道にまた試してみればいいさ」そしてそのときは、ぼくが電話をかける係を買って出ればいい。「無事に大佐を引き渡したんだから、一時間や二時間、報告が遅れても問題ないだろ」といって、アーネストは車に乗り込んだ。

「そうだな」とセス。「しかし、危機一髪だった」

「危機一髪？　どういう意味だ？」

「大佐を引き渡して帰ろうとしたら、そこで出くわした相手が、だれあろう、ミスター流血《オールド・ブラッド・アンド・ガッツ》——」

「パットン将軍？」

「その人さ」とセス。「まっすぐおれの顔を見つめて、どこで会ったのか思い出そうとするような顔になった。いまにもレセプションで会ったのを思い出して、あの大音声《だいおんじょう》で『待て！』と叫ぶんじゃないかと冷や冷やしたよ。しかしさいわい、ちょうどそのとき副官がやってきて、彼をどこかへひっぱっていった。おかげでつつがなくその場を離れられた」

「大佐といっしょのところをパットンに見られなかった？」

「だいじょうぶだ。それに、どこでおれと会ったのか、将軍がけっきょく思い出さなかったのはまずまちがいない。しかし、ここを離れるのが早ければ早いほど安心な気分にはなるだろうな」

「まったく同感だ」アーネストはエンジンをかけ、車を出した。

「それに、腹がぺこぺこだ」とセス。「右に曲がってくれ。ランプドン・ロードに小さな店が――どこへ行く？　道が違うぞ」

「わかってる」アーネストはノッティング・ヒルを飛ばしながら、「いま思いついたんだけど、急げばクラリオン・コールのオフィスが閉まる前にクロイドンに行って、原稿を渡せる」

「クロイドン？」セスが叫んだ。「何キロもあるじゃないか。飢え死にする！」

「いいパブがあるんだ。シェパードパイがうまい」といったものの、店の中に入ったことは一度もない。「それに、ウェイトレスがすごい美人で」それに、クラリオン・コールのオフィスのすぐ先の大通りには電話ボックスがあって、おまえがパブにいるあいだに、そこからアサートンに電話がかけられる。

「コールの締切は五時じゃなかったのか」

「そうだけど、編集長が遅くまで残っていることがあって、まだ活字が組み上がってなければ、直談判《じかだんぱん》で記事を突っ込めるかもしれない」

ノッティング・ヒルを突っ走り、南に折れた。

「レイディ・ブラックネルはどうする？」とセス。「報告することになってる」

「クロイドンから電話すればいい。食事のあとで。いま電話したら、まっすぐ帰ってこいといわれるかもしれないし、そうなったらほんとに飢え死にだ」

「わかったよ」とセス。「しかし、やつがもし癇癪《かんしゃく》を起こしたら、おまえの考えだったと自分でいうんだぞ」

「ああ。助かるよ。この締切は飛ばしたくないんだ」

セスはうなずき、しばらくして口を開いた。「なあ、ドイツ軍の最高司令部が記事を読むと本気で思ってるのか？　そのクロイドン・フィッシュ・アンド・チップス包装紙《ラッパー》だかなんだかの」

「クラリオン・コールだ」とアーネスト。「どうかな。しかし、それをいうなら、ドイツがこっちの無電を傍受しているかどうかだってわからない。段ボールの野営地やゴムの戦車の航空写真を撮影しているかどうかも。あのフォン・シュプレヒト大佐がぼくらの三文芝居を真に受けたかどうかも。たとえ信じたとしても、彼がそれを最高司令部に話すとはかぎらないし、話したとしても司令部がそれを信じるとはかぎらない」

セスはうなずいた。「あの哀れな男は、ベルリンまで生きてたどりつくのも無理かもしれんしな」ためいきをつき、「それがこの仕事のつらいところだな。おれたちがやったことに、はたしてなにか意味があったかどうか、ついぞわからない」

もしかしたら、わからないほうがましかもしれない、とフラムを走りながら思った。

「戦争が終われば、わかると思うか？」とセスがたずねた。「作戦が成功したかどうか」

「成功しなかったら、そこまで待つ必要はないよ。来月にはわかる。ドイツ軍全軍がノルマンディーで待ち受けていたら、作戦は失敗だったってことだ」

「そうだな」セスはうなずき、しばらくしてつけ加えた。「最後はすべて歴史が決着をつけるんだろうな。歴史の本におれたちが載ると思うか？　フォン・シュプレヒトや、おれたちとあの雄牛との遭遇や、おまえのバンプキン・ウィークリー・バナーへの投書が？」

もしアサートンに電話が通じなかったら、新聞への投書が未来に通じることを祈ろう。アーネストはクロイドンへ車を走らせながら思った。セスが電話ボックスに気づかないよう、映画館の角で大通りを折れて、クラリオン・コールのオフィスの前を走り過ぎた。

ジェパーズ氏の自転車がオフィスの前にとめてあった。新聞社が閉まる前にクロイドンに着けるかもしれないといったのは口から出まかせで、この時刻にまだオフィスが開いているとは思いもしなかったが、どうやらまた印刷機がトラブルを起こしたらしい。ということは、ほんとうに今週号に記事が間に合うかもしれない。

「先に降りて、パブで飲んでてくれ」車を店の前にとめ、「原稿を届けてくる。ちょっと時間がかかるかもしれない。ジェパーズ氏はおしゃべり好きだから。食事はぼくの分も注文しといてくれ」といって、電話ボックスに車で引き返した。

オペレーターはすぐに回線をつないでくれて、前とおなじ、若い女性の声が応えた。「デイヴィーズ少尉です」とアーネストはいった。「ダンワージー将軍の副官の。夕方電話したんですが、途中で切れてしまって」

「ああ、あのときの」

「アサートン少佐と話がしたいんですが」

「まあ。一度もどったんですが、また出てしまいました」

くそっ。

「救急ですか？　こちらは担当看護婦です。急患でしたら、ドクター・アサートンに連絡をとってみますが」

ドクター・アサートン。医師なのか。ということはデニスじゃない。史学生はさまざまな職業を偽装するが、医学用のサブリミナルは存在しない。ポリーが救急車を運転したことさえ異例で、彼女も応急処置の訓練しか受けていない。それも、こっちに来てからのこと。二月に抜けてきたアサートンが医学の学位をとれたはずもない。

「サー？」と電話の女性がいった。「まだつながっていますか？」

「ああ。もしかしたら、人違いかもしれない。連絡をとりたいのは、デニス・アサートン少佐なんだが」

「はい、ドクター・アサートンのファーストネームはデニスです」

「長身、巻毛の黒髪、二十代半ば？」

「いいえ、アサートン少佐は五十代で、髪の毛はほとんどありません。おたずねのアサートン少佐も軍医なんですか？」

いや。暗い気持ちで思った。デニス・アサートンは史学生だ。ここで本名を使っているとはかぎらない。ダンワージーのことだから、上陸作戦準備に関係する全員の名前を調査部にチェックさせただろう。同姓同名の人間がいれば自動的に注意を引くことになるし、史学生は気づかれることなく目的の時代に溶け込むことを求められる。

彼がべつの名前でここにいるのなら、捜し出すすべはない。もともと見込み薄だとはわかっていたけれど、それでも思った以上に打撃は大きかった。アーネストは受話器をフックにもどしたあと、しばらく立ちつくしていた。

メッセージをジェパーズ氏に届けなければ。こうなったら、記事をクラリオン・コールの今週号に間に合わせることがさらに重要になる。それでも、アーネストは電話ボックスに立ったまま、茫然と電話を見つめていた。

セスが電話ボックスのドアをノックしている。

しまった。ポリーとアイリーンを救出する手がかりを失ったばかりか、セスに現場を捕まってしまった。いったいだれに電話をかけていたのか、なぜ記事を届けるなどと嘘をついたのかと詰問される。レイディ・ブラックネルにそれが伝わり、ブラックネルはテンシングに話し、フォーティテュード・サウスは中止される。ドイツのスパイが特殊工作班に潜入していた可能性があるとしたら、その危険は無視できない。アイゼンハワーは上陸作戦を延期し、新しい計画を立案しようとする。そして連合軍は第二次世界大戦に敗北する。

セスはまだガラスを叩いている。アーネストはドアを開けた。「ああ、よかった」とセス。「ブラックネルに電話するのを覚えててくれたんだな。いうつもりだったのにころっと忘れてたから、それで追いかけてきたんだ。あの店のウェイトレスは、おまえのいうとおりだった。ふるいつきたくなるような美人だよ。ブラックネルはなんといってた？　電話は通じたか？」

「いや」とアーネストはいった。「通じなかった」

われわれは最後まで一蓮托生だ。もし失敗したら、いっしょに沈没だ。
——ウィンストン・チャーチルから
ドワイト・D・アイゼンハワーへ、Dデイ前日

53　ロンドン
一九四一年春

ポリーはアルハンブラ劇場を飛び出し、火災に照らされた通りをシャフツベリー・アベニューへと走り、濃い霧の中に突っ込んだ。いや、霧じゃない。爆発の粉塵だ。硫黄《いおう》とコルダイトのにおいが充満し、まったく見通せない。この中ではとてもフェニックス座を見つけられない。そう思ったけれど、手探りで進んでゆくうち、だんだん粉塵が薄くなって、フェニックス座のひさしが見えてきた。きっとレジーの勘違いだ——フェニックス座はまだちゃんと建っている。

しかし、その前の通りには立入禁止のロープが張られていた。近づいてみると、劇場正面の半分が吹き飛んで、ロビーと金色のじゅうたん敷きの階段がむきだしになっている。白いヘルメットをかぶった係官がブルーの事象ライトの脇に立ち、クリップボードに目を落としていた。ポリーはロープをかいくぐって、係官のそばに駆け寄った。「すみません——」

「事象現場です」と係官はそっけなくいった。「関係者以外は入れません」

「でも、捜している人が――」

係官はそれをさえぎり、「この劇場は無人でした。行ってください。監視員！」係官はARP監視員を手招きして、「この若いご婦人を――」

「でも、中に人がいるんです」とポリー。「サー・ゴド――」

「マードック係官！」とべつの監視員が通りのほうから呼んだ。「早く！」

係官は足早に歩み去った。

ポリーはそのあとを追おうとしたが、彼女を追い出すために呼ばれたARP監視員もそちらのほうに向かっている。説明するまもなく追い出されてしまうかもしれない。それに、もし話を聞いてくれたとしても、彼らが手いっぱいなのは明らかだ。

ポリーは全速力で通りを横切り、かつて劇場正面だった木材と漆喰の山を乗り越えてロビーに入った。ロビー自体には、ほとんど被害がない。爆発音は大きかったものの、爆弾は通常の百ポンド弾だったようだ。ポリーはホールに通じる両開きの扉を開けようとしたが、施錠されていた。

二階席の扉は開いていた。ポリーはそれを押し開けて中に入った。

ホールの中はどうしようもない惨状だった。バルコニー席とボックス席は、その下に並ぶ赤いフラシ天の一階席に崩れ落ち、座席自体も波に打ち上げられたみたいに他の座席の上に重なっている。壁はまだちゃんと立っているし、天井も残っているが、片側にぎざぎざの大きな穴が開き、燃えさかる夜空のピンクがかったオレンジの光がその穴を通してホールを照らしている。正面の舞台は闇に包まれていた。

「サー・ゴドフリー！　いますか？」ポリーは叫び、折れた金属の支柱や中身がはみ出したクッション、バルコニー席のマホガニー材の破片が散乱する海の上を用心深く歩き出した。座席の数列は無傷で残り、赤いフラシ天張りの座面にプログラムが置かれたままになっている。しかし、支えにしようと座席の背をつかむと、ぐらぐら動き、いまにもひっくりかえりそうになる。靴のせいでさらに歩きにくい。

ハイヒールでこんなところを歩くなんてどうかしてる。ボックス席の一部だった湾曲した板を慎重にまたぎながらそう思った。

サー・ゴドフリーは、舞台裏で大道具を調べてみるといった。ひっくりかえった座席がごちゃごちゃに積み重なる惨状の先に視線を向け、真っ暗な舞台にたどり着いたときにそれとわかる目印になりそうなもの——フットライトか、カーテンか、倒れたキャットウォークか——を探したが、巨大なじゅうたんみたいなものしか見えない。救出チームが残骸を隠すために防水シートで覆ったように見える。

それとも、死体を包んだみたいに。心の中でそうつぶやいてから、防水シートのようなものの正体に思い当たった。石綿製の防火幕だ。それがうしろ側に落ちて、舞台にすっぽりかぶさっている。すくなくとも、あれが燃えることはない。でも、もしサー・ゴドフリーがあの下にいるとしたら、自分ひとりで持ち上げて助け出すのはとても無理だ。アルハンブラ劇場の場合だと、防火幕の重さは一トンにもなる。

ポリーは幕に覆われた舞台に向かってふたたび歩き出した。「サー・ゴドフリー！　どこですか？」と呼びながら、飛び石伝いに歩くように、座席から座席へとおそるおそる進んでゆく。クリスマス・パントマイム公演のとき、女家庭教師が、「だめだめ、席に立ってはいけません！　布が破れますよ」と子供を叱っていたのを思い出したとき、金色のヒールがフラシ天の座面を突き破り、その拍子にくるぶしをひねって、横に倒れそうになった。

椅子の背をつかんで体を支える。椅子はひっくり返りかけたがなんとか持ちこたえ、ポリーは体勢を立て直すと、足を上げようとした。ヒールがなにかにひっかかっている。座席のスプリングだ。ぐいと力を込めたが、靴はびくともしない。

「これだからハイヒールは！」と悪態をつき、どこがどうひっかかっているのかたしかめるべく、座面のカバーを引き裂こうとした。しかし、見た目よりずっと強靭だった。靴を脱ぐしかない。足を動かして靴から引き抜こうとした。今度は足が抜けない。ぎこちない姿勢で身をかがめ、ストラップをはずそうとしたが、かたいバックルが動かない。本格的にしゃがみこんで、バックルと格闘した。

そのとき、バルコニーのほうからかすかな物音がした。「サー・ゴドフリー？」と呼びかける。うめき声の返事が聞こえたような気がした。「いま行きます！」と声を張り上げる。

「この靴が――」

金のストラップの端を思いきりひっぱった。ストラップが靴からとれて手の中に残った。

足を靴から抜くと、座席のクッションの中に手を突っ込み、靴を左右にねじって動かそうとした。まだがっちりスプリングのあいだにはまりこんでいる。

「待って、いま行きます！」ともういちど叫び、靴をあきらめて、音がしたほうに大急ぎで引き返した。「サー・ゴドフリー？」

「ここだ」かすかな男の声が答えた。声が小さすぎて、サー・ゴドフリーかどうかわからない。

「怪我をしたんですか？」と声を張り上げ、そちらの方向に進む。「しゃべりつづけてください、見つけられるように」

「『わしはここに横たわり、こうして剣をかまえていた。バックラム地の服を着た四人のならず者が襲ってきた』」まちがいなくサー・ゴドフリーだ。こんなときにシェイクスピアを引用する人間がほかにいるわけがない（『ヘンリー四世 第一部』2幕4場）。

サー・ゴドフリーは、わずか四列後方の、ごちゃごちゃに重なった座席の下にいた。その隙間から片腕が覗いている。「サー・ゴドフリー」といってしゃがみこんだが、下は暗すぎて姿が見えない。「あなたですか？」

「ああ。見てのとおり、災厄を避けようとする試みは失敗に終わった」

「劇場のこんなところでなにをしてたんです？　舞台裏にいると思ったのに」サー・ゴドフリーが生きていたことに安堵するあまり、べらべらまくしたてていた。「靴が座席にはさまらなかったら、ぜったい気がつかないところでした」

そう口にした瞬間、脳の奥でなにかがこだました。パジェット百貨店で、「もしマージョリーがわたしの居場所をあなたに告げていなかったら……」というアイリーン。「アルフとビニーのせいで遅れなかったら、バーソロミューさんを捕まえられたのに」

ポリーは動きを止めた。これはだいじなことだ、なにかの鍵になるという、突然の感覚。もしそれを——

「爆撃の音を聞いて」サー・ゴドフリーがいった。「きみを捜しにいく途中だった」

もしそうしていなかったら、石綿の防火幕が落ちたとき、サー・ゴドフリーはその下敷きになっていた。そう考えたとき、さっきとおなじ感覚が走った。なにか決定的に重要な理解に、あと少しで手が届くという感覚……。

「心配だったのだ。もしきみが——」

「心配しないで。なにもかももうだいじょうぶですから。動けます？」

「いや。脚の上になにかが載っている。『世界は舞台』（『お気に召すまま』2幕7場）、そしていまは、その舞台がわたしの上にのしかかっているような感じだ」

「脚に感覚は？　怪我をしてる？」

「いや」

よかった。「ほかにどこか怪我は？」

「いや」また間があり、「『老人にこれほど大量の血があると、だれが思おう』（『マクベス』5幕1場）」

ああ、そんな。

「すぐにここから運び出しますから」ポリーは頭を上げ、「ここに怪我人が！　担架をお願い！」と叫んだ。

立ち上がり、サー・ゴドフリーの体にのしかかっている座席をひっぱりはじめた。座席の列は爆発の衝撃でばらばらになっている。よかった。もしつながったままだったら、ポリーの力ではとても動かせなかっただろう。

サー・ゴドフリーがなにかつぶやいた。「なに？」ポリーはかがみこんで耳を近づけた。

「わたしはいいから」と彼はいった。「ヴァイオラを捜しにいけ。アルハンブラにいる。爆弾が――」

「わたしはここにいます、サー・ゴドフリー。あたしです、ポリー――ヴァイオラです」

「いや。『そなたは天人じゃな。わしを墓から連れ出すとはあんまりな』」

サー・ゴドフリーは『リア王』を引用してるだけよ（4幕7場）。ポリーは心の中で叫んだ。なんの意味もない。

「動かないで」といって、扉のほうをふりかえった。「助けが来るから」でも、事象担当官も救助隊もやってくる気配がない。

聞こえないんだ。ポリーはそう思って、両手をメガホンがわりに、「ここに怪我人がいるの！　担架とジャッキをお願い！　急いで！」と叫んでから、座席と、それからバルコニー席の一部をどかす作業を再開した。

だめだ、重すぎて持ち上がらない。両手をへりの部分にあてがい、思いきり突いた。するとようやくサー・ゴドフリーの姿が見えた。三十センチ下のせまい穴の中、ひっくりかえった座席一列の背にあおむけに横たわり、両脚はバルコニー席の一部の下敷きになっている。ひとめ見ただけで、自分の力では重すぎて動かせないのがわかった。

「『彼女が生きておる』」といって、サー・ゴドフリーは笑顔でポリーを見上げた。『もしそうなら、わしがいままでに味わったすべての悲嘆を帳消しにするチャンスだ』(『リア王』5幕場3)」

ポリーは唇を噛んで涙をこらえた。「どこが痛むの?」とたずねたが、答えはもうわかっていた。黒い染みがシャツの上半分を覆っている。

穴のへりから手を伸ばしてそこに触れてみた。サー・ゴドフリーは無反応だったが、ポリーの指先は血に濡れている。シャツを引き裂いた。傷口はさしわたし二センチ半、心臓よりは上だが、出血がひどく、止血帯を巻くのは不可能だ。助けを呼びにいく時間もない。瓦礫の山をよじのぼって劇場の正面に出るころには、失血死しているだろう。いますぐ出血を止めなければ。

直接圧迫。ポリーは裂けたシャツを傷口の上にもどし、片方のてのひらで押さえつけながら、もっといいものはないかとあたりを見まわした。サー・ゴドフリーのコート――いや、よじれて体の下敷きになっているから、ひっぱり出せない。座面のカバーなら使えるかもしれないが、さっき足を抜こうとしたときの経験からすると、布地が丈夫すぎて引き裂けない。

戦時労働斡旋所のあの女性があたしを救助隊員に割り当ててくれていたら、医療キットと包帯を携行していたのに。

膝立ちになって衣裳のスカート部分をむしりとった。「助けて！　こっちに怪我人がいます！」と叫び、布を折り畳んで圧定布がわりにしたが、それでもまだ厚さが足りない。ENSAの衣裳が薄すぎるのよ。そう思いながら、ボレロとブルマーを脱ぎ、それとスカートを重ねて、分厚い正方形をつくった。水着だけの姿でまた腹ばいになり、間に合わせのパッドを傷口にあてがい、掌底《しょうてい》にありったけの力を込めて押した。

サー・ゴドフリーが顔をしかめながら、「やっぱりパントマイムをやることにしたというためにきたのかね？」とたずねた。

「しいっ。無理にしゃべらないで」

「莫迦《ばか》な。しゃべらずにどうして末期《まつご》の場面を演じられる？」

心臓が締めつけられた。「死なないわ」ときっぱりいった。「そんなに深い傷じゃない」

「きみはいつも最低の女優だったな、ヴァイオラ」サー・ゴドフリーは、横たわっている木材の上で頭を左右に動かした。「こんな最期は想像していなかった。昔から舞台の上で死にたいと願っていたが。ジェイムズ・バリの芝居の二幕の途中で。そうすれば、三幕をやらずに済むからな」

サー・ゴドフリーはいつもあたしを笑わせてくれる。瓦礫の中に横たわり、失血死が間近に迫り、救助隊がやってくる気配もないこんな状況でさえも。

どうしてこんなに長くかかるんだろう。回収チームとおなじくらい遅い。

血が圧定布に浸みてくる。押さえつける力が足りない。もっと体重をかけやすい体勢がとれないかと前ににじり寄り、できるかぎりの力で押した。

「どの台詞がいい？」サー・ゴドフリーがたずねた。「ハムレット？　『荒く削るまでは人間の仕事でも、最後の仕上げは神の力』（『ハムレット』5幕2場）」

いや、神の力じゃない。原因はあたし。でも、あたしになんとかできるものなら、彼を死なせたりしない。ポリーは渾身の力を込めて押した。連続体には、べつの方法で自己修復をしてもらおう。

ポリーは顔を上げて、客席のいちばんうしろまで声を届かせるにはどうすればいいか、サー・ゴドフリーから教わったことを思い出しながら、また助けを呼んだ。「ここよ！　助けて！」それに応えるように、遠くから飛行機の音が聞こえてきた。

「また空襲だ」サー・ゴドフリーが天井を見上げていった。「きみは防空壕に――」

「あなたを置いてはいきません」

「行きたまえ、ヴァイオラ。これできみが死んだら、きみの若い恋人に一生恨まれる」

若い恋人。「アルハンブラの楽屋でいったのは嘘です。若い恋人なんかいません」

「もちろんいるとも。だからこそ、わたしにはほんのわずかなチャンスさえもなかった」しばらくして、サー・ゴドフリーはたずねた。「彼は死んだのか？」

「きっと死んだんでしょう。でなければ、もうとっくに助けに来ているはずです」

「これから来るかもしれない」サー・ゴドフリーがやさしくいった。「だから行きなさい、ミランダ。『逃げろ、フリーアンス、逃げろ』（『マクベス』3幕3場）」

ポリーは首を振った。「『いま来なければ、もうこの先には来ない。覚悟がすべて』（『ハムレット』5幕2場）」

「シェイクスピアか！」サー・ゴドフリーは嘲るようにいった。「沙翁《さおう》を引用する役者は昔から大嫌いだった。『行け、消えろ、つまらぬ従者よ』そなたの死の責を負うつもりはない」

「それは話があべこべです」ポリーは苦い思いでいった。「これはわたしのせいなの。わたしがあなたをこんな目に遭わせたのよ」

「どうしてそんなことがありうるのかわからんね。この一時間のあいだにきみがＥＮＳＡでの空襲警報任務を放り出してルフトヴァッフェに入隊したというのでもないかぎり。残念ながら、罪があるとしたらわたしのほうだ。パントマイムに加わってほしいときみに頼みにいったのがまちがいだった」それから、ひとりごとのようにつぶやいた。「グリーンバーグにイエスというべきだった。ブリストルに行くべきだった」

痛みをこらえるように目を閉じて、「『よかれと思ってしたことで最悪の結果を招いたのは、わたしたちが最初ではない』（『リア王』5幕3場）」

「ええ、そう。わたしたちはだれも、人を傷つけようなんて思っていなかった」

しかし、サー・ゴドフリーは聞いていなかった。「あれはなんだ？」物音に聞き耳をたてるようにわずかに頭を動かして、「なにか聞こえたようだが」

「飛行機が離れていくみたい」とポリーはいったが、サー・ゴドフリーはまだ耳をすましている顔で首を振った。ポリーは頭を上げ、救急車の鐘の音か人の声が聞こえてこないかと耳をそばだてた。

　爆撃機のうなりは遠ざかりつつあるが、残骸の一部がたてるきしみ以外、物音はなにも聞こえない。それと、ガスが漏れるかすかなシューッという音。

　時空連続体を相手にして持ちこたえるチャンスがあるなんて、どうして思ったんだろう。サー・ゴドフリーの命を救い、歴史がやみくもに自己修復しようとするのを止められるなんてどうして思ったんだろう。ほんとにごめんなさい、サー・ゴドフリー。ほんとにごめんなさい、コリン。いつの間にか涙がこぼれていたらしく、手の甲に、圧定布に、サー・ゴドフリーの血でぐっしょり濡れた胸に、熱いしずくがぽたぽた落ちた。

「『ねえ、どうして泣いてるの？』」とサー・ゴドフリーがいった。こんなときでなかったら、彼がもっとも軽蔑している芝居からの引用に、思わず笑い出していただろうが（『ピーター・パンとウェンディ』より、ウェンディの台詞）、いまは違う。いまは違う。

「だって、あなたの命を」のどがつまる。「救えないから」

「なんだって？」サー・ゴドフリーの声がかつての力をいくぶんかとりもどした。「『嘘をつけ！　死のあぎとからそなたに命を救われたのはこれで三度め。その大きな借りを返すため、いまはそなたの命を救おう』」

　なんの芝居から台詞を引用しているのか、ポリーにはもうわからなかったが、そんなことはどうでもよかった。救えない。あたしたちはふたりともおしまい。そのとき、セント・ポール大聖堂のドーム屋根に落ちた焼夷弾を見ながら、「もうだめだ」と叫んでいた男を思い出した。

　でも、そうじゃなかった。火災監視員が大聖堂を救った。そして、ふたりとももうおしまいに見えるかもしれないけれど、いまのあたしには、二十八発の焼夷弾を消す必要も、毎晩、焼夷弾を消してまわる必要もない。必要なのは、助けが来るまで、サー・ゴドフリーを生かし、意識を保っておくことだけ。

「けっしてあきらめるな」ポリーはつぶやいた。「われわれはけっして降伏しない（ともにチャーチルの演説より）」そして、穴にかがみこみ、ガス漏れを止めるためになにかできることはないかたしかめた。

　シューシューという音は左のほうが大きい。『ガスマスクをつねに携行すること』という政府の指示にしたがっていればよかったと思いながら、顔を右に向けて浅い息をするようサー・ゴドフリーに指示し、ガス漏れの場所を特定しようとした。ふたつの座席のあいだの細い隙間から漏れてくる。あの隙間をなにかでふさげば……。衣裳で残っているのは水着だけ。これを使っても隙間は埋まらないだろう。どのみち、片手しか使えない状態で水着を脱げるとは思えない。だからといって、なにかふさぐ役に立つものを探しにいくこともできない。サー・ゴドフリーはまた出血している。でも、どうにかして、早く隙間をふさがないと、サー・ゴドフリーがガスを吸って意識を失ってしまう。すでに失神してしまったのでなければ。

「サー・ゴドフリー？」

「なんだ？」サー・ゴドフリーの声はすでに眠そうで、ぼうっとしている。しゃべりつづけさせないと。

「サー・ゴドフリー、どの台詞がいいかって訊きましたよね。わたしたちがはじめていっしょに演じたあの晩の台詞をやってください――プロスペロの口上《こうじょう》を。『われらの祭りは終わり――』」と先を促す。

「やれやれ、われらの祭りは終わったんだよ」

「それでも聞きたいんです。『これらの役者たちは……』」

「『これらの役者たちは、前もって述べたとおり、すべてが精霊……』（『テンペスト』4幕1場）」

よし、これでしばらくは意識を保っておける。ポリーはあたりを見まわして、隙間をふさぐものを探した。座席のクッションの詰めものなら使えるだろう。しかし、手が届く範囲にある座席はどれもカバーが破れていない。座面にまだプログラムが載ったままだ。

プログラム。右手でサー・ゴドフリーの胸を押さえたまま、慎重に体をうしろに傾け、左手で背後を探った。

プログラムは小冊子ではなく、紙一枚きりだった。これも紙不足の弊害か。それを一枚ずつまるめて、隙間に詰めた。もうガスのにおいがしはじめている。

「『あとかたもなく消えてしまった』」とサー・ゴドフリーがいった。「『そしてこの幻に……』」その声が途切れる。

「『そしてこの幻に基礎の骨組みがないように』」と先を促し、もう一度、今度は自分の前に左手をのばした。

「『そしてこの幻に基礎の骨組みがないように』」とサー・ゴドフリーがいった。「『頭に雲をいただく塔も、豪華な宮殿も……』（『テンペスト』4幕1場）」

指先がなにか平べったくて幅の広いものに触れた。木の板か、漆喰の破片。前に身を乗り出し、思いきり腕を伸ばしたが、指先がかろうじて触れるだけ。

もちろん、そうでしょうとも。これは連続体の自己修復なんだから。そう思いながら、べつの角度からまた試した。なにかが手の下で動くのを感じた。透かし細工がほどこされた座席の支柱が途中で折れたもの。小さすぎて隙間をふさぐ用はなさないが、手の届く範囲にある大きな木片をかき寄せるのに使えるかもしれない。

支柱を熊手のように使って木片をすこしずつこちらに動かし、手の届く距離まで運んできた。素手でつかむために支柱を投げ捨てようとして思い直し、それをサー・ゴドフリーの胸の上に置いてから、木片をつかんだ。

「『いま消えゆくこの実体のない仮装行列とおなじく』」とつぶやくようにいう。「『ちぎれ雲ひとつ残さず去りゆかん』」

ガスが漏れている隙間に木片をぎゅっと押し込んだ。ぴったりはまったわけではないが、ガスのほとんどは止まるはず。

だといいけど。もっとしっかりはめなおそうとかがみこんだとき、ガスのにおいを嗅いだ。

早くここを脱出しなければ。

しかし、これですこしは時間が稼げた。ポリーは穴のそばの空間を手探りする作業を再開した。今度は、座席の支柱もう一本か、なにか金属のものを求めて。

瓦礫のあいだからパイプの破片が突き出していた。ガス管？　サー・ゴドフリーの胸の上から、さっきの透かし細工入りの支柱をとった。

サー・ゴドフリーはまだプロスペロの口上をつづけている。『われらは夢をつくる材料、われらのはかない生は眠りとともに終わる』」

ポリーは自由な左手でできるかぎり強くパイプを叩きはじめた。金属はものすごい音をたてた。また近づいてきているように思える上空の爆撃機の音よりも大きい。ガンガンと叩く合間に、「助けて！」「こっち！」と叫んだ。

「ぜったいだれかに聞こえたはず」叩くのをひと休みして、右手が圧定布をきちんと押さえていることをたしかめた。「そう思うでしょ、サー・ゴドフリー？」

返事がない。

「サー・ゴドフリー！」あわてて叫んだ。

「元気を出せ、マイ・レイディ。ものごとは……」その声が小さくなり、途絶えた。

「サー・ゴドフリー！」なんとかしゃべらせないと。ポリーは必死に思案をめぐらした。

「わたしがあなたの命を救ったっていうさっきの台詞。あれはなんていうお芝居なんですか？」

「空襲警報解除《オール・クリア》のあとに話そう」とサー・ゴドフリーは眠たげにいった。

「だめ！　いますぐ。なんていう芝居なの？」胸を押さえている右手が動きそうで、左手を伸ばして肩を揺さぶることもできない。「バリの戯曲？」

「バリだと？　あれは『十二夜』だった。扉を叩く音がして、そこにきみがいた……難破して……手紙……」声が途切れた。

「なんの手紙？」手紙なんかなかったし、彼の話は支離滅裂だったが、それでもなんとかしゃべりつづけさせなければ。「だれからの手紙ですか、サー・ゴドフリー？」

「古い友人……若いころ、いっしょに『夏の夜の夢』の舞台に立った」

「オベロンの台詞をいってください」と懇願した。「『野生の麝香草《じゃこうそう》が咲く土手を知っている』（2幕1場）」しかし彼は、それが聞こえなかったかのように先をつづけた。

「手紙をよこして……旅回りの一座の主役をやってほしいといってきた」しばらく黙り込み、また眠そうな声で、ゆっくりと、「……バース……ブリストル……だがそのとき、きみがあらわれた……」

「あなたは行かなかった」

「美しいヴァイオラを置いて？」とつぶやくようにいい、それからかすかに聞こえる声で、「きみはすべての台詞を知っていた……」

ポリーはいま気がついた。いまこの瞬間でさえ――サー・ゴドフリーを瓦礫の下から掘り出し、出血を止めようとしているこのときでさえ――これが、自分たちのせいで被った損傷を修復しようとする連続体の試みの一部ではないという希望を心の奥底でいまだに抱いていたことに。つまり、サー・ゴドフリーがいったように、こうなったのが自分のせいじゃなくて、ルフトヴァッフェのせいだと信じたがっていた。しかし、本来の彼は、旅回りの一座とともにロンドンを離れているはずだった。あたしのせいで、ここにとどまったのだ。

「ごめんなさい」とポリーはいった。

ガスのにおいが強くなってきた。隙間に詰めるものがほかになにかないか探さなければ。プログラムか、新聞か。ホルボーン駅の図書貸し出しコーナーには新聞がある。ええ、遠すぎる。

「……死んだ……」はるか遠くのほうからサー・ゴドフリーの声がした。あたしの席はきっとすごくうしろなんだ。でも、そんなはずはない。なぜならサー・ゴドフリーがこういったからだ。「ヴァイオラ！　目を覚ませ、美しい娘！　救助がすぐそばまで来ているのが聞こえる」

「『あれは小夜鳴鳥《さよなきどり》』（『ロミオとジュリエット』3幕5場）」とつぶやく。「『籠の中の二羽の鳥のように歌いましょう――』（『リア王』5幕3場）」

「いや」サー・ゴドフリーは憤然といった。「あれは雲雀《ひばり》だ。救助隊が来る――」

「彼らは間に合わなかった」とポリーはいい、頭を瓦礫に横たえて、眠りにつく体勢を整えたが、それでも右手はしっかりとサー・ゴドフリーの胸を押さえていた。「間に合わない」

戦時下の歳月を振り返ると、時間とは、経過を測るには不充分で当てにならない尺度であると感じざるをえない。

――ウィンストン・チャーチル、一九四四年十一月九日

54　ロンドン、帝国戦争博物館　一九九五年五月七日

「いったいここでなにをしてるの、コナー？」と女性がいった。灯火管制展示室の暗闇の中では輪郭しか見えないが、きっと、最初にここに来たとき、駐車場で車から荷物を降ろし、博物館に入っていくところを見た、四十代の女性だろう。もっとも、メロピーにしてははるかに若すぎる。

それに、メロピーならぼくをコナーと呼ぶはずはない。ということは、きっと人違いだ。

「あいにくですが、どなたかと――」といいかけたが、女性は勢いよく突進してきた。

「展示室に入っていくところを見て、きっとコナー・クロスだって思ったの」

まいった、アンだ。「すみませんが、人違いをされてるようです」ときっぱりいった。部屋が暗くて助かった。「ぼくは――」

「覚えてないのね？　アン・ペリーよ。十何年も前に、大英図書館で会った。ふたりとも第二次大戦当時の英国情報部について調べていた。一九八〇年。機密文書がすべて公開された直後よ。あなたは撃墜された航空兵を救助したエージェントを捜していた――名前は忘れたけど、コマンダー何とか――」

コマンダー・ハロルド。

「わたしは、上陸地点がカレーだとヒトラーに思わせるために英国情報部が新聞に載せていた偽の記事を調査していた」

そしてきみが、一九四四年五月のクロイドン・クラリオン・コール紙に掲載された告知を見せてくれた。そこには、『アッパー・ノッティングのジェイムズ・タウンゼンド夫妻は、長女ポリーが、現在ケントに駐留している第二十一空挺部隊のコリン・テンプラー空軍将校と婚約したことを発表した。結婚式は六月末の予定』

きみのおかげでマイクル・デイヴィーズが見つかり、きみのおかげでここに来て、ポリーといっしょに働いていた人を捜すことになった。

でも、それをいうわけにはいかない。「ぼくは――」と口を開いたが、アンはまだしゃべりつづけていた。

「この展示は博物館に頼まれてわたしが企画したの」といってアンは腕をからめてきた。

「けさはオープン直前のトラブルがないか確認しにきたんだけど、ほんとに来てよかった。おかげであなたに会えて、ずっと伝えたかったことが伝えられるから。第二次世界大戦を専門にしようと決めたのはあなたのおかげなのよ」といいながら、出口のカーテンのほうを示している白い矢印にしたがって彼を導いた。「どうしようもないくらいあなたに夢中だったのに、気づいてもくれなかった」

いや、そんなことはないよ。

「あなたには、きっともう恋人がいるんだろうと思った」

ああ、そのとおりだ。

「——じゃなかったら、なにか悲劇的な秘密を抱えてるんだろうって」アンがカーテンを押し開くと、その向こうの光が射し込んできて、ふたりが立っている部屋を照らし、ヘッドライトに覆いをかぶせた一台のバスの、切断されたボンネットが見えた。

そしてアンが。

あれから十五年になるが、彼女はあいかわらず美しい。でも、それを口にすることもできない。

「あなたの秘密がなんなのか、なにがなんでもつきとめてやろうと思って——」とこちらを見上げてにっこり笑い、それからぎょっとしたように凍りつくと、彼の腕からぱっと手を放した。「まあ、ほんとにごめんなさい」と顔を真っ赤にしていう。「すっかり人違いしてしまって。莫迦《ばか》じゃないかと思ったでしょうね」

「いいえ、ちっとも」と彼はいった。「ぼくにもおなじ経験がありますから」

「ほんとにそっくりだから……」困惑したように眉根にしわを寄せて、「ほんとにコナー・

クロスじゃないの？　ああ、もちろん違うわよね。十五年前っていったら、あなたはいくつ……八歳くらい？」

「十歳です」でも、十五年前じゃない。五年前で、ふたりとも二十歳だった。彼は握手の手をさしだし、「カルヴィン・ナイトです。タイム・アウト誌のライターで、展示会の取材に来てるんです」

「はじめまして、ナイトさん」アンの顔がまた赤らんだ。「あなたそっくりの、すごく年の離れたお兄さんがいたりしない？　それとも叔父さんか」

「いいえ、あいにくですが」

「それとも自分の肖像画をどこかに隠してるとか。ドリアン・グレイみたいに」

「いいえ。この灯火管制の展示があなたの企画なんですか？」と話題を変えるためにたずねた。

「ええ。正確には、このロンドン大空襲展全体がね」案内しましょうといいだすんじゃないかと心配したが、かわりに彼女はいった。「案内したいところだけど、大英博物館との打ち合わせがあるの。八月にわたしの企画で諜報戦争の特別展をやることになってて。あなたなら興味があるでしょ、フォーティテュード・サウスに欺瞞作戦に――」途中で口をつぐみ、またばつの悪い顔になって、「ああ、そうじゃなかった。ほんとにごめんなさい。コナージゃないことをすぐ忘れちゃう。ほんとにそっくりだから」

「きっと、とてもおもしろい展示になるでしょうね。かならず行きますよ」と嘘をついた。

また彼女と出くわすリスクはおかせない。アンはとても頭のいい女性だった。二度めはごまかせないかもしれない。

「ご親切にどうも」とアン。「わたしの莫迦みたいなふるまいのせいで、ロンドン大空襲展の印象が悪くならないことを祈ってるわ」

「だいじょうぶですよ」

「よかった。ほんとにごめんなさい」もういちど謝罪して、アンはそそくさと歩み去った。

言葉をかける暇もなかったが、そのほうがよかったかもしれない——もっとも、もしなにか方法があれば、五年間ずっと探していた手がかりをあのとき与えてくれたことに礼をいいたかった。それに、この特別展を企画して、次の手がかりを——願わくは——見つけられるようにしてくれたことにも。

そろそろ、その手がかり探しを再開しなければ。しかし、それからさらに数分間、なにを見るでもなく暗闇の中に佇んだまま、大英図書館の閲覧室で過ごした長い数カ月のことを思い出していた。ポリーがまだ死んでいないという一縷の希望を胸に、マイクル・デイヴィーズとメロピーの所在の手がかりを探していたとき、向こうから話しかけてきたのがアンだった。なにを調べているのかとたずね、扱いにくいマイクロフィルム・リーダーや、すぐ故障するヒーターのことで愚痴を言い合った。アンは、サンドイッチと、こっそり持ち込んだ紅茶のカップをさしだし、励ましてくれた。とくに、一九四〇年九月十日、ダンワージー先生がネットを抜ける予定だった日に、高性能爆弾で死んだ身元不明の男性の死亡告知を見たあとでは。

　あれは暗黒の一日だった。アンは、じっと席にすわったままマイクロフィルムの画面を茫然と見つめている彼に気づき、夕食と〝キューッと一杯〟にしつこく誘い、そのあとはパブのトイレで嘔吐する彼の背中をさすってくれた……。

　きみがいなかったら、とても先に進めなかったよ。去っていった彼女に向かって、心の中でそう声をかけた。でも、じっさいには、あれからほとんど先に進んでいない。まだポリーは見つかっていないし、ポリーの知り合いも見つかっていない。時刻はもう十時半。シンシア・キャンバリー一行は、たぶんもう、展示を半分見終わっている。

　次の展示室へと急いだ。壁ぎわに砂嚢が積み上げられ、防空壕のマークがついた扉があり、その横に、ARPヘルメットに作業着姿のマネキンが消火用手押しポンプを持って立っていた。サイレンと爆弾のくぐもった音が、閉じた扉の中から聞こえてくる。他の三方の壁には陳列ケースが並んでいた。キャンバリーは、配給手帳と戦時レシピが並ぶケースを見ている。

「あのおぞましい粉末卵、覚えてる？」とキャンバリーが花飾りをつけた帽子の女性にたずねた。

「ええ。それにスパム。あれ以来、缶詰は見るのもいやになったわ」

　彼はそのそばに歩み寄り、ディスプレイを見ているふりをしながら、「あれはなんです？」と、黴《か》びた灰色のパンみたいなかたまりを指さした。

「ロード・ウルトンの国民全粒粉パン」キャンバリーが顔をしかめて答えた。「灰の味がするの。個人的な推測だけど、レシピを考えたのはヒトラーね」

「いまのを記事に引用させてもらってもいいですか？」メモ帳をとりだして自己紹介し、それから特別展の感想と、戦争中になにをしていたかをたずねた。

「わたしは救急車の運転」とキャンバリー。

いまの彼女からは、運転席にすわってハンドルの向こうが見えるほどの身長があったとは信じがたい。「大空襲下のロンドンで？」

「いいえ、V1、V2攻撃のころ。ダリッジに駐屯してた」

ダリッジ。クロイドンの近くだ。ということはポリーを知っていたかもしれないが、役に立たない。必要なのは、もっとあとの――じゃなくてもっと前か――、ロンドン大空襲の現地調査に来たときのポリーを知っている人物だ。「あなたも救急車の運転を？」と、帽子のつばの上で花々が咲き乱れている女性にたずねた。名札によれば、名前は『マーガレット・フォーティス』。

「いいえ、あいにくそんな派手な仕事じゃなくて。ロンドン大空襲のあいだはサンドイッチのパンを切って、お茶を注いでたの。地下鉄シェルターの婦人義勇隊《WVS》食堂で。ここにレプリカがあるはずよ」とあてもなくあたりを見まわした。

「どこの駅です？」興奮を隠してたずねた。もしポリーが防空壕に使っていた駅なら、彼女を知っているかもしれない。

「マーブル・アーチよ」

マーブル・アーチは爆撃されている。ということは役に立たない。

「ロンドン大空襲に興味があるの？」とキャンバリーがたずねた。

「ええ。大空襲のとき、祖母がロンドンにいたんです」許して、ポリー。「祖母のことを知ってた人に会えないかと思って」

「どんな仕事をしてたの？」

「知りません。ぼくが生まれる前に亡くなったので。大空襲の初期に、タウンゼンド・ブラザーズ百貨店につとめていて、そのあとなにか戦時労働に就いたのは知ってます。あと、叔父の話では、救急車を運転していたかもしれないと」

「あら、だったらタルボットが知ってるかも」

「タルボット？」

「ええ。タルボット――つまり、ミセス・ヴァーノンね。戦争中は名字で呼び合う習慣だったから、いまもその癖が抜けなくて。ほとんどは結婚して名字が変わってるんだけど。ミセス・ヴァーノンとはダリッジでいっしょだった。彼女は大空襲のあいだ、イースト・エンドで救急車を運転してたのよ」

もしポリーがV1攻撃の現地調査のとき、ミセス・ヴァーノンを――というかタルボットを――知っていたとしたら、大空襲のあいだは避けるようにしたはずだ。それでも、連絡がとれる他の救急車運転手を知っているかもしれないと考えて、キャンバリーといっしょに彼女を捜しにいった。

タルボットは、キャンバリーの三倍のサイズがある巨大な女性で、ヘッドホンをつけてBBCの録音を聞いていた。キャンバリーはその背中をとんとん叩いて振り向かせた。「こちらはナイトさん。お祖母さんの知り合いだった人を捜してるの。救急車運転手だったそうよ」

「名前は？」とタルボット。

「ポリーです。ポリー・セバスチャン」

「セバスチャン……」タルボットは首を振った。「いいえ、FANYの隊員でその名前の人は覚えがないわね。でも、あなたがたずねるべき人を知ってる。グッディ。ミセス・ランバートよ」と説明した。「うちのグループの歴史家《ヒストリアン》なの。彼女なら、ロンドン大空襲のとき働いていた人間は全員知ってる」

「どのかたですか？」

「姿が見えないわね」タルボットは展示室の中を見まわして、「中背で、白髪まじり、太り気味」けさ見た女性の四分の三はそれに該当する。「どこかにいるはずなんだけど。ブラウンが知ってるわ」

タルボットが、眼鏡越しにパラシュート爆弾を眺めている白髪の女性のところに彼をひっぱっていった。「ブラウン、グッディ・トゥーシューズがどこにいるか知らない？」

「まだ来てないのよ。けさはシティで用があるんだって。なんの用だか知らないけど、とにかくそれが終わりしだいこっちに来るっていってたわ」

「おやまあ」とタルボット。「こちらの若い人が、お祖母さんの知り合いだった可能性がある人を捜してるのよ」

「あら。お祖母さまは戦争中なにを？」ブラウンに訊かれて、もういちど長い説明をくりかえしてから、

「救急車の運転をなさってたんですか？」とブラウンにたずねた。

「いいえ。空軍《RAF》の飛行経路図操作係《プロッター》。だから、大空襲下のロンドンにいたのは最初の二カ月だけ。お祖母さまはタウンゼンド・ブラザーズに勤めていたのよね。パッジもそうよ。あそこにいる緑のドレスの人」と、衣料品配給手帳の展示を眺めている、痩せた体つきの小鳥のような女性を指さした。

しかし、パッジ——名札によれば、本名はポーリーン・レインズフォード——が働いていたのはタウンゼンド・ブラザーズではなくパジェット百貨店だった。「店が爆撃でぺちゃんこになるまでだけどね」とあっさりつけ加えて、「そのあと、これなら軍に入隊したほうがいいと思って、海軍婦人部隊に志願したの」

「タウンゼンド・ブラザーズで働いていた人をだれか知りませんか？」

「それは知らないけど、だれに訊けばいいかはわかる。ミセス・ランバート。彼女がうちのグループの歴史家だから」

「きょうは来ていないって聞きましたけど」

「まだ来てないけど、でも、来るわよ。というか、もう来ててもいいはずなんだけど。来た

らすぐに教えてあげる。それまでは、ほかの人に話を訊くといいわ。ハッチャー！」パッジは、ツイードの服にパールのアクセサリーを着けたエレガントな老婦人に呼びかけた。「あなた、大空襲のとき、ロンドンにいたわよね」

「ううん。ブレッチリー・パークよ」ハッチャーはこちらにやってきて、「歴史の本に書かれてるのとはぜんぜん違って、ちっともロマンティックじゃなかった。ほとんどは、何千もある組み合わせをチェックして、うまくいくかもしれない一個を探すだけの、根気のいる骨折り仕事」

　ぼくの人生のこの八年間みたいに。手がかりを求めて次から次へ時空座標を計算し、開いてくれる降下点を探しつづける。

「大空襲のときにロンドンにいた人を、だれか知ってる？」パッジがハッチャーにたずねた。

「ええ」戦争ポスターの展示を見ているふたりの女性を指さし、「ヨークとチェダーズ」

　しかし、ヨークもチェダーズ——名札によれば、本名はバーバラ・チェドウィック——も、ポリー・セバスチャンを覚えていなかったし、ふたりが紹介してくれた老婦人たちも同様だった。

「うちの一座《トループ》にポリーっていう子がいたけど」名札に『コーラ・ホランド』と書かれた大柄な女性がいった。

「隊《トループ》？　陸軍婦人補助部隊にいたんですか？」

「ううん、troopじゃなくてtroupe」と空中にスペルを書いて、「慰安奉仕会《ENSA》のショーでいっしょだったの。彼女もあたしもコーラス・ガールだった」驚きを隠すのに失敗したらしく、「そりゃ信じられないでしょうけど、当時はなかなかのプロポーションだったのよ」と切り返された。「で、なんて名字だって？」

「セバスチャン」

「セバスチャンねえ」コーラはくりかえした。「うーん、聞き覚えがないわねえ。だからどうだってわけじゃないけど。そもそも彼女の名字を知らない可能性もあるから。タビットさんは、あたしたちみんなを芸名で呼んでたし。ポリーは空襲《エアレード》アデレード。彼女の名前がポリーだったらだけど。もしかしたらペギーだったかも」

まあ、どのみちポリーがコーラス・ガールになったとはとても思えない。とはいえ、可能性はすべてつぶしておかなければ。「その後、彼女がどうしたかご存じですか？」

「あいにく」とコーラは申し訳なさそうにいった。「戦争中は、すぐに消息がわからなくなってしまうのよ、想像がつくでしょうけど」

ええ。

「航空基地や軍のキャンプをまわる一座に加わったと聞いたような覚えがあるけど」

だったらぜったいポリーじゃない。それに、ミス・デネヒーといっしょに防空気球クルーとして働いていたポリーも――彼女の名字はセバスチャンだったとミス・デネヒーが断言したにもかかわらず――ポリーではなかった。「四〇年の八月に死んだわ」とミス・デネヒーはいった。

十一時半には、グループ全員の話を聞き終えていた。唯一の例外は、耳が遠すぎて、なにをいっても話が通じない、もうひとりの白髪の老婦人。ミセス・ランバートはまだあらわれない。これ以上待っていると、セント・ポール大聖堂のほうを逃してしまう。

ミセス・ランバートの住所と電話番号を教えてもらおうと思ってパッジを捜しにいったが、姿が見えない。灯火管制展示室のカーテンをかき寄せて中をたしかめ、それから地下鉄シェルターの再現セットをチェックした。

パッジはいなかったが、タルボットが、地下通路のタイル張りの壁に貼られた〈疑わしい行動を見かけたら報告を〉ポスターを眺めていた。「ランバートは見つかった?」とタルボットはたずね、「大空襲のあいだ、お祖母さんがどんな仕事をしてたか知ってる?」

「いいえ」と答えてから、「ランバートさんはまだいらっしゃらないんですが、そろそろ行かないといけなくて。もしご存じだったら――」

「まだ来てないの?　いったいどうしたのかしら」といって、彼を引き連れ、耳が遠すぎて話を聞けなかった老女を捜しにいった。

「ラムフォード」とタルボットは声をかけた。「グッディ・トゥーシューズから話を聞いてる?　ここに来る前になんの用事があるか」

「なに?」ラムフォードが両手を耳もとにあてて訊き返した。

「だから、グッディ・トゥーシューズのこと」とタルボットは大声で怒鳴り、「ミセス・ランバートから、ここに来る前になんの用事があるか聞いてる?　ミセス・ランバート!」

「ランタン？」

「違う。ランバート。けさ、ランバートがどこへ行ってるか知ってる？」

ラムフォードはぼんやりと周囲を見まわし、「まだ来てないの？」

「来てないのよ。で、この若い人が彼女と話をしたがってるの。どこへ行ってるか知らない？」

「知ってる。セント・ポール大聖堂」

セント・ポールか。ここで彼女を待っていなければ、とっくに着いていたのに。

「セント・ポール？」とタルボット。「なんでセント・ポールに行く用があったの？」

「なに？」ラムフォードがまた耳に手を当てた。

「だから、なんで——ああ、よかった、やっと来た」タルボットが展示室の向こうでハンドバッグの中を探っている、ぽっちゃりした気さくな感じの女性を指さした。「グッディ・トゥーシューーズ！」と呼びかけ、気づいたようすがないのを見てとると、「ランバート！」と叫んだ。「こっちこっち。アイリーン！」

どうしてみんなおれたちに手を振ってると思う？　おれたちゃ英雄なんだよ。
——レスリー・テア軍曹、ダンケルク撤退のあと、英国に帰りついて

55　ケント　一九四四年六月

『一九四四年六月二十八日』とアーネストはタイプした。『わたしはフォークストン近くのセリンジという小さな村に住んでいます。昔から、住みやすい静かな土地でした。しかし、この二週間、兵員輸送のたえまない流れのせいで、その静けさが破られています。土埃のせいで、洗濯物は家の中に干さなければなりませんし、飼い猫のポリー・フリンダーズは二度も車に轢かれそうになりました。こんなことがいつまで続くんでしょうか。デイヴィーズ大尉にたずねてみたところ——』

ここで手を止めて、侵攻の日付をどうすべきか考えた。ノルマンディーに上陸した直後は、偽装する侵攻作戦の日どりとして七月一日が想定されていたが、それは、欺瞞工作が持ちこたえるだろうと期待できる最長の期間がDデイの五日後までだと考えられていたときの話だ。いまはすでにDデイの二十二日後。ドイツ軍が一杯食わされたことに気づいた気配はいまだ

にない。

「すぐに気がつくはずだ」ゆうべ、セスが食堂でうんざりしたようにいった。「五十万を超える連合軍兵士がフランスに入ってるんだぞ。ドイツ軍は、連中がなにをしてると思ってるんだ？　花を摘んでるとでも？」

「おまえは賭けに負けたから文句をいってるだけだろ」とはプリズムの弁。アーネストも賭けに負けた。Dデイ以降の戦況を調べておかなかったのは失敗だった。五十ポンドせしめられていたのに。アーネストが賭けたのは六月十八日——Dプラス十二日——だったが、心の中では、連合軍がノルマンディーの海岸に到達した瞬間に、上陸地点をパ・ド・カレーだと見せかける欺瞞作戦はまるごと瓦解するだろうと思っていた。ところが、ドイツ軍はノルマンディー上陸が陽動作戦であると信じて疑わず、六月末現在、アーネストはいまだに、でっちあげの結婚告知や新聞社への怒りの投書をタイプしつづけている。

アーネストはチャズブルを捜しにいったが、自分のオフィスには姿がなく、プリズムも居場所を知らなかった。

「グウェンドリンが知ってるかもな」とプリズムにいわれて、ガレージへ彼を捜しにいった。グウェンは参謀車の下に潜り込んでいた。アーネストはかがみこんでたずねた。「チャズブルの居場所を知ってる？」

「無電メッセージを渡しにステーションXへ行ったよ」とグウェン。

くそ。「いつになったら——」といいかけたとき、物音がして口をつぐみ、顔を上げた。

東の方から、かすかなパタパタという音がする。バイクが近づいてくるような音。

「妙だな」グウェンが車の下から這い出してきて、「サイレンは聞こえなかったぞ」

「いちいち鳴らすのはやめたのかも」

グウェンはうなずいた。「それとも使いすぎて壊れたかもしれない。しだいに大きくなるパタパタの音を聞きながら思った。V1攻撃がはじまってから二週間で、サイレンが鳴ったのはすくなくとも五百回を数える。

「さっき、なにを訊かれたんだっけ?」とグウェン。

「ぼくが訊いたのは」V1の騒音に負けじと声を張り上げて、「いつになったらこっちがフランスに侵攻するのか知ってるかってこと」

グウェンはV1が頭上を安全に飛び越して、北西の方角にけたたましく去ってゆくのを待ってから、「フランスに侵攻する? もうとっくにしてると思ったけどな!」

「笑える冗談だな!」とアーネストは叫び返した。「本物のほうじゃなくて。この五カ月、うちがずっと工作してるほう!」V1のエンジン音が途絶え、静寂の中にアーネストの怒鳴り声が響き渡った。

グウェンが片手を上げて、待てと合図した。短い沈黙につづいて、北西の方角からくぐもった爆発音が轟いた。

「きょうだけで八基めの飛行爆弾だ」とグウェン。「ヒトラーもいいかげん新しいおもちゃに飽きるころだと思うよな」といって、また車の下に潜りこんだ。

「いつカレーに上陸するのか、まだ聞いてない」

「七月十八日に決めたと思ったけど、どうかな。セスなら知ってるだろう」

しかし、セスに訊いたら、オフィスまでついてきて、タイプライターを叩くのを眺めようとするだろう。

「いつだとしても、早いといいな」グウェンが車の下からいった。「このひどい場所を離れるのが待ちきれない」

ドイツが欺瞞に気づけば、みんなただちにこのひどい場所を離れられる。

で、それから？　ぼくはどこに派遣されるんだろう。フランスに送られないよう、気をつけなければ。欺瞞ユニットがDデイのあとフランスで活動していた事実をはじめて知ったのは、つい先週、ドーヴァーからやってきた将校がダミー戦車をすべて徴発していったときのことだった。どうやら、ドイツ軍を混乱させるため、偽装戦車大隊をフランスに設置する計画らしい。くだんの将校によれば、その戦車群を動かす部隊のメンバーは、フォーティテュード・サウスから引き抜かれるという。いわく、「この厄介きわまるゴム戦車を扱った経験がある人間が必要だ」。ということは、このユニットのメンバー全員に可能性がある。

足に障害があるから国外への派遣は免れそうな気もするが、それは希望的で、あてにはならない。将校にゴム戦車設置の経験を問われたとき、横にいたセスが例の雄牛の一件を一部始終、滔々《とうとう》と語って聞かせたのである。Dデイのあと、フォーティテュード・サウスのメンバーがほかにどんな欺瞞作戦に従事したのかを知っていれば、なにを避けてなにを求めればいいかがわかるのに。必要なのは、英国内にとどまることができて、未来の史学生が興味を持つかもしれないメッセージを送ることに関係する任務だ。Dデイが過ぎ、デニス・アサートンがオックスフォードへもどってしまったいま、それが唯一の希望だった。

同時に、身元調査をされる心配がなく、捕まる危険性の低い任務でなければならない。先週は危機一髪だった。暗号メッセージをタイプしているときにセスが入ってきて、紙を引き抜くまもなく肩越しに文面を読まれた。「なあ、ポリーって名前、前も使ってなかったか？」とセスはいった。「ありふれた名前だけど、ドイツ人に怪しまれるような事態は避けたほうがいいだろ」

それともきみに——あるいはテンシングに——怪しまれるような事態は。アーネストは従順に、ポリーの名をXXXで消し、その上に『アリス』とタイプした。

たぶん、いちばん安全なのは、傷病者であることを理由に情報部の仕事から引退し、新聞の仕事に就くことだろう。なにをするにしても早く動かなければ。ここが閉鎖されて、べつの任務を割り当てられる前に。いったん新しい任地が決まったら、それを覆《くつがえ》すのはほとんど不可能だ。

そして、とりあえずいまは、ニュース記事を仕上げて、またポリーの名を使っていることにセスが気づいて疑念を抱く前に、原稿をしまわなければ。

オフィスにもどって、さっきの文章のつづきを書きはじめた。『デイヴィーズ大尉にたずねてみたところ、あとまるまる一カ月は続く予定だと言われました。セリンジがドーヴァーへの最短ルート上に位置しているのはわかりますが、だからといって、第一軍全軍が我が家の前を行軍する必要があるのでしょうか。ほとほと困り果てています。ミス・ユーフェミア・ヒル、ローズ・ゲート・コテージ――』

「もうタイプは終わりにしていいぞ」セスが戸口からいった。「遊びはこれまで《ジグズ・アップ》」

アーネストははっとして顔を上げた。セスは腕組みして戸口の側柱に大儀そうにもたれている。「なに？」

「遊びはこれまでといったんだよ。アメリカのスラングだ。バレたってこと。ヒトラーがついに、第一軍なんかいないという事実に気がついた。第二の上陸作戦がないことにも」

アーネストは動悸がおさまるのを待ってから、「ヒトラーが欺瞞工作に気づいた？」

「ああ。いいかげん潮時だ。モントゴメリー《モンティ》がベルリンに進軍するのを見るまで、一杯食わされたことに気づかないんじゃないかと思いはじめてたよ」

それはパットンだ。そしてそのとき、ヒトラーはもうベルリンにいない。総統官邸の地下壕で自殺している。「ヒトラーが気づいたってだれに聞いた？」

「だれにも」とセス。「おれは情報部の人間なんだぜ。手がかりから論理的に導き出したんだよ」

「手がかりってどんな？」

「ひとつ、アルジャナンが来てる。ふたつ、レイディ・ブラックネルが食堂で全体会議を招集した」

セスのいうとおりだ。遊びは終わったらしい。いろんな意味で。次の任務についてもっと早く彼と話をしておくべきだった。いや、もしかしたらまだ時間はあるかもしれない。「その会議のはじまる時間は？」

「いまだ」といったものの、セスは動く気配もない。

それに、アーネストとしても、ポリーの名前がある原稿をタイプライターに残したままでは部屋を出られない。「すぐ行くよ」タイプライターにカバーをかけて立ち上がった。「グウェンにも伝えなきゃいけないだろ。ガレージで、参謀車の下に潜ってる」

「ああ、そうだな」といってセスは出ていった。アーネストはカバーをひっぺがしてタイプライターから投書の原稿を抜きとり、ファイル・キャビネットにしまって戸口に向かいかけたとき、セスがもどってきた。

「グウェンはいなかった」と報告する。「きっともう会議に行ってる」

そのとおりだった。そして、チャズブルをのぞく全員が集合していた。礼装軍装の――これもよくないしるし――レイディ・ブラックネルが口を開き、「アルジャナン大佐から諸君に話がある」

「ありがとう」といってテンシングが立ち上がった。「まず最初に、この数ヵ月のたいへんな仕事に対し感謝するとともに、それがりっぱに報われたことを報告したい。上陸作戦の時期と場所についてドイツを欺くというわれわれの努力は、あらゆる期待を超える大成功をおさめた。ノルマンディー上陸の知らせを受けとってからも、ドイツ軍最高司令部は、それが陽動作戦であり、本格的な侵攻部隊はまだこれからパ・ド・カレーに上陸すると考えていた」

彼は過去形で語っている。セスのいうとおり。遊びはこれまでか。

「この思い込みの結果」とテンシングがつづけた。「彼らはありもしないその侵攻に備えて、相当量の兵力と戦車を温存した。もしそれがノルマンディーに送られていたら、上陸作戦の帰趨《きすう》に重大な影響を与えていただろう。フォーティテュード・サウスの仕事は、上陸作戦の成否に決定的な役割を果たした。きみたちに祝いの言葉を贈りたい。おめでとう」

男たちが手を叩き、歓声をあげはじめた。「やったぜ！」セスが叫んだ。「おれたちは勝ったんだ」

「そうだな」プリズムが皮肉っぽくいった。「おれたちだけの力でな。駆逐艦だの飛行機だの落下傘部隊だの上陸部隊だのはなんの関係もない」

「プリズム少尉の指摘はもっともだ」とテンシング。「上陸作戦は複合的な軍事行動であり、その成功に寄与した人間はほかにも無数にいる。しかし、彼らには勲章が与えられ、その栄誉を称えるスピーチがなされるだろう。新聞にも記事が載る」といって、アーネストに短くうなずきかけ、「きみたちは違う。きみたちがこの作戦に果たした役割は、残念ながら今後も秘密にされる。わたしからの感謝と、任務が大成功を収めたという認識が、おそらくきみたちに与えられる報酬のすべてになるだろう。それともうひとつ」芝居がかった間を置いて、「このスコッチのボトルで、きみたちの偉業に乾杯しよう！」と瓶を差し上げると、また拍手と歓声が沸き起こった。

「ダミーのスコッチじゃないだろうな」セスが疑り深げにいった。

「ゴム製の空気ボトルとか」とプリズム。

「いや、ガラス製だよ」テンシングが瓶を指先で叩き、「まちがいなく本物だ。ラベルにちゃんと書いてある。ほら、『シェパートン撮影所にて熟成』」

全員が笑った。「もう開けてもいいですか？」グウェンが怒鳴る。

「まだもうちょっとだけつづきがある」とテンシング。

「気をつけろよ」セスがアーネストに耳打ちした。

「ドイツ軍は第二の上陸作戦があると信じていたと述べたが」とテンシングがつづける。

「かならずしも正確ではない。ドイツ軍最高司令部は、いまもなおそう信じている。したがって、この欺瞞をできるかぎり長く保ちつづけることが肝要だ」

「おれがまちがってた」とセスが囁いた。「遊びはまだ終わってないらしい」

「その目的のため、きみたちには現在の欺瞞および偽情報工作を継続してもらう。それに加えて、パ・ド・カレーの地下抵抗組織に宛てた無電の数を増やし、第三軍の所在に関する偽情報をばらまく。第三軍は現在、可能なかぎり厳重な機密防護態勢のもと、フランスをめざす途上にある。きみたちの任務は、フランスに第三軍が――およびパットン将軍が――いることを、パットン将軍がおおやけに指揮を執るときまで秘密にしておくことだ」

「おやまあ」とモンクリーフがつぶやいた。

「星をちりばめたあの制服を着たパットンが激烈な声明を発表しながら闊歩するのに？」とセスが囁く。「冗談だろ」

「しかし」テンシングがセスをじろっとにらみ、「いずれ彼の存在が察知された場合、カレー上陸に備えている軍の司令官がフランスでなにをしているのか、説明が必要になることは明らかだ。そこでわれわれは、パットン将軍は声明の内容が問題視されて降格処分を受け、オマー・ブラッドリーの下で一個軍団のみを指揮することになったという話を捏造した」

「第一軍の指揮はだれが？」とグウェンがたずねた。

「レスリー・マクネア中将だ。いまは行動を束縛されていて、ドイツ軍最高司令部が第十五軍をノルマンディーに派遣するのを待って攻撃を開始するという偽情報を流す。そうすれば、特定の侵攻日程に縛られる必要がない」

ということは、ユーフェミア・ヒルの投書に日付を入れなくて正解だった。

「レイディ・ブラックネルにシナリオを渡してある」とテンシング。「きみたちの仕事はそれを補強する一連の材料——無電、急送公文書、必要なら替え玉、写真、新聞記事など——を用意することだ」

よかった。アーネストはほっとした。ということは、メッセージを送りつづけることができる。それに、パットンに関する記事は、史学生の目に留まる可能性が、フォーティテュードの偽情報以上に高い。

「あいにく、相当な急ぎの仕事になる」とテンシングがいった。「パットンが出発する前にすべてを手配しなければならない」

「で、それはいつ？」とモンクリーフがたずねた。

「七月六日だ」テンシングは会議室に広がるうめき声を無視して、「モンクリーフ、わたしが発つ前に、護衛活動に関する報告がほしい。それともう一度、任務の成功に心からお祝いをいわせてもらおう。それと、次の任務もそれと同様の成功を収めることを祈る。以上だ」と立ち上がってから、「セス、ワージング、五分後にブラックネルのオフィスに来てくれ」といって歩み去った。

「おまえらふたりで決まりみたいだな」とプリズムが囁き、セスが不安な面持ちでうなずいた。

「だれももどってこられない秘密任務に送られたりするわけじゃないよな？」とセスが心配そうにたずねてきた。「どう思う？」

テンシングともっと早く話をしておけばよかったと思うよ。心の中でそう答えてから、五分後、セスといっしょにブラックネルの部屋に行った。テンシングはブラックネルのデスクのうしろにすわっていた。

「お呼びでしょうか、サー」とセスがいった。

「ああ」とテンシング。「ドアを閉めてくれ」

うわ、なにかおおごとらしい。ドイツに送られる。それともビルマに。セスがドアを閉めた。

「いまにも軍法会議にかけられるみたいな顔だな」にっこり笑って、「きみたちを呼んだのは、お祝いをいうためだ」

「なんの？」とセスが疑り深げにたずねた。

「ノルマンディー上陸作戦が成功したことの。どことはいえないが、さる筋からの情報によれば——」

ウルトラだ、とアーネストは思った。

「ロンメル将軍の戦車隊をノルマンディーに振り向けることをドイツ軍最高司令部が拒否するにあたり、決定的な要因となったのは、本国に送還されたドイツ軍の高官がドーヴァー地域で膨大な数の兵員および物資を目撃した事実だったそうだ」

「ワージングが書いたあの大量の投書じゃなくて？」セスはがっかりした口調でいった。

「それともおれたちがふくらませたゴム戦車じゃなくて？　ワージングはあの戦車のために手足や命まで危険にさらしたんですよ」

「新聞への投書や空気戦車は、どちらもきっと役割を果たしたはずだ」テンシングは顔をしかめていった。「しかし、たとえそうでなかったとしても、やはりなされねばならぬ任務だった。残念ながら、諜報の仕事とはそういうものだ。すくなくともひとつがうまくいってくれることを願って、いくつもの任務を実行する」

ビギン・ヒルへ行ったり、ブレッチリー・パークへ行ったり、マンチェスターへ行ったり、あるいは三行広告欄に回収チームへのメッセージを忍ばせたりするようなもの。

「どの作戦が成功し、どれが失敗したのか、結果がわかることはめったにない」

そのとおりだ。アーネストも、自分が出したメッセージのうちどれが（あるいはどれかが）伝わったのかわからないし、ポリーの脱出が間に合ったのかどうかもわからない。

「不公平な話だが、いかんともしがたい」とテンシング。「しかし、今度のケースは、幸運にも結果を知ることができた。もっとも、一部始終がわかっているわけではもちろんないし、いつかわかるときが来るかどうかも疑わしい。それをつきとめるのは、われわれが死んだずっとあと、歴史家の仕事になるだろう」

「T・W・リンゴルズビー師とコンドームの一件を歴史家はどう解釈するかねえ」とセス。

「あれは一章を割くに値すると思うか？」

だといいけど。

「脚注をつけて」とセス。「それに――」

「いまいったとおり」とテンシングがそれをさえぎり、「わかっているのは、決定的に重要な時期に、ロンメルと第十五軍をパ・ド・カレーに釘づけにしたのは、きみたちふたりの功績だということだ。きみたちは無数の命を救った。Dデイの死傷者はもともと三万人と見積もられていたが、結果は一万人だった。そして、ドイツの戦車群がカレーに居座っている一日ごとに、さらに多くの命が救われている」

ぼくとセスとで二万人以上の人命を救ったのか。それなのに、ハーディが五百十九人の命を救ったと聞いてかつてはショックを受けていた。

「おめでとう」テンシングが立ち上がると、デスクの向こうからこちらにやってきて、ふたりと握手を交わした。「きみたちふたりがなし遂げたことがいかに重要だったか、とても言葉ではいいつくせない。こちらには十六師団しかなかった。もしヒトラーがあの戦車団をこちらにまわしていたら、二十一師団を相手にすることになっていた。個人的な見解だが、きみたちふたりのおかげでこの戦争に勝った可能性さえある」

負けたんじゃない。勝ったんだ。レイディ・ジェーン号のスクリューを動かしたあの夜以来、自分のせいで戦争に負けるんじゃないかという不安を忘れた日は一日もなかった。ハーディの命を救ったことで、歴史の流れにとりかえしのつかない影響を及ぼし、それによって戦争の流れが変わり、ヒトラーが勝ってしまうのではないか。ところがいま――

「つまり、故郷に帰って成功の美酒を味わえるってことですか？」セスがにやにやしながらたずねた。

「いや、あいにくそれはまだだ」とテンシング。

おっと、いよいよ来るぞ。

「ワージング、パットンに関する新聞記事を書く仕事は、だれかべつの人間に割り振るようにブラックネルにいってある」とテンシングがいった。「きみたちふたりにはべつの仕事がある」

ああ、きっとビルマへ送られるんだ。

「ドイツは自国のスパイに――というか、わがほうの二重スパイに――接触して、V1事象の時刻と場所を報告するよう命令した」

「なぜ？」とセス。「もう知ってるんじゃないんですか？　V1は遠隔制御だと思ったけど」

　テンシングは首を振った。「ドイツは、V1の目標がどこなのかは知っているが、どこに着弾したかは知らない。V1がたとえばタワー・ブリッジを狙うとすると――ちなみに、いまのところまだ命中していない――内部のメカニズムが、特定の回数だけ回転したのち、燃料の供給を断つようにセットされる。そのあとは、エンジンが止まり、飛行爆弾は急降下しはじめる。しかし、標的に届くかどうかは、そのメカニズムが正しくセットされているかどうかしだいだ」

「だから、着弾時刻と位置を調べて、標的に到達したかどうかを確認し、必要な修正を加える？」

「そのとおり」とテンシング。「その結果、われわれはやっかいな立場に置かれる。もしこちらの二重スパイが疑われないように正確な情報を提供すれば、敵を利することになる。しかも、きわめて有害なかたちで――したがって、この選択肢はありえない。その一方、敵に偽の情報を与え、それが誤りであることがドイツ機の偵察によって証明された場合には――」

「二重スパイの正体が露見する」とセス。

　テンシングがうなずいた。「そして、将来の欺瞞作戦に危険がおよぶ。それもまた、受け入れがたい」

「ということは、ドイツ軍を欺いて、V1がじっさいとは違う場所に落ちたと思わせなきゃいけない」とセス。「どうやるんです？　偽の着弾現場をつくる？」

その瞬間、ゴム製の瓦礫の山が目に浮かび、アーネストは笑いを噛み殺した。

「それについては考えてある。すでに存在する瓦礫を他の現場に移す方法は、北アフリカでは効果的だった。しかし、うちの科学者のひとりがもっといい作戦を思いついた」テンシングはデスクに英国南東部の地図を広げた。多数の赤い点があちこちに散らばっている。おそらくV1事象現場だろう。

「うちの情報部の調べで、ペーネミュンデの飛行試験では、V1が目標より手前に着弾する傾向があったことがわかっている。この地図を見てもわかるとおり、その問題はまだ解決されていない。飛行爆弾の最大多数は、ロンドン中心部ではなく、ここに落ちている」とロンドン南東部一帯を指さした。

「ドイツ軍はそれを心配して、だから情報を求めている、と」

「そうだ。しかし、われわれとしては、敵が弾道を修正するのを防ぎ、今後もV1が目標の手前に着弾するようにしたい」

「ということは、手前に落ちた爆弾を、標的に到達したものと入れ替える」とアーネスト。

「そのとおり」

「なんだって？」セスはまったくわけがわからないという顔で、「どうやって爆弾を入れ替える？」

「爆弾Aが夜九時にステップニーに落ちる」とアーネストが説明した。「爆弾Bは午前二時半にハムステッド・ヒースに落ちる。こちらの二重スパイは、爆弾Aが午前二時半に落ちたやつだとドイツ軍に報告する」

「ハムステッドに」とテンシング。「するとドイツ軍は、飛行爆弾が標的を飛び越したと考え、弾道を短く修正する」

「すると次のはもっと手前で落ちるわけか」セスはようやく話を呑み込んだ顔で、「でも、そうやって落ちた先が被害のない場所だとどうしてわかる？」

「残念ながら、それはわからない。しかし、飛行爆弾が森や畑に落ちる可能性を大きくすることはできる」

「それとも牧場に」とセス。「ワージング、おまえをさんざんな目に遭わせたあの雄牛に復讐するチャンスだぞ」

テンシングは、セスの発言を無視して、「つまり、ロンドン中心部ではなく、もっと人口密度の低い場所に着弾する可能性を増大させることはできる」

だから、ぼくらが何万人もの命を救ったことをあんなに強調したのか。この先は罪もない人々を殺しはじめることになるから。

「目標の再設定により、二重スパイに関する疑念を呼びさますことなく、われわれが偽情報を提供することが可能になる」とテンシング。「そして、犠牲者の数を大きく減らすことができる」

そして、そうでなければ死なななかったはずの人間を殺すことができる。「で、おれたちの仕事は？」とセス。「飛行爆弾を比較対照する？」

「いや。きみたちには偽情報の補強を担当してもらう」テンシングはアーネストに瓦礫の山の写真を手渡した。煉瓦と木材がごちゃごちゃに積み重なり、もとがなんだったのかを推測するのは不可能だ。「これは、火曜日の午後四時三十二分にフリート・ストリートで発生した事象現場だ。しかしドイツ軍には、この現場がフィンチリーだと思わせる。破壊の程度が高い場合、置き換えは比較的簡単だ。新聞社には、飛行爆弾に関する写真および記事はわれわれの許可なく紙面に出さないよう伝えてある」

「新聞の死傷者名簿は？」とアーネスト。「住所で着弾地点がばれるんじゃないですか？」

「それも考えてある。きみたちには、事象関連記事といっしょに、偽の死亡告知も書いてもらう。新聞には、死傷者名簿の掲載を数日待ってもらうことと、死者の名前しか載せないことを要請してある。ある家族のメンバー数人が同時に死亡した場合、死を報じるのはそれぞれべつの日にしてもらい、きみたちが偽の補強記事を書く」

「ひどい仕事だ」アーネストは苦々しくいった。

「ああ」とテンシング。「必要なのは、写真に添えるキャプションと記事本文、それに、思いつくものはなんでも——目撃者の証言、三行広告、投書欄への手紙——これまでやっていたのとおなじようなことだ。もちろん、地名に直接言及はしないでくれ。それはドイツ人にやってもらう。そして、わがほうの二重スパイがそれを確認する」

「いつはじめる？」とセス。

「いまだ」テンシングはブリーフケースからモノクロ写真の束をとりだし、セスに渡した。「場所が特定できるような建物や看板がないかチェックしてくれ。場合によってはトリミングが必要になるかもしれない」

もうひとつべつの束をアーネストにさしだした。着弾時刻および地点の実際のデータと偽のデータを記したメモがそれぞれの写真にクリップで留めてある。「ロンドンの日刊紙に載せるニュース記事の元原稿と、地方の週刊紙に載せる地元関連の記事――地域住民がロンドンのだれそれを訪ねたときに飛行爆弾が落ちてきたとか――を書いてくれ。やりかたはよくわかってるだろう、ワージング」

完璧にわかっているし、願ってもない仕事だった。ビルマに送られることを心配せずに済むばかりか、記事の中に自分用の暗号メッセージも仕込める。

「セス、ロンドンの日刊紙はきみが担当しろ」とテンシング。「ワージング、きみは田舎町のローカル週刊紙だ。チャズブルもこの仕事に加わる」テンシングはブリーフケースを閉めた。「発《た》つ前に彼と話をしておきたい」

「もどったかどうか見てきます」といってセスが出ていった。

「ドアを閉めろ」とテンシングがいい、アーネストがしたがうと、「たしかにひどい仕事だ。だからきみを選んだ。頼りになるのがわかってるからな」

「この計画について、上はなんと？」

「まだ知らない。再来週、欺瞞計画について話し合う会議がある」

「もし承認しないという結果になったら？」テンシングの顔をじっと見ながらたずねた。

「その場合は、なにかべつの手を考えねばならないだろう。しかし、そんな無責任な行動に出るとは思えない。数千数万の人命を危険にさらすことになる――この計画が否決されたと聞かされたら、それを知らせた人物が情報を誤って伝達したと結論せざるをえないだろう」

いいかえれば、テンシングはドイツ軍を欺くこの計画を命令に背いてでも続行し、もし発覚したら、知らなかったと訴えるつもりでいるわけだ。かつてネルソン卿がコペンハーゲンの海戦でやったように。テンシングはキャリアのみならず自分の将来を危険にさらしている。命令不服従の容疑で軍法会議にかけられるか、もっと悪い結果を招く可能性もある。それでもテンシングはやる。ひとりでも多くの人命を救うために。

真珠湾《パール・ハーバー》のハウエル・フォーギー従軍牧師や、ワールド・トレード・センターの消防士たちを観察することはできなかった。でも、現地調査の目的は果たせた。ぼくは英雄を観察することができた。テンシングだけじゃない。コマンダーとジョナサン。扱いにくいゴム戦車や怒れる雄牛と闘うセスやプリズムやチャズブル。それに、辛抱強く暗号解読に取り組むアラン・チューリングやディリー・ノックス。

それに、燃える通りを抜けて救急車を走らせ、ホドビン姉弟に対処するアイリーン。そして、迫りくる死の脅威に日々立ち向かうポリー。

もしオックスフォードにもどることがあっても、もうパンデミックやバルジの戦いに行く必要はない。もうここで、英雄に関する研究材料はじゅうぶん以上に集まった。

「じゃあ、方針が決まるその会議に、自分では出席しないと？」アーネストはたずねた。

「もちろん出席するとも」テンシングはむっとしたように立ち上がった。「ただしもちろん、腰が痛まないかぎりは。戦争の古傷だよ」口もとにちらっと笑みを浮かべて、「見えなかったふりができる目を持つのはネルソン卿だけじゃない（命令を無視して軍功をあげたネルソンが隻眼だった事実と、〝見て見ぬふりをする〟を意味する英語の成句、turn a blind eye から）」

セスがドアを開けて入ってきた。「チャズブルがテンターデンからいまさっき電話してきて、またオースティンが故障したそうです」

きっと、ダフニが働いている雄牛と鋤亭の真ん前で動かなくなったにちがいない。

「では、きみたちふたりが手を貸して作業に追いつかせろ」テンシングがブリーフケースをとって歩き出した。「その写真の記事は、日刊紙はあしたまで、地方紙は次の締切までに仕上げてくれ」といってドアを開けた。

「待って」とセス。「ひとつ思いついたんですが、その飛行爆弾、欺瞞工作の結果、こっちの頭の上に落ちてくるってことはないでしょうね」

テンシングは首を振って、「ここははるかに東寄りだ。もしこの工作が目標どおりの効果をあげたら、爆弾の大多数は、ベスナル・グリーン、クロイドン、ダリッジに落ちる」

時間は、かつて連合軍の味方だと言われていたが、けっきょく、ヒトラーの下僕だと判明した。

――モリー・パンター＝ダウンズ、一九四〇年六月十五日

56　ロンドン、帝国戦争博物館
一九九五年五月七日

「待ち人が来たわよ」とタルボットがいった。「アイリーン！」と叫びながら、部屋の向こう、大空襲展にいま入ってきたばかりの女性に手を振る。

タルボットが説明したとおりの女性だった。白髪頭、中背、太り気味。

「ランバート！　こっちよ！」とまた呼んでから、タルボットはカルヴィンに輝くような笑みを向け、「もうすぐ来るっていったでしょ」

「アイリーンっていう名前なんですか？」聞き違いであることを祈りつつたずねた。

「ええ。アイリーン！　グッディ・トゥーシューズ！」タルボットがまた手を振る。ミセス・ランバートはまだ顔を上げない。ハンドバッグの中をかきまわし、どうやら反対の手に持っている名札に名前を書くペンを探しているらしい。

戦時中にはたくさんのアイリーンがいた。動悸と戦いながら、自分にいい聞かせた。そもそも、ありふれた名前だからこそ、メロピーはそれを偽名に選んだんだ。このアイリーンは、八年前にオックスフォードで会った、スリムで美しい、緑の瞳をした赤毛の女性とは似ても似つかない。

しかし、彼女はあれから五十五年の年を重ねている。それに、ブルネットのカーリー・ヘアをした写真の中の陸軍婦人補助部隊員《WAAC》も、彼が話をした老婦人とはまるで別人だった。そして、名札に名前を書くため陳列ケースの上にかがみ込んだ彼女の白髪まじりの髪には、もしかしたら褪せた赤毛かもしれないと思わせる色合いがかすかにあった。

彼女はいま、名札をつけようと不器用にいじっている。もしもその名札をようやく胸につけたとき、そこに『アイリーン・オライリー』と書いてあったら？

「ミセス・ランバートは戦争中なにを？」とタルボットにたずねた。海軍婦人部隊員だったといってくれますように。それともコーラス・ガールか。

「救急車の運転」タルボットがいった。「ああ、もう、まだ気がつかない。来て」とひきずるようにしてミセス・ランバートのところへ連れていった。彼女はタルボットほどの年齢には見えなかったが、たぶんそれはまるまる太っているせいだろう。それにメロピーはポリーより年下だった。学童疎開の観察は、メロピーにとってはじめての現地調査だったのだ。もし本人なら、それが最初で最後だったことになる。

「アイリーン」とタルボット。「あなたに会いたいって人を連れてきたわよ」

アイリーンはようやく胸に名札をつけたが、結論を出す役には立たなかった。『アイリーン・ランバート』という名前のほかは、『第二次世界大戦女性同窓会』としか書いてない。顔を上げた彼女の瞳の色は薄いアクア・ブルーで、若いころは緑だったかもしれないし、そうじゃなかったかもしれない。

「ごめんなさい」とタルボットがこちらを向いていった。「名前はなんでしたっけ、ミスタ――」

「ナイト。カルヴィン・ナイトです。お目にかかれてうれしいです、ミセス・ランバート」といって、握手しながら仔細に観察した。「オックスフォードから来ました」とつけ加えたとき、一瞬、相手の顔に反応があったような気がした。ああ、本物だ。

「ナイトさんは、お祖母さんの知り合いだったかもしれない人を捜してるの」とタルボット。「それにしても、どこ行ってたの、グッディ？　ブラウンに聞いたら、なんか用事だったんだって？」

「ええ。セント・ポールで。かわりに行ってくれって弟に頼んだんだけど、弟が行けなくて。けさは中央刑事裁判所《オールド・ベイリー》に留められてるのよ。それであたしが行くしかなくて」

弟。彼女には弟がいる。やっぱりアイリーンじゃなかった。腹にパンチを食らったような強烈な安堵感が全身に広がった。

「そしたら道がすごく混んでて」とミセス・ランバート。

タルボットがうなずき、「セント・バートのまわりは、とにかくなんとかしてほしいわね。

どうしようもないわ」

パッジがやってきた。「ああ、ふたりは会えたのね。よかった。ランバートはお祖母さんの知り合いだった？」と彼にたずねた。

「まだ訊いてません」

「彼のお祖母さんが大空襲のときロンドンにいたのよ」タルボットがアイリーンに説明した。

「名前はポリー——名字はなんていったんだっけ？」

「セバスチャン。ポリー・セバスチャンです」ふたりの老婦人は期待に満ちた表情でアイリーン・ランバートを見たが、彼女はもう首を振っていた。

「いいえ、そういう名前の人は、うちにはいなかったわ。ポリーはメアリのニックネーム？」

「はい」

「うちの救急車支部にメアリって人がいたけど」とタルボット。「名字はケントだった」

ミセス・ランバートはそれを無視して、「ナイトさん、お祖母さまの旧姓は？」

「セバスチャンです。結婚してオライリーに」と念のためにつけ加えたが、ミセス・ランバートの表情からはなんの反応もうかがえなかった。

「いいえ、ごめんなさい。メアリ・オライリーって人もいなかった。この博物館の資料室は調べてみた？」

ええ、と心の中で答えた。それに大英博物館も、公文書館も。タイムズとデイリー・ヘラルドとイクスプレスの資料室も。

「名案ですね。あいにく、きょうはもう時間がないんですが、また出直します。教えていただいてありがとうございました、ランバートさん。それにヴァーノンさんとレインズフォードさんも」とタルボットとパッジに向かって順番に礼をいった。「せっかくの展覧会のお邪魔をしては申し訳ありませんから」

「そうね。まあ、アイリーン、『大空襲の美』の展示を見なきゃだめよ」とタルボットがいった。「米軍のPXのナイロン・ストッキングと、チョークでつくったあの最低のおしろいがあるの。それと、あたしがケントに側溝に押し倒されたときになくしたやつとそっくりの口紅。あの口紅は一生忘れないわ。クリムゾン・カレス」

タルボットとパッジがミセス・ランバートをひっぱっていき、カルヴィンはくねくねと曲がる展示の順路を通って出口へと向かった。途中にあるVEデイの展示室には、歓声と花火を再現した音声と映像までついていた。

もう十一時半をまわっているが、急げば正午までにセント・ポールに着いて、大聖堂のカフェでランチを食べる訪問者を何人か捕まえられるかもしれない。出口に向かって足を急がせた。

「ナイトさん！」背後からだれかが呼んだ。ふりかえると、ミセス・ランバートが通路をこちらに向かって大急ぎでやってくるところだった。足を止めて、追いつくのを待った。「よかった」とあえぎ声でいう。「まだいてくれて。もう帰ったんじゃないかと心配で」といいながら、小走りにやってきた。

「どうしたんです？　なにか思い出したことでも？」

ミセス・ランバートは首を振りながら、片手を胸にあてて息を整えている。

「だいじょうぶですか？　水でも持ってきましょうか。それともカフェテリアに行くか」

「いいえ。もうすぐランチで混みはじめるから。さっきはごめんなさい。タルボットとパッジの前ではなにもいえなくて」腕をとり、ギフトショップの前を通ってメインホールに入ると、あたりを見まわした。話ができる場所を探しているのだろう。「あなたがこっちに着いたら真っ先に捕まえたいと思ってたんだけど、どこにいるのか確信が持てなくて。セント・ポールのほうもきょうが展覧会の初日だったから、向こうへ行く可能性のほうが高いと思ったのよ」

うわ、やっぱりアイリーンだったのか。弟の話はただのつくり話、ポリーが死んだあと、ひとりで暮らしていかなければならなくなってから、そういう身元を偽装することになったんだろう。戦争の日々とそのあとの長い年月をひとりぼっちで生き延びてきた。なのにどうしてそうやってにこにこ笑っていられるんだろう。ぼくが彼女に、彼女たちにしたことを知っていながら。

そんなはずはない。これはアイリーンじゃない。なにかべつのこと、待ち合わせをしていた記者か、それとも――

「……しかも展示は大聖堂全体を使ってて、地下聖堂や両方の袖廊まで見なきゃいけなかったから、あなたがどこにもいないのをたしかめるのにすごく時間がかかって、そのあと車でここに来るのに一時間——」それから口をつぐみ、けげんな顔で、「あなた、コリンよね？」

これで疑いの余地はない。アイリーンだ。

「あら、まあ。ひどい人違いをしたみたい」と、アンそっくりの口調でいった。「てっきりあなたが——」

「人違いじゃありません」のろのろと答えた。「ぼくはコリンです」

「コリン・テンプラー？」

彼はうなずいた。

「ああ、よかった。一瞬、人違いをしたのかと。最後に会ってから何十年も経つから」ギフトショップのほうに目をやった。おしゃべりしてる三人の女たちが、買い物の包みでいっぱいになった袋を提げて、ショップから離れてゆく。「さあ。どこかゆっくり話のできる静かな場所を探しましょ」と大空襲の展示室にもどり、〈防空壕〉と記されたドアのほうへ導いた。

ドアを開け、さっと中を見まわしてから彼を押し込んだ。中は、地下鉄ホームのレプリカだった。カーブしたタイル壁に沿ってマネキンが腰を下ろし、毛布にくるまって床に横たわっている。

アイリーンがドアを閉めた。「ここなら完璧」爆弾のくぐもった効果音ごしにいうと、べンチに腰を下ろし、自分のとなりを叩いた。コリンはそこに腰を下ろした。

「さあ、それじゃあ」といって、満面の笑みを向ける。

どうしてそんなことが？　ぼくが期待を裏切ったことを知りながら？　「アイリーン」どうしようもなく切り出した。「メロピー、ほんとにごめん――」

彼女は驚いたようにこちらを見上げた。「まあ、コリン。ごめんなさい。あなたの顔がすぐわかったもんだから、あなたにもあたしがわかるものと思っちゃったみたい。あなたがまだあたしと会ってないことをすぐ忘れちゃう」

まだ会ってない――

「会っていたとしても、あれから五十年以上になるものね。すぐにいっておくべきだった」

また爆発音と、赤い光の閃き。「あたしはアイリーンじゃないの。つまり、名前はアイリーンだけど、アイリーン・オライリーじゃないのよ」

コリンの心に希望の光が射した。彼女はアイリーンじゃない。ということは、まだふたりを救い出すチャンスがある。そして、もしこのアイリーンがふたりの居場所を知っていたら
――

「そもそもの最初から話すべきだったわね」と彼女はいった。「あたしはビニー・ホドビン。弟のアルフとあたしは疎開児童で、送られた領主館にマ――アイリーンがメイドとして働いていたの」

アルフとビニーのホドビン姉弟。恐怖の的だったおかげで、だれもが覚えている子供たち

だ。アルフはいまもそうらしい。オールド・ベイリーに〝留め〟られているのだから。たんに拘留されたことの婉曲表現だろうか？　それとも、もっと悪い？

しかし、筋が通らない。ビニーは戦争中、まだ子供だった。「でも、さっきの女性たちは、あなたが救急車を運転していたと」

「ええ。V1とV2攻撃のころにね」

「でも、その当時のあなたは、まだ――」

「十五歳。年齢をごまかしてたの」

ホドビン姉弟について聞いている話からすれば、おおいにありそうな話だ。それに、いまこうして間近に見ると、彼女は明らかに他の老婦人たちより若い。「でも、名前はアイリーンだと――」

「そうよ。ビニーはほんとの名前じゃなかったの――名字のホドビンを縮めただけ。それで、あたしには自分の名前がなかったから、なんでも好きな名前を選んでいいってアイリーンにいわれて、それで選んだ名前がアイリーンだった。それから、戦争が終わったあと、ママと――つまり、アイリーンと――パパがあたしたちを法的に養子にしたとき、その名前で届けを出したの」

戦争が終わったあと。ああ、くそ。「いま、彼女のことをママと……」

「ごめんなさい。あなたがまだなにも知らないことをすぐ忘れちゃう。大空襲の最初のころ、疎開先からロンドンにもどったあと、アイリーンがあたしたちをひきとって育ててくれたの。

実の母親が死んで、地下鉄駅で暮らしているところをアイリーンに見つかって、それで……」

コリンは聞いていなかった。アイリーンがふたりを育てた。ぼくはアイリーンたちを脱出させられなかった。だからビニーがここにいる。アイリーンはぼくがしくじったことを知らせるためにビニーをここによこした。そして彼女は、この五十五年間ずっと、ぼくが救出に来るのを待っていた。無駄に。「アイリーンはぼくに会いたくないんだね」とコリンはいった。「無理もない」

「いいえ、そうじゃないの」とビニーはいった。大きく息を吸ってから、「ママは八年前に死んだのよ」

公演中に空襲警報が発令された場合、観客のみなさまには舞台上より、その旨お伝えします。

——劇場プログラムの告知、一九四〇年

57 ケント
一九四四年十月

『ダンワージー、ジェイムズ』とアーネストはタイプした。『V2ロケット攻撃による負傷のため、ノッティング・ヒルの自宅にて死去』

セスが戸口から中に頭を突き出し、「チャズブル見たか?」

「いや」アーネストはタイプしながら答えた。『ダンワージー氏はオックスフォード出身で——』「食堂は見たか?」

「いや。見てみる」とセスはいって、驚いたことにあっさり姿を消した。アーネストはタイプにもどった。『二人の子供、セバスチャン・ダンワージーとアイリーン・ウォードを残した』

「よう」チャズブルが数枚の写真を手に、部屋に入ってきた。「いまタイプしてるそれ、ハムステッドの教会用のキャプションか?」

「いや、それはこっち」アーネストは原稿をチャズブルに手渡した。「時刻をチェックしてくれ。きみの手書きの字は判読できない」といって、チャズブルが原稿に目を通しているあいだに急いで残りをタイプした。『葬儀は十月二十八日午前十時より、カードルのメアリ・アット・ザ・ゲート教会にて』タイプライターから紙をひきぬき、デスクの上に伏せて置く。

「時刻は合ってたか？」

「いや」とチャズブル。「午後二時十九分じゃなくて、三時十九分だ」と原稿を返してよこした。アーネストは原稿をまたタイプライターにはさみ、時刻をXXXで消して、上に『3：19』と打ち直した。

「ほんとはどこに落ちた？」

「チャリング・クロス・ロード」といって、チャズブルは数枚の写真を渡してよこした。「これが先週の事象。でも、使えるものはなさそうだな。片方は教会、もう片方は商店街で、どっちも完全に破壊されてる。なにも識別できない。とにかくV2は破壊力が大きすぎるよ」

アーネストは写真をざっと眺めてから、「これはどうだ？」と、破壊された校舎の写真をかざした。制服を着た生徒たち十人ぐらいが校舎の残骸の上によじのぼって楽しそうにしている。

チャズブルは首を振った。「デイリー・イクスプレスにもう写真が出てる」

「写真の掲載はうちが承認してからっていう約束だったんじゃないのか」

「そうなんだが、現場の記者にそれが伝わってなくて、チェックされないまま紙面に出てしまった」チャズブルは写真をめくり、木材がごちゃごちゃに積み重なった一枚を渡してよこした。「わかるか?」と、片隅に写っている壊れた看板を指さした。アーネストは小さな文字に目を凝らし、あてずっぽうで、「歯科《デンティスト》?」

「口腔外科《デンタル・サージヨン》だ」とチャズブル。「正確には『口腔外《デンタル・サージ》――』だな。たしかに小さいが、もしかしたら読者の興味を引く記事になるんじゃないかと思って。『虫歯の根絶治療』とか。歯医者に行く途中でV2の爆風にやられて、痛む歯が吹き飛んだ男の話」

アーネストはうなずいた。「場所はどこにする?」

「ブリクストン。じっさいはウォルワースだが、集会所《ヴィレッジ・ホール》はトリミングしてある。飛行爆弾は――」リストに目をやって、「二十四日、月曜午前四時五分に落ちた」

「四時五分? それじゃだめだ。そんな時間に歯医者は開いてないだろ。いくら根管の緊急治療でも」

「ああ、そうか」チャズブルは写真をとって、「ほかになにかないか見てみるよ」といったが、まだその場を動かない。

「セスがさっき捜しにきてたぞ。急ぎの用件らしい」というと、チャズブルはやっと腰を上げてくれたので、アーネストはタイプを再開した。Dデイ以降、メッセージを書く時間を見つけるのがどんどんむずかしくなっている。モンクリーフとグウェンドリンがフランスに行ってしまったので、セスはほかに油を売る相手がいなくなり、しじゅうアーネストのオフィスに入り浸って、デスクのへりに腰をかける。セスがいないときはチャズブルが来て、ウェイトレスのダフニの話をしては、アーネストの肩越しに書きかけの原稿を読む。その結果、隙を見ては細切れにメッセージを書くことを余儀なくされていた。

それに、いま書いている偽情報記事は、相談して地名を決めなければならないし、チャズブルとセスがしじゅう新聞社に記事を届けるようになったので、ポリーやアイリーンの名前や情報を紛れ込ませるチャンスが前より激減した。それでも、アーネストはベストをつくし、自分で記事を届ける機会があるたび、V1やV2の写真キャプションにくっつけて、さまざまな告知や投書や三面記事を書いた。

『クリスマスはまだ二カ月も先だが』とアーネストはタイプした。『ノッティンガムの少女二人はすでに、祝祭の計画に大わらわになっている。前線にいるわれらが勇敢な若者たちにも降臨節を祝ってもらおうと、お手製のクラッカーをプレゼントするプロジェクトだ。カードル・ヒルのミス・メアリ・オライリーとミス・アイリーン・セバスチャンが自分たちの手で――』

「セスがいないんだが」と、もどってきたチャズブルがいった。

「食堂は？」とアーネストはいった。

しかし、遅かった。「ここにいたのか、チャズブル」とセスが戸口にあらわれた。「ほうぼう捜しまわったんだぞ。いいニュースがある。おまえとはデートしないってダフニにいわれたの、覚えてるだろ」

「忘れようとしてるんだよ」チャズブルがむっつりいった。

「いや、その必要はない。きょうの午後、ダフニといっしょにゴールダーズ・グリーンの収穫祭に行くことになったんだが——待て待て！」セスは両手を上げて、チャズブルが振り上げた拳からあとずさり、「最後まで話を聞けってば」

「いってみろ」とチャズブルが不機嫌な口調でいった。「それのどこがいいニュースなんだ？」

「ダフニが友だちのジーンを連れてくるんだよ。だからこっちも、ジーンのために友だちをひとり連れていくといってある。待てって」セスはデスクのうしろに回り込んだ。アーネストは紙をはさんだままのタイプライターに片腕を置いて記事を隠した。

「わからないか？」とセス。「おまえがココナツ落としでみごとな腕前を披露してダフニを感心させているあいだに、おれはジーンを誘ってお茶のテントに行く。おまえたちと合流するころには、おれはジーンを、おまえはダフニを、それぞれ持ち前の男性的魅力でとりこにして、パートナーの交換が成立するっていう寸法だ。十時に出発する」といって出ていこうとする。

「待てよ」とチャズブル。「収穫祭にしては時期が遅くないか？　それに、なんで水曜に？」

「婦人会にV2が落ちたせいで延期になったんだよ」とセス。また出ていこうとして足を止め、「おっと、忘れるところだった」とチャズブルに向かって、「レイディ・ブラックネルが呼んでるぞ」

「なんの用で？　オースティンの件がバレたんじゃないよな？」

「そうじゃないことを祈ってるよ」とセス。「まあとにかく、用心しろよ」といって、ふたりともようやく出ていってくれた。

レイディ・ブラックネルがなんの用なのかはともかく、それが最低でも三十分かかる話し合いで、なおかつそのあいだじゅうセスが興味津々で戸口に張りつき、立ち聞きしているとしたら、その隙に記事を仕上げられる。

『作り上げたクリスマス・クラッカーは、ボール紙製の筒とタウンゼンド・ブラザーズ百貨店から寄付された包装紙を使い、中には薄葉紙でつくった王冠が入っている。クラッカーといえばパーンと鳴るものだが、ミス・オライリー（友人にはポリーと呼ばれている）いわく、「いいえ、兵隊さんたちはこの一年、パンパン鳴る音をさんざん聞いているから、クリスマス休暇ぐらいは平和で静かに過ごしたいと思うはずです」』

もっとも、その願いがかなうわけではない。今年のクリスマスの週には、バルジの戦いがある。それもまた、ぼくが観察できない歴史上の出来事だ。傍受した暗号を解読しながら過ごした真珠湾攻撃のことを思い出しながら、心の中でそうつぶやいた。バルジの戦いの時期には、銃後のクリスマスの記事を書き、V2を罪もない人々の頭上に落として過ごすことになる。

『二人のクリスマス・クラッカーには、お菓子といっしょに手書きの標語も入っている』とアーネストはタイプした。『「きょうの一針あすの十針」、「求めよ、さらば与えられん」などなど』

チャズブルがオフィスにずかずか踏み込んできた。「ああもう、これでおじゃんだ」とがっくりしたようにいう。

セスが戸口から顔を突っ込んで、「どうした?」

ああくそ。アーネストはタイプの手を止めた。この調子だと、記事を書き上げる前にクリスマスが終わってしまう。

「クリクルウッドのセント・アンセルム教会でボイラーが爆発した」チャズブルが憤懣《ふんまん》やるかたない口調でいった。

「クリクルウッド?」アーネストは眉根にしわを寄せて、「ダブルデートの行き先はゴールダーズ・グリーンだろ」

「もう違う。おれはどこにも行けないよ。鐘楼はまだ立ってるらしい」

「なに?」

「ノルマン様式だ。有名なんだよ。写真とキャプションと記事を夕刊の締切前にロンドンの日刊紙全紙に届けろとブラックネルがいってる」

なるほど、やっとわかった。ボイラー爆発の被害はV2攻撃の被害現場そっくりに見える。ノルマン様式の有名な塔なら旅行ガイドにも載っているだろう。ということは、どこの教会なのかドイツ軍防諜局が特定する可能性がある。というより、その可能性が高い。しかも、場所はロンドンの北西で、V2の着弾地点だとドイツ軍に思わせようとしている、まさにその地域だ。

「こんなの不公平だ」チャズブルががっくりした顔でいった。「ダフニとなんとかなるチャンスはもう二度とない」

「そのとおりだな」とセス。「おまえがふたりを連れてゴールダーズ・グリーンに行けよ。おれがクリクルウッドに行くから」

「いや、ぼくが行くよ」とアーネストはいった。で、その帰り道に、ローカル週刊紙に記事を届けられる。

「行ってくれるのか?」

「ああ。でも、出かける前に、V2の着弾時刻をいつにすればいいのか教えてくれ。それと、ヘラルドに電話して、こっちが許可するまでセント・アンセルムの件を記事にしないように念を押してくれ」

「了解」といってチャズブルが飛び出していった。

「助かったよ、相棒」とセス。「ひとつ借りだ」

「セント・アンセルム教会までの道順を調べてきてくれたら、貸し借りなしだ」

セスがうなずいて、出ていった。時間の猶予は数分しかない。『コリン・T・ワース補給係将校は、このクラッカーが目的地に届くよう手配し』とアーネストはタイプした。『数百人の幸運な兵士たちは、やりくり上手な二人の少女が、(チャーチル首相が全国民に求めるとおり）〝分を尽くして〟くれたおかげで、楽しいクリスマスを過ごすことになる』

紙を引き抜くと、葬儀の告知を回収し、その両方をジャケットの内ポケットに突っ込んでから、白紙一枚とカーボン紙三枚をタイプライターにはさみ、大文字でタイプした。『恐怖の独軍ロケット弾が歴史ある教会を破壊』

「先週の水曜、ブルームズベリに落ちた」といいながらチャズブルが入ってきた。ジャケットにネクタイ姿になっている。「午後七時二十分」

水曜の夜。完璧だ。水曜の夜は聖歌隊の練習がある。

「被害者は？」

「ああ、四人だ。全員死亡。ただしそのあと、十時五十六分に、V1がおなじ地域に落ちてるから、それは問題じゃない」

死んだ四人以外にとっては。それと、この写真のせいでドイツ軍が弾道を変更したことによってダリッジかベスナル・グリーンで命を落とすことになる人間以外にとっては。

セスが入ってきた。「セント・アンセルム教会までの道順だ」と手書きの地図を差し出す。

「よし」とアーネスト。「ヘラルドには電話してくれたか、チャズブル？」

「ああ。おまえから連絡があるまで記事は止めておくそうだ」

「行こうぜ」とセス。「祭りは十二時にはじまる」

「いま行く」とチャズブル。「一生恩に着るよ、ワージング」

「なんでもないさ。牛乳瓶を倒して、ダフニのハートを射止めろ」と、チャズブルに手を振って送り出した。セント・アンセルム教会の記事を書き上げ、そのカーボン・コピーとカメラとフィルム数本をひっつかんでクリクルウッドに出発した。

レイディ・ブラックネルがセント・アンセルム教会のニュースに興奮した理由はひとめでわかった。特徴的なノルマン様式の鐘楼が無傷で残っているだけでなく、『セント・アンセルム教会、クリクルウッド』と書かれた鋳鉄製のアーチもそのままで、その背後の瓦礫はV2攻撃の残骸そっくりに見える。

「最初に見たときはてっきりV2だと思ったよ」とおしゃべり好きの聖堂番がいった。「ほら、爆発の前になんの物音もしなかったから。取材に来たミラーの記者もそういってたが、そいつが写真を撮ってるときに、石が濡れてるのに気がついたんだ。でも、雨なんか降ってなかったから、それでひょっとしたらボイラーかもと思って。調べてみたらやっぱりボイラーだった」

「デイリー・ミラーの記者が取材に来たんですか？」とアーネスト。「記事にするといってました？」

聖堂番がうなずいた。「あしたの朝刊。考えてみりゃ皮肉な話じゃないか。大空襲も飛行爆弾も傷ひとつなく切り抜けてきたセント・アンセルムが、ボイラーの故障でぺしゃんこになるとはね」悲しげに首を振った。

「記者は名前を名乗りました？」

「ああ、でも、もう覚えてない。ミラーだったかな。それともマシューズか」

「ほかの新聞の記者は？」

「地元紙の記者だけ。ああ、それとデイリー・イクスプレス。でも、ボイラーの事故だといったら、急に興味をなくして、写真一枚撮っていかなかった」

アーネストは聖堂番に頼んで牧師館の電話を貸してもらい、レイディ・ブラックネルに連絡をとった。「記事は止めるように交渉してみる」とブラックネルがいった。「すくなくとも、ロンドンの日刊紙に写真が出ることはないようにするから、きみは地元紙のほうを止めて、おりかえし電話してくれ。ミラーとイクスプレスの二紙だけなのはまちがいないな？」

「ええ」と答えたが、電話を切ってから聖堂番にもういちど確認した。聖堂番は、たしかに記者はふたりだけだったと断言した。アーネストは、もしほかの新聞の記者がやってきたらすぐに電話してほしいと頼んで、レイディ・ブラックネルの番号を渡した。

「それと、もし記者が来ても、写真は撮らせないでください」といって、地元紙の編集長に会いにいった。

根掘り葉掘り質問されずに済むことを祈っていたが、はかない望みだった。

「しかし、戦争になんの関係もない記事を紙面に出すことが、どうして敵に情報を与えることになるのかさっぱりわからんね」と編集長はいった。「あれはボイラーの爆発事故で、爆弾じゃないいんだから」

「ええ」とアーネスト。「でも、どんな破壊でも、敵に正確な情報を与えれば、彼らの宣伝工作に利することになります」

「しかし、あんたはV2による破壊だという記事を書いたんだろ」編集長はけげんな面持ちで、「ドイツ軍はロケット弾がどこに命中したか、ほんとのところを知ってるんじゃないのか？」

この記事を止められないとそうなるんだよ、と心の中でいった。

「それに、教会がV2に破壊されたと書くことのほうが、連中の宣伝工作に利するんじゃないか？」

「いいえ。だってほら、あとから真実を明かして、敵の宣伝が事実に反することを証明できますから」と説明すると、編集長はそれで納得してくれたようだった。念には念を入れて、アーネストは自分で活字を組むと志願し、一面が印刷されるまで見届けることにしたが、それには永遠の時間がかかった。ここの印刷機は、クラリオン・コールの印刷機よりもさらに不具合を起こしやすい。ようやく報告を入れたときには、正午をまわっていた。

「脅しつける必要があったが」とレイディ・ブラックネル。「しかし、ミラーとイクスプレスの記事は両方ともなんとか押さえた。しかし、新しい記事はまだ提供できてないから、フリート・ストリートまで届けにいってくれ」

フリート・ストリートに？　それだと一日つぶれてしまう。「電話送稿じゃだめですか？　いくつか、ローカル週刊紙の編集部に写真を持ち込むつもりだったんですが」

「いいや、ミラーとイクスプレスにはきみが足を運んで、記事をチェックしてほしい。ここまでやっておいて、ヘマはごめんだ。ボイラー爆発の記事ひとつで、計画全体がおじゃんになる」

あるいは、モリスン内務大臣がこちらの計画に気づいてやめろと命令するとか。そうなれば、ローカル紙に捏造記事を送る理由もなくなる。しかもそれは、ミラーなりイクスプレスなりの編集長が記事を押さえることに同意しながら、記者か植字工にそれを伝え忘れただけでじゅうぶんに起こりうる事態だ。つまり、可能なかぎりフリート・ストリートに行ったほうがいい。クリクルウッドの新聞社のときほどやっかいな押し問答にならないことを祈った。

ならなかった。ミラーは三面を止めて待っていたが、イクスプレスは記事を翌日まわしにしていた。両紙とも、アーネストがゲラ刷りをチェックするのを許可し、印刷担当者はローカル週刊紙にまわせる写真凸版を提供したうえ、記事を書いた契約記者の名前を教えてくれた。

アーネストはその記者の足跡を追い——セント・ポール大聖堂近くのパブにいた——写真と記事をよそに売っていないことをたしかめた。他紙には売っていないと請け合ったが、帰りぎわになって、セント・アンセルム教会に着いたときデイリー・グラフィック紙の記者が引き上げるのを見かけたといったので、その記者にも会うことになり、さらに万一のことを考えて、残る新聞社にも足を運んだ。

ロンドンの日刊紙に出るセント・アンセルム教会の記事は自分が書いたバージョンだけだと納得したころには、午後九時になっていた。これでもう地方紙はまわれない。だが、もしかしたら、クラリオン・コールのオフィスはまだ開いているかもしれない。もしあの印刷機がまた故障していたら、ジェパーズ氏は真夜中まで今週号を印刷している可能性がある。真夜中までに着ければ。外は真っ暗で、霧が出ていた。そのためのろのろ運転を余儀なくされ、クロイドンに着いたときは、クラリオン・コールのドアは閉まっていた。しかし、ジェパーズ氏の自転車はまだオフィスの前にとめてある。アーネストはドアをドンドン叩き、テープを貼ったガラスをガタガタ鳴らした。

「ジェパーズさん！」印刷機が動いていないことを祈りながら叫んだ。もし動いていたら、ぜったい聞こえない。「開けてください！」

「営業終了だ！」とジェパーズ氏がドアの向こうからいった。「あしたの朝、出直してこい」

「アーネスト・ワージングです！」と叫び返す。

「わかってるとも！　こんな夜中に来るやつがほかにいるもんか」ジェパーズ氏はドアを開けた。「で、朝まで待てないほど大事なニュースってのは？　さては、ヒトラーが降伏したか？」

「それはまだ」アーネストはジェパーズ氏に記事を渡した。

ジェパーズ氏は受けとろうとせず、「遅すぎる。一面はもう組み上がってる」

「一面じゃなくていいんです。すくなくともこれだけは、どこかに突っ込んでください」といって、セント・アンセルム教会の記事を押しつけた。ほかの記事は来週号になってもしかたがない。

ジェパーズ氏はそれを受けとり、「『写真添付』とあるじゃないか」といって首を振った。

「写真凸版をつくってる時間はない」

「その必要はありません。凸版はここに」といって、亜鉛板をかざしてみせた。「必要なのは記事の活字を組むことだけ。ぼくが自分でやりますよ」といって、ジェパーズ氏に反対する暇を与えず、ジャケットを脱いで、新聞用紙の巨大なロールの上に放り投げると、拾った活字を入れる文選箱をつかんだ。

「わかった。勝手にやれ」ジェパーズ氏がレバーを蹴ると、印刷機が動き出した。「ただし、一面の印刷が終わるまでにその記事が組み上がってないと、来週号にまわすぞ！」と印刷機の轟音ごしに叫んだ。

アーネストは必要な文字を活字ケースから拾って箱に入れはじめた。いまのところ、計画以上にうまく運んでいる。ページのいちばん下の三行広告はすでに組み上がって校正刷りが出ていた。もしも記事が早く組み上がったら、自分のメッセージと入れ替えることができる。ジェパーズ氏はどうせ気づかないだろう。

もしも一面の印刷が終わる前に、活字をぜんぶ拾って、記事を組み上げられたら。印刷機は詰まるようすもなく、着実なペースで紙を吐き出している。よりにもよってなぜ今夜だけはちゃんと動くことにしたんだろう。それに、ぼくはどうして『歴史的建造物《historic architecture》』なんて言葉を使うのが冴えてると思ったりしたんだろう。

Uはどこだ？　アーネストは活字を拾って所定の位置に入れ、空っぽの箱をとった。

ガタガタという音を耳が聞きつけた。よし、ここの印刷機の十八番がはじまった。いったいCはどこだ?

ガタガタがさらに大きくなり、ガンガン響きはじめた。レンチがギアに嚙んだような騒音。

「機械を止めろ!」と叫ぶ。もっとも、あと一分もすれば、止めるまでもなく印刷機がばらばらになりそうだ。

「なんだって?」ジェパーズ氏が耳のうしろに手をあてた。

「印刷機のようすがおかしい!」と叫び、機械に指をつきつけた。「そのガタガタ。早く——」

騒音がぱったりやんだ。「ガタガタ?」ジェパーズ氏が、印刷機のなめらかな動作音越しにいった。「なにも聞こえないぞ!」

そりゃ、音がやんだからだよ。そしてそのとき、アーネストは思った。もしあれが飛行爆弾《ドゥードゥルバグ》だったら——?

しかし、考えをまとめる時間も、ジェパーズ氏に向かって叫ぶ時間も、逃げる時間もなかった。時間はまったくなかった。

われらのはかない生は眠りとともに終わる。

――ウィリアム・シェイクスピア『テンペスト』（4幕1場）

58

ロンドン　一九四一年春

だれかが呼んでいる。きっとオール・クリアが鳴ったんだ。と思ったが、それはサー・ゴドフリーだった。「起きて」と厳しい声がいう。「聞こえます、お嬢《ミ》さん《ス》？」頭が痛い。稽古の最中についい居眠りしてしまったに違いない。サー・ゴドフリーがかんかんになるだろう。いや、サー・ゴドフリーじゃない、彼はいつもヴァイオラと呼びかけるんだから。そう思ったとき、自分たちがどこにいるのかを思い出した。

いまもまだ、爆撃された劇場の中。ポリーはサー・ゴドフリーの体の上に横たわり、全体重が彼の上にかかっていた。「ごめんなさい、サー・ゴドフリー。気を失って、あなたの上に倒れてしまったみたい」

彼は答えない。

「サー・ゴドフリー？　起きてください」といって、彼の上から体を動かそうとしたが、そのせいで頭痛がさらにひどくなった。

「動かないで。いま行くから」どこか上のほうから声がした。「気をつけろ。ガスのにおいがするぞ」

「サー・ゴドフリー」とポリーはいったが、返事はなかった。

助けられないこと、救助が間に合わないことはわかっていたはずなのに。

「ああ、サー・ゴドフリー。ほんとうにごめんなさい」とつぶやき、彼の肩に頭をのせた。

「ミス！」声が命令口調で呼んだ。「閉じ込められてるのか？」

ええ。心の中でそう答えたとき、手が伸びてきて、ポリーの体をサー・ゴドフリーの上から持ち上げた。

「だめ。彼、出血してるの」と抗議したが、そのときにはもう彼女の体は穴から運び出され、いまはサー・ゴドフリーの脚の上から座席が持ち上げられているところだった。柱の下にジャッキを入れたり、穴の中に飛び込んだり、サー・ゴドフリーの上にかがみこんだりしている。

「爆弾が落ちたとき、劇場にはほかにだれかいましたか、ミス？」ポリーをひっぱりあげた男がたずねた。

「わからない。居合わせたわけじゃないから。この劇場が爆撃されたのを知って、サー・ゴドフリーを捜しにきたの。そしたら靴のかかとがはさまって」といきさつを説明した。「それをはずそうとしてたら声が聞こえて――」

「かかとがはさまるのも無理はない。事象現場をよじのぼるような靴じゃない」金色のハイヒールを履いた足と、はだしの足、それからポリーの衣裳というか、その名残りに目を向けていった。

「圧定布をつくるのにスカートを破らなきゃいけなくて」と説明しかけたが、彼は聞いていなかった。

「怪我をしてる」とべつのだれかにいう。目を落とすと、水着と両手が血まみれだった。

「あたしの血じゃない。ペイジの血」そして、彼はもう死んだのだから手遅れなのに、「サー・ゴドフリーは胸に傷が。押さえつけて止血しないと」

「彼のことは心配しなくてもだいじょうぶ。われわれにまかせて」といいながらポリーの両手を調べた。「ほんとうに怪我はしてない？」

あたしの両手は血に染まっている。救助隊員が傷はないかとポリーの手をひっくり返して調べるのをぼんやり見ながら、ポリーは思った。マクベス夫人みたいに。「『なんてこと、この手はもうきれいにならないの？』（『マクベス』5幕1場）」とつぶやく。

「ミス——」

「そうじゃない。あたしが殺したのよ。歴史を変えて——」

「ショック状態だ」と救助隊員がだれかにいった。

「いいえ」ショックじゃない。ショックというのは、セント・ジョージ教会の残骸の前にいたあの日のような——なにかおそろしいことが起きて、だれも自分を助けにきてはくれないのだとさとったあの日のような——不意打ちのことだ。これは違う。こんなふうに終わることはずっとわかっていたのだから。

「担架！」と救助隊員が叫んだ。

無駄よ。あたしを救うこともできない。でも、どうしてガス中毒で死ななかったんだろうとぼんやり思った。そうすれば、もうこれ以上、あたしが被害を与えることもないのに。ほかにだれも殺さずに済むのに。

「救急車まで運ぶ必要があるんだが」と救助隊員がいった。「歩けそう？」

「ええ」きっと担架が用意できないんだ。デネウェル少佐がぜんぶ確保してしまったから。

「いい子だ」といって、救助隊員が片手を腕の下に添え、立ち上がるのを助けてくれた。「さあ、行くよ」

しかし、歩こうとすると体がぐらぐらして、救助隊員に倒れかかった。隊員が腕をつかんで支えてくれた。「脚を怪我してる？」

「ううん、靴のせい。体はだいじょうぶ」しかし、もういちど立とうとすると、今度はめまいがして、前に倒れそうになった。「頭が――」

「ガスを吸ったせいで、ふらふらするんですよ」といって、ひっくり返った座席の上にポリーをすわらせた。「大きく深呼吸して……そうそう」

隊員は顔を上げると、穴のまわりに集まっている男たちを呼んだ。「しばらくここにすわって、お嬢さん――名前は？」

「メアリ」と答えたが、いまは大空襲で、V1じゃない。「ヴァイオラ」

「ヴァイオラ、聞いて。ぼくはハンター。息が楽になるように酸素をとってくるから、しばらくここにすわって待ってて。だいじょうぶ？」

ポリーはうなずいた。

「すぐもどる」ハンターは、残骸を乗り越えて担架を運んでくるふたりの男のもとへ行き、なにか話をしてから担架を受けとった。ふたりはまた瓦礫を越えて向こうへもどり、ハンターは担架を穴のほうへと運んだ。バルコニーの壁の一部が穴から運び上げられるところだった。

サー・ゴドフリーの遺体を運び出すためだ、とポリーは思った。ガス漏れが止まるまで待たなければ。

「血漿《けっしょう》の点滴をとってきてくれ」穴からだれかが叫び、男たちのひとりが残骸の上を鹿のようにぴょんぴょん跳ねながらとりにいった。

どうしてそんなにあわててるんだろう。ポリーは困惑した。サー・ゴドフリーはもう死んでるのに。

足をひきずって穴に歩み寄った。救助隊がサー・ゴドフリーの体をひっぱりあげ、担架に乗せるところだった。胸には包帯が巻かれ、傷口には白いガーゼのパッドがテープで留めてある。隊員のひとりが持つ輸液用のガラス瓶から伸びたチューブが、包帯を巻いた手首につながっている。

「そっとだ、患者を揺らすな」と瓶を持つ男が指示し、あとのふたりがサー・ゴドフリーを担架に乗せた。「また出血するぞ」

　死んでないんだ。ポリーは驚きの念に打たれた。もっとも、彼の命を救えたわけじゃない。たんに死亡時刻を遅らせただけ。病院へ搬送される途中で息をひきとるだろう。それとも、救急車に収容される前、担架に乗せて残骸の上を運ばれていく途中で。「ごめんなさい」とポリーが声に出していうと、男たちがこちらを見た。

「いったいどうして彼女がほったらかしなんだ？」輸液瓶を持つ男がいった。「治療が必要だ」

　ハンターが急ぎ足でやってきた。「ヴァイオラ、これからきみを救急車に運ぶ。ぼくの首に腕をまわして」

「気をつけろ」ハンターが瓦礫の上を横断しはじめると、担架を運んでいる男の片方がいった。「火花が散ったら、全員吹っ飛ぶぞ」

「行かなきゃ、ヴァイオラ」とハンターは口早にいった。「この劇場はいつ爆発してもおかしくない」

　もちろんそう、ガス爆発だ。担架を運んでいる男の靴底の鋲《びょう》が座席の鉄製の脚にこすれて火花が散り、充満するガスが巨大な火球となって爆発し、あたしたちみんなを呑み込む。あたしを助けるために脱出が遅れたハンターを含めて。

　ハンターから離れなきゃ。劇場が爆発したとき、あたしや担架のそばにいなければ、負傷だけで済むかもしれない。「だいじょうぶ。自分で歩ける」といって、ハンターから離れ、ひっくりかえった座席の上をできるだけ急いで歩き出した。片足はハイヒール、片足ははだし。

「用心して、もっとゆっくり！」ハンターが背後から叫んだ。「転ぶぞ」

座席の列によじのぼり、マホガニー製の手すりを乗り越えた。担架を運ぶ男たちは劇場の中ほどにまで到達し、輸液瓶を持つ男は、それをランタンのように高く掲げている。ポリーは、喜劇と悲劇の仮面が描かれた壁の破片に足を下ろした。ハンターをふりかえる。ほんの数歩うしろにいる。

向こうへ行って。必死にそう念じながら、よろよろと悲劇の仮面をまたぎ、喜劇の仮面を越える。あたしは死神なのよ。そのとき、ハイヒールの足が漆喰の破片を踏み抜き、足首まで埋まってしまった。勢いあまって前に倒れ、両手両ひざをつく。

「どうした？」ハンターがたずね、近づかないでと警告するまもなく、すぐ横に飛び下りると、手を貸して立たせてくれた。「怪我した？」

「いいえ。足が――」

「だれか、手を貸してくれ！」ハンターが担架を運ぶ救助隊員たちの背中に呼びかけた。

「このお嬢さんが――」

「いいえ」とポリー。「ひとりでだいじょうぶだから、かなてこをとってきて」

しかし彼はすでにひざをついて、ポリーの足首をひっぱっていた。「かかとがはまりこんでる。靴から足を抜ける？」

いいえ。体をひねり、担架のほうを見た。救助隊員は、もう出口に近づいている。いつ爆発してもおかしくない。いますぐここを離れても、ハンターが逃げ切る時間はないだろう。

「ほんとにごめんなさい」

靴のことを謝っているのだと思ったらしく、ハンターは、「だいじょうぶだ。ただ、その靴から脱出しないとね」といいながら、漆喰板のぎざぎざのへりから手を突っ込んでポリーの足を探った。「いっただろ、事象現場をハイヒールの靴で歩いたりしたらやっかいなことになるって。もっとも、結果から見ると、そうしてくれて大正解だったわけだけど」

いいえ、そうじゃない。そのせいで、あなたたちみんなを死なせてしまう。ふりかえって、最後にひとめ、サー・ゴドフリーと担架を運ぶ隊員たちを見ようとしたが、彼らの姿はなかった。

「どこ？」と声に出したとき、男たちの叫ぶ声とドアがばたんと閉まる音、エンジンが始動する音が聞こえた。

救急車だ。サー・ゴドフリーが病院に搬送される。

救急車が鐘を鳴らしながら急発進する音がした。ということは、サー・ゴドフリーはまだ生きている。救助隊員たちもまだ生きている。劇場は爆発しなかった。

「脱出できたのね」まだ信じられないまま、そうつぶやいた。

靴からポリーの足を抜こうと奮闘していたハンターがつかのまこちらを見上げ、「よかった。病院に着いて傷を縫ったらすぐによくなるよ。きみは誇りに思うべきだね。人の命を救ったんだから」

マイクがハーディの命を救ったみたいに。アイリーンがアルフとビニーをシティ・オブ・ベナレス号に乗る運命から救ったみたいに。

「スカートを使って傷口を押さえたのは名案だったね」とハンターがしゃべっている。「きみが彼を発見して、適切な処置ができてラッキーだった。そうじゃなかったら、彼は死んでいた」

そのとおりだ。もしヒールがはさまって、それを抜こうとかがみこまなかったら、彼が呼ぶ声はきっと聞こえなかった。もしこんな靴を履いていなかったら、ヒールがはさまることもなかった。

「蹄鉄《シュー》が足りずに」とポリーはつぶやき、とつぜんマイクの言葉が耳に甦った。「こっちに抜けてきたのがあんな時点じゃなかったら、バスに乗り遅れてソルトラム・オン・シーで立往生することも、コマンダーの船で眠り込むこともなかったのに……」

そして、もしあたしが斡旋所に行って救急車運転手の職に志願しなかったら、ＥＮＳＡに割り当てられることもなく、アルハンブラ劇場で舞台に立つこともなかった……。

「足を前後に動かしてみて」とハンターがいった。「そうそう」腕をさらに深くつっこんで、「そのまま動かしつづけて。もうちょっとで抜けそうだ」

ポリーはぼんやりうなずきながら、べつのことを考えていた。もしミセス・セントリーが

はしなかった。

『クリスマス・キャロル』の公演を見ていなかったら、あたしをENSAに割り当てようと

でも、もし連続体が自己修復しようとしているのなら、どうしてあたしがここに来るのを妨げなかったんだろう。マイクをドーヴァーに行かせなかったように、あるいは、十二月二十九日の夜にあたしたちがバーソロミューさんを捕まえるのを妨害したように。

ポリーはふと思った。マイクはあの夜、倒れてくる壁の下敷きになりかけた消防士ふたりを突き飛ばして助けた。そしてアイリーンもだれかの命を救った。救急車で運ばれた男の命を。それにビニーは救急車を運転した。肺炎で死にかけていたとき、つきっきりで看病したアイリーンに命を救われたビニーが。

でも、もし過去がみずからを隔離して、受けたダメージを修復しようとしているのなら、アイリーンが空襲の被害に遭った負傷者の命を救うのをなぜ止めなかったんだろう。二十九日の夜には百六十人の死者が出ている。マイクとアイリーンを、あたしもろとも殺してしまうのは簡単だったはず。あるいは、あたしたちにジョン・バーソロミューを発見させて、オックスフォードに帰すことも。

もしあのときオックスフォードにもどっていれば、あたしたちが事態をこれ以上ややこしくすることはなかっただろう。あたしがサー・ゴドフリーの命を救うことも、アイリーンがあの男の命を救急車で救うこともなかった。しかも、アイリーンはジョン・バーソロミューをじかに目撃して、あとを追いかけていた。なのにアルフとビニーがあらわれて、彼女が追

いつくのを邪魔した。シティ・オブ・ベナレス号に乗る運命をアイリーンによって未然に防がれた、アルフとビニーのホドビン姉弟が。

「よし、とれたぞ」とハンターがいい、かかとと足が急に自由になって、ポリーはあやうくつんのめるところだった。ハンターが体を支えてくれた。

「ええ」姿勢を正し、割れた漆喰板から足を抜きながら、とにいらだっていた。どこまで考えてたんだっけ？　アルフとビニーだ。あのふたりがアイリーンを邪魔して、ジョン・バーソロミューが――

「足首をひねった？」

「いいえ」ポリーはまた残骸の上を歩き出した。ハンターを黙らせるために。いま必死にたどっている思考のか細い糸が切れないように。もしアルフとビニーに邪魔されていなかったら、アイリーンはジョン・バーソロミューに追いついていた……。

疎開児童を観察する現地調査の最終日に、アイリーンがオックスフォードに帰れなかったのも、やはりあのふたりのせい――アルフがはしかにかかったせいだ。アルフが病気にならなければ、アイリーンが隔離で足止めを食うことはなく、ふたりをロンドンに連れ帰ることも、海外疎開プログラムに関するミセス・ホドビン宛ての手紙を握りつぶすこともなかった。そしてマイクの場合も、本来の目標時にネットが開いていれば、ドーヴァー行きのバスに乗ることができて、ダンケルクへ行くことも、ハーディの命を救う羽目になることもなかったはずだ。

　あたしだって、ネットが開いた時刻が午前六時ではなく午後六時だったおかげで空襲に捕まり、セント・ジョージ教会へ連れていかれることになった。そうでなければサー・ゴドフリーに会うこともなかったのに。

　でも、ずれは、航時者が歴史を変えるのを防ぐために生じるもののはずだ。ずれは本来――

「反対だ」とハンターがポリーの腕をつかんだ。

「なに？」

「そっちには行けない。道がふさがってる。こっちだ」といって、ポリーを反対方向に導き、倒れた柱を乗り越え、壊れた階段を降りた。「そうそう。あと二、三段」

「いまなんていったの？」ハンターを立ち止まらせようと、彼の手が支えている自分の腕を引いてたずねた。

「『あと二、三段』といったんだ。もうすぐだよ」

「じゃなくて、その前。腕を――」しかし、ふたりはもう、階段を降りきって劇場の外に出ていた。ハンターはポリーをふたりのＦＡＮＹ隊員に引き渡した。

「病院に搬送してくれ」とハンター。「内部損傷とガス吸引の疑いがある。意識がやや混濁」

「こっちだ！」ヘルメットの男が通りの向こうから呼び、ハンターはそちらに歩き出した。

「待って！」ポリーはその背中に呼びかけた。もうちょっとでつかめそうだった。サー・ゴドフリーの命を救ったとハンターに聞かされたときから、ずっとぎりぎり手が届かない場所に浮かんでいた認識に。「彼に話があるの」とFANY隊員たちに訴えたが、ハンターはもう去っていた。ポリーの体はいつのまにか毛布に包まれ、救急車の後部に運び込まれるところだった。

「彼に話が――」

「あなたが命を救った人はもう病院に運ばれてる。病院で話ができるわ」といいながら、FANY隊員がポリーの鼻と口にマスクをあてた。「大きく息を吸って」

「いいえ」ポリーはマスクを乱暴に押しのけて、「サー・ゴドフリーじゃないの。ハンターさん。あたしを連れ出してくれた人」しかし後部扉はすでに閉ざされ、救急車はもう動き出していた。「運転手さん、もどって。劇場から出てくるとき、彼がなにかいったのよ。それがなんだったのか訊かないと!」

「意識が混濁」と看護助手が運転手にいった。「ガスの影響ね」

いいえ、違う。手がかりなのよ。

ハンターが……なにかをいった。それを聞いたとき、だれかほかの人が口にした同じ言葉がそれにかぶさるように耳の中にこだまして……そして一瞬、すべてに筋が通った――アルフとビニーがアイリーンの行く手に立ちふさがったこと、マイクが船のスクリューを動かしたことと、はしかとずれと『クリスマス・キャロル』が。思い出すことさえできれば……。

ハンターは、「そっちには行けない。道がふさがってる」といった。あたしたちの降下点とおなじだ。あたしの降下点は爆撃され、マイクの降下点は砲床が据えつけられ、アイリーンの降下点はフェンスで囲われてライフル射撃の練習場になり、帰る道をふさいだ。アルフとビニーがアイリーンの行く手をふさいだように。ポリーがノッティング・ヒル・ゲート駅から出るのを——セント・ジョージ教会が爆撃された夜、降下点へ行くのを——駅員が止めたように。

あの夜のことと関係がある。駅員は外に出してくれず、あたしはホルボーンへ行って——「痛くないですよ」と看護助手が酸素マスクをポリーの鼻と口に押しつけ、「ただの酸素ですから。頭がすっきりしますよ」

まだすっきりしてほしくない。ハンターがなにをいったかを思い出し、とぎれた思考の糸をつなぎ直すまでは。パズルだ。マイクのクロスワードのような。ホルボーンと、マイクが乗り損ねたバスと、ENSAと、あたしの靴に関係がある。

いや、あたしの靴《シュー》じゃない——馬がなくした蹄鉄《シュー》だ。「馬が足りずにいくさにやぶれ、いくさにやぶれて大戦に……」

救急車ががくんと揺れて停止し、看護助手たちが後部扉を開け、ポリーを病院内に運び込んだ。通り過ぎた受付デスクの前には女性がすわっていた。

あの夜のセント・バーソロミュー病院のアガサ・クリスティーのように。そしてその一瞬、またもうちょっとで手が届きそうになった。アガサ・クリスティーとなにか関係がある。それに、ホルボーンへ行ったあの夜とも。空襲警報のサイレンが早く鳴りはじめ、駅員が降下点へ行くのを邪魔し、だからパラシュート爆弾が爆発したとき、ポリーはセント・ジョージ教会におらず、一座のみんなが全員死んでしまったのだと思ってふらふらとタウンゼンド・ブラザーズへ行き、その姿を見たマージョリーが飛行機乗りと駆け落ちすることを決心した——。

「それを脱がすわね」と看護婦がいい、ポリーの血まみれの水着を脱がせると、患者用ガウンを着せてベッドに寝かせてから、質問を雨あられと浴びせかけたので、考えに集中できなくなった。自分の名前がヴァイオラではなくポリー・セバスチャンであること、ウィンドミル劇場のコーラス・ガールではなく、怪我をしていないことをくりかえし説明しなければならなかった。

「あたしの血じゃないの」とポリーは何度もいった。「サー・ゴドフリーの血よ」

ハンターがいったことを思い出そうと必死になるあまり、サー・ゴドフリーのことをほとんど忘れていた。でも、もし彼が病院に運ばれる途中で息をひきとっていたら、そんなことは関係なくなる。もしあたしが彼の命を救ったのでなければ……。

「彼はここにいるの？　無事なの？」

「だれかに訊いてこさせるわね」と看護婦が約束し、ポリーの脈をとってから、体の上に毛布をひっぱりあげ、「これで眠れるようになるから」

「眠りたくない」といったが、もう手遅れだった。注射針がすでに腕に刺さっていた。「マージョリー」とポリーはつぶやき、思考の糸を途切れさせまいと必死にがんばった。マージョリーは空軍パイロットと駆け落ちしようとしてジャーミン・ストリートにいたとき爆撃に遭い、それで……。

しかし、鎮静剤が効きはじめ、思考はたなびく細い煙のすじとなって霧のように薄れ、手の届かないところへ漂い去ろうとしている。もう思い出せない。マージョリー……違う、マージョリーじゃない。アガサ・クリスティーだ。それに、はしかと馬とホルボーン駅の夜。すわる場所がどこにもなくて、食堂の列に並んでエスカレーターが止まるのを待ち、女性客のピクニック・バスケットを盗んだアルフとビニーが逃げていく途中で通りかかった。そのアルフとビニーのせいで、アイリーンはセント・ポール大聖堂に行けなかった……違う、それはアイリーンじゃなくて、ダンワージー先生。ふたりのせいでセント・ポール大聖堂に行けず、先生はアラン・チューリングに衝突した。違う、アラン・チューリングと衝突したのはマイクだ。ダンワージー先生が衝突した相手はタルボットで、その拍子に口紅が通りに転がって、サー・ゴドフリーが……

その名を声に出して呼んでしまったらしく、看護婦が急ぎ足でやってきた。

「サー・ゴドフリーはちゃんと手当てを受けて寝ていますよ。さあ、休んでください」

だめよ。ポリーはくらくらする頭で思った。あたしがいてあげないと。「きみに拒否されたら、避けがたい災厄を防いでくれる人間がだれもいなくなる」とハンターがいった。違う、それはサー・ゴドフリーの言葉だ。ミセス・ワイヴァーンが計画しているパントマイムの話。ハンターがいったのは、「きみが彼を発見して、適切な処置ができてラッキーだった」

あたしはそれをオックスフォードで習ったのよ。救急車の運転手としてV1とV2攻撃を観察できるように。でも少佐はあたしたちをクロイドンに派遣して、ジョン・バーソロミューを捜索させた。違う、クロイドンじゃなくてセント・ポールだ。でも不発弾のせいで通りはどこも封鎖されていて、あたしはこっそりロープをまたいで丘を登ったけれど、道は袋小路で、あたしは反対の方向に――

反対。ハンターがいった言葉はそれだ。

「反対」ポリーはつぶやき、ホルボーン駅の赤毛の図書係がアガサ・クリスティーのペーパーバックを持っているところが目に浮かび、その声を聞いた。「いつも、今度こそ謎を解いたぞって思うんだけど、そのあとで、遅まきながら気がつくの。いまのいままで事件をあべこべに見ていて、実際に起きていたのはぜんぜんべつのことだったんだ、って」

いや、あの図書係はそんなことはいわなかった。いったのはアイリーンだ、あの日、オックスフォードで。いや、それも違う。でも、そんなことはどうだっていい。ポリーはついにつかんだ――あの劇場の残骸の奥からずっと追いかけてきたものを。これですべてが――タルボットとマージョリーとセント・ポール大聖堂とはしかと脱ぎにくい金色のハイヒールが――符合する。ちゃんと筋が通る。この認識をしっかりつかんでいること、二度と手放さずにいることが重要だ。でも、それは不可能だった。鎮静剤がすでに霧のように押し寄せ、すべてを覆い隠そうとしている。

「『眠れる森の美女』の呪文みたいに」といおうとしたが、いえなかった。ポリーはもう眠りについていた。

おれたちがこいつを生き延びる道はどこにもない。

——第四六七爆撃隊、ルー・ベイバー航法士

59　クロイドン　一九四四年十月

「助かったんだよ」アーネストはジェパーズ氏にそういおうとした。「あのV1で死なずに済んだんだ」しかし、煙が黒々と渦を巻き、編集長が見つからない。

きっと戦艦アリゾナが直撃されたんだ。そう思って、咳き込みながらも、ニュー・オーリーンズ級重巡洋艦の甲板越しに目を凝らした。

でも、そんなはずはない。ぼくはついぞパール・ハーバーには行けなかった。現地調査の順番をダンワージーに変更されたせいで。ああ、なんてことだ。まだダンケルクにいるのか。足が……

でも、それも違う。体が横になっている。レイディ・ジェーン号の甲板に、横になれるスペースはなかった。手すりに押しつけられて、ずっと立ちっぱなしでいるしかなかった。それに、ダンケルクにしては煙が濃すぎる。なにも見えない。真っ暗だ。きっと船室だろう。煙を通して炎が見え、半鐘《はんしょう》の音が聞こえる。

事象現場へ向かってるんだ。そう思ったとき、V1のことを思い出した。印刷機が壊れたんじゃないといいけど。セント・アンセルム教会のあの写真をクラリオン・コールに載せなきゃ。それと、この事象現場の写真を撮ろう。

あたりを見まわし、新聞の紙名がまだどこかに残っていないかチェックした。もし残っていたら、セスに〝クロイドン〟の文字をトリミングしてもらって、クリクルウッド・クラリオン・コールのオフィスだということにすればいい。

しかし、火災の光が弱くて、一メートル以上先はよく見えないし、なんのランドマークも見当たらない。煉瓦と折れた木材がオレンジ色がかった粉塵に包まれているだけ。煙だと思ったのは、煙じゃなかった。漆喰の粉塵だ。だからこんなに息が苦しくて、咳が止まらないんだ。何度か声を出そうとして失敗した挙げ句、ようやくいった。「ミスター・ジェパーズ！　懐中電灯はどこですか？　ここの看板をたしかめたいんですよ！」

ジェパーズ氏は答えなかった。半鐘がうるさくて声が聞こえないんだろう。鐘の音がすごく大きくなり、それからふっつりやんで、そのあとドアがバタンと閉まる音と、若い女性たちの話し声が聞こえた。

たぶん、彼女たちなら懐中電灯を持っているだろう。「もしもし！」と呼びかけ、口をつぐんで咳き込んだ。「懐中電灯ありますか？」

だが、聞こえなかったと見えて、足音が遠ざかっていく。「違う、こっち！」と怒鳴った――まちがいだった。漆喰の粉塵を大量に吸い込むことになり、のどが詰まる。

「しいっ。さっき声がしたみたい」と女性のひとりがいった。それにつづいて、板が割れる音や砂塵がざらざらと滑る音がした。こっちに近づいてくる。「どこ？」

「こっちだ」とアーネストはいった。「ジェパーズ、だいじょうぶだ。助けが来る」

「どこなの？　しゃべりつづけて」と声がしたが、それには返事をしなかった。声に耳をすましていた。聞き覚えのある声。

「こっち！」第二の声が遠くのほうで叫んだ。ひっかくような音につづいて、「見つけた」

その声の調子から、相手が死んでいるのがわかった。

でも、ぼくは生きてる。ぼくらはV1を生き延びた――

「どこかにもうひとりいるのよ」と第一の声がいった。それにつづく言葉は聞きとれなかった。またひっかくような音。「こっち！」と叫ぶ。距離が近づいている。そのとき、彼女がやってきた。こちらにかがみこんでいる。「だいじょうぶですか？」

見上げたが、炎の明かりはその顔を見分けられるほど明るくなかった。ヘルメットの下の金髪がちらっと見えただけだった。

「もう心配ないわ。いますぐここから運び出します。フェアチャイルド！」と大きな声で叫び、「こっちに来て！」それから足のほうにまわって、煉瓦や木材の破片を動かしはじめた。

「光がいる！」

フェアチャイルドと呼ばれた女性がやってきた。「生きてる？」とたずね、かたわらにひざまずく。そのとき、火災の勢いが強くなったらしく、彼女の顔がはっきり見えた。とても若く見える。

「容態は？」

「片脚が――」

「それはV1のせいじゃない。ダンケルクだ」といったが、ふたりには聞こえていない。

「傷口は止血したから」第一の女性がフェアチャイルドに向かっていった。「クロイドンはまだ？」その声は、ポリーそっくりに聞こえた。

「まだよ」とフェアチャイルド。

「じゃあ、あたしたちで救急車まで運ばないと。担架をとってきて」ポリーそっくりの声がいい、フェアチャイルドが瓦礫の上を走っていく足音が聞こえた。「それと、懐中電灯！」

彼女はアーネストの脚を瓦礫の下から掘り出そうとしている。でも、ポリーのはずはない。デッドラインは過ぎてしまった。

「心配しないで。すぐに出してあげるから」彼女がすぐそばにかがみこみ、火明かりでその顔がはっきり見えた。ポリーだった。どこで会おうと、彼女を見違えることはない。

だめだ、だめだ、だめだ。ポリーはまだここにいる。もう手遅れだ。彼女のデッドラインはもう過ぎてしまった。

「ほんとうにすまない」としわがれ声でいった。

「あなたのせいじゃない」と彼女はいった。

でも、ぼくのせいだ。デニス・アサートンを見つけ出すことができず、どのメッセージもオックスフォードに届かなかった。もし届いていたら、彼女がここにいるはずはない。

「ほんとうにすまない」といおうとしたが、粉塵と絶望にのどが詰まった。なにもかも無駄だった——大量の三行広告も、結婚の公告も、新聞への投書も。メッセージは届かなかった。だれも助けにこなかった。デッドラインが来たとき、ポリーはまだここにいた。

「ぼくがひとりになれば、きみとアイリーンを脱出させられると思ったんだ」といってポリーの顔を見上げたが、火事が消えてしまったのか、その顔が見えなかった。しかし、彼女がまだそこにいるのはわかった。煉瓦や木材を彼の胸の上から動かし、腕を自由にしようとしている音が聞こえる。

「まだここにいるとは思わなかった——死んでしまったかと——」

「しいっ。無理にしゃべらないで」ポリーが這い寄ってきて反対の腕に手を伸ばした。

「ここにいるはずじゃない」といおうとした。「ダリッジにいるはずだと——」

しかし、声になったのはダリッジという地名だけだったらしく、ポリーはいった。

「ノーベリーに運びます。そのほうが早いから。心配しなくていいの。あたしたちの仕事だから」

そのとき、ポリーがなにか聞きつけたみたいに、さっと顔を上げる気配がした。それにつづいて、遠くのほうからフェアチャイルドの声がした。

「担架が下ろせない！　つっかえてる！」

「それはいいから！　救急キットを持ってきて！」

しかし、その声が届かなかったらしく、フェアチャイルドが叫び返した。「なに？　メアリ、聞こえない！」

メアリ？　「メアリ？」とつぶやいた。

「ええ」と答える低い声がかろうじて耳に届き、安堵の波がどっと押し寄せてきた。デッドラインを過ぎてここにいるわけじゃなかった。彼女はポリーじゃない。メアリだ。これはV1、V2攻撃の現地調査で、ぼくの救出が間に合わなかったわけじゃなかった。そういうことはまだなにひとつ起きていないし――ポリーはまだロンドン大空襲の現地調査にさえ行っていない――まだ彼女を救う時間はある。すでに救出している可能性もある。安堵のあまり、われ知らず泣き出し、その涙が頬を伝って口の中に流れ落ちたと見えて、舌の先とのどの奥にしょっぱい味を感じた。

「フェアチャイルド！」彼女が叫んだ。「キットを持ってきて！　早く！」

降下点が開かなくなることを伝えなければ。ポリーに警告しなければ。「メアリ、行っちゃだめだ。ネットは、なにかがおかしい。降下点が開かなくなる。行くな！」

「行かない。ここにいる」でも、ポリーは理解していない。

「やめろ！」といって、手首をつかんだ。「行っちゃだめだ。閉じ込められてしまう！」

「だいじょうぶ、閉じ込められたりしない。ここから出してあげるから。約束する」

「だめだ！　そうじゃない！　ロンドン大空襲へ行っちゃだめだ！」と叫んだが、その声が外に出ることはなかった。口の中の涙が粉塵と混じり合ってのどをふさいだ。「降下点が、開かなくなって――」そしてそのときとつぜん、砕けるような音とともにすさまじい爆風が吹きつけ、ふたりを倒した。

いや、それは違う。彼はすでに倒れている。アリゾナだ。甲板を直撃した爆弾が火薬庫まで貫通し、爆発の衝撃が彼女をなぎ倒した。

ポリーは立ち上がり、こちらに走ってくる。「だめだ！」と叫ぼうとした。「伏せろ！零戦がまた攻撃してくる！」

声が聞こえないのか、彼女はなおも走りつづけている。「伏せろ！」と叫んだが、遅かった。零戦はすでに彼女めがけて機銃掃射していた。ポリーの体がこちらに倒れてくる。「どこを撃たれた？」死んだんじゃないかと不安だったが、彼女は生きていた。ひざ立ちになり、彼の襟をまさぐっている。

「V2が落ちたの」といったが、そんなはずはない。ドイツ軍が飛行爆弾の射程を短くするように工作したから、クロイドンに落ちるはずだ。

「行かないと」ポリーがこちらにかがみこんでいった。それとも、そういったのは彼のほうか？　わからない。

「行かないと」そういったのが自分ではなかった場合のために、彼はもう一度いった。「デッドラインの前にきみを脱出させるには、そうするしかないんだ」しかし、ポリーは聞いていなかった。立ち上がり、甲板を走っている。零戦だというのは勘違いだった。シュトゥーカだ。ばらばらと爆弾を投下して、グラフトンを沈めた（英国海軍の駆逐艦グラフトンは実際にはUボートの雷撃により大破した）。レイディ・ジェーン号は彼を残したまま、突堤から離れていこうとしている。「行かないで！」と彼は叫んだ。「いまにもドイツ軍がやってくる」

そのとき、まるで奇跡のように彼女がもどってきて、またこちらにかがみこんだ。いわなければならないことがあるのに、なんだったのか思い出せない。なにかだいじなこと。「パジェットが爆撃されるとアイリーンに伝えてくれ」といったが、いうべきことはそれじゃない。なんだったっけ？　咳がひどくてなにも考えられない。「階段を使えと伝えてくれ」途中階で停止したエレベーターのことを思い出してそういったとき、やっと頭に浮かんだ。ロンドン大空襲の現地調査に行かないようにポリーに警告しなければ。

「落とし穴だ」とまたいった。「脱出できなくなるぞ！」しかし、相手はポリーじゃなかった。ヘルメットをかぶった兵士だった。

ああ、なんてことだ、ドイツ軍が来たんだ。ダンケルクを離れるのが間に合わなかった。ドイツ兵は懐中電灯で彼の顔をまともに照らし、まぶしさに顔をしかめた。捕虜になって、尋問されている。フォーティテュード・サウスのことが知れたら、ノルマンディーに上陸しようとしていることが発覚してしまう。

しかし、相手は英軍兵士だった。「怪我の具合は？」と、こちらにかがみこんでたずねている。ARP監視員のヘルメットだった。「名前は？」

セスだと思われてるんだ。セスがここにいなくてよかった。そう思いながら、セスがチャズブルと任務を交換し、自分がセスと任務を交換したことを防空監視員に話そうとした。収穫祭と、王冠と錨亭のダフニのこと……。

いや、それは違う。そっちはもうひとりのダフニで、彼女はここにはいない。結婚して、マンチェスターに住んでいる。

監視員が体を揺さぶっている。「デイヴィーズ？」と声をかけ、顔にへばりついた漆喰の粉を拭った。「マイクル？」

ああ、と心の中で答えたが、自信がなかった。最後に本名で呼ばれてから、あまりにも長い時間が経ち、自分の死を偽装して以来、あまりにもたくさんの名前を使ってきたから……

監視員が体を揺さぶり、切迫した口調でしつこくたずねてくる。「聞こえる、デイヴィーズさん？　マイクル？」

「ああ」

「ああ、よかった。マイクル。聞いて。迎えにきたんだよ。オックスフォードに連れ帰るために。ぼくはコリン・テンプラー」

でも、そんなはずはない。コリンは子供だった。「いや、年をとりすぎてる」とつぶやくようにいった。

「捜しあてるのに長い時間がかかったんだよ」

「ぼくのメッセージが届いたのか」安堵が悪寒《おかん》のように体を貫いた。迎えが来てくれた。ロンドン大空襲に行かないよう、ポリーに警告してもらえる。それに彼らなら……。「チャールズを脱出させてくれ」といいながら、ひじをついて体を起こそうとした。「シンガポールにいる。日本軍が侵攻してくる前にチャールズを――」

「もう回収したよ」とコリンがいった。「無事だ。ラボで待ってる。立てそう?」

彼は首を振った。「ポリーに警告して――」

「生きてるの? 別れたとき、まだ生きてた?」

アーネストはうなずいた。

「ああ、よかった」コリンが息を吐き出した。

やっぱりコリンだ。「ポリーに警告を――」

「捜し出して、脱出させるよ」とコリン。「でもまず、あなたをここから連れ出さなきゃ」

「いや、彼女はここにいる」といおうとしたが、咳がひどすぎた。

「どこを怪我したかわかる?」

「足だ。スクリューを動かそうとして」しかしコリンは聞いていない。瓦礫の下からだれかを掘り出そうとしている。

きっとジェパーズ氏だ。「彼は無事か?」とたずねたとき、空襲警報のサイレンが聞こえた。「防空壕へ行かないと」

「あれは救急車だよ。着く前にここを離れなきゃ」コリンが身をかがめて彼を起こそうとした。「姿を見られるわけにはいかない」

「いや、待ってくれ。ポリーに行くなと警告しないと」といおうとしたが、咳の発作に襲われた。コリンがジェパーズ氏を掘り出すときに巻き上げた大量の漆喰の粉のせいで息が詰まり、声に出せたのは彼女の名前だけだった。

「ポリーはぼくが迎えにいく。約束するよ。あなたをオックスフォードに連れて帰ったらすぐに」

オックスフォードか。クライスト・チャーチとセント・メアリ教会の尖頂と、モードリン・カレッジの塔、四月の陽射しを浴びたベイリアル・カレッジの中庭の緑が目に浮かんだ。

「痛いと思うけど」コリンがそういいながら、体に両腕をまわした。「ごめん」

そのときV2が着弾し、世界がばらばらに吹き飛んだ。

いや、そうじゃない。V2はすでに着弾しているし、いま横たわっているのは瓦礫の中じゃない。寝棚に横たわり、看護助手が毛布をかけてくれている。

「ここは病院？」とたずねた。

「まだだ」と看護助手。「いま病院に運ぶところ」

「だめだ」アーネストはもがいた。病院に行く途中で気を失ってしまった。一カ月以上も意識不明のままで、ようやく気がついたときには、彼が何者なのかだれも知らなかった。「オーピントンには行けない。回収チームに居場所がわからなくなる」

「ぼくが回収チームなんだよ」と看護助手がいった。「コリン。コリン・テンプラー。ここはクロイドンで、救急車の中。これからオックスフォードに連れて帰る」

アーネストはコリンの腕をつかんだ。「でも、ポリーのことを話さないと」必死の思いが伝わったのか、コリンがうなずいて、

「わかったよ、マイクル。ポリーと最後に会ったのはいつ？」

数分前？　それよりもっと前？　「わからない。ポリーは――」手を上げて、彼女が歩いていった方向を指さそうとした。「行ってしまった」

「いつ別れたの？」とコリンがたずねた。「一月十一日？　タイムズの記事では、あなたはその日に死んだことになってた」

違う、いまは九月だ。しかし、コリンは彼がロンドンにいたときのことをいっている。

「ああ、十一日だ」

「別れたとき、ポリーはどこで働いてたの？　まだオックスフォード・ストリート？」アーネストはうなずいた。「タウンゼンド・ブラザーズの四階。でも、ポリーとアイリーンは――」

「アイリーン？　メロピーもいたの？」コリンは勢い込んで、「アイリーンとポリーはいっしょだったの？　どこに住んでるか知ってる？」

「カードル・ストリート」といって唾を吞み込んだ。口の中に金臭い妙な味がする。それを消そうと、また唾を吞んだ。「十四番地」といおうとしたが、咳がひどくて声にならない――咳といっしょに嘔吐してしまったらしく、コリンが毛布の端で彼の口もとを拭った。「ミセス――」

「無理してしゃべらないで」といって、コリンがあごを拭いた。「カードル・ストリート十四番地のミセス・リケットの下宿に住んでるんだね」

アーネストはうなずいた。「ケンジントンの」といおうとしたが、また咳の発作に襲われる。

でも、だいじょうぶ。コリンはわかってくれた。「ケンジントンだね？　新聞のメッセージで、そこまではつきとめた。ふたりが使ってるシェルターは、ノッティング・ヒル・ゲート駅？」

アーネストはうなずき、それを自分でしゃべらずに済んだことに感謝した。伝えなければならないことはほかにもある。もっとだいじなことが。

「ポリーがネットを抜けてきたのは六月じゃなかった。四三年の十二月に来たんだ。二十九日までに彼女を連れ出さないと」

「そうするよ。でもまず、あなたを連れて帰る」こちらに身をかがめ、「ぼくの首に両手でつかまれる？」

「やめろ」体を持ち上げられたら、またV2が襲ってくるんじゃないかと心配だった。「ポリーを呼んで、手伝ってもらえ。担架を持ってくるように伝えろ」

「ポリーはここにはいないんだよ」とコリンがおだやかにいった。「一九四一年にいるんだ。忘れたの？　どこを捜せばいいか、さっき教えてくれたじゃない」

「違う。ここにいるんだ。事象現場に」しかしコリンはその言葉を知らない。彼は史学生じゃない。ただの子供だ。「瓦礫の中でぼくを見つけたのがポリーなんだ」といおうとした。

「彼女が助け出してくれた。ダリッジの救急車運転手なんだ」

しかし、実際に口にした言葉はそれと違っていたらしく、コリンは訊き返した。「別れたとき、ポリーはタウンゼンド・ブラザーズで働いてたんじゃないの？　救急車を運転してたの？」

「違う。ここで。瓦礫の中で」ごくりと唾を呑み、「V1が落ちたあとで――」

「ポリーがいまここにいるの？」コリンが口をはさんだ。

「違う。メアリだ。彼女はまだロンドン大空襲に行ってない。でも、だいじょうぶだ。彼女はぼくがだれなのかわからなかった。すべてをめちゃくちゃにしたわけじゃない」と咳の合間にいう。「ポリーに警告してくれ。行くなと伝えてくれ」

「そうと知っていたら――」コリンは遠くのほうに目を向け、アーネストは自分たちが事象現場を離れていることを知った。どこかべつの場所に連れてこられたらしい。

「ここは救急車の中？」とアーネストはたずねた。

「いや、降下点だよ。もしポリーがあそこにいると知っていたら……」コリンは、絶望と切望が入り交じる声でいった。

ぼくがロンドンを離れたあの夜とおなじだ、とアーネストは思った。あのとき、ポリーにもアイリーンにも二度と会えないとわかった。

でも、ポリーに会わなければ。「彼女を止めないと。もどって――」

「まずあなたをオックスフォードに連れて帰る。降下点はいまにも開くよ。救急医療チームがラボで待機してる。すぐに治してもらえるよ」

「時間がない。ポリーが行ってしまう」口を開いて、そういおうとした。「捜しにいってくれ」しかし、なんの前触れもなく、コリンの作業着の上にまた嘔吐してしまった。ただしそれは嘔吐ではなく、吐血だった。

「ふたりを見つけ出すよ、約束する」といって、コリンが両腕で体を抱いてくれた。よかった。ひとりぼっちで死なずに済む。

「いったいどうして降下点が開かない？」コリンが怒りに満ちた声でいった。

「壊れてるんだ。ぼくらはみんなロンドン大空襲に閉じ込められてしまった」

「がんばって、デイヴィーズさん。すぐに帰れるから。病院に運んだら、怪我をぜんぶ治してもらえる。新しい脚ももらえるよ。そのあいだにぼくはアイリーンとポリーを連れてくる。手術の麻酔から醒める前に、ふたりとももどってるよ。デイヴィーズさんに会えてきっと大喜びするよ。ヒーローなんだから」

「ああ」と答えた。「ぼくはセスの命を救った」それにチャズブルの命を救った。ジョナサンとコマンダーの命を救った。それにあの犬。あの犬はどうしただろう。犬を救ったから戦争に勝ったんだろうか。

「あきらめちゃだめだ、デイヴィーズさん」とコリンがいった。「まだがんばれる」

アーネストは首を振った。「キスしてくれ、ハーディ」とつぶやく。

「なに？」

かがみこんだ彼の顔を見て、ハーディだとわかった。「きみの命を救ってよかったよ。たとえなにがあろうとも」

「やっとだ！」とハーディがいった。「助かった！」といって両腕で彼をすくいあげた。セント・ポール大聖堂のあの記念碑とそっくりだ。栄誉の精霊に抱かれて死んでいくフォークナー大佐。もっとも、実物は一度も目にしていない——砂嚢のうしろに隠されていた。そして、フォークナー大佐自身も、その場面を見ていない。彼は、二隻の船を縛りつけた直後に死んだ。戦いに勝ったかどうか知る由《よし》もなかった。

「勝ったのか？」とコリンにたずねた。

やっぱりコリンはただの子供だったらしい。泣きじゃくっている。「頼むよ、デイヴィーズさん」と泣きながら訴える。「いまはやめて。マイクル！」

マイクルじゃない。マイク・デイヴィスでもない。アーネスト・ワージングでもない。それに、シャクルトンでもない。「それはぼくの名前じゃない」といって、名前を伝えようとしたが、口も耳も目も、いたるところ血だらけで、コリンの声は聞こえず、開きはじめたネットも見えなかった。「ぼくの名前はフォークナーだ」

あなたの勇気
あなたの元気
あなたの決意が
勝利を呼ぶのです。

——政府ポスター、一九四〇年

60　ロンドン　一九四一年四月

看護婦が投与した鎮静剤はモルヒネだったらしく、ポリーの眠りは、迷路のようなぼんやりした夢に満ちていた。降下点はペンキの剝げかけた黒い扉のすぐ向こうにあるのに、扉はいつも閉ざされている。乗ろうとする列車はいつもその寸前でホームを離れてゆく。ここはホームが違う。十一時十九分発のバックベリー行きに乗るためにパディントン駅へ行かなければならないのに、芝居の一座が行く手をふさいでいる。彼らをまたぎ越さなければならない——マージョリーと、戦時労働斡旋所の女性と、最初の夜にポリーを捕まえてセント・ジョージ教会の防空壕に連れていったARP監視員を。それにフェアチャイルドと、ホルボーン駅の図書係と、壁にもたれて腰を下ろし、トロットに本を読んでやっているミセス・ブライトフォードを。「そして悪い魔法使いは眠れる森の美女にいいました」とミセス・ブライトフォードが朗読する。「『おまえは紡ぎ車に指を刺して死ぬだろう』」

「ううん、死なない」とトロットがいった。「よい魔法使いが治してくれるから」

「治せねえよ」とアルフが軽蔑したようにいった。「着いたときには手遅れだった」

「治せるもん」トロットが顔を真っ赤にしていいかえした。「お話にそう書いてあるもん。治せるよね、ポリー？」

「どうかしら」とポリー。「事態を悪くするだけかも」

「しいっ」とミセス・ブライトフォードがいった。「それから、いい魔法使いがいいました。『呪いはすでにかけられてしまいました。わたしの力では、それをとり消すことはできません。でも、やれるだけのことをやってみましょう』」ポリーはここに残ってお話を最後まで聞きたかったが、すでに遅れている。十二月二十九日までにダリッジへ行かなければ。トンネルや通路を走り抜け、ホルボーン駅だったりパジェット百貨店だったりする階段を駆け上がったが、あんまり速くは走れなかった。というのも、ついに解き明かした謎の答えを、一ペニー硬貨を握るように、ぎゅっとこぶしに握りしめていたからだ。

それを手放すつもりはなかった。紐で縛ってぐるぐる巻きにするまで、すべてのほつれをきちんと始末するまで、おなかにぎゅっと押しつけて、手を開かないようにしておかなければ。ダリッジに着くのが遅れたせいでV1の第一陣を耳で聞くことができず、どんな音がするのか知らなかったせいで、タルボットを側溝に押し倒して彼女のひざを痛め、スティーヴン・ラングを救急車で送っていくことになった。もしそうしていなかったら、スティーヴンとタルボットはトッテナム・コート・ロードで命を落とし、V1の方向をそらすアイデアを彼が思いつくことはなかった……。

でも、あれはV1じゃなかった。サイレンだった。そしてポリーはステージに出ていって、うしろを向いてスカートをはねあげたが、ブルマーに書いてあった言葉は〈ただいま空襲中〉ではなく、〈反対〉で、肩越しにふりかえってメッセージを読もうとしたとき、一基のV1がダダダダッとバイクのようなエンジン音をたてて飛来したので、答えを握りしめたままパジェットの地下シェルターへと階段を駆け下りた。この答えなら、すべてが——アイリーンの運転教習と、スティーヴンと、あの海軍婦人部隊員と、アルフとビニーのオウムと、ホルボーン駅の図書係が——符合する。

でも、ここはホルボーン駅じゃなくセント・ポール大聖堂で、ポリーは屋根に上がる道を探している。でも、見つからない。暗すぎる。懐中電灯がいる。

マイクが懐中電灯を持っていた。前後に振って、スクリューになにがからまっているのか見定めようとしている。「こっちを照らして」と声をかけたが、マイクは、「無理だ。時間がない。いまにもUボートが来る」といった。そしてポリーがこちらに迫りくる巨大な船を見上げると、それはレイディ・ジェーン号ではなく、シティ・オブ・ベナレス号だった。

「ランタンを持ってこい！」とマイクが怒鳴った。

「どのランタン？」

「絵の中の」とマイクが答え、ポリーは螺旋階段をふたたび駆け下り、喜劇と悲劇の仮面の前を過ぎ、両手で団子を握るようにして答えを保護したまま、北の袖廊《そでろう》を抜け、ドームの下を通って南の側廊へ……。

そしてアルフとビニーに正面衝突して、転倒を防ごうと反射的にこぶしを開いて突き出した手からすべてが――ずれとアガサ・クリスティーとレイディ・ジェーン号とあの防空監視員とポリーのブルマーが――ばら撒かれた小銭のように、舗道を転がっていくクリムゾン・カレスの口紅のように――こぼれ落ちた。「ああ、だめ」拾い上げようとかがみこむ。「ああ、だめ」

「はいはい、だいじょうぶですよ」とだれかの声がして、ポリーは目を開けた。糊の利いた白いエプロンを着けた看護婦がこちらにかがみこんで、脈をとっている。「ここは病院です」

「なくしちゃった――」とポリーはつぶやいた。

「なにをなくしたんだとしても、あとで見つかりますよ」と看護婦。「いまは眠らないと」

「いいえ」といいながらも考えていた。ミステリ小説と関係がある。それに『眠れる森の美女』と。それに馬と。「馬だ、馬をよこせ。馬を一頭くれたら、王国をやるぞ……（『リチャード三世』5幕4場）」

「サー・ゴドフリーに会わなきゃ」とポリーはいった。

「サー・ゴドフリー?」看護婦はぽかんとして訊き返した。サー・ゴドフリーはどこかよその病院に運ばれたんだ。クロイドンの事象現場であたしが止血したあの男みたいに。それとも、死体保管所に運ばれた。

病院に搬送される途中で死んだんだ。やっぱり命を救うことはできなかった。

しかし、看護婦はまた口を開き、「あなたが彼を発見して、適切な処置ができて幸運だったわ」

でも、あたしたちは幸運じゃなかった。あたしはダリッジに到着するのが遅れた。マイクはドーヴァー行きのバスに乗り遅れた。ソルトラム・オン・シーでダフニを捕まえ損ねてはるばるマンチェスターまで行くことになり、アイリーンは、よりによってあたしが留守にしている日にタウンゼンド・ブラザーズにやってきた。十二月二十九日の夜は、なにもかもがこのあたしたちにそむいた——セント・ポール大聖堂に入る直前で待ったをかけた防空監視員、アイリーンを運転手にスカウトした医師、火災と倒れた壁と封鎖された通り。それに、アルフとビニー。

「行く先々でおそろしい子供たちに悩まされるのがわたしの運命」とアイリーンはいったけれど、もしホドビン姉弟がいなかったら、彼女はマイクの死を乗り越えられなかった。そして、アイリーンが姉弟をひきとると言い張らなかったら、姉弟がオウムを連れてくると言い張らなかったら、あのふたりのせいで下宿屋を追い出されることはなく、あたしたちはミセス・リケットといっしょに空襲で命を落としていたかもしれない。

「追い出されてててラッキーだったよね」とアルフはいった。そしてハンフリーズ氏は、「あなたがきょうセント・ポールに来てくれて幸運でした。引き合わせたいと思っていた方が来ていますよ」といい、マイクは、「幸運なことに、そこがブレッチリーで唯一の空き部屋だったんだ。じゃなかったら、ジェラルド・フィップスがどうしたのか、わからずじまいになるところだったよ」といった。

「瓦礫の下にいるあたしの声を防空監視員が聞きつけてくれてラッキーだった」とマージョリーはいい、パジェット百貨店のあの夜、アイリーンは、「運よくあなたの呼ぶ声が聞こえたから」といった。

どこかの時点で眠り込んでしまい、寝言でアイリーンの名をつぶやいたらしい。「ここにいるわよ」というアイリーンの声がして、ポリーが目を開けると、そこに彼女がいて、朝になっていた。看護婦が背の高い窓の遮光カーテンを開け、朝日が病室に射し込んできた。

ポリーは光に両手をかざして見つめた。開いた手の中にはなにもない。でも、そんなことはかまわない。この手の中にだいじに包んでいた答えは、なくしていなかった。最初からずっと、答えはそこにあった。ただそれをあべこべに見ていただけ。

「だいじょうぶ?」アイリーンがたずねた。

「ええ」と答えて、自分でも驚いた。「だいじょうぶよ」もしこの考えが正しければ。もしアルフとビニーが――

「ああ、よかった」という声を聞いて、アイリーンがずっと泣いていたのがわかった。「ゆうべ帰ってこなかったから、ダンワージー先生もわたしも死ぬほど心配して……ウェスト・

エンド一帯が爆撃されたって防空監視員に聞いたあと、劇場に電話して、舞台監督と話をしたら、あなたは舞台の最中、空襲のただなかに飛び出していってそのままもどらなかったっていうじゃない。それで……」

アイリーンは口をつぐんで鼻をかみ、笑みを浮かべようとした。「婦長に聞いたけど、フェニックス座の中で見つかったって。いったいなにしてたの？」

「サー・ゴドフリーの命を救ってたのよ」とポリーはいった。「ねえ、ビニーの容態はどうだったの？」

「ビニーの容態？　いったい――」

「はしかにかかったとき。あんたがいなかったら死んでた？」

「どうかしら。熱はものすごく高かったけど。でも、あなたは死なないわよ。看護婦の話では、すぐに恢復するって――」

「あの火災監視員はどうなった？」

「火災――」

「怪我をした人。ジョン・バーソロミューがセント・バート病院に運んだ火災監視員。バーソロミューさんは彼の命を救ったの？」

「ポリー、いってることがめちゃくちゃよ。ガスをずいぶん吸ったってお医者さんに聞いたけど、もしかしたらまだ――」

「現地調査の最終日、あんたはどうしてオックスフォードにもどらなかったの？」

「いったでしょ、隔離されたのよ」

「じゃなくて、具体的になにがあったのか、くわしく教えて」ポリーはアイリーンの手をつかんで、「おねがい。だいじなことなの」

アイリーンは看護婦を呼ぶべきかどうか決めかねているような顔でポリーを見つめ、それから口を開いた。「降下点に行くために屋敷を出ようとしたら、そこに疎開児童の新しい一団が到着して。シオドアもそのうちのひとり」

シオドア。あの日、ジョン・バーソロミューを捜すためにセント・ポール大聖堂へ直行できなかったのは、シオドアのせいだった。ステップニーの自宅までシオドアを送っていかなければならず、大聖堂に着いたときは空襲警報が鳴って、ARP監視員が——

「新入りの疎開児童たちを部屋に案内して、おちつかせなきゃいけなかった」とアイリーンが話をつづけている。「それを済ませて出かけようとしたら、ユーナに——レイディ・キャロラインの屋敷の台所女中《キッチン・メイド》よ——車の運転を練習させている教区牧師と出くわして、ユーナと運転を替わってほしいって頼まれて。それで車を運転して、カーブを曲がったら、車道の真ん中にアルフとビニーが立っていた」

道をふさいでいた。アイリーンを足止めした。十二月二十九日の夜に彼女を足止めしたように。あたしは兵員輸送列車に足止めされて、バックベリーの領主館に着いたときにはチェイス大尉がロンドンに発《た》ったあとだった。マイクははずれに足止めされて、ドーヴァー行きのバスを逃してしまった。それに、たぶんまちがいなく、ホドビン姉弟に足止めされたせいで

——

「アルフとビニーはこの病院にいるの？」とポリーはたずねた。

「ええ。下の待合室に。この病棟、子供は立入禁止だから」

「ダンワージー先生も？」

「ううん。状況がはっきりするまで先生にはなにもいわないほうがいいと思ったから」

あたしがいまやろうとしていることもそれとおなじ。状況をはっきりさせる。

「アルフとビニーのところへ行って――」といいかけて口をつぐんだ。あのふたりのことだ、アイリーンに真実は話さないだろう。もしあの出来事を覚えていたとしても。ポリーがセント・ポール大聖堂からダンワージー先生を連れ帰ったあの夜、アルフとビニーは、明らかに先生の顔に見覚えがあるようなそぶりだったが――あの人は補導員か駅員じゃないかとたずねた――どこで会ったのかを思い出せずにいた。アイリーンに確認させたら、ふたりは駅員が――もしくは役所が――関係していると思うだろう。あたしが直接ふたりにたしかめ、そのあとでダンワージー先生に確認しよう。もし先生が覚えていれば。たとえ覚えていたとしても、なんの証拠にもならない。証拠になるのは、サー・ゴドフリーのほう。サー・ゴドフリーはあたしが命の恩人だと話していた。でもそれは、出血でショック状態に陥り、ガスで意識が朦朧《もうろう》としているときのことだった……。

「アイリーン」とポリーはいった。「サー・ゴドフリーに会わなきゃいけないの。どの病室にいるか調べてきてくれない？　それと、あたしの服をとってきて」といってから、入院したときの服装が血まみれの水着に金色のハイヒール片方だけだったのを思い出した。「あんたのコートは?」

「病院に運ばれたって聞いて、コートも着ずに飛び出してきたのよ」

「そこのキャビネットにガウンが入ってないか見てみて」

アイリーンはキャビネットの扉とナイトスタンドの引き出しを開けた。「ガウンはないわね。午後にまた来るから、そのときに持ってくる」

「それじゃ遅すぎる。サー・ゴドフリーにいますぐたしかめたいことがあるの。急ぎの用件。どこかでガウンを調達して、サー・ゴドフリーの病室をつきとめてきて。それと、陽動作戦が必要ね」

「陽動作戦? わたし、そんなのとても——」

「あんたに頼むわけじゃないの。アルフとビニーよ。それに、あたしの考えが正しければ、あのふたりにやらせることで、ぴったり符合するのよ」

「符合する?」

「うん。アルフとビニーなら、ふたりだけでヒトラーを倒せるって自分でいったの、覚えてる?」

アイリーンはうなずいた。

「あれ、もしかしたらそのとおりかもしれない」

「でも、病棟は子供が入れないのに、どうやって陽動作戦を実行させるの?」といいかけて、アイリーンはためいきをついた。「そうね。あのふたりならうってつけ。なにをさせたいの？」

「それはアルフとビニーにまかせる。専門家だから。階段とサー・ゴドフリーの病室の前の廊下から、監視の目がなくなるようにしてほしいの。あと、ガウンを忘れないで」

「わかった。でも、もどってくるまでベッドで休んでると約束して」

「そうする」とポリーは嘘をついた。

休んでいる暇はない。ジグソー・パズルにはめこまなければならないピース、解読しなければならない手がかりは無数にある。マイクはハーディの命を救い、ハーディは五百十九人の兵士を救出した。ポリーが他のFANY隊員といっしょにドーヴァーからオーピントンまで搬送した壊疽《えそ》の患者は、ダンケルクから救出された兵士に救出されたのだと話していた。「命の恩人だ」と彼はポリーにいった。「きみがいなかったら死体になっていたよ」そしてハーディも、マイクにおなじことをいった。

マイクの説によれば、ずれは、マイクがダンケルク撤退に影響を及ぼすのを防ごうとしたが、なぜかそれに失敗したという。しかし、レイディ・ジェーン号がそこにいたから、マイクがソルトラム・オン・シーに送り込まれたんだとしたら？　ずれが意図的に彼をその時点に――バスの発車時刻よりあと、パウニー氏の車が出発したあとに――送ったんだとしたら？

ビニーが深紅のキモノを持って走ってきた。「はいよ」と無造作にそれをベッドに投げ出し、「彼はひとつ上の階」

「どの病室？」

「大部屋じゃなくて、個室にいる。右手のいちばん奥」といって、ビニーはまた走り去った。

キモノの背中には大きな金色の竜が刺繡してあった。目立たないものを探してくるように指定すべきだった。そのキモノに急いで袖を通しながら後悔した。ベッドに入ると、毛布を首までひっぱりあげて静かに横たわり、聞き耳をたてた。

金切り声と、ガチャンという音。それにつづいて急ぎ足の靴音が響いた。ポリーは毛布をはねのけ、はだしの足で戸口まで歩いていって顔をつきだした。看護婦ふたりと看護助手ひとりがもう片方の病室のドアから中へ入っていくところだった。

廊下に出ると、急ぎ足で階段まで歩いていった。また悲鳴が上がり、女の声が叫んだ。

「その子を捕まえて！」

ポリーは階段に飛び込み、何段か上がってから、病室のドアが開く音か、追いかけてくる足音がしないかと耳をすました。

また悲鳴。「この性悪《しょうわる》――」と叫ぶ女性の声が唐突に途切れた。

やれやれ、死人が出てなきゃいいけど。そう思いながら踊り場までたどりついた。下から聞こえてくる物音――ドシンというおそろしい音につづいて、どこかべつの階の階段をドタドタ駆けていく靴音、それになにかが（もしくはだれかが）倒れる音――に思わず顔をしかめ、自分がひきがねを引いたこの騒動の結果については考えないようにして、また階段を昇りはじめた。

「たぶんあっちへ行った！」だれかが叫んだ。また金切り声。

ポリーは階段の上にたどりついた。この階は無人だった。リノリウムの床の上、婦長のデスクの前あたりに書類が散乱し、廊下の中ほどでは車椅子が横倒しになっていた。さいわい、車椅子は無人だった。

ポリーはサー・ゴドフリーの病室に走っていった。ドアが閉まっている。ああ、まさか。亡くなっていませんように。そう願いながら、大きく深呼吸してドアを開けた。

サー・ゴドフリーは、背中に枕を当ててベッドにすわっていた。グレイのパジャマの上は、包帯をした胸のところを肩脱ぎにしている。目を閉じた顔と両手は、包帯とおなじくらい白かった。片腕からのびた管が、ベッド脇に吊り下げられた暗赤色の輸血瓶につながっている。ポリーはベッドに歩み寄り、サー・ゴドフリーを見下ろした。呼吸に合わせて、胸がかろうじてそれとわかるほどかすかに上下している。

「『時を経ても、わが血はいまだ乾いておらぬ』（『から騒ぎ』4幕3場）」とつぶやいて、サー・ゴドフリーが目を開けた。

「生き延びたんですね」ポリーは天に感謝した。

「ああ。しかし、ここに幽閉されて、ベッドを出ることを許そうとしない邪悪な者どもと闘っている。あやつらの鋼鉄の罠から、そなたはいかにして脱出した？」

「援軍のおかげで」といってポリーはドアを閉めた。「サー・ゴドフリー、ゆうべの話では

――」

「おお、まいったな、いうべきではないことを口にしてしまったのでないことを祈ろう。自分より五十歳も年下の娘に対する不滅の愛を告白したりしなかっただろうね？　あるいは、『ピーター・パン』を引用するとか？」

「いえ、もちろんそんなことはしてません。ゆうべの話では、わたしが命の恩人だと――」

「いかにも。見てのとおり」と両腕を大きく広げて、「わたしは新たな命を得て、ふたたびこの世に甦った。クローディオが思いを寄せる娘、ヒーローのように。『わたしは生きています。そして、生きているかぎりかならず――』（『から騒ぎ』5幕4場）」

「いえ、ゆうべのことじゃなくて、もっと前のこと。フェニックス座にいたとき、命を救えなくてごめんなさいとわたしが謝ったら、前にも救われたことがある、と」

「そうとも、きみには三たび救われた。フック船長役を演じる運命から救われ――」

「サー・ゴドフリー、冗談じゃなくてまじめな話を――」

「まじめな話だとも。あの唾棄《だき》すべき芝居を上演する計画を一座にあきらめさせることができなかったら、わたしはディストリクト線の電車の下に身を投げるしかなかった」

「サー・ゴドフリー、おねがいだから冗談はやめてください。ほんとに知りたいの」

「よろしい、では話して聞かせよう。だがその前に、罰金を要求する」

「罰金？」

「『美女と野獣』の中で、野獣の庭に迷い込んだ父親が、娘の身柄で罰金を支払うことを余儀なくされたように、きみも罰金を支払わねばならん。わたしの現在の苦境は、もとはといえばきみのせいだからな。ゆうべ死んでいれば、パントマイムを演じる運命から逃れられたのに。こうなったいまは、まる一カ月にわたって、ミセス・ワイヴァーンに耐えねばならない。すべてきみの責任だ」

　ほんとうにそうかもしれない、とポリーは思った。

「文字どおり、死よりも悪い運命に引き渡した以上、せめてもの代償として、わたしが苦境にあるあいだ、舞台をともにしてほしい」

「ええ、わかりました。約束します。パントマイムに出るわ、もし質問にちゃんと——」

「すばらしい。新しい劇場を見つけしだい、『籠の中の二羽の鳥のように歌おう』。ウィンドミルが一カ月、舞台を貸してくれぬものかと思っている。なんなら、きみに依頼の使者となってもらい、あの雄弁なブルマーで——」

「罰金を払ったら話してくれる約束ですよ」とポリーはいった。「どんなふうにしてわたしに命を救われたんですか、もしそれがほんとうだとして？」

「ほんとうだとも。麗しのヴァイオラ。わが人生にはじめて登場して以来、そなたは日ごと夜ごと、わが命を救ってきた。それも、なんという登場だったことか！　聖なるサラ《サラ・ベルナール》にも匹敵する——ノックの音がして、扉が開き、そしてきみが戸口に立っていた——不安に怯え、途方に暮れ、美しく。セント・ジョージ教会という岸辺に打ち上げられた異国の生きもののように。きみは、戦争によって破壊されてしまったとわたしが思い込んでいたものすべての化身だった」

サー・ゴドフリーはポリーにほほえみかけた。

「ロンドン大空襲の最初の数日で、劇場のみならず演劇そのものとシェイクスピア《ザ・バード》も戦争の犠牲になってしまったような気がした。名誉と勇気と美徳に対するシェイクスピア独特の典雅な考えかたは、ヒトラーとルフトヴァッフェに殺され、すべて滅び去ってしまった。そして、それといっしょにわたし自身も殺されてしまったような気がした。

そこにきみがあらわれた。シェイクスピア劇の美しきヒロインたちと美しき娘たちが融合してひとつになったような、ミランダとロザリンドとコーディーリアとヴァイオラがひとりに合体したようなきみが、わたしの信念をとりもどしてくれた」

あの推理はまちがいだった。命を救われたといったのは、文字どおりの意味ではなく比喩的な意味で、あたしが立てた仮説はやっぱりまちがっていた。

「どうした？」サー・ゴドフリーが心配そうに眉をひそめてこちらを見ている。「どうしてそんなにがっかりした顔をしている？　老人を絶望から救ったことを後悔しているのかね？」

「いいえ。もちろん違います。ただ、現実にわたしが命を救ったという意味かと思っていたので」

「現実だとも。男が血を流して死ぬ方法は百とおりもある。フェニックス座の残骸から救い出されるのとおなじく、悲嘆や絶望の瓦礫から救われることもありうる。どちらの救助のほうがより現実的だと？　アジャンクールの戦いでは、長弓と、ヘンリー五世による聖クリスピヌスの祝日の演説と、どちらがより重要だった？　この戦争でより大きな意味を持つのは、戦車かそれとも勇気か、高性能爆弾かそれとも愛か？　わたしのためにきみがなしえたことの中で、希望をとりもどしてくれたこと以上に重要なことはない」

ポリーは失望を隠してほほえもうとした。

「しかしきみは、わたしの肉体的な実在を救ってくれた恩人でもある。はじめてきみの姿を見たあの夜――」

「ここにいたのね」ドアをバーンと開けて入ってきた看護婦がポリーに向かっていった。「ほうぼう捜しまわったのよ。ベッドで安静にしているはずです」

「こちらの若いご婦人はわたしの命を救ってくれたのだよ」とサー・ゴドフリーがいった。

「そのことで礼を――」

べつの看護婦が憤然とした面持ちで入ってくると、「サー・ゴドフリーは面会謝絶ですよ」とポリーの担当看護婦に向かっていう。

「おねがいです。あとちょっとで済みますから」とポリーはいった。

「この人はだれ？」サー・ゴドフリーの看護婦がポリーの看護婦に詰問した。「患者さん？ベッドを離れてなにをやってるの？　どうしてちゃんと見てないの？」

ポリーの看護婦は弁解するような口調で、「この患者は許可なくベッドを離れて――」

「静粛に！」サー・ゴドフリーが大音声《だいおんじょう》でいった。「下がれ、下郎ども。わたしはこのご婦人と話がある」

しかし、サー・ゴドフリーの担当看護婦はそれを歯牙にもかけなかった。「この患者をただちに自分の病室へ連れて帰りなさい」とポリーの看護婦に向かっていう。

「おねがい」とポリーはいった。「どうしても、いま訊かないと――」

「助けて！」扉の向こうから、声が響いた。「うわあ、助けて！」

ビニーだ！　助かった。

「すぐ来て、だれか！」とビニーが嗚咽《おえつ》する。「ママが血を流してる。早く！」

看護婦はふたりともサー・ゴドフリーの病室を飛び出した。

「早く」ポリーは、サー・ゴドフリーのベッドの足もとのほうの手すりを両手でつかんでいった。「どんなふうに命を救ったのか話してください」

「きみがセント・ジョージ教会に飛び込んできたあの日、わたしは旧友から一通の手紙を受けとっていた。ある劇団に役者として参加してほしいという誘いだった。その劇団は、地方を巡業する計画だった――ソールズベリー、ブリストル、プリマス。演目は最低だった。シェイクスピアはゼロ。バリにゴールズワージーに『チャーリーの叔母さん』（ブランドン・トーマスの笑劇）」と顔をしかめて、「クリスマス・パントマイム以下のプログラムだった。しかし、ウェスト・エンドの劇場はすべて上演中止になっていたし、ロンドンと空襲から逃げ出すチャンスだった。それに、どんな芝居をどこで演じようが、そんなことはささいな問題でしかない。すべては無駄なこと、『響きと怒りに満ちているが、なんの意味もない』（『マクベス』5幕5場）」

『マクベス』をやってる時間なんかないのよ。ポリーはやきもきしながら思った。いまにも看護婦たちがもどってくる。

「そこにきみがあらわれて、それが嘘だと気がついた。美と勇気は、いまもまだ生きているのだと」

「いったいどういうこと？」サー・ゴドフリーの担当看護婦が廊下の突き当たりで怒鳴っているのが聞こえた。「この階は、子供は立入禁止ですよ」

「それから」とサー・ゴドフリー。「きみがシェイクスピアの台詞をそらんじているのを知り、ロンドンを離れるわけにはいかないとさとった」

「もどってきなさい、この悪たれ坊主！」と看護婦が怒鳴ったが、ポリーはろくに聞いていなかった。

「翌朝、その申し出を断る手紙を出した」とサー・ゴドフリーがいった。

ポリーは、息をするのもこわいような気持ちで、黙ってつづきを待った。

「ブリストルの劇場は、『センチメンタル・トミー』（ジェイムズ・バリの戯曲）の第二幕の最中に爆撃された。直撃弾だった。一座の全員が死亡した」

ミランダ　いかなる奸計によって、わたしたちは故国《くに》からここに来たのでしょう？　それとも
　ここに来たことは幸いだったのでしょうか？
プロスペロ　両方だ。その両方。

——ウィリアム・シェイクスピア『テンペスト』（1幕2場）

61

ロンドン
一九四一年四月

病院スタッフがアルフとビニーを捕縛するにはさらに十五分かかり、そのあいだに、ポリーは、ええ、もし新しい劇場が見つかったら、わたしもパントマイムに参加しますとサー・ゴドフリーにもういちど請け合ってから、大急ぎで自分の病室にもどり、深紅のキモノを脱いでベッドに潜り込むと、せいいっぱい無邪気な顔をして横たわった。首根っこをつかまれてひっぱってこられたアルフとビニーも、おなじように無邪気な顔を装っていた。

「この子たちを知ってる？」と婦長が詰問した。

「うちの養《やしな》い子たちですわ」と病室に入ってきたアイリーンがいった。「わたしがポリーのお見舞いをしているあいだ、下の待合室にいるようにといったんですけど。ふたりとも、ポリーのことをたいそう心配していて」と説明する。

アルフはうなずいて、「死んだらどうしようと思って、心配で心配で」

「あたしたち、前は孤児だったから」とビニーが洟《はな》をすする。

アルフがやさしく姉の背中を叩き、「アイリーンおばさんとポリーおばさん以外、だれも面倒をみてくれる人がいないんです」

「わたしに会うために病棟に忍び込んだのなら、ほんとうにすみませんでした」とポリーはいった。「この子たちに悪気はなかったんです──」

「病棟に忍び込んだ？」婦長はいった。「ふたりは、病院全体がひっくり返るような大騒ぎを引き起こしたのよ。廊下をドタドタ駆けまわり、入院患者を怯えさせ、看護婦に──」

「アルフの蛇を捕まえようとしてただけなんだ」とビニーがいった。「見た人がこわがるといけないと思って」

「蛇？」と婦長。「あんたたち、病院の中に蛇を放したの？」

「まさか。そんなことしないよ」ビニーは目をまるくして、無邪気な口調を装い、「知らないうちに勝手に逃げ出しちゃったんだ」

「でも、心配ないよ。ちゃんと捕まえたから」といって、アルフがポケットから蛇をひっぱりだし、婦長の目の前にぶら下げてみせた。

婦長の顔が蒼白になった。「このふたりを──その爬虫類といっしょに──ただちに病院から退去させなさい」

「はい、婦長さん」とアイリーンがいって、子供たちを急《せ》きたてて病棟の外へ連れ出した。

「でも、またすぐもどってくるんじゃないかしら」とポリーがいった。「あたしのことをすごく心配してるから」それからものの十五分もしないうちにポリーは全快したと診断されて退院が決まり、だれかに――ただし、アイリーン以外に――電話をかけて服とハンドバッグを持ってきてもらうことを許された。

ポリーはアルハンブラ劇場のハッティに電話し、彼女を待つあいだに、いままで起きたことをぜんぶ頭に思い浮かべて整理し、パズルを組み上げようとした。

ポリーがスティーヴン・ラングを救急車で送っていったから、ペイジ・フェアチャイルドはクロイドンに行った帰りの救急車を途中で止めて、ポリーと一対一で話し合おうとした。もしそうしていなかったら、V1が落ちたとき、ふたりがそこにいることはなく、片足を切断されたあの男を見つけることもなかっただろう。あたしは彼の命も救ったんだろうか？　だといいけど。男に手をつかまれて、すまないと謝罪されたことを思い出した。

ちょうどあたしがサー・ゴドフリーに、死なせてごめんなさいと謝ったみたいに。しかし、クロイドンの男は、だれかを死なせたわけではなかった。むしろその反対。救急キットをとってこなかったら、ペイジはV2が救急車に命中したとき車内にいて、命を落としていただろう。だったらどうして彼はすまないといったんだろう。

「ああ、無事でほんとによかった！」病室に飛び込んできたハッティがいった。「すごく心配したんだよ――あんたがフェニックス座に駆け込むのをレジーが見たって、事象担当官に何度もいったんだけど、なかなか信じてもらえなくてさ」ポリーに着替えをさしだし、「タビットからの伝言で、今晩とあしたの夜は舞台を休んでいいって」

よかった。だったらセント・バート病院へ行く時間ができる。ポリーはそう思ったが、帰宅してみると、アイリーンは聞く耳を持たなかった。「ベッドに入ってて。まだ退院したばっかりなのよ。セント・バートへはわたしが行くから。なにを調べてくればいいの？」

「十二月二十九日の夜、あんたがセント・バートへ搬送した患者たちの名前。とくに、あんたのおかげで失血死を免れた将校の。それと、その人たちに関するあらゆる情報と、もし彼らが退院してたら、そのあとどうなったかについても知りたいの」

「わたしがしたことのせいで戦争に負けるんじゃないかと思ってるのね」アイリーンがつらそうな口調でいった。

「ううん、その反対。でも証拠がいるの。アルフとビニーはどこ？」

「学校」

「ダンワージー先生は？」

「やっと寝たところ。起こしちゃだめよ。先生もすごく心配してたんだから」

「でも、先生に訊かなきゃいけないことがある」

「わたしが帰ってきてからにして」アイリーンはきっぱりそういうと、ポリーをベッドに追い立てた。

「待って。行く前にひとつ教えて。あの夜、アルフが道案内をしたっていったよね。アルフはなんでそんなにロンドンの地理にくわしかったの？」

てたから」

「航空機観察のおかげ」とアイリーン。「英国とロンドンの地図を見つめて何時間も過ごしてたから」

「地図はどうやって手に入れたの？　あんたがあげたの？」

「ううん。教区牧師。屋敷が隔離されてるときに。アルフのいたずらで気が狂いそうになって、それでわたしからグッドさんに頼んだのよ。なにかアルフが夢中になりそうなものを持ってきてくれって」

もしアイリーンがいなかったら、そういうことはなにひとつ起きなかった。アルフは道を知らず、ビニーは運転ができず、生き延びてさえいなかっただろう。あらかじめお膳立てしてあったみたいに、なにもかもが完璧に符合する。『大空襲下、爆撃の被害者を救うための百のステップ』

「帰ってくるまで安静にしてるのよ」とアイリーンがいった。

ポリーはそうすると約束し、アイリーンは家を出た。ようすをたしかめにもどってくるかもしれないと思って五分待ち、それから服を着替えて、アルフとビニーの学校へ行くと、校長先生に、ふたりを連れて帰る必要があると告げた。「緊急事態なんです」といったが、そのとおりだった。

女性の校長は、生徒のひとりを使いに出し、ふたりを連れてこさせた。

「アイリーンはどこ？」ポリーの顔を見るなり、ビニーがいった。

「セント・バート」と答えると、ビニーが真っ青になった。

「死んだんじゃないよね」アルフがしゃがれ声でたずねた。

「違います。ぴんぴんしてる。調べものを頼んで、かわりに病院に行ってもらったの」

「誓う？」

「誓うわ」と答えると、ビニーの顔に血の気がもどった。

「じゃあ、なにしに来たんだよ」とアルフ。

「病院で助けてくれたお礼に、おやつをごちそうしようと思って」

「どんなおやつ？」アルフが疑い深げにたずねた。

そこまでは考えていなかったが、ホドビン姉弟は行くべき場所をちゃんと知っていた。ポリーはふたりにアイスクリームを買ってやり、それから、「去年の秋、セント・ポール駅へ行ったことある？」とたずねた。

ビニーは口をいっぱいにしたままノーと首を振りかけたが、アルフがすでにべらべらまくしたてていた。「あの駅員がウソついてんだよ。なんもやってねえのにさ。あの一シリングは、盗《と》ったんじゃなくてもらったんだ。何駅だか教えたお礼に。そしたらあの駅員が来て、カネを掏《す》っただろっていったけど、そんなことしてねえよ。おれらを刑務所に入れようってんじゃないよね？」

「どうかしら」ポリーは考え込むようにいった。「駅員が掏ったっていうんなら……その一シリングをくれた紳士はどんな人だったか覚えてる？　その人が見つかったら、警察に話をしてくれるかも――」

「紳士なんかじゃねえよ」とアルフがいった。「まだ子供だった」

「何歳くらい？」

アルフは肩をすくめて、「知んない」

「あたしたちより年上」とビニー。「十六歳ぐらい」

「一シリングもらったとき、どこにいたの？」

「路線図の前」とビニー。「そいつがそこに立ってるとき、たまたまあたしたちが路線図を見にいったんだよ。路線図を見ちゃいけないなんて法律はないよね。じゃないと、どの線に乗ればいいかわかんないじゃん」

「それからどうなったの？」

「駅員が来て」ビニーが憤然とした口調で、「現金や書類をたしかめたほうがいいって、その男にいったんだ」

「なんもしてねえのにさ」とアルフ。

地下通路で、決定的な数分間、彼を足止めした。もしそれが彼だとすれば。

ビニーが考え込むように眉間にしわを寄せてこちらを見ている。

ビニーが結論にたどり着く前に話題を変えないと。「病院で蛇を思いついたのは冴えてたわね、ビニー」

「おれのアイデアだよ」アルフがむっとしたようにいった。

「違うだろ、とんま」

「まあでも、おれの蛇だし。見たい？」アルフはポケットに手を入れた。

「いい」ポリーはふたりにそれぞれ棒つきキャンディを買ってやってから学校に送り届け、家に帰った。アイリーンはまだもどっていない。ダンワージー先生の部屋はまだドアが閉まっている。ポリーはそっとノックして中に入った。

ダンワージー先生はベッドではなく、窓辺に腰かけて外を見ていた。くたびれはて、うちひしがれたその姿に、あらためてショックを受けた。「ダンワージー先生」と静かに声をかける。

「ポリー！」先生は声をあげ、両手をこちらにさしだした。「ゆうべ帰ってこなかったから、心配したぞ。もしや――」

言葉を切り、探るような視線を向けて、「どうした？　アイリーンの身になにかあったのか？」

「いいえ」ポリーはダンワージー先生がすわる椅子の前にスツールをひっぱってきて、向かいに腰を下ろした。「いくつか質問があるんです。十二月二十九日の夜、負傷した火災監視員の命をバーソロミューさんが救ったとマイクはいってました。そうなんですか？」

「彼もまた、歴史の改変に関係していると？」

「ええ。でも先生が考えているようなことじゃありません。そうなんですか？　彼は火災監視員の命を救ったんですか？」

「わからない。バーソロミューは、ラングビーが焼夷弾の上に倒れて、ひどい火傷をしたと話していた。病院に運ばなければ死んでいたかもしれない」

「やっぱり」とポリーはうなずいた。「今度は、先生がロンドン大空襲にはじめてやってきたときのことをくわしく教えてください。海軍婦人部隊員とぶつかったときのことです。ネットを抜けた先が非常階段で、先生は駅に出て――」

「ああ。時空位置を確認するためだ。そして、セント・ポール大聖堂のすぐそばにいることに気がついて、ひとっ走り――」

「いいえ、その前。駅の中で」

「地下鉄路線図を見にいったが、いまいるのが何駅なのかどこにも書いてなかった。それで通りかかったふたりの子供にたずねたら、男の子のほうが――男の子ひとりと女の子ひとりだった――金をくれたら教えてやるといった」

もちろん、そうでしょうとも。

「そこでふたりに一シリングやったら」とダンワージー先生がつづける。「ここはセント・ポール駅だと教えてくれた。それから駅員がやってきて、このふたりに迷惑してないかとたずねて、なにか掏られていないかたしかめるようにといった。それから駅員がふたりを追い払うか、ふたりが逃げ出すかしたんだと思う――覚えてない。大むかしだからね」

「そのふたりの顔を覚えてますか？」

「いや。覚えているのは、すごく汚かったことだけだな」ダンワージー先生は思い出そうとするように目を細めた。「男の子は七歳くらいで、女の子は――」途中で口をつぐみ、ポリーを見た。「それがアルフとビニーだったと思っているのか」

「思ってるんじゃなくて、知ってるんです。ふたりに聞きましたから」ダンワージー先生の疑わしげな表情を見て、「だってほら、ふたりにとってはたった半年前の出来事なんですよ。五十年前じゃなくて。もっとも、あのとき出くわしたのが先生だということは知りません。ふたりや駅員と話をするのに、どのくらいかかりました？」

「五分くらいだろう。たいした時間じゃない」

「でも、ふたりが小銭をせしめようとせずにすぐさま駅名を教えていたら、先生が海軍婦人部隊員にぶつかることはなかった」ポリーは前に身を乗り出した。「わたしたちがジョン・バーソロミューを捜していた夜、アイリーンは彼の姿を見かけて追いかけたけど、とつぜんあらわれたアルフとビニーに行く手をふさがれたせいで追いつけなかった。それに、アイリーンの現地調査の最終日、オックスフォードに帰ろうとする彼女を引き留めたのもあのふたりだった」

「わからないな。アルフとビニーがそれに責任があるというのかね？　わたしがしたことにも？　わたしの責任ではなく、あのふたりの責任だと？　しかし、わたしがここに来なければ――セント・ポール大聖堂をひとめ見ようと思わなければ――あんなことは起こらなかった」

「そのとおり。いいですか。アイリーンは、オックスフォードにもどるのをあのふたりに止められたおかげで、すくなくとも一度、おそらくは二度以上、彼らの命を救うことができたんです」ポリーは、はしかとシティ・オブ・ベナレス号のことを説明した。

「そして、ジョン・バーソロミューに追いつくのを妨害することでその恩に報いたと？」

「ええ」ポリーは語気を強めて、「そして、ふたりに足止めされたせいで、バーソロミューさんのあとを追ったとき、防空監視員に捕まって、爆撃の負傷者をセント・バート病院に運ぶ救急車の運転を押しつけられた。その結果、アイリーンは負傷者の命を救い、マイクはハーディの命を救い、わたしはゆうべ、サー・ゴドフリーの命を救いました」

「で、命を救われた人たちが戦争に重要な役割を果たしたと？　どんな？」

「わかりません。もしかしたら、サー・ゴドフリーが上演するパントマイムを見にいっただれかの自宅が、劇場にいるあいだに爆撃されるとか。それとも、先生とぶつかった海軍婦人部隊員のプロッティングのおかげで空軍パイロットの命が助かり、そのパイロットがベルリンを空爆するとか。それとも、その海軍婦人部隊員に手を貸そうと立ち止まった海軍将校がUボートを魚雷で沈めるとか、エニグマ・コードブックを手に入れるとか、ビスマルクを沈めるとか。あるいは彼らの中のだれかが影響を及ぼしたべつのだれかがなにかをしたとか。ハーディがダンケルクから五百十九人の兵士を連れ帰ったのはわかっています。救われた兵士のひとりひとりが――」

「で、そのすべてが巨大な計画の一部だと？」

「ええ。いいえ、計画じゃなくて……つまり、わたしがアルハンブラで舞台に立っていたのは偶然じゃなかったし、サー・ゴドフリーがフェニックス座にいたのも偶然じゃなかったということです」ポリーは、ハイヒールと、ＥＮＳＡと、戦時労働斡旋所のミセス・セントリーが『クリスマス・キャロル』の舞台に立つ彼女を見ていたことと、サー・ゴドフリーが旅回りの一座に加わってブリストルに行く決心を翻したことを話した。

「彼の命を救うことができたのは、どの降下点も開かなくて、わたしたちがまだこの時代にとどまっていたからです。降下点が開かない理由や、ずれが起きる理由を、いままでまちがって解釈してたんじゃないかと思うんです。もしそれが、歴史の改変を防ぐためじゃなくて、歴史を改変できる場所にわたしたちを置いておくためだったとしたら？　わたしたちがその仕事を果たすまで、ここにとどめておくためだとしたら？」

身を乗り出し、両手でダンワージー先生の手をとった。「あの海軍婦人部隊員とぶつかることで、彼女の死を招いたんじゃなくて、反対に命を救ったんだとしたら？　彼女は死んだ海軍婦人部隊員の友だちで、アヴェ・マリア・レーンで落ち合う約束だったのかもしれません。それが、先生とぶつかって時間を食ったために、爆弾が落ちたときにはまだ待ち合わせ場所に着いていなかったんだとしたら？　それとも、先生は、あの海軍将校や、黒いスーツの男の命を救ったのかもしれない。黒スーツの男は、セント・ポール大聖堂に行くところでした？　それとも大聖堂のほうから坂を降りてくるところ？」

「行くところだったよ」

「それなら、当直に向かう火災監視員だったかもしれない。彼は、二十九日の夜、焼夷弾のひとつを発見して消火した。もし先生が彼と出くわしていなかったら、セント・ポール大聖堂は焼け落ちていたかもしれない。そして、先生が彼と遭遇することになったのは、アルフとビニーのせい」

「しかし――」

「マイクがハーディ二等兵の命を救ったのは、ずれのせいで、ソルトラム・オン・シーに着いたときにはバスの時間に間に合わなかったから。わたしがサー・ゴドフリーと出会ったのは、ネットの開いた先が朝じゃなくて夜だったから」

防空監視員に捕まって、セント・ジョージ教会に連れていかれたいきさつをポリーは物語った。「そして、先生がはじめて来たときは、ずれのせいでセント・ポール駅に出ることになった。問題の海軍婦人部隊員と出くわすべき場所に」

「つまり、ずれの機能は改変を防止することではなく、改変を生じさせることだというのかね？　われわれはここに意図的に足止めされていると？」

「先生がいいたいことはわかってます。カオス系は意志を持つ存在ではなく――」

「まさにそれをいおうとしていた」

「でも、意志を持つ必要はないんです。先生は、降下点の機能停止が連続体の防衛機構だと考えていた。たぶんそのとおりでしょう。ただしそれは、未来からの介入を遮断するためではなく、連続体が脅かされたとき、未来からの助力を調達するためのメカニズムなんです。もしヒトラーが欧州の戦争に勝利したら、ドイツには原子爆弾を開発する時間ができる。ヒトラーは躊躇《ちゅうちょ》なくアメリカに原爆を投下するでしょう。あるいは、他の非アーリア民族に対しても。ヒトラーはすでに、アフリカの〝泥人間〟を抹殺する計画を立てていたし、さらにその先まで進んでいたはずです。いずれはすべてを――」

「消し去っていた」とダンワージー先生。「ゲッターデメルンク、神々の黄昏《たそがれ》だ。しかし、もしそれが当たっていたとして、連続体が自衛を望んだのなら、ネットを開いて、われわれにヒトラーを暗殺させるほうがずっと簡単じゃないかね。なぜそうしない？」

「わかりません。もしかしたら、システムは小規模の改変しか、あるいは意図せざる改変しか認めないのかも。もしくは、そういう分岐点では、改変を不可能にするような、なにかべつの事態が進行しているのかも。あるいは、わたしたちが関与するのが遅すぎたのかもしれません。『眠れる森の美女』の、よい魔法使いみたいに――」

「よい魔法使い？」

「ええ」ポリーは熱をこめて、「よい魔法使いは、すでにかけられてしまった呪いをとり消すことができず、呪いの効果をやわらげるのがせいいっぱいでした。タイムトラベルが発明されたのは、連続体の発生よりはるかにあとのことです。たぶん、連続体を完全に修復するには遅すぎたんでしょう。それでもまだ、わたしたちは――」

「しかし、たとえそれが正しくて、きみがサー・ゴドフリーの命を救い、マイクがハーディの命を救い、わたしがあの海軍婦人部隊員の命を救ったのだとしても、われわれはやはり歴史を改変したことになる。歴史はカオス系であり、善意に基づく行動が意図とは正反対の結果を招くこともある。百歩譲って、仮に連続体がわれわれに修復をさせようと意図したのだとしても、われわれの行動が意図したとおりの結果を導いたとどうしてわかる？　反対に事態をもっと悪くしたのではないとどうしてわかる？」

「すでにもっと悪かったからです」

「もっと悪かった？　どういう意味だね？」

「つまり、もしこの戦争に対するわたしたちの見方が反対だったら？　すでに災厄は起きていて、その悪い結果をわたしたちが改変しようとしているんだとしたら？」

「悪い結果？」ダンワージー先生がとまどったように訊き返した。

「ええ。もし連合軍が戦争に負けていたら？　戦争の勝敗がナイフの刃の上で危ういバランスをとっているような局面が何十回もあったと先生はいいました。ほら、あの古いことわざみたいに。『釘が足りずに蹄鉄打てず、蹄鉄足りずに――』」

「『――馬が走れず』」

「ええ。そのせいでいくさに負けて、大戦にも敗北してしまう。第二次世界大戦にはそういう状況が何十回となくありました。ものごとのなりゆきがちょっと違っただけで、大戦の勝者が変わってしまったような状況が。で、もし現実に連合軍が第二次大戦に敗北していたとしたら？　もしもあの海軍婦人部隊員がアヴェ・マリア・レーンで死に、サー・ゴドフリーがブリストルで死に、アイリーンが十二月二十九日に搬送した爆撃の負傷者が、救急車の運転手が見つからなかったせいで命を落とし、ハーディがドイツ軍の捕虜収容所に送られて、それで戦争に負けてしまったんだとしたら？」

「しかし、だとしたらタイムトラベルはけっして発明されなかったはずだ。アイラ・フェルドマンは――」

「いいえ。連続体はカオス系です。ということは、タイムトラベルはすでにその一部になっていて、失われることはないんです。なぜなら先生がこの時代にやってきて、あの海軍婦人部隊員とぶつかり、一連の出来事の雪崩《なだれ》を引き起こしたからです。マイクも、わたしたちがここに島流しになっていることも、その雪崩の一部なんです」

「いいかえれば、われわれは蹄鉄だと」

「ええ――」

「そしてわれわれはワルツを踊り、ナットとボルトをいくつか締めて、そのおかげで連合軍が戦争に勝ったと？　史学生はよろず修理屋《リトル・ミス・フィックス・イット》さんだと？　やれやれ。歴史はカオス系だよ。はるかに複雑な――」

「複雑なのはわかってます。わたしたちのおかげで戦争に勝ったといってるんじゃありませんし、あの海軍婦人部隊員やハーディやサー・ゴドフリーや、アルフとビニーや、アイリーンが十二月二十九日に搬送した負傷者のおかげで勝ったといいたいのでもありません。彼らを救ったことが天秤《てんびん》を傾けたというんでもない。ぜんぜんべつのことかもしれない――マージョリーが看護婦になろうと決心したことか、わたしのイヴニングドレスを同僚のＦＡＮＹ隊員に貸したことか、マイクがアラン・チューリングと衝突したことか。それとも、自分では覚えてもいないような些細な行動かもしれない――エスカレーターでだれかを追い越したとか、タクシーを呼び止めたとか、道をたずねたとか。マイクが病院でしたことか、アイリーンが疎開児童のだれかに与えた影響か。わたしが商品の包装に手間どったせいでお客さんが店を出るのが五分遅くなってバスに乗り遅れたか、空襲警報が鳴ったときに地下鉄の駅で立往生したか」

「しかし、その行動がなんであれ、われわれのだれかがそれをしたのだときみは考えている。この戦争を勝ちとったのはわれわれのだれかだと」

「いいえ」なかなかわかってもらえないことにいらいらしてきた。「そういうことでもありません。だれかひとりのおかげで、あるいはなにかひとつの原因でこの戦争に勝ったんじゃないんです。この戦争の勝因がなんなのかについては、いろんな議論があります。ウルトラか、ダンケルク撤退か、チャーチルの指導力か、それとも上陸地点がカレーだとヒトラーを欺いたことか。でも、勝因はどれかひとつじゃない。そのすべてと、他の数百万の出来事や人間のおかげで、わたしたちは戦争に勝ったんです。兵士やパイロットや海軍婦人部隊員だけじゃなく、防空監視員や航空機観察員や新米女優や数学者やヨット乗りや牧師たち」

「それぞれの分を尽くした人々」とダンワージー先生がつぶやくようにいった。

「ええ。食糧配給所で働く人や救急車運転手やＥＮＳＡのコーラス・ガールたち。そして史学生。カオス系では、だれもが出来事に影響を与えずにいられないと先生はいいました。先生が――わたしたちが――過去に来たことが、この戦争にもうひとつの武器を与えることになったんだとしたら？　わたしたち自身が秘密兵器だったとしたら？　フランスのレジスタンスやフォーティテュード・サウスのような」

「あるいは、ウルトラのような」

「ええ。ウルトラのような。舞台裏で活動し、それが他のすべてと合わさって、災厄を回避し、天秤を勝利に傾けることになった」

「そして、この戦争に勝利をもたらした」ダンワージー先生は低い声でいった。

長い沈黙が流れ、それから、ほとんど切望するような口調で、ダンワージー先生がいった。

「だが、証拠がない……」

ええ。たとえカオス系だろうとも、こんなにもたくさんの命が救われ、こんなにもたくさんの命が犠牲になったことには――こんなにも大きな勇気と、やさしさと、忍耐と、愛には――なにがしかの意味があるはずだということ以外には。

「ええ」とポリーはいった。「証拠はなにもありません」

ノックの音がして、アイリーンが戸口に顔を覗かせた。赤毛が風に乱れ、頰が薔薇色になっている。「暗い部屋にすわって、なにやってるの？」といって明かりをつける。「ふたりとも、お茶を飲んだほうがよさそうな顔ね。いまお湯を沸かしてくる」

「ううん、待って」とポリー。「あんたが助けた人、だれだかわかった？」

「ええ」アイリーンは帽子をとって、「受付担当看護婦も婦長も、なにも教えてくれなかったから、男性用の病棟へ行って、ミセス・マローワンから調べてきてほしいと頼まれたんだけどって、担当の看護婦に話したの」

「ミセス・マローワン？」とダンワージー先生。

「アガサ・クリスティーの結婚後の名前です」アイリーンは緑のコートのボタンをはずしながら、「『オリエント急行の殺人』のことでその看護婦としばらく話し込んでから、まだ出版されてないアガサ・クリスティーの新作の話をしたの。心配ないって、ポリー。編集者の友だちが校正刷りを見せてくれたっていったから。それですっかり仲よくなって、救急車の出動記録を見せてもらったの」

「それで、あんたが助けた患者は——？」

「実際は三人いた。ともかく、その看護婦さんの話によると、ただちに病院に搬送されていなかったら生き延びたかどうか疑わしいという患者は三人だった。名前をメモしてきた」アイリーンはそういってハンドバッグから一枚の紙片をとりだし、読み上げた。「トマス・ブラントリー軍曹、ミセス・ジーン・カトル——あの救急車の運転手ね——それにデイヴィッド・ウェストブルック大尉」

ダンワージー先生がひゅっと息を呑んだ。

「ウェストブルック大尉を知ってるんですか？」とポリーはたずねた。

ダンワージー先生はうなずいた。「Dデイ当日、援軍が到着するまで、ある重要な戦略拠点を独力で守り切って死んだ人物だ」

なぜなら、失われたものは、探し求めればかならず見つかるからである。
――エドマンド・スペンサー『妖精の女王』

62

ロンドン
一九四一年春

「つまり、アルフとビニーが戦争の英雄だっていいたいの？」ポリーの仮説をポリーとダンワージー先生のふたりから説明されたあと、アイリーンはいった。

「ええ」とポリー。「あのふたりが秘密兵器だっていうあんたの言葉は正しかったのよ。ただし、あたしたちの味方。ジョン・バーソロミューを追いかけているときにホドビン姉弟が飛び出してきて足止めしたおかげで、あの夜あんたは救急車を運転させられることになり、その結果、ウェストブルック大尉の命を救うことができた――」

「それに、あのふたりは列車を足止めした」

「列車？」とポリー。

「ロンドンに来るときに乗った列車。あのふたりがコンパートメントから追い出した女校長が駅長に掛け合って、わたしたちを列車から放り出そうとしたおかげで、列車が駅を離れるのが遅れたの。その直後に、線路のすぐ前方にあった鉄橋が爆撃されたことがわかって、アルフがいったのよ、『列車が遅れてラッキーだったね』って」アイリーンは驚いたように目を見張って、「わたし、あのふたりのおかげで命拾いしたのね。それに、あの女校長も」

「そしてあんたは、ウェストブルック大尉の命を救った」

「で、先生とポリーとマイクとわたしのおかげでこの戦争に勝ったって？」とアイリーン。

「戦争に勝つのに貢献した」とダンワージー先生がいった。「天秤を勝利の側に傾けた」

「でも、わからない。わたしたちが来る前は戦争に負けてたんだったら、どうしてポリーがVEデイに行けたの？　負けたんなら、VEデイなんかないはずでしょ」

「あるのよ。だって一九四五年には、あんたはもうウェストブルック大尉の命を救い、あたしはサー・ゴドフリーの命を救い――」

「でも、VEデイに行ったときは、まだ救ってなかったのに」アイリーンは頭が混乱してわけがわからないという顔で、「まだロンドン大空襲にさえ来てなかったじゃない」

「いいえ、来ていたのよ」ポリーは辛抱強くいった。「あたしは一九四〇年にロンドン大空襲の現地調査に来た。五年後、一九四五年のVEデイ前日に、トラファルガー広場へ行った」

「でも、わたしたちのだれもここに来ていないころ、タイムトラベルがまだ発明もされていない年月はどうなるの？　そのときは、戦争に負けてたんじゃないの？」

「ううん。戦争にはいつも勝っていたのよ、だってあたしたちはいつも来てたんだから。あたしたちはいつでもここにいた。あたしたちはいつでもこれの一部だった」

「過去と未来は、どちらもおなじ一本の柱の一部なのだよ」とダンワージー先生がいい、カオス理論の長くややこしい説明を開陳した。

「でも、やっぱりわからない」

「なにがわからないって？」ビニーがそういいながら部屋に入ってくると、今後は自分のことを――「フローレンス・ナイチンゲールみたいに」――フローレンスと呼んでほしい、だって看護婦になるんだからと宣言し、それで三人の会話はおしまいになった。

しかし翌朝、アルフとビニーが登校したあと、アイリーンはまたその議論を蒸し返した。

「ということは、先生が海軍婦人部隊員にぶつかり、マイクが船のスクリューを動かし、あなたがサー・ゴドフリーの命を救ったことで、歴史の流れが変わって、ちょうど戦争に勝つくらいに天秤が傾いたっていうこと？」

「そうよ」

「だったらもうこれ以上わたしたちをこの時代に閉じ込めておく必要はないわけね。もう帰れる」

「アイリーン――」

アイリーンはダンワージー先生のほうを向いて、「先生は、ここに来た史学生全員が歴史に影響を及ぼしたっていいましたよね。その全員がつつがなくオックスフォードに帰っている。それに先生だって、海軍婦人部隊員とぶつかったあと、ちゃんとオックスフォードに帰りついた。ということは、わたしたちはすべきことをしたんだから、回収チームが迎えにこられるようになって当然じゃない？　それとも、降下点がまた作動しはじめるか」アイリーンは期待に満ちた表情でポリーとダンワージー先生の顔を交互に見た。「たしかめに行かなきゃ」

「セント・ポール大聖堂の降下点は、きょうこれから、わたしが見てこよう」とダンワージー先生が約束し、ポリーは劇場へ行く途中で自分の降下点を見てくると約束させられた。しかし、アイリーンがフリン将軍を救急車で送る任務に出かけたあと、ダンワージー先生はポリーに向かっていった。「降下点についてのアイリーンの説は、もちろん正しいかもしれないが――」

「でも、もしそうだったら、とっくにコリンが来ているはずです」

「ああ」とダンワージー先生。「コリンが来ていないという事実は、われわれの果たすべき役割がまだ終わっていないことを意味している可能性が非常に高い」

「ええ」といいながら、ポリーは、終戦前の最後の年の段階でさえ、デネウェル少佐がFANY隊員たちに向かって、戦争に負ける可能性はまだあるのだと話していたのを思い出していた。

「戦争が終わるまでに、さらに多くの犠牲が、われわれに求められているのかもしれない」とダンワージー先生がいった。

あたしたちの命を含めて、とポリーは思った。

サー・ゴドフリーを助けようとして、あたしはあやうく死ぬところだった。次は切り抜けられないかもしれない。無数の救助隊員やARP監視員や消防士が、瓦礫の下に埋もれている人を掘り出したり、避難者を防空壕へ案内したり、爆弾の信管をはずしたりする作業の途中で命を落としている。あるいは、マイクのように、高性能爆弾の直撃を受けて即死するかもしれない。あるいは、ロンドン大空襲のさなかに病院や捕虜収容所や新聞社で命を落とした大勢の人々とおなじ運命をたどるかもしれない。

戦争の犠牲者。

しかし、死に際してさえも、彼らは分を尽くしていた。マイクのように。マイクの死を契機として、ポリーは戦時労働斡旋所に行って救助隊に志願し、かわりにENSAの仕事を割り当てられて、サー・ゴドフリーの命を救うことになった。

「生きて帰れない可能性が高いのはわかってます」ダンワージー先生に向かってそういいながら、それが前線に旅立つ兵士たちの台詞だと気がついて、胸がちくりと痛んだ。

「でも、そんなことはどうでもいいんです」それは本心だった。「だいじなのは、サー・ゴドフリーが死ななかったことと、自分のせいで戦争に負けたりしないんだということと、自分のせいで死なせやしないかという心配なしにミス・ラバーナムやドリーンやトロットに会えること。それに、もし死んだとしても、第二次世界大戦で死ぬのがわたしひとりというわけじゃない。ひとつだけ残念なのは、先生を巻き込んでしまったことです」

「われわれはたがいに相手を巻き込んだんだよ。それに、まだ脱出できる可能性はある」

「もし脱出できないとしても、ヒトラーを止めることはできた」と先生に笑みを向けた。

「たしかにそのとおりだ」とダンワージー先生がいい、急に若返ったように見えた。「それにわれわれは、セント・ポール大聖堂と同様、まだちゃんと立っている。すくなくともいまのところは。そういえば、大聖堂の降下点をたしかめにいくついでに、火災監視員に志願しようと思っている。昔から、火災監視員としてセント・ポール大聖堂を救うのに手を貸すのが夢だった――」

ダンワージー先生は妙な表情を浮かべて途中で口をつぐんだ。

「どうしたんです？　気分でも悪いんですか？」

「いや、いまふと思ったんだが……もしかしたら、わたしはすでに一度、大聖堂を救ったのかもしれない。こちらに抜けてきた夜、闇の中で消防用手押しポンプにぶつかって倒し、なんの物音だろうと調べにやってきた火災監視員ふたりが、屋根を焼き焦がして落ちてきた焼夷弾を発見した。もしあのとき、わたしがいなかったら――」

「発見が遅れて、気がついたときには炎が――」といいかけて、ポリーも途中で口をつぐんだ。ジョン・バーソロミューを捜していたあの夜、セント・ポール大聖堂の案内デスクで燃えていた火のことを思い出す。

「わたしがそこにいたことが大聖堂を救ったのだとすれば、そういうことがまた起きるかもしれない」とダンワージー先生。「あと二週間しかセント・ポールにいられないとしても。しかし、大聖堂の人々を説得するのにきみの力が必要だ。それにアイリーンを納得させるのにも」

アイリーンを納得させるのは、その両者の中でもむずかしいほうだと判明した。「でも危険です」とアイリーンはいった。「北の袖廊は——」

「四月十六日まで爆撃されない」とダンワージー先生。「その夜は大聖堂に電話を入れて、体の具合が悪いから休むと伝えるよ」

「五月十日と十一日の大規模空襲は？　先生の話では、ロンドン全体が——」

「両日とも、セント・ポール大聖堂は爆撃されていない」とダンワージー先生は請け合った。

そんなことは問題じゃないのよ。ポリーはアイリーンに向かってそう叫びたかった。そのときにはもう、先生はここにいないんだから。そのときにはもう、先生のデッドラインは十日も過ぎている。それに、あたしにも、そのころまでしか時間がない可能性がある。もしあたしに果たすべき任務がまだあるとしたら、それはほぼ確実に、現在からロンドン大空襲の終わりまでのあいだにやってくる。それ以降も間欠的な空襲はあるものの、死者はほとんど出ていない。あたしがその中のひとりになったら、歴史が変わってしまう可能性が高い。ということは、あたしのデッドラインは、一九四三年末じゃない。今年の五月十一日だ。

しかし、アイリーンにそれをいうわけにはいかない。第一に、アイリーンは信じないだろう。第二に、現在の目標は、ダンワージー先生が火災監視に加わるのをアイリーンに認めさせることだ。だから、ポリーはかわりにいった。「セント・ポール大聖堂はこのあとも、一九四四年のV1とV2攻撃まで被害を受けないのよ」

「でも、それまで被害を受けないんだとしたら、どうして火災監視員になる必要があるんですか、ダンワージー先生?」とアイリーンが食い下がる。

「わたしが大聖堂にいることが被害のない理由かもしれないからだよ」と先生は答えたが、説得の役には立たなかった。

「いいえ」アイリーンはきっぱりいった。「やっぱり危険すぎます。焼夷弾に屋根……転落するかもしれないし」

「一九四一年にセント・ポール大聖堂で負傷もしくは死亡した火災監視員はひとりもいない」とダンワージー先生はいった。もしや、それは嘘で、先生はセント・ポール大聖堂で働くことのみならず、大聖堂で死ぬことを願っているんじゃないだろうか。

「それに、大聖堂で働いていれば、まわりにだれもいないときに降下点をチェックするチャンスがある」

ダンワージー先生の説得にアイリーンもとうとう折れたが、毎晩の当直の際は大聖堂まで先生を送り迎えすると言い張った。

「大聖堂は安全かもしれないけど」とアイリーン。「行きと帰りはどうだかわからないでしょ。回収チームが到着する五分前に、先生やポリーが死んでいたなんてことにはぜったいたいなってほしくないから」

「わかった」と先生はいい、毎晩アイリーンに付き添われて大聖堂まで往復した。例外は四月十七日。先生はアイリーンを使いに出し、かわりにポリーが付き添った。前夜の空襲の損害をアイリーンが見なくて済むように。

「床の真ん中に巨大なクレーターができている」とダンワージー先生はポリーにいった。「アイリーンがそれを見たら、やっぱり火災監視の仕事はやめろといいだすんじゃないかと思ってね」

「それに、先生の降下点に行けないこともわかってしまうし」それがほんとうの理由だろうと思いながらポリーはいった。

「たしかに」

先生といっしょに大聖堂に行くと、ハンフリーズ氏が喜色満面でポリーを出迎えた。「ミス・セバスチャン、あなたの看護の腕はものすごく優秀なんですね。ホッブさんはすっかりよくなったみたいですよ」

ハンフリーズ氏はどうしてもと言い張って、ふたりを北の袖廊に——というか、そちらへの道をふさいでいる漆喰と木材と大理石の破片の山のところに——案内した。「しかし、もっとひどいことになる可能性もあったんですよ」

はるかにずっとひどいことになる可能性があった。その夜、アルハンブラ劇場へ向かいながら、ポリーは思った。向かうところ敵なしのヒトラーがだれにも止められずに英国と全世界を——それに未来を——蹂躙《じゅうりん》し破壊しつくすかもしれなかったのだから。

でも、あたしたちがヒトラーを止めたんだ。そう考えると心が浮き立つ。「病院でハンサムな医者にでも出会ったのか？」

「カナリアを食べた猫みたいな顔だな」とタビット氏がいった。

「あやうく死にかけた人間にしちゃ、おそろしく上機嫌だね」とハッティがいった。

一座の面々も、ポリーの明るさに目をとめた。

「元気すぎるんじゃないの」パントマイムの稽古の初回に劇場へ行ったとき、ヴィヴがいった。

「みんなにまた会えてすごくうれしいの。それだけ」サー・ゴドフリーとミセス・ワイヴァーンは、一座がパントマイムを上演する新しい小屋——リージェント劇場——を見つけただけではなく、タビット氏と交渉して、その期間中、ポリーの出番を昼興行《マチネー》に移してもらい、一座の他のメンバーも、ひとり残らずパントマイムに動員した。

ミス・ラバーナムはナレーター、ミセス・ブライトフォードは眠れる森の美女の母親の女王役、主任牧師は国王役と王子の馬のうしろ半分。馬の前半分はヴィヴで、よい魔法使いの犬はネルソン。ミス・ヒバードは衣裳を手伝っている。「わたしたちもあなたに会えてうれしいわ」とミス・ヒバードはいった。

「それに、あれだけの試練に耐えたというのにとても元気そうでなによりです」と主任牧師がつけ加えた。

「春の陽気のせいね」とミス・ラバーナム。「春の訪れで、みんな気分がうきうきしてくるのよ」

「あたしは男だと思うな」とヴィヴ。

「なにが原因だとしても、そのほうがずっといいわ」とミセス・ブライトフォード。「ほんとに輝いてるみたい」

　しかし、サー・ゴドフリーといっしょに楽屋へ行くと、こういわれた。「蠟燭が燃えつきる前の最後の輝きのような、異様にはしゃいだその態度はどういうことだね。そういう気分は危険だ。わたしのために粉骨砕身したあの体験から、まだちゃんと立ち直ってないのではないか？　もしかしたら、上演を延期すべきかもしれない」

「いいえ、それはやめて」警戒するような視線を向けるサー・ゴドフリーに、「劇場を借りている期間をもう一週間延ばせるとはかぎらないというだけの意味です。それに、五月になったら、ＥＮＳＡの仕事で地方に派遣されるかもしれないし。いえ、ブリストルに行くわけじゃないですよ」とあわててつけ加えた。「延期する必要なんかありません。わたしはだいじょうぶです」

　それはほんとうだった。唯一の心残りは、もうコリンに会えないこと。あたしとダンワージー先生を救出できなかったことで彼がどんなに悲しむかと思うと胸が痛む。

　あなたのせいじゃないのよ。コリンにそういってやりたかった。可能なら助けにきてくれたのはわかってるから。

　サー・ゴドフリーが心配そうにこちらを見ている。「死神を一度だしぬけたからといって、二度めがあるとはかぎらない。きみを失うことは耐えられない」

「新しい王子《プリンシパル・ボーイ》役を捜さなきゃいけない羽目になるからでしょ」とポリーは笑顔でいった。

　それで不安が和《やわ》らいだのか、暴君のごとく指図するむかしのサー・ゴドフリーが復活し、全員を怒鳴りつけ、セットのペンキ塗りにリクルートされたミスター・ドーミングに大音声で指図した。ミセス・ブライトフォードの三人の娘たちも徴募され、稽古がはじまるころには――ポリーの反対にもかかわらず――アルフとビニーもメンバーに加わった。

「いい考えだとは思えませんけど」ミセス・ワイヴァーンがその話を持ち出したとき、ポリーはいった。

「すばらしい考えですよ」とミセス・ワイヴァーン。「このパントマイムは、イースト・エンドの孤児たちのために上演されるんです。本物のイースト・エンドの子供たちに出てもらうこと以上にいいことはないわ。洗礼を施す場面に出てもらいましょう」

「あたしたち、魔法使いなんだよ」とビニーがダンワージー先生に誇らしげにいった。

「おれは違うよ」とアルフ。「女の子は魔法使い。おれはゴブリンだ。それと茨の木。第一の茨の木」

「ウソつき」とビニー。「茨の木はぜんぶいっしょじゃんか。あたしはぴかぴかのきれいなドレスを着て、背中に翼をつけるんだ」

その前にサー・ゴドフリーに絞め殺されなかったらね、とポリーは心の中でいった。そうなる可能性はきわめて高い。ふたりはネルソンにちょっかいを出し、ペンキの缶に踏み込み、眠れる森の美女のベッドに身を投げ、魔法の杖や小道具の剣でチャンバラごっこに興じた。

「その剣はコヴェント・ガーデン劇場からの借りものだぞ！」サー・ゴドフリーはホドビン姉弟を怒鳴りつけた。「次に悪行を見つけたら、かかとを持って逆さ吊りにするからそう思え」

その脅しはふたりにはなんの効果もなかった。子供たちに劇場を破壊されないよう、監督係としてアイリーンに稽古につきあってもらうようにしたところ、ミセス・ワイヴァーンがそくざに彼女をプロンプターとして採用した。

「すくなくともこれで、回収チームが来たとき、ひとつところに全員集まってることになるわね」とアイリーンが明るくいった。

もうこのときには、だれも迎えにこられないことは明白になっていたが、それでもアイリーンは望みを捨てようとしなかった。「きっと、セント・ポール大聖堂の爆撃が分岐点なのよ。だからそれが過ぎるまで回収チームが来られないんだわ」

四月十六日にも十七日にも、なにも起きなかった。十八日に、アイリーンはいった。「わたしたちがオックスフォード・ストリートにいなくて、ミセス・リケットの下宿が空襲でなくなって、牧師さんはバックベリーを去ってしまったから、回収チームはわたしたちの居場所がわからないのよ。タウンゼンド・ブラザーズに行って、新しい住所を伝言してこなきゃ。領主館のライフル訓練校のヘファーナン中尉にも手紙を書いたほうがいいと思う？」

そんなこと関係ないのよ、とポリーは思った。もし来られるのなら、とっくに来ている。ダンワージー先生のデッドラインが五月一日だということを彼らは知っている。それに、これからの三夜、天候は晴れ。最高の爆撃日和《びより》だ。

「今晩、家に帰ったら、ヘファーナン中尉に手紙を書くわ」とアイリーン。「もしかしたらライフル練習場が移転してて、バックベリーのわたしの降下点を使えるかも」

そっちも開かないわ。アイリーンにそういえたら楽なのに。デッドラインまでに脱出できないことで、自分を責めちゃだめ。あんたのせいじゃないんだから。

しかしアイリーンは、「きっと連れ出してくれる。いずれわかるわ。いまこの瞬間にも、ありとあらゆることが起きてる。ありとあらゆる人々がわたしたちを助け出そうとがんばってる」と答えるだろうし、とてもそれには耐えられない。そこで、アイリーンがダンワージー先生を大聖堂へ送っていったあと、彼女にいいたかったことをメモにして書き残し、インプラントされているV1とV2の日付と時刻と場所すべてをそのあとに書き記した。

自分が死んでオリジナルが失われた場合に備えてそれを書き写し、アイリーンの『オリエント急行の殺人』のページにはさんだ。オリジナルは封筒に入れてアイリーンの名前を書き、半分焦げた『世の光』のプリントといっしょにそれをもう一通の封筒に入れて、コートのポケットにしまった。

十八日にもなにも起きなかった。十九日にアイリーンがいった。「あした、ハムステッド・ヒースの降下点に案内して。もし十六日が分岐点だったのなら、ロンドンの中心部からずいぶん遠いハムステッド・ヒースは、影響を受けていないかもしれない」コートを着込み、「劇場で落ち合いましょう。わたしはこれからダンワージー先生をセント・ポール大聖堂に送っていかなきゃ——今夜は当直なのよ。それと、ミセス・ワイヴァーンに伝言。魔法の杖と茨の枝は、子供たちの手が届かないように、衣裳戸棚のいちばん上に入れてあるって伝えて」

「アルフとビニーも行くの？」

「ううん」しかし、ふたりがあんまり大騒ぎするので、アイリーンもとうとう根負けして、いっしょに連れていくことになった。

ポリーはほっとした。そうなれば、稽古に遅刻してサー・ゴドフリーに大目玉を食うことになるだろうが、アイリーンといっしょにいるかぎり、ふたりは安全だ——ともかく、あたしといっしょにいるよりは。それにダンワージー先生もセント・ポール大聖堂にいて、安全だ。大聖堂は四月十六日以降、もう空襲の被害に遭っていない。

ということは、ダンワージー先生は大聖堂からの帰途、もしくは家にいるときに死ぬことになる。ポリーもそれと同時に死ぬという可能性もあるが、そうならないことを祈っていた。

サー・ゴドフリーのためにも、パントマイムに出演したかった。

サー・ゴドフリーはパントマイムを蛇蝎《だかつ》のごとく嫌っているが、ポリーはパントマイムの舞台に立つのが楽しかった。たぶん、それが生涯で最後の仕事になるからだろう。それに、舞台の上では、無慈悲に過ぎてゆく日々のことも、戦争と別離と死のことも忘れて、台詞と衣裳だけに集中できる。いや、それともうひとつ、アルフとビニーが触れるものすべてを破壊するのを防ぐこと。

ホドビン姉弟は、キャストに加わって以来、毎晩、楽屋を大混乱の渦に巻き込んだだけでなく、パントマイムに出演する他の子供たち全員を堕落させた。とりわけ、トロットの変わりようは著しかった。ホドビン姉弟といっしょに一週間過ごしただけで、トロットのヘアリボンはほどけ、薔薇色の頬に汚れのすじがついた。きょう、ポリーがリージェント劇場に到着すると、トロットが「あたし、うすのろじゃないもん！」と叫んで、姉たちを魔法の杖でぶん殴っているところだった。その横では、ネルソンが激しく吠えている。

「杖はわたしがあげたのよ」とミス・ラバーナムが悲しげに認めた。「使いかたに慣れてもらおうと思って。でも、まちがいだったみたい」

ミス・ラバーナムは、おなじ理由からミセス・ブライトフォード（女王役）に王族のローブを渡し、サー・ゴドフリー（悪い魔法使い）には、「試してみないとすぐ落ちるかもしれないから」とヒトラー風の付け髭をつけさせた。

「マダム、わたしは五十年以上にわたってゴム糊でつけ髭をつけてきた経験があるがね、ただの一度も髭を落としたことなどない！」と怒鳴るのに忙しく、アルフとビニーの不在に気づいてもいなかった。

三十分後、ポリーは劇場の裏口からホドビン姉弟が入ってくるのを見た。彼らふたりだけだった。「アイリーンはどこ？」とフットライトごしに目を凝らしてたずねた。「いっしょじゃなかったの？」

「まあね」アルフは中央の通路をうつむきがちに歩きながらいった。

「どうして？」

「用があるから、稽古に遅れないようにふたりだけで行けって」とビニー。

「それと、つけてくるなって」とアルフが口をはさむ。

「で、つけていったの？」

「行くもんか」濡《ぬ》れ衣《ぎぬ》を着せられた無実の人間が憤然と答える十八番《おはこ》の口調でアルフがいった。

「あとをつけようとしたんだけど」とビニー。「アイリーンの足が速すぎて撒《ま》かれちゃったから、それでこっちに来たんだ」

またあたしの降下点へ行ったんだ。そんなことしなきゃいいのに。ポリーがここへ来る途中で空襲警報が鳴り、いまは飛行機のうなりと遠く爆弾の音も聞こえてくる。アイリーンはVEデイまで生き延びているのだから、彼女の身になにか起きるはずがないと頭ではわかっているものの、それでも爆撃機のエンジン音に不安な思いで耳を傾けずにはいられなかった。もうケンジントン上空まで来ているだろうか。

音から判断するかぎり、爆撃機はいまのところ、イースト・エンド上空のようだ。楽屋へ行くと、ミス・ラバーナムから王子役の衣裳とベルト、剣の鞘を渡された。「剣を提げて歩くのに慣れるようにね」

すぐに稽古なんですとポリーが抵抗すると、ミス・ラバーナムはいった。「時間はまだたっぷりあるわ。防火幕がひっかかってるのよ。もう三十分も、なんとか上げようとしてるんだけど。サー・ゴドフリーはもうかんかん」

そのとおりだった。胴衣《ダブレット》にタイツ姿でポリーが舞台に出ると、サー・ゴドフリーは主任牧師を怒鳴りつけているところだった。ミス・ラバーナムが無理やりサー・ゴドフリーに衣裳を着せたおかげで、その場面の凶悪度が倍加していた。総統の軍服にヒトラーのちょび髭をつけたサー・ゴドフリーはじつに危険な人物に見える。

「今夜十時、ヴィヴィアン・リーが自分の出番のリハーサルにやってくる。その場面の準備が間に合わないばかりか、このままでは彼女が舞台に上がることさえできないではないか！」とがなりたてる。「この事態の背後にアルフとビニーがいるのでなければいいがな」

「ふたりはいま来たばかりです」とポリーは弁護した。もっとも、それはおよそ無実の証拠にはならない。ゆうべのうちに防火幕に仕掛けをしておくことぐらい、ふたりには造作もないだろう。

ホドビン姉弟は善の側の戦力なのよ、と自分にいい聞かせた。ふたりはウェストブルック大尉の命を救った。アイリーンの命も。ふたりのおかげで、あたしたちは第二次大戦に勝った。しかし、自分をそう納得させるのは至難の業《わざ》だった。とりわけ、ポリー用の剣とまだペンキに濡れているミスター・ドーミングの刷毛《はけ》を武器にして楽屋でチャンバラごっこに興じているふたりを見つけたときには。

主任牧師とミスター・ドーミングがようやく防火幕の不具合を直して、なんとか動くようになったが、場面の転換のために森と城が描かれた紗幕《しゃまく》を上げようとしたら、今度はそれがつっかえてしまった。「大工さんを呼んだほうがいいんじゃないかしら」ミス・ラバーナムがおずおずと提案した。

「で、夜のこんな時刻の、それも空襲の真っ最中に」と、サー・ゴドフリーは小道具の乗馬鞭で天井を指し、「どこで大工を見つけるというのかね？　セイウチでも呼んだほうがましだ！（『鏡の国のアリス』の作中詩「セイウチと大工」より）」ちょび髭が震える。「あるいは三月ウサギか。このマッドハウスにはじつにぴったりだ。で、いったいなにをぐずぐずしている？」と縮こまっているミス・ラバーナムを一喝した。「『流れ星を捕まえにいけ！　マンドレイクの根に子を孕《はら》ませよ！』（ジョン・ダンの詩「歌」より）」

　ミス・ラバーナムはそそくさと大工を捜しにいき、サー・ゴドフリーはポリーのほうを向いて、「パントマイムの上演にうんというべきではないとわかっていたのにな、ヴァイオラ」

「ラプンツェルをやるほうがいいのに」トロットがいった。「塔が出てくるもん」

　サー・ゴドフリーはヒトラーのちょび髭をふるわせ、威嚇するように乗馬鞭を振り上げた。

「それに魔女も」とトロット。

「トロット、いい子だから、ほかの子たちを呼んできてちょうだい」ポリーはそういって、サー・ゴドフリーの目の届かないところへトロットを追い払ってから、「序幕と第一幕のほとんどは紗幕の前でやれます。そのあと、もし大工が来たら、場面の転換をやりましょう」

「いいだろう。序幕！」とサー・ゴドフリーは呼ばわった。「全員、持ち場に――」

　舞台袖から、がちゃんというすさまじい金属音が響いた。「アルフ！」サー・ゴドフリーが咆哮する。

アルフが小道具の剣を持って、いくらかうつむき加減で舞台にやってきた。「なんにもさわってないよ。勝手に倒れたんだ。誓ってもいい」

あのふたりのおかげで戦争に勝ったのよ。ポリーは心の中でくりかえした。ふたりのおかげでこの戦争に勝った。

「もしこれ以上なにかに手を触れたら」サー・ゴドフリーは頭から湯気を立てつつ、「おまえたち悪童の首を即刻刎《は》ねて、他の子供たちへの見せしめに、劇場の入口に釘で打ちつけてやるからそう思え！」これにはさしものアルフも感じ入ったようだった。

「その剣をよこして、とっとと客席にすわれ。幕を閉めろ！　位置につけ！」

ポリーは幕の前に出て、客席に向かって前口上《まえこうじょう》を述べた。観客は、アルフとビニーのふたりに、疑り深げな表情を浮かべて小さな胸の前で好戦的に腕組みしたトロット、そして最前列のネルソン。ポリーは彼らに向かって歓迎の言葉を述べ、みなさんはこれから奇跡のような出来事を目《ま》のあたりにします、たとえそうは思えなくても、最後にはハッピーエンドが待っているのです、と請け合った。

「邪悪なる者が勝利を収めることはありません。最後に逆上する羽目になるのは、総統のほうです」

観客は手を叩き、歓声をあげたが、ラプンツェルをやらないことにまだ納得がいかないらしいトロットだけはじっと押し黙っている。

「それでは、お話をはじめましょう」といってポリーは幕のほうに大きく腕を振ってみせた。

「最初の舞台はお城の中、国王と王妃と幼い娘が登場します」

ありがたいことに幕は無事に上がり、王冠をかぶり、腕に人形を抱いたミセス・ブライトフォードの姿があらわれた。

「国王はどうした？」サー・ゴドフリーの吠え猛る声が舞台上に響き渡った。

「主任牧師のこと？」とビニー。「ミス・ラバーナムといっしょに大工を捜しにいったよ」

『馬をよこせ、馬を一頭くれたら、王国をやるぞ』」とサー・ゴドフリーがつぶやいた。

「ミスター・ドーミング！」

ミスター・ドーミングが刷毛とペンキのバケツを持って舞台袖にやってきた。

「きみに国王の役をやってもらう」

「台詞を知りませんよ」とミスター・ドーミング。

「プロンプター！」とサー・ゴドフリーが吠えた。

「アイリーンはまだです」とポリー。

「国王はあたしがやる」といってビニーが舞台に駆け上がった。「台詞はぜんぶ覚えてるよ」

ミセス・ブライトフォードのそばに歩み寄り、「王妃よ、これから盛大な洗礼式を催して、国じゅうの魔法使いを呼ばねばならぬ」サー・ゴドフリーのほうを向いて、「ほらね？」

サー・ゴドフリーはぐるりと目玉をまわし、先をつづけろとビニーに手を振った。この場面と、三匹のクマによる歌と踊りをフィーチャーした次の場面の舞台稽古はつつがなく終わったが、洗礼式の場面にはミス・ラバーナムと主任牧師が必要で、ふたりともまだもどっていなかった。

アイリーンもまだ来ない。ポリーは爆撃の音に神経質に耳を傾けた。チェルシー上空から西の方角に移動しているように聞こえる。ケンジントンとポリーの降下点がある方角だ。

「聞こえなかったか？　王子の場面の稽古を先にやる、といったんだ」サー・ゴドフリーがポリーに向かって話している。「もし茨の木までもがわれわれを見捨てていなければ」

「すみません」といってポリーは子供たちを捜しにいった。

子供たちは楽屋で、眠れる森の美女のベッドの上に立っていた。アルフとビニーが、トロットとその他の茨の木たちに、枝で攻撃したり、相手の突きをかわしたりする方法をコーチしている。

「出番よ、いますぐ」ポリーが命令すると、子供たちはベッドから飛び下り、紗幕の下をくぐって、まっすぐとはいいがたい列をつくった。枝は胸の前で交差させている。

「ネルソンは？」アルフが犬を捜しにいこうと歩き出した。

「止まれ！」サー・ゴドフリーが吠えた。「ネルソン抜きでやる」

「でも――」

「いますぐだ！」とサー・ゴドフリーが命令した。

ポリーは早口で、「わたしは、長年にわたり、噂に聞くこの美しい王女を捜して」と台詞をいいながら、コリンのことを思った。「はてしなく長くつらい道のりを旅してきた――」

「ドーントレス王子」とサー・ゴドフリーが口をはさむ。「これは喜劇であって、悲劇ではない」

「すみません」ポリーは、せいいっぱい努力して、希望に満ちた不撓不屈《ふとうふくつ》の表情らしきものを浮かべた。「長年にわたり、噂に聞くこの美しい王女を——」

「待って」とアルフ。「それって、眠れる森の美女のことだよね？　おれたち、彼女を警護してるはずじゃないの？」

「そうだ」サー・ゴドフリーがアルフをじろりとにらんで答えた。

「で、その美女はどこにいるの？」

「十時に来るはずだ」とサー・ゴドフリー。「もしわたしがそれまで生き延びられればだが」

「あたしが眠れる森の美女をやるよ」とビニー。「台詞はぜんぶ覚えてる」

「台詞なんかねえよ」とアルフ。「眠ってんだから」

しかしビニーはすでに紗幕の下から大道具のベッドをひっぱってきていた。その上に飛び乗ってあおむけに寝そべり、両腕を胸の上できちんと交差させて目を閉じた。

サー・ゴドフリーが怒りを爆発させるんじゃないかと思ったが、あきらめたようにポリーにうなずきかけ、はじめろと促した。

「はてしなく長くつらい道のりを旅してきた」といって、剣の柄《つか》に手をかけた。「これはなんと邪悪な暗い森だろう。この木はいったいなんだ？」

「茨の木だ！」とアルフがいった。「人間はひとりも通さぬぞ！」

　トロットが前に進み出て、「このとげでおまえの体をばらばらに引き裂いてやる！」

「茨の木など恐れるものか」とポリー。

「ふつうの茨だと思ったら大まちがいだ！」とベスが叫ぶ。

「ナチの茨だぞ！」とアルフが言い放ち、「おれはゲッベルスだ」と、茨の枝の両腕を広げて、胸に貼りつけてあるナチ宣伝相の写真を見せた。

「わたしはゲーリングだ！」とベス。

「われは……」トロットがもじもじと体の重心を移し、眉間にしわを寄せ、ポリーのほうを見上げた。「われは……」

「ヒムラーよ」と囁いたが、役に立たない。

「だれだっけ？」トロットが悲しそうにたずねた。

「ヒムラーだよ、このノータリン」ビニーがベッドの上に身を起こしていった。

「ノータリンじゃないもん！」トロットが叫び、横にいたアルフを茨の腕で叩いた。

「プロンプターはなにをしている？」足音も荒く舞台に出てきたサー・ゴドフリーがいった。

「わかりません」とポリー。「もしかしたら――」

「捜してこようか？」とアルフが買って出た。

「いや」とサー・ゴドフリー。「ミスター・ドーミング！　プロンプター用の台本を持ってこっちに来てくれ」

　ミスター・ドーミングがうなずき、ペンキの刷毛をバケツに突っ込んで、そのバケツを床の上に――アルフがまちがいなくひっくり返しそうな場所に――置いて、プロンプター用の台本を探しにいった。

「やめろ」サー・ゴドフリーはまだ茨の腕でアルフを殴りつけているトロットに向かっていった。「いやはや、バーナムの森をダンシネインの丘まで来させるほうが、おまえたち五人にたった五分の場面をやらせるよりよっぽど楽だ。一列に並べ！」と子供たちに命令してから、ビニーのほうに目を向け、「ベッドに横たわれ。もう一度、『ナチの茨だぞ！』から」

　トロットは、神への恐れをサー・ゴドフリーに植えつけられたらしく、今度はきちんと台詞をいい、つづく『茨の歌』――ヨーロッパ要塞に関する台詞が含まれる――と、ポリーに突進してきて茨の枝を突き出す最後の場面を完璧に演じた。

「止められるものなら止めてみろ！」ポリーは剣を抜き放ち、「頼もしきわが剣、このチャーチルの錆にしてくれよう。いざ《アン・ギャルド》！」

「おお、やられた！」子供たちはいっせいに悲鳴をあげ、重なり合って倒れた。

「違う、違う、違う！」サー・ゴドフリーが大股に舞台中央に出てきて、「全員いっぺんに倒れるんじゃない」

　子供たちがあわてて立ち上がる。

「ドミノ倒しのように、ひとりずつ順番に倒れていくんだ」片手をベスの頭に置き、「きみが最初。きみが二番め、それからきみと、並んだ順にいちばんうしろまで」

「その子たち、茨の枝を突き上げるのもやってなかったよ」ベッドに身を起こしたビニーがいった。

「おれはちゃんと——」とアルフが口を開く。

サー・ゴドフリーはひとにらみでアルフを黙らせ、

「それと、枝を上に向けておくように」といってから、ビニーのほうをふりかえって、「眠りにもどれ。キスされるまで動くんじゃない」と一喝した。それから、ポリーとすれ違いざま、「シェイクスピアが子供を芝居に出さなかった理由がわかるな」とつぶやいた。

「幼い王女を忘れてますよ」とポリー。

「シェイクスピアにはその王女を第二幕で殺すだけの分別があった。もう一度！」

ポリーはうなずき、剣を抜くと前に進み出た。「そして頼もしきわが盾《たて》——」

舞台裏のどこかでものすごい衝突音がした。ポリーはさっとアルフに目をやったが、無邪気な表情を装っている。

「このうえまだなにか問題が起きるのか？」サー・ゴドフリーはそういって、足音も荒く舞台裏へと歩きながら、「だれもついてくるな！　もどるまでに、この場面と次の場面の稽古を終わらせておけ。それと、大工が着いたらすぐに知らせろ」

子供たちは興味津々の顔でサー・ゴドフリーを見送った。

「さあ、列にもどって。枝を交差させて」ポリーは剣を振り上げて、「そして頼もしきわが——」

客席の後方から物音がして、入口に人影があらわれた。助かった、大工が着いたんだ。そう思いながら、ポリーは剣を持ったまま舞台のいちばん前まで進み出た。

しかし、大工ではなかった。ダンワージー先生だった。コートの前は開いたままで、マフラーがずれて片側だけ長く垂れ下がり、帽子もかぶっていない。

「ダン――ホッブさん」ポリーは空いているほうの手をひさしにして照明の光をさえぎり、暗い客席に目を凝らした。「どうしたんです？　なにがあったの？」

ダンワージー先生は返事をしなかった。よろけるような足どりで通路を歩いてくる。

ああ、なんてこと。怪我をしたんだ。

アルフがポリーの横にやってきた。「アイリーンになんかあったの？」とたずねる。

ダンワージー先生は口を開き、なにかいおうとしているが、言葉が出てこない。もう一歩、前に進み、そのときようやくポリーにも先生の顔が見えた。麻痺したような表情で、顔色は蒼白だった。

まさか。アイリーンじゃないでしょ。そんなわけない。デッドラインがあるのは先生とあたしだけ。アイリーンはこの戦争を生き延びる。アイリーンは――

ビニーがシーツをひきずったままベッドから飛び出してきた。「アイリーンはどこ？」とうわずる声でたずねる。「アイリーンになんかあったの？」

ダンワージー先生は首を振った。

よかった。

「だいじょうぶですか？」とポリーは先生に呼びかけた。

「セント・ポール大聖堂にいたら……」といいながら、先生は舞台のポリーのほうを見上げ、それから自分が入ってきた客席の入口をふりかえった。

そこに、ひとりの青年が立っていた。通路をこちらに歩いてくる。ＡＲＰの腕章をつけ、両手でヘルメットを持っている。うわあ。どうしよう。スティーヴンだ。

でも、そんなはずはない。スティーヴン・ラングとは、まだ知り合っていない。はじめて出会うのは一九四四年。それに、ＡＲＰの腕章をつけた青年の髪は赤みがかったブロンドで、黒じゃなかった。

「ポリー」と青年がいった。

「サー・ゴドフリー！」トロットが舞台の袖に向かって大声で呼びかけた。「大工さんが来たよ！」

「大工じゃねえよ、まぬけ！」とアルフが怒鳴る。「防空監視員だってば」

ううん、そうじゃない。ポリーは心の中でいった。

それに、スティーヴンでもない。そうとも気づかず持ったままだった剣が、力の抜けた指からがちゃんと落ちた。

それは、コリンだった。

過去と未来のもつれを解き、ほぐし、ほどいて、
またふたたび両者をひとつにしようと骨を折る。

――T・S・エリオット「四つの四重奏曲」

63　ロンドン、帝国戦争博物館
一九九五年五月七日

コリンは、展示用に再現された防空壕のベンチに、ビニーと並んで茫然と腰を下ろしていた。空襲警報の音響効果も聞こえず、赤い閃光も目に入らず、いましがたビニーから聞かされたことを理解しようとするだけでせいいっぱいだった。アイリーンが死んだ。八年前に死んでいた。ということは、ポリーはやはり、一九四三年の十二月に死んだんだ。

ビニーのうしろの壁には、主婦と看護婦とARP監視員が並んだポスターが貼ってあった。ポスターのスローガンは、『あなたたちの力で戦いに勝つ』。

ぼくは戦いに負けた。コリンは力なく思った。間に合わなかった。アイリーンは、十年近く前に死んでいた。ぼくはアイリーンを救出できなかった。それにポリーも。

「ほんとにごめんなさい」とビニーがいった。「最初に話すべきだった。癌だったのよ」

アイリーンが属してる時代に帰れたら、癌なんか簡単に治療できたのに。いや、いまから

でも、時間を遡って、亡くなる前のアイリーンを回収できたら、治療できるかもしれない。臨終のとき、もしアイリーンがひとりだったら、まだわずかな可能性が……。

「病院で死んだんですか?」と勢い込んでたずねた。「だれかといっしょでした?」

ビニーは眉間にしわを寄せて、「もちろんよ。あたしたちみんなが立ち会ったわ」

ということは、最後の瞬間にアイリーンを救い出すこともできない。病院からアイリーンをかっさらい、盗んだ救急車に乗せて降下点に急行し、オックスフォードに連れもどすことはできない。コリンはベンチのビニーのとなりにがっくり沈み込んで、両手に顔を埋めた。

「みんな、お別れをいうために集まったの」とビニー。「とてもやすらかな最期だった」

やすらかか。苦い思いを抑えきれなかった。過去の時代に閉じ込められたまま、ポリーのあとを追うように、むなしく救出を待ちながら死んでいく……。ただし、アイリーンの場合は、きっともう何年も前に、待つことを、希望を持つことをあきらめていただろう。「ほんとうに残念です」

「ええ、残念ね」といってビニーがうなずいた。「もう一度ぜひ、あなたに会いたかったでしょうに。でも、すくなくともあたしたちは、あなたを見つけた」満面の笑みを浮かべて、「あなたがママを捜しあてなかったから、ママが亡くなったときは、あたしたちもなにかあったんじゃないかと心配したのよ。まあ、すくなくとも、あたしは心配した。でもアルフがいったの。こうなったらあたしたちふたりであなたを見つけなきゃいけない。じゃないと、あなたがポリーを連れにくることができなくて——」

「なんのことです？」


「連れに――？」コリンは両手でビニーの肩をつかんだ。「なんのことです？」

「あなたが降下点を抜けて、ふたりを迎えにきたこと」

「でも、いまさっきいったじゃないですか、ぼくがアイリーンを見つけられなかったって」

「そうはいってないわ」ビニーは驚いたように、「迎えにきたときのことじゃなくて、そのあと捜しあてられなかったってこと」

「ぼくはアイリーンとポリーを見つけたんですか？」

ビニーはうなずき、「それにダンワージー先生を」

「ダンワージー先生？　生きてるんですか？」

ビニーはうなずいた。「ポリーがセント・ポール大聖堂で先生を見つけたの」

「先生が生きてる」コリンは、まだ事実を受けとめられずにつぶやいた。「死んだと思ってた。新聞に死亡告知が載ってたから」

「いいえ。パラシュート爆弾の爆発に巻き込まれて怪我をしただけだったのよ」

「で、ぼくは救出にいくことができた？」

ビニーはうなずいた。

でも、もし救出に成功したのなら、アイリーンがこの時代に残ることはなかっただろう。なおもぼくを見つけようとして死ぬことなんかなかったはずだ。「なにがあったんです？」とたずねたが、答えはもうわかっていた。「ぼくの到着が遅すぎて、救出できなかった。そうなんですね？」

旅の終わりは、恋する者同士の巡り会い。
——ウィリアム・シェイクスピア『十二夜』（2幕3場）

64 ロンドン 一九四一年四月十九日

ポリーの剣が舞台に落ち、がちゃりと音をたてた。「ちゃんと拾って！」とアルフがいったが、ポリーの耳には聞こえていなかった。

「コリン」といったつもりだが、声にならない。座席の背をつかんで立っているダンワージー先生のほうに目をやり、それからコリンに視線をもどした。

でも、ARPのヘルメットを両手で持って通路に立つその男は、ポリーが知っているコリンではなかった。子犬のようにつきまとい、オックスフォードじゅうを追いかけてきて、大人になったら結婚しようとプロポーズした、元気いっぱいの少年のおもかげはどこにもない。

でも、そんなことはどうでもよかった。通路に立つ姿をひとめ見た瞬間、コリンだとわかった。そうすると約束したとおりに、助けにきてくれたのだとわかった。でも、そのためにどれだけの代償を支払ったんだろう。コリンは、ただ年を重ねただけでなく、前より悲しげに、前よりいかめしくなったように見える。その顔には苦しみと疲れのしわが刻まれている。

ああ、コリン。七カ月前、最後に会ったあのときから、いったいなにがあったの？

しかし、その答えもわかっていた。コリンは、何週間も、何カ月も、何年もかけて、あたしたちのもとにやってこようと——降下点を開かせようと——必死に努力してきた。

そして、それに失敗すると、なにがあったのかを解き明かし、消えかけた痕跡をなんとかたどろうとした。

はてしなく長くつらい道のりを旅してきた、とポリーは心の中で台詞をつぶやいた。はてしなく長く望みなき歳月を探索に費やしてきた。呪文と茨と時間を相手に闘ってきた。そして、彼女を見つけた。

彼女たち全員を見つけた。ポリーは、座席の背に必死ですがりついているダンワージー先生に目をやった。いま起きていることが信じられないという顔だ。とうとう救助の船が沖にあらわれたとき、あっぱれクライトンとレイディ・メアリが浮かべていたにちがいない表情。「彼らはこの島で余生を送るものとあきらめていた」救出場面の稽古のとき、サー・ゴドフリーはいった。「ところがいま、救出が現実のものとなった。違う、違う、違う！　笑顔じゃない！　わたしが求めているのは、茫然として、言葉を失い、助かったことが信じられずにいる顔だ。喜びと悲しみと恐れ、そのすべてがひとつになった顔」

それに、呪文をかけられたような沈黙。

コリンもおなじ呪文に支配されていた。一歩も動かず、一言もしゃべっていない。ＡＲＰヘルメットを両手で持ったまま、微動だにせず、ポリーを見つめ、じっと待っている。あたしが呪文を破るのを待っている。

「ああ、コリン」と言葉を発して、ポリーは舞台の階段を降り、コリンが立っている通路へと歩いていった。「万一のときは助けにくるっていったわよね。そして、ほんとに来てくれた！」

「来たよ」と答えるその声も前とは変わっていた。コリン少年の声よりもざらざらした、同時に前よりもやさしい、大人の男性の声。「残念ながら、思ったより遅くなったし、だいぶくたびれちゃったけどね」といってコリンはにっこり笑い、その瞬間、ポリーは自分がまちがっていたことを知った。これは、あの日、ボドレアン図書館まで追いかけてきたコリンそのままだ。ちっとも変わってない。

心がはずむ。「遅れてなんかない。時間ぴったりよ」

コリンがこちらに歩き出した。ポリーの息が、全力疾走の直後みたいに、とつぜん荒くなった。「コリン――」

「ポリー！」舞台からアルフが怒鳴った。ポリーの一歩前で立ち止まっているコリンを指さし、「その防空監視員の人、ここから退去しろっていいにきたの？」

「違うにきまってるだろ、このぽんすけ」ビニーが舞台のいちばん手前まで出てきて、アルフのとなりに立った。「防空監視員は人間を退去させたりしないよ」

「不発弾が埋まってるときは退去させるよ」とアルフがいいかえした。「爆発物処理班も来てるの、ポリー？」

「あれがだれだか、あたし知ってる」アルフとビニーの横にやってきたトロットがいった。「王子さまよ。眠れる森の美女を、王子さまが助けにきたのよ」

「バカいわないで」とビニーがいった。アルフは腹を抱えて笑っている。「勇敢王子《ドーントレス》なんて実在するもんか」

いいえ、実在するのよ。そして、いまここにいる。ギリギリのタイミングで間に合って。

「その人、すっごく王子さまだもん」トロットがそういって、舞台の端の階段を降りてきた。「みんなに見せてあげなきゃ」

「いいえ、だめよ」とポリーはあわてていった。子供たちがこっちに集まってきて口々に質問するようなことになったら最悪だ。「洗礼式の場面の衣裳にいますぐ着替えてきなさい」

トロットはただちに舞台袖へと向かい、そのあとにネルソンがつづいた。しかし、アルフとビニーが素直にいうことを聞くわけがないとわかっていてしかるべきだった。

「サー・ゴドフリーは、さっきの場面からのつづきをやれっていってたじゃん」とビニー。

「サー・ゴドフリーがどういおうと関係ありません。ビニー、魔法使いの衣裳に着替えてきて」

となりのコリンがポリーの耳もとで囁いた。「あれがビニー？」

悪名高きホドビン姉弟のことは、コリンの耳にまで届いていたらしい。

「ええ」と答えて、姉弟に向かって、「いますぐ洗礼式の場面の衣裳に着替えて」

「無理だよ」とビニー。「アイリーンがまだ来てないもん」

アイリーン。帰れると知ったら、有頂天《うちょうてん》になるだろう。

「アイリーンはここにいないのかね？」とダンワージー先生がたずねた。

「ええ。あたしの降下点を先にたしかめにいったんだと思います」とポリー。

先生とコリンが目を見交わした。

「どうして？」と心配になってたずねた。「今夜、空襲はケンジントンのほうじゃないでしょ？」

「うん、ほとんどは埠頭のほうだよ」とコリンがいった。

「衣裳を着なきゃ、洗礼式の場面はできない」とビニー。「それに、アイリーンは、翼を直すまで衣裳は着るなっていってた。壊されたの。犯人はアルフ」と言わずもがなの情報をつけ加えた。

「翼なしで衣裳を着なさい」とポリーは命じた。

帰れること以上に、もうホドビン姉弟の面倒をみずに済むことで、アイリーンは大喜びするだろう。そう考えてから、ポリーはうしろめたくなった。アルフとビニーは実の母親を亡くし、今度はアイリーンを失おうとしている。かわいそうな――

「アイリーンは着るなっていった」ビニーがけんか腰でいった。「それに、サー・ゴドフリーは、最後まで中断なしでリハーサルしろって」

「そしてわたしは、いますぐ衣裳を着なさいといってるの」とポリーは命令した。「アイリーンが来たら、話があると伝えて」

「わかった。でも、困ったことになっても知らないよ」とビニーは捨て台詞を吐いた。そうじゃない。あたしたちは困ったことになっていたけど、コリンが助けにきてくれたのよ。

「いますぐいうとおりにしなさい」と叱りつけると、アルフとビニーは舞台の袖のほうにのろのろ歩いていった。

ポリーはダンワージー先生とコリンのほうに向き直った。「コリン、あなたがここにいるなんて、まだ信じられない」

「ぼくもだよ。見つけ出すのに死ぬほど時間がかかったから。干し草の山から針一本探すよりずっとずっとたいへんだった」

それはそうだろう。タウンゼンド・ブラザーズの同僚はだれもあたしたちの居場所を知らないし、もしミセス・リケットの下宿に住んでいたことをつきとめたとしても――

そうか、コリンはきっと、新聞に載ったパントマイムの案内を見たにちがいない。マイクがいってたとおりだ。回収チームは新聞記事を調べて手がかりを探し、あたしたちの居場所を――

ああ、マイク……。「ダンワージー先生」とポリーはいった。「コリンにマイクのことは？」

「もう知っていたよ」

もちろんだ。そのことも新聞を読んで知ったんだ。オマハ・オブザーバー紙のアメリカ人特派員、マイク・デイヴィス。敵の攻撃により急死。

「チャールズ・ボーデンは？」とコリンにたずねた。「シンガポールにいるの、日本軍が侵攻してくる前に助け出さないと――」

「彼の降下点はまだ作動してる」とコリン。「なにかまずいことが起きてるとわかった時点で、すぐに回収されたよ」

ああ、よかった。「デニス・アサートンは？」

「彼はネットを抜けてこなかった。ジェラルド・フィップスも。南太平洋に行くはずだったジャック・ソーキンも。どの降下点も開かなかったんだ。ダンワージー先生の降下点以外はね」といって先生のほうに目をやり、「それも、先生がネットを抜けたあとは作動しなくなった。ぼくらは去年まで、第二次大戦の全期間がタイムトラベルに対して閉ざされていると思ってたんだ」

去年。それ以前に、いったい何年、コリンは捜索をつづけていたんだろう。あたしたちが永遠に失われたと思いながらも、あきらめることを拒否していたのか。

「メロピーの推測が正しかったんだよ、ポリー」とダンワージー先生が話している。「きみがサー・ゴドフリーの命を救ったんだから、われわれの降下点はもう開くんじゃないかとメロピーはいっただろう。セント・ポール大聖堂のわたしの降下点をたしかめにいったら、そこにコリンがいた。最初は、焼夷弾が袖廊の屋根に落ちたのを見て、防空監視員が調べにきたのかと思った。そしたら彼が、『連れもどしにきましたよ、ダンワージー先生』といって、それでコリンだとわかった」

「ふたりとも、ここを脱出しなきゃ」とコリンはいった。「セント・ポール大聖堂までもどる必要がある」

うなずきながら、ポリーは不思議に思った。コリンはどうしてダンワージー先生を先に送り返さなかったのか。きっと、この劇場の場所を知らなくて、先生に道案内を頼む必要があったんだろう。

「コリン、いますぐダンワージー先生を連れて、オックスフォードにもどって。先生のデッドラインまで、あと十日しかない。あたしより先生のほうがずっと危険だっていうことよ。あたしはここに残って、アイリーンを待つ。どのみち、いなくなることをみんなに伝えなきゃいけないし。黙って行ってしまうわけにはいかないの。だれか代役を見つけてもらわなきゃいけないいし。公演は二週間後。せめて挨拶ぐらいは……」

といいかけて口をつぐんだ。みんなにさよならをいわなきゃいけない。ミス・ラバーナムとトロットと、それに、ああ、サー・ゴドフリーに。どうしてそんなことが――

「ポリー？」コリンがいった。「だいじょうぶ？」

「ええ。だいじょうぶ」なんとか笑みを浮かべて、「ここに残って、みんなに事情を話して、それからアイリーンが来たら、いっしょにセント・ポール大聖堂へ行って合流するわ」

しかし、ダンワージー先生は首を振っている。「メロピーが来るまで待とう」といって、コリンに目を向ける。

コリンはうなずいて、「まだ時間はあるよ」

なんだかわからないが、なにかある。ふたりがまだ打ち明けていないことが。「アイリーンはどうして遅いの？」とポリーはたずねた。最初に入ってきたときのダンワージー先生の青ざめた顔と、コリンのさびしげな表情を思い出す。「教えて。アイリーンになにかあったの？」

ダンワージー先生とコリンは目を見交わした。

「教えて」

「ポリー？」アイリーンの声が舞台のほうから聞こえた。「どこ？」

ああ、よかった。ポリーはさっとそちらにふりかえった。

帽子にコート姿のアイリーンが舞台袖から出てきた。楽屋口から入ったんだろう。片手でひさしをつくってフットライトの光をさえぎり、こちらに目をすがめている。

「こっち」と声をかけると、アイリーンは脇の階段を降りて通路を歩いてきた。「どうして稽古してないの？　それに、ほかのキャストは？　わたしを待ってたわけじゃ——ダンワージー先生」と声をあげ、「どうしたんです？　セント・ポールでなにかあったの？」

「ううん」とポリーはいった。「ええ。コリンなのよ、アイリーン。コリンが迎えにきてくれたの」

「コリン？」アイリーンは喜びの声をあげて、コリンのほうに目を向けた。そのあいだにもアイリーンの表情が変化し、べつの感情——なんだろう？　衝撃？　狼狽《ろうばい》？——が浮かんだ。

ポリーは問いかけるような視線をコリンに投げたが、彼はアイリーンを見つめたままで、その顔にはあの疲労の色がもどっていた。

いったい――？　と思ったが、次の瞬間、その不安がただの勘違いだったとわかった。狼狽だと思ったのはただの驚きだったにちがいない。その証拠に、アイリーンはコリンに駆け寄り、ぎゅっと抱きしめると、

「やっぱり来てくれた！」とうれしそうに叫んだ。「舞台裏で事態はちゃんと進んでるんだって、ポリーにいってたのよ」体を離してから、コリンの姿に検分するような視線を長々と向け、それからにっこりして、「そしたら、来てくれた！　希望を捨てちゃだめだって、ふたりにいってたの。あなたはけっして――」声が途切れる。「コリンがきっとふたりを助け出してくれるってわかってた」

「それにあんたもよ、とんま」とポリーはいった。「考えてみて。もう二度と戦勝シチューを食べなくていいのよ」

でも、アイリーンは笑わなかった。目に涙をいっぱいに溜めて、ダンワージー先生を見ている。

「泣いちゃだめよ。しあわせな場面なんだから。降下点はまた作動しはじめてるし、チャールズは無事。日本軍が侵攻してきたとき、シンガポールにいなかったの。救出できたんだって」

「でも、マイクは救出できなかった」アイリーンはそういってコリンを見た。

「うん」

アイリーンはゆっくりうなずいた。「あなたを見たとき、もしかしたらマイクは無事だったのかもしれないと思った。マイクに聞いてあたしたちの――ねえ、どうして居場所がわかったの？　バックベリーにもタウンゼンド・ブラザーズにも、あたしたちの居場所を知っている人はだれも残っていないし、ミセス・リケットの下宿は……」

その答えにすべてがかかっているとでもいうように、アイリーンはじっとコリンを見つめている。

「どうやってわたしたちを見つけたの？」

「その話はオックスフォードに帰ってからにしようよ」とポリーはいった。「空襲がひどくなる前に降下点へ行かなきゃ」

「そのとおりね」とアイリーン。「もちろん」

しかし、コリンもダンワージー先生も動かなかった。三人は、なにかを待つように、そこに立ったまま、たがいの目を見交わしている。

「いったい――？」ポリーはとまどいながらたずねた。

「いなくなることをみんなに伝えなきゃいけないって自分でいってたじゃない」とコリンがいった。

「ええ、そうね。それにこの衣裳を着替えてこないと。あなたたち三人で先に行って。セント・ポール大聖堂で落ち合うから」

た。

「いや」コリンはアイリーンを見ながら、「待ってるよ」

「すぐもどるね」ポリーはそういって通路を走り、舞台に駆け上がると、袖から裏にまわった。


ミセス・ブライトフォードが舞台裏で、子供たちが茨の枝に与えた損傷を修繕していた。

「サー・ゴドフリーを見ました?」とポリーはたずねた。


ミセス・ブライトフォードは首を振って、「大工さんを呼びにいったんじゃないかしら」

ああ、困った。サー・ゴドフリーにさよならをいわずに行ってしまうわけにはいかない。

「どこへ呼びにいったかわかります?」


ミセス・ブライトフォードはまた首を振った。

「もしもどったら、話があるといってたと伝えてください」といって、ポリーは楽屋に駆け込んだ。着替えを済ませて、それでもまだもどっていなかったら、行き先を知ってる人がいないか訊いてまわって、サー・ゴドフリーを捜しにいこう。


でも、見つかったら、なんていえばいいんだろう。わたしはタイムトラベラーで、この時代に閉じ込められていたけれど、回収チームがやってきて、未来に帰らなければならないんです。選択の余地はありません——ここに残れば死ぬことになるので、と?

もしかしたら、サー・ゴドフリーが見つからないほうがいいかもしれない。衣裳のタイツを脱いでストッキングを穿いたが、あわてていたせいで片方をひっかけて伝線させてしまった。

もうどうだっていいわ。そう思いながらダブレットをむしりとってワンピースに袖を通した。この先もう二度と、伝線の心配はしなくていい。配給手帳の心配も、爆弾の心配も。ワンピースのボタンを留めながら、「もう二度と、商品を包装しなくていいのよ」と声に出していったとき、とつぜん説明のつかない涙が目にあふれた。

ばかみたい。包装なんか大嫌いだったのに。それに、これはハッピーエンドなのよ。トロットが大好きなお伽噺《とぎばなし》そっくりの。

ポリーは靴を履き、コートと帽子を持って楽屋を出ると、歩きながら帽子をかぶり、コートを着たが、そこでふと足を止めた。いまから六カ月後には、ミセス・ブライトフォードも、ヴィヴも、ストッキングを必死に探し求めることになる。たとえ伝線していようとも。ポリーは楽屋にもどって靴を脱ぎ、ストッキングも脱いで、それを化粧鏡の上にかけた。それからバッグをつかんでドアを開けた。

サー・ゴドフリーが、ヒトラーの軍服とちょび髭をつけて、そこに立っていた。

ポリーの服とコートを見やり、「その必要はない。大工はいまこちらに向かっている」といってから、サー・ゴドフリーは言葉を切り、

「行ってしまうのか」といった。質問ではなかった。「例の若者だな。迎えにきた」

「ええ。無理だと思ってました。彼は――」

「――死んだものと思っていた」とサー・ゴドフリー。「しかし、彼はやってきた。『あらゆる障害を乗り越え、真実の愛が勝利する』」

「ええ。でもわたし――」

サー・ゴドフリーは首を振って黙らせると、『わたしたちは出逢うのが遅すぎた。時の関節がはずれてしまった』（『ハムレット』1幕5場）」といってから、「この場にふさわしくなかったかな、レイディ・メアリ」

「ええ」なぜふさわしくないのか、自分がほんとうは何者なのかを打ち明けられたらいいのに。

いまのわたしは、まさしくヴァイオラだ。サー・ゴドフリーがつけてくれた呼び名はぴったりだった。なぜここに来たのか、なぜ行かなければならないのかを打ち明けることができない。わたしがあなたの命を救ったのとおなじように、あなたはわたしの命を救ってくれたんです、ということができない。あなたの存在がわたしにとってどんなに大きな意味を持っていたか、話すことができない。

戦時下のロマンスのために彼を見捨てるのだと思わせなければ。

「できれば、パントマイムが終わるまでここに残りたいんですが――」といいかけた。

「そして結末をだいなしにする？　莫迦《ばか》なことを。演技の半分は、退場すべき潮時を知ることにある。それに、涙はなしだ」と厳しくいう。「これは喜劇だ、悲劇ではない」

ポリーはうなずき、頬を拭った。

「よろしい」といってサー・ゴドフリーがほほえみかけた。「美しきヴァイオラ――」

「ポリー！」ビニーが階段のてっぺんから呼びかけた。「アイリーンが急いでって！」

「いま行く！」とポリー。「サー・ゴドフリー、わたし――」

「ポリー！」ビニーの怒鳴り声。

ポリーは足を踏み出し、サー・ゴドフリーの頬にキスをすると、階段に向かって走りながら、階段の手すりから身を乗り出してこちらを見下ろしているビニーに向かって叫んだ。

「いま行くってアイリーンに伝えて！」

ビニーが走っていき、ポリーは階段を駆け上がった。「ヴァイオラ！」てっぺんまでたどりついたところで、サー・ゴドフリーが下から呼びかけた。「別れる前に、三つの質問がある」

ポリーはふりかえって、手すりごしにサー・ゴドフリーを見下ろした。「なにをお望みでしょう、わが君？」

「われわれはこの戦争に勝ったのかね？」

コリンの登場のあとでは、もうなにがあっても驚くことはないと思っていたけれど、それはまちがいだった。

知ってたんだ。ポリーは感嘆の念に打たれた。セント・ジョージ教会のあの最初の夜から、サー・ゴドフリーは真実を知っていた。「ええ。勝ちました」

「そして、わたしもみずからの役をまっとうした？」

「ええ」と、絶対の確信をもって答えた。

「わたしはバリを演じなくて済んだのか？　いや、いわないでくれ。でないと心がくじけてしまいそうだ」

ポリーの笑い声が途中で詰まった。「それが三つめの質問ですか？」となんとか声を絞り出す。

「いや、ポリー」とサー・ゴドフリー。「もっとだいじなことだ」

きっとそうにちがいない。サー・ゴドフリーはいままで、『あっぱれクライトン』のあの一場面をのぞいて、彼女をほんとうの名前で呼んだことがなかったのだから。

「なんです？」とポリーはたずねた。わたしはまたあなたに会うことがありますか？

いいえ。

わたしはあなたを愛していますか？

ええ。最初からずっと。

サー・ゴドフリーは前に進み出て、階段の手すりをつかみ、熱のこもった目でポリーを見上げた。「これは喜劇か、それとも悲劇？」

戦争のことをいってるんじゃない。なにもかもすべて――わたしたちの人生と歴史とシェイクスピア。そして、連続体。

ポリーは彼に笑みを向けた。「喜劇です、わが君」

舞台のほうからとんでもない騒音が響き渡った。「アルフ！　なんにもさわんなっていっただろ！」とビニーの怒鳴り声。

「さわってねえよ。紗幕が勝手に倒れたんだよ」

「紗幕が！」サー・ゴドフリーが吠えた。「アルフ・ホドビン、そのロープには手を触れるなといったはずだぞ！」

「起こさなくていいから！」とビニーの声が警告する。「破れちゃうよ！」

「いっさい手を触れるな！」サー・ゴドフリーが叫び、階段を駆け上がると、ポリーの前を通って舞台に走っていった。アルフとビニーが口々に、「なんにもしてないよ！　ほんとに！」というのが聞こえた。

「みんな浜辺へ駆けていきました（『あっぱれクライトン』より）」とポリーはつぶやき、サー・ゴドフリーのうしろ姿を見送ってから、向きを変えて客席に降りると、アイリーンとダンワージー先生とコリンが立っているところへ通路を走っていった。

三人は寄り添うようにして立ち、ひたいを集めて話をしていた。ポリーは、マイクとアイリーンと三人で非常階段にすわり、計画を練っていたときのことを思い出した。

「ふたりともここから連れ出してみせる。約束する」とマイクがいい、そして彼はその約束を守った。

マイクが死に、マイクが死んだおかげで、あたしはなにかしたい、なんでもいいから自分の人生を意味のあるものにしたいと願い、民間防衛の仕事に就くのに口添えしてもらおうとハンフリーズ氏を訪ねてセント・ポール大聖堂へ行った。そのおかげで、ダンワージー先生に出会い、覚悟を決めた。もし覚悟を決めていなかったら、フェニックス座が爆撃されたときアルハンブラ劇場にいることはなかっただろうし、サー・ゴドフリーを救い出すこともなく、降下点は開かなかっただろう。

あなたがあたしたちを救ってくれたのよ、マイク。約束どおりに。

ポリーは三人のところに歩み寄った。アイリーンは泣いていた。ポリーが合流すると、不器用に頬の涙を拭ってから笑みを浮かべた。「準備できた？」

いいえ。「ええ」

「ほんとに？」とコリン。「どんなにつらいかはわかるつもりだ。あんまり時間はないけど、でも、さよならをいうあいだくらいは待てるよ。もしほかにだれか――」

愛してる。ポリーは心の中でいった。

「いいえ、もう準備できたわ」ポリーは舞台をふりかえった。子供たちとサー・ゴドフリーとミスター・ドーミングとネルソンが、倒れた紗幕と格闘している。

「ぼくらも手を貸したほうがいいかな？」とコリンがたずねた。

「ううん。そんなことしたら、いつまでたっても出発できなくなる。行きましょう」といって、向きを変え、通路を歩き出した。うわ、まずい、ミス・ラバーナムがやってくる。

「だいじょうぶよ、もう呼びにいかなくてもいいの、ポリー」とミス・ラバーナムがいった。

「大工さんがやっと見つかって、もうすぐ来てくれるから。紗幕がまだつっかえてるの？」

「いいえ」ポリーは短く答えた。

「違う、違う、違う！」サー・ゴドフリーが怒鳴り、ミス・ラバーナムが舞台のほうに目をやった。

「まあ、なんてこと！　なにがあったの？」ミス・ラバーナムが通路を歩き出した。「行かなきゃ」コリンがポリーに囁いた。「あんまり時間がない」

ポリーはうなずいた。「いいわ」

「行く？」さっき舞台にいたと思ったのに、ビニーがポリーのすぐ脇に立っていた。「みんな、どこへ行くの？」すると、ミス・ラバーナムがそくざにふりかえり、通路をこちらにもどってきた。

アルフが舞台から飛び降り、ミス・ラバーナムのあとを追って走ってくる。そのうしろにトロットと、わんわん吠えるネルソンがつづく。「どっかへ行くの？」とアルフが大声でたずねる。

さあ、いったいどうやってこの場から脱出しよう。

「なにかあったの？」コリンのＡＲＰの制服にいまはじめて気がついたらしく、ミス・ラバーナムがたずねた。

「ええ」とポリーはいった。「みんなを裏切ることになって申し訳ないんですが、でも——」

「こちらはポリーの婚約者なんです」とアイリーンが口をはさんだ。

「ポリーとケッコンするの？」とトロットがコリンにたずねた。

「うん」とコリンはいった。「もし、離れているあいだにポリーがほかのだれかと恋に落ちてなかったらね」

「彼が休暇で思いがけず帰郷して」と、アイリーンがミス・ラバーナムに説明している。そしてARPの仕事をすることになった？　しかしミス・ラバーナムは、つじつまの合わない説明にも、ポリーが一度も触れたことのなかった婚約者が突如あらわれたことにも、とくに不審を抱いていないようだった。

「まあ、なんてことでしょう。お目にかかれてうれしいですわ、ミスター――」と期待するようにポリーを見る。

「テンプラー少尉です」とアイリーンがいった。

「やっとお目にかかれて光栄です、ミス・ラバーナム」とコリンがいった。「ポリーから、たいへんお世話になったと聞いています」

「おれたちは紹介してもらえないわけ？」アルフが食ってかかる。

「こっちはアルフ、トロット、ビニー」ポリーが子供たちを順番に指さした。

「ヴィヴィアンよ」とビニーが訂正する。「ヴィヴィアン・リーみたいに」

「アルフ、トロット、ヴィヴィアン」とポリーは従順に紹介し直し、コリンはアルフと、それからトロットと握手した。

「ポリーを百年もさがしてたの？」とトロットがたずねる。

「そう、だいたい百年くらいだね」と答えてから、コリンはビニーのほうを向いて、「お目にかかれて光栄です、ヴィヴィアン」とおごそかにいい、ビニーは勝ち誇ったような視線をポリーに投げた。

「どうしてパントマイムに出られないの？」とアルフがポリーにたずねる。

「パントマイムに出られない？」ミス・ラバーナムがぎょっとしたように、「まあ、でも、ミス・セバスチャン、いまわたしたちを見捨てるなんて。王子役はだれにやってもらえばいいの？」

「あたしがやる」とビニーがいった。「台詞はぜんぶ覚えてるから」

「ばかいうなよ」とアルフ。「子供のくせに」

「もう大人だって」

「あなたはもう、魔法使いの役と茨の木の役があるでしょ」とアイリーン。「どっちもパントマイムにとってだいじな役だから、これ以上ほかの役は無理」そして、アルフがよけいな口をはさむ前に、「アルフ、大工さんがもうすぐ来るって、サー・ゴドフリーに伝えてきてちょうだい。それと、大工さんが来るまで、紗幕をもとにもどすのを手伝ってきて。トロットを連れていくのよ。それにネルソンも」

そんな試練を押しつけられるサー・ゴドフリーがかわいそうだが、すくなくともこれでしばらくはアルフがやっかい払いできる。残る問題はミス・ラバーナム。「でも、公演のこんな間近になって、新しい王子役を見つけるのは無理よ。おねがい、ミス・セバスチャン。子供たちがどんなにがっかりするか、考えてみて」

「子供じゃないもん」とビニー。「王子役だってやれるよ。聞いて」茨の腕を芝居っけたっぷりに広げて、「はてしなく長くつらい道のりを――」

「しいっ」とアイリーンがいった。「楽屋に行って、ポリーの衣裳をとってきて」

ビニーは舞台のほうに駆け出した。アイリーンがミス・ラバーナムのほうを向いて、「ポリーの代役はわたしがやります」

「そんなの無理よ。あんたも来るのに」と思わず口走ってから臍《ほぞ》をかんだ。とたんにビニーが通路をひきかえしてきて、アイリーンに食ってかかった。

「あんたも来るってどういう意味、アイリーン？　いなくなるつもりじゃないよね？」

「いいえ。いまのはポリーの結婚式の話」とアイリーンが口から出まかせを答える。「ポリーとテンプラー少尉は結婚するの。結婚式に出たいのはやまやまだけど、だれかが残ってパントマイムをやらなきゃ」アイリーンはポリーとコリンに向き直り、「結婚式のことはくわしく手紙に書いて教えてくれるって約束してね」

「結婚式？」ミス・ラバーナムがポリーに向かっていった。「あなたたち、結婚するの？　まあ、だったらもちろん行かなきゃ！　でも、公演が終わるまで結婚式を待てないかしら。サー・ゴドフリーはどうしてもあなたに――」

アイリーンが首を振った。「ポリーには時間がないんです。結婚許可証をとらなきゃいけないし、まだいろいろ決めないといけないことが――」

コリンはうなずいて、「いまからふたりでマシューズ首席牧師に会いにいくんです」

「それにテンプラー少尉の外出許可は、たった二十四時間」と、アイリーンがなめらかにいう。「でもご心配なく。王子役はわたしがやれますから。ビニーが台詞を手伝ってくれるし。

ね、ビニー？」

いったいどういうつもり？　いくらこの場を脱出するためでも、ビニーにそんな嘘をつかないで。彼女はもうすでにさんざん裏切られ、何度も見捨てられてきたんだから。

「アイリーン——」ポリーは警告するような口調でいった。

「ビニー」アイリーンはポリーを無視して、「ポリーの衣裳を楽屋から持ってきて。いっしょに行っていただいたほうがいいかもしれません、ミス・ラバーナム。ダブレットは丈を詰める必要があるでしょうから。わたしはポリーより背が低いので」

ミス・ラバーナムはうなずき、通路を歩き出した。「来て、ビニー」

ビニーはその場を動かず、「あたしがはしかになったとき、アイリーンはどこにも行かないっていった。約束したでしょ」

「ええ、覚えてる」とアイリーン。

「約束を破るのは罪だって、牧師さんがいってる」

時には約束を守るのが不可能なこともあるのよと答えて。ポリーはそう念じた。おねがいだから——

「牧師さんのいうとおりね」とアイリーン。「約束を破るのは罪よ。わたしは行かないわ、ビニー」

「残るって誓う？」とビニー。

「誓う」といってアイリーンはビニーにほほえみかけた。「わたしが行っちゃったら、だれ

があなたとアルフの面倒をみるの？　さあ、ミス・ラバーナムといっしょに行って」そして
ビニーは通路を駆け出した。

今度はふたりが声の聞こえない距離まで行ってしまうのを待ってから、ポリーはアイリー
ンに噛みついた。「なんでビニーに嘘をついたの？　こんなのフェアじゃない。行ってしま
うことをちゃんといわなきゃ」

「そんなこといえない」とアイリーン。

「どういう意味？」

「わたしは行かないのよ」

別れはあまりにも甘い哀しみ。

――ウィリアム・シェイクスピア『ロミオとジュリエット』（2幕2場）

65

ロンドン
一九四一年四月十九日

「行かないってどういう意味？」客席の通路に静かに佇むアイリーンに向かって、ポリーはたずねた。コリンからダンワージー先生へと視線を移し、「どういうことなんです？」

「残ることにしたの」とアイリーンはいった。

「王子役が必要だから？」ポリーはまくしたてた。「そんなのミセス・ブライトフォードがやれるわよ。でなきゃビニーが。台詞をぜんぶ覚えてるんだから。それに、パントマイムが終わったあと、降下点が開くとどうしてわかるの？　もしかしたらあんたは――」

「パントマイムが終わったら帰るというわけじゃないの。永遠にこの時代に残るのよ」アイリーンはコリンとダンワージー先生を見やり、「もう決まったこと」

「決まったこと？　いったいなんの話？」

「VEデイにトラファルガー広場でわたしを見たときのこと、覚えてる？　わたしがそこにいたのは、わたしたちが救出されなかったからじゃなかったのよ。わたしが自分の意志でここに残ったからだった」

「ううん、そうじゃない。あの日あんたがあそこにいた理由はほかに十も二十も考えられる。べつの現地調査で行ったのかもしれないし――」

アイリーンは朗らかに、楽しげに笑った。「ポリーったら。この一件のあとで、ダンワージー先生が新しい現地調査を認めてくれるわけないのはわかってるでしょ。もしVEデイに行きたいと思ったら、このままここに残って行くしかない。そうですよね、ダンワージー先生？」と笑顔で先生にたずねる。

先生はいかめしい表情でアイリーンを見ている。

先生はアイリーンがここに残るのを許すつもりなんだ。ポリーにはとても信じられなかった。そんなことありえない。

「こんなのおかしいよ、アイリーン。あれがあんただったことさえ確実じゃないのに。トラファルガー広場のさしわたしの半分の距離があったんだから。だれかぜんぜん別人が――」

「わたしの緑のコートを着ていた」

「古着交換《アップルカート・アップセット》会であんたのコートを手に入れたのかもしれない」とポリー。「赤毛にはよく似合うって自分でいったじゃない」

アイリーンは首を振った。「あれはわたしだった。わたしはあそこに行かなきゃいけないのよ。ほかのすべてが起こるように」

「でも、ほかに方法があるはずよ」といってから、コリンのほうを向いて訴えた。「あなたからもいってやって――」

「わたしが残ることにした理由はそれだけじゃないの」とアイリーン。「アルフとビニーがいるからよ。教区牧師のグッドさんに約束したの。ふたりの面倒をみるって。彼の信頼を裏切るわけにはいかない」

「でも、だれかふたりをひきとってくれる人がいるはずよ。主任牧師か、ミセス・ワイヴァーンか」といいながらも、それが不可能なのはわかっていた。アイリーンがふたりをひきとったとき、すでにおなじ議論を戦わせて、敗北している。

「だれもいないって」とアイリーン。「ビニーはただでさえどんどん成長してるし、来年になれば英国じゅうにアメリカ人兵士があふれることになる。ビニーを――それにアルフを――戦争のただなかに放り出すわけにはいかない」

あんたが残ったって、ふたりがこの戦争を生き延びられるとはかぎらないのよ。アルフもビニーも、VEデイのトラファルガー広場で、アイリーンのそばにはいなかった。でも、アイリーンにそれをいったら、あとに残ってホドビン姉弟を守ろうという決意がますますかたくなるだけだ。

「それに、もしアルフを野放しにしたら、いずれは時空連続体をまるごと破壊する結果になりそうだし」といってアイリーンはにっこりした。「わからない？　ふたりを置いて帰るわけにはいかないのよ。まだ戦争はつづいている。それに、ふたりはわたしの命を救ってくれた」

それにあたしの命も。それに英国の運命も。そしてポリーは、アイリーンを説得するのが不可能だとさとった。

「でも、この時代のこと、嫌ってたじゃない」ポリーは涙ながらに訴えた。「空襲と配給と最低の食事。いつか帰れるっていう希望だけを頼りになんとかやっていけるんだって、そういってたくせに」

「ええ。でも、戦争には犠牲がつきもの。そして、歴史のこの時点は、そんなに悪くない。だってほら、なんといっても、英国の最良の時《ファイネスト・アワー》なんだから。それに、前から行きたいと思っていたVEデイにも行けるし」

「でも――」

「おねがいだから、わかって」アイリーンはポリーの両手をとって、「あなたはサー・ゴドフリーの命を救うという仕事を果たした。わたしの仕事はまだ済んでないの。ここに残らないと、その仕事ができないのよ」

「それは違う。コリン、アイリーンにいってやってよ――」

「それは無理。わたしが残ることを、コリンは知ってるから」アイリーンはもう一度コリンに目をやって、「でしょ?」

コリンは答えなかった。

「ダンワージー先生も知ってる」といってアイリーンは先生のほうを向いた。「だから、セント・ポール大聖堂に残ってネットが開くのを待ち、先にオックスフォードにもどるかわりに、命を危険にさらしてコリンといっしょにここに来たんですよね。わたしにさよならをいうために」

「ああ」

「でも……わからない」ポリーはどうしようもなく、三人の顔を順ぐりに見まわした。「いったいなんの話？」

「わたしたちの居場所をコリンに伝えたのはわたしなのよ」とアイリーンはいった。コリンのほうを向いて、「そうじゃなかった？」

コリンが返事をしないでいると、「戦後、コリンはわたしを見つけ出し、わたしがあなたたちの居場所を教えた。そうじゃなかったら、ここを見つけられなかったはず。だから、わかるでしょ、わたしは残らなきゃいけないの。彼が捜しにきたとき、ここにいなきゃいけない」

「そうなの、コリン？」とポリーはたずねた。「あたしたちの居場所をアイリーンに聞いたの？」

コリンは答えない。

「どうなの？　教えて。あたしたちがここにいることを伝えるために、アイリーンはこの時代に残ったの？」

「うん」とコリンはいった。「そうだよ」

ポリーはアイリーンのほうを向いて、「ダンワージー先生とあたしを救うために自分を犠牲にしたの？」と食ってかかった。「よくもそんなことを！　そんなこととして、あたしが——

——」

「犠牲なんかじゃなかったのよ。あなたは知らないでしょ、それを止められずにいるのがどんなに嫌っていたか。ポリーと先生が死ぬ運命なのに、それを止められずにいるのがどんなにいやだったか。あの夜パジェットで、あなたは命を救ってくれたし、そのあとも、何十回も助けてくれた。とくに、マイクが死んだあとはね。それなのに、ポリーの命を救うために、わたしにはなにもできなかった」

アイリーンはポリーの手を両手で包み込んだ。「でも、そうじゃなかった。わたしにもできたことが——できることが——あった。ここに残れる。コリンを見つけ出して、あなたたちの居場所を伝えることができる」輝くような笑みを浮かべて、「最高にうれしい！」

あたしがいないあいだ、ふたりがアイリーンと話していたのはそのことだったのか。ポリーは、もどってきたときにアイリーンが頬の涙を拭うのを見たことを思い出した。

「そんなことというべきじゃなかったのに」ポリーは苦々しい口調でふたりにいった。「そんな重荷を背負わせるのは不公平よ——」

「だれかにいわれたわけじゃないの」とアイリーン。「コリンを見た瞬間にわかったのよ」

見た瞬間、それがコリンだと——コリンが助けにきてくれたんだと——あたしにわかったみたいに。だからコリンは、あんなに悲しそうな、あんなに悩み疲れた表情をしていたんだ。アイリーンがいっしょに帰らないことを知っていたから。いまから何年も先の彼女に、すでに会っていたから。アイリーンは、自分たちの居場所をすでにコリンに伝えていたのだ。

なにもかも、もう起きてしまったことなんだ。アイリーンはここに残って、VEデイ前夜のトラファルガー広場に赴き、コリンはあたしたちの居場所を彼女にたずねた。すべては済んでしまったことで、それを変えるためにできることはなにもない。

それでも、やってみなければ。「アイリーン、あんたを置いてはいけない」とポリーはいった。

「そのとおりね。わたしを置いていくわけじゃないんだから。わたしはこの先もずっとあなたたちといっしょ」アイリーンは、アルフとビニーを学校へ送り出すときのような口調で、「さあ、もう行って」と短くいった。「あとのことはぜんぶわたしにまかせて」

「そうか、忘れてた。ENSAのことは？　タビットさんが――」

「旅回りの一座に移ったとかなんとか説明しておく。行って」

風を切るかん高い音につづいて、バリバリという音が響き、劇場がかすかに揺れた。

アイリーンは天井を見上げた。「空襲が激しくなってきたみたい。あなたたちを脱出させるためにいっしょうけんめいがんばった挙げ句――っていうか、これからがんばるんだけど――爆弾に吹っ飛ばされたりしてほしくない。それに、アルフとビニーのことだから、いまにも舞台から追い出されてここへやってきて、根掘り葉掘り質問しはじめるかも。そうなったら、ぜったい時間までに出発できない」

アイリーンはダンワージー先生の体を抱きしめた。「さようなら。ゆっくり休んで、体を治してください」

「そうするよ、メロピー」

「ポリー、わたしの分まで、卵とベーコンをたくさん食べてね。それと砂糖を山盛り」ポリーをぎゅっと抱いて、「そして、しあわせになって」

「『これは喜劇だ、悲劇ではない』」とポリーはつぶやいた。

「ええ」アイリーンはうれしそうにいった。「考えてみてよ、帰れるのよ！」

「でも、あんたをひとりぼっちで残していくと考えただけで――」

「ひとりぼっちじゃない。わたしには子供たちがいるもの。それに、サー・ゴドフリーとミス・ラバーナムとウィンストン・チャーチルがいる。それに、アガサ・クリスティーが。この先どうなるかわからないわよ。次はちゃんと彼女と知り合って、どんなに大きな恩があるか、じかに話せるかもしれない。謎を解くことをクリスティーが教えてくれたんだから」

アイリーンはコリンに笑みを向けた。

「かわいい子《マイ・ディア・ボーイ》」といってコリンを抱擁し、それから両肩に手を置いてまっすぐその目を見ながら、「ポリーを頼んだわよ」

「はい」とコリンはおごそかにうなずいた。

「さあ、行って」とアイリーンは命令し、彼らの背中を押して、通路を出口のほうへと向かわせた。

「待って」ポリーはポケットを探って、用意してあった封筒をとりだした。「ほら。ロンドンと南東部の郊外に落ちたV1とV2のリスト。でも、ケントもサセックスも入ってないから、なるべくそっちには近づかないで」

「わたしなら完璧に安全よ。VEデイのわたしを目撃してるじゃない。忘れたの？」

あんたの姿は見たけど、ビニーやアルフの姿は見てないのよ。ポリーの心の中のつぶやきを聞きつけたみたいに、コートを着たアルフが帽子をかぶりながら通路を突進してきた。

「どうしてサー・ゴドフリーの手伝いをしてないの？」と、アイリーンがきびしく叱る。

「大工を見てこいっていわれたんだよ」と、アルフは彼らの前を通り過ぎようとする。

「いま外に出ちゃだめ」アイリーンはその行く手をふさぎ、「空襲の最中よ」

「死んだりしないってば」アイリーンを突破しようとしながら、「空襲のあいだ外に出てたことは何度もあるんだから」

「今回はだめ」アイリーンは両手でアルフの肩をぎゅっとつかみ、ぐるっと反対を向かせた。

「大工さんが来たらわたしがすぐに知らせるっていってきて」

アイリーンはアルフの背中をぽんと押したが、アルフは通路を歩き出すかわりにコリンのほうに歩み寄り、「あんた、ほんとに大工じゃないの？」

「ほんとにほんと」とアイリーン。「いったでしょ、この人はポリーの婚約者。休暇で帰ってきたのよ」

「どこから？」アルフが疑り深げにいう。

「パイロットなのよ」ポリーはあわてて口をはさんだ。どう考えても、コリンに部隊の移動や攻撃計画をリサーチする時間はなかったはずだ。「空軍《RAF》の」

「どんな飛行機を飛ばしてたの？」とアルフはなおも怪しんでいる。

フライパンを飛び出したら、そこは火の中。しかし、ポリーはコリンを過小評価していた。

「いまはスピットファイアだよ」とコリンはいった。「撃墜される前はブレニムにいたんだ」

「撃墜されたの？」アルフが畏敬に満ちた口調でたずねた。

「二回ね。二度めは英仏海峡に不時着水」

「じゃあ、英雄なんだね」

ええ、とポリーは心の中で答えた。

「もちろん英雄に決まってるだろ、うすのろ」スパンコールをちりばめた魔法使いのガウンをまとい、通路をやってきたビニーがいった。背中に生やした翼は、片方が壊れて、だらんと垂れ下がっている。両手に抱えた王子役の衣裳は、緑のタイツをうしろにひきずり、刀の鞘の先が通路のカーペットをこすっている。「空軍パイロットはみんな英雄なんだよ。ミスター・チャーチルがそういってたじゃん」

「うすのろはそっちだ！」アルフは怒鳴り、雄牛のように頭を低くして、ビニーの腹めがけて突進した。ビニーは剣の鞘をふりまわして応戦する。

「やっぱりいっしょに帰ろうって気にならない？」とポリーはアイリーンに囁いた。

アイリーンはにっこりして、「たしかにそそられるわね」と囁き返してから、アルフの首くる。

根っこをつかんで引き離した。「アルフ、ビニー、やめなさい」ビニーの手から鞘をひった

「あっちがはじめたんだ」とアルフ。

「どっちがはじめたんでも関係ない。ビニーの翼がこんなになってるじゃないの。ビニー、楽屋へ行って、これ以上めちゃくちゃにならないように翼をはずしてきなさい。アルフ、接着剤をとってきて」

ビニーはぶんぶん首を振って、「ミス・ラバーナムに、アイリーンを連れてきてっていわれたんだよ。ダブレットの丈を詰められるように、衣裳合わせに来てほしいって」

「ポリーにお別れをいったらすぐ行くと伝えて。さあ、ふたりとも、もう行って」

と背中を押したが、ビニーは抵抗した。

「あたしもお別れをいいたい」

それと、万一あたしたちがアイリーンを連れていかないように見張りたいんだ。そう思いながら、ビニーを見やった。壊れた翼を背中にぶら下げ、胸の前で好戦的に腕を組んで、決意の天使のようにすっくと立ち、必要とあらば実力を行使してアイリーンを引き止めることも辞さない構えだ。

「そうだよ」アルフも姉の横に足を踏ん張り、「ぼくらにもさよならをいう権利がある」

そのとおりだ。ふたりはまちがいなくその権利を自分の力で勝ちとった。救急車を運転し、地図とこっそり落ち合う場所を提供し、アイリーンが降下点に行くのを――ジョン・バーソ

ロミューに追いつくのを、絶望に屈するのを――妨害した。ダンワージー先生を足止めして海軍婦人部隊員に衝突させ、看護婦たちを引き止めてポリーがサー・ゴドフリーに質問する時間をつくり、それ以外にもいろんなことを邪魔し、妨げ、止めてきた。アイリーンが帰るのをいま引き止めているように。

あたしとダンワージー先生が救出されることが、連続体の計画の一部なんだろうか。それとも、アイリーンがここに残らなければならない、なにかべつの理由があったんだろうか。この戦争に勝つために、もしくは歴史というもっと大きな戦争の中で、彼女が果たすべき役割がほかにあったんだろうか。たとえそうだったとしても、そしてそれが連続体にとって決定的に重要な使命だとしても、だからといって別れが楽になるわけではないし、サー・ゴドフリーの愛する詩人《シェイクスピア》は、ぜんぜんわかってない。別れに甘いところなどひとつもない。

「ああもう、アイリーン」ポリーは彼女の体を抱きしめた。「行きたくない」

「わたしも行かせたくない」とアイリーン。

「バックベリー駅のあの日とそっくりだね」アルフが軽蔑するようにいった。「シオドアを列車に乗せたとき。シオドアも行きたがらなかった。ちょうどこんな感じだったよな、ビニー」

「あのときはシオドアがアイリーンを蹴飛ばしたし」とビニー。「それに牧師がいたけどね」

そうね。アイリーンの顔をよぎる苦痛の色を見ながら、ポリーは思った。ここには教区牧師がいない。そして、マイクは死んでしまった。

そして彼らは、この先まだ、戦争と窮乏と喪失の四年間に耐えなければならない。「あんたたち、アイリーンのことを頼んだわよ」と語気強くいった。

「うん」とビニーがいった。

「ふたりで守るよ」とアルフが約束した。

「そして、ふたりともいい子にしてるのよ」

「こいつがいい子に？」ビニーがアルフを見て囃《はや》したて、アルフはそくざにビニーの向こうずねを蹴飛ばして、ビニーの突っ込みの正しさを証明した。ビニーはビニーでアルフを叩きはじめた。

「アルフ、ビニー」とアイリーンが割って入ろうとしたが、そのとき舞台のほうから怒りに満ちた大声が轟いた。

「アルフ・ホドビン！」サー・ゴドフリーが吠える。「ビニー！」

「なんもしてねえよ！」とアルフ。「おれらはただ――」

「茨の木は全員ステージに上がれ！」とサー・ゴドフリーが怒鳴り、アルフとビニーが「じゃあね！」といって通路を走り出した。

助かった。これでやっと――

耳を聾する轟音が劇場を揺るがした。シャンデリアが振動してがちゃがちゃ音をたてる。

「ほんとにもう行かなきゃ、ポリー」コリンが天井を見上げていった。

「うん」ポリーは爆撃のリストをアイリーンの手に押しつけた。

「いったでしょ」とアイリーン。「わたしたちは安全だって――」

「無事で済んだ理由が、このリストを暗記したからだったかもしれないじゃない」アイリーンの手に無理やり紙を握らせて、「九日と十日の夜は、まちがいなく、みんなで地下鉄駅にいるようにして。千五百人の死者と千八百人の負傷者が出てるから。V1がはじまるまでは、大きな爆撃はそれが最後。でも、注意してね。空襲警報のサイレンが鳴るのは――」

「ドーントレス王子！」サー・ゴドフリーが舞台から呼ばわり、ポリーは反射的にそちらを見上げたが、呼びかけられているのはポリーではなかった。アイリーンだった。

「ミス・オライリー！　舞台に！　いますぐ！」

「いま行きます！」とアイリーンがいった。

「クロイドンには近づかないで」ポリーは、まだアイリーンの手を離さずに、「それにベスナル・グリーンと――」

「もう行かないと」アイリーンがおだやかにいった。

「わかってる」ポリーは割れる声で、「ほんとにさびしい」

「わたしもよ」アイリーンが身を乗り出し、ポリーの頬にキスした。「泣かないで。また会えるんだから。ほら、トラファルガー広場で。ね？」

「ドーントレス王子！」サー・ゴドフリーが咆哮する。

「はい！」と叫んで、アイリーンが軽《かろ》やかに通路を走り出した。「さようなら、ダンワージー先生!」と肩越しにふりかえって叫ぶ。「コリン、ポリーを頼んだわよ! 戦争が終わったら会いましょう」ぱたぱたと階段を昇って舞台に上がると、防火幕のうしろに姿を消した。

「やっと来たか」サー・ゴドフリーの大音声が防火幕の向こうから響いた。「ミス・オライリー、きみはわれわれがクリスマス・パントマイムを上演するとでも思っているようだが、それは大きなまちがいだ。初日までたった二週間しかない。時間が問題なのだ!」

いまのがあたしの退場の合図。演技の半分は、退場の潮時を知ることにある。

しかしポリーはそこに立ったまま、幕に隠された舞台を見ていた。

その背中に、コリンが声をかけた。「ポリー、そろそろ——」

「わかってる」

「ごめん。ただ、ほんとにあんまり時間がなくて。ダンワージー先生?」

先生がうなずき、通路を出口のほうに歩き出した。

「ポリー?」コリンが静かにいった。「いいかい?」

「ええ」ポリーはいった。「帰りましょう」そして、コリンといっしょに通路を歩き出した。

「待て!」サー・ゴドフリーが呼んだ。「発《た》つ前に、そなたに告げておきたいことがある」

ポリーとコリンは戸口でふりかえり、舞台のほうを見た。

サー・ゴドフリーは、あいかわらずヒトラーの軍服とおかしなちょび髭の扮装で、幕の前に立っている。

「わが君?」と呼びかけたが、サー・ゴドフリーはポリーを見ていなかった。コリンを見ていた。そして彼は、オーシーノ公爵でも、クライトンでさえもなかった。彼は、プロスペロだった。あの最初の夜、セント・ジョージ教会の地下室でいっしょに演じたときとおなじく。

「『わしはみずからの命の三分の一を、わしの生き甲斐《がい》を、そなたに譲った』（『テンペスト』4幕1場）」

とサー・ゴドフリーがいった。

　コリンはうなずいた。

「『おだやかな海とめでたい順風を約束いたしましょう』」サー・ゴドフリーはそういって、彼らを祝福するように両手を上げた。「『そして、はるか先を行く王の船団に追いつく、すばらしい船足を』（『テンペスト』5幕1場）」

娘は生きている。もしそうなら、わしがこれまでに味わってきたすべての悲しみが埋め合わされるかもしれぬ。

――ウィリアム・シェイクスピア『リア王』（5幕3場）

66　ロンドン、帝国戦争博物館
一九九五年五月七日

ぼくはネットを抜けてポリーとメロピーを見つけ出すことができた。でも、着いたのが遅すぎて、ふたりを救い出すことはできなかったんだ。コリンはそう思いながら、「ぼくは遅すぎたんだね？」とビニーにたずねた。それを合図にしたように、爆撃の効果音がまた鳴りはじめた。

「いいえ」その音が小さくなるのを待って、ビニーが答えた。

「なんだって？　じゃあ、ぼくはポリーとダンワージー先生をデッドラインの前に連れ帰ったの？」

「それは知らないけど、ふたりを連れて降下点に行ったのは知ってる。ママは――つまり、アイリーンは――きっと帰れたはずだといってた。だって――」

「でも、ふたりを降下点へ連れていったんなら、どうしてメロピーは、つまりアイリーンは、いっしょに行かなかったの？」

「あたしたちがいたからよ」とビニーがいった。「アルフとあたしが。アイリーンは、あたしたちを置いていかないと約束した。それに、ポリーとダンワージー先生の居場所をあなたに伝えるために、ここに残る必要があったの」

つまり、アイリーンは犠牲になることをみずから選んで、あとに残ったのか。でも、ほかに方法があったはずだ。けっきょく、居場所を伝えることになったのはアイリーン自身じゃなくて、ビニーだったわけだし。でも、その問題はあとまわしにしよう。いまは彼らの居場所をつきとめなければ。

「ビニーさん」コリンは熱をこめていった。「ポリーたちがいっしょにいる場所と時間を教えてください。アイリーンは残ることに決めたんですよね――ということは、アイリーンもそこにいる――ということは、三人全員がいっしょにいたときがあるはずです。五月一日よりも前に。五月一日がダンワージー先生のデッドラインですから。三人がいっしょにいる可能性がいちばん高いのは、空襲の最中だろうと思ってたんですが。空襲のあいだ、彼らは地下鉄駅に行ってました？」

「ええ、でも――」

「それに、住んでいる場所と、三人とも家にいる可能性が高い時間帯を教えてください。ミセス・リケットの下宿のことは知ってます。まだケンジントンに？　それなら、ポリーが使っていた降下点が開いて――」

ビニーは眉間にしわを寄せてこちらを見ている。

「大昔のことなのはわかってます。三人がいつどこにいたか、正確に思い出すのはむずかしいでしょう。でも、すごくだいじなことなんです。正確な日付が思い出せなかったら、どの駅のシェルターを使っていたかだけでもいい。そしたら、空襲があった日付を調べて――」

ビニーはまだむずかしい顔をしたまま首を振った。

「どうしてだめなんです？　空襲があるときはいつも地下鉄の駅に行ってたんじゃ？」

「行っていようがいまいが関係ないの。三人がいた場所はそこじゃないから」

「三人がいた場所って――」

「あなたが来たとき」ぽかんとしたコリンの顔を見て、ビニーはにっこりした。「忘れてるみたいだけど、なにもかも、もう起きたことなのよ。五十年以上前に。ママは、あなたが来られるように、あとに残った。居場所をあなたに伝えられるように」ビニーは悲しげな笑みを浮かべ、「そして、それが不可能だとわかったとき――」

「かわりにあなたをよこした」

「ええ」

「自分が何者なのかを打ち明けた？」コリンはなんとか事情を理解しようとしながらいった。

「ええ。でも、そのはるか前に、あたしたちだけでつきとめてた。領主館にいたとき、降下点までアイリーンを尾行したのよ」

「ネットを抜けるところを見た？」時代人がそばにいたら、ネットは開かないはずだ。

「いいえ。でも、もどってきた直後の彼女は見たし、ほかにも手がかりはたくさんあった。ちょっとしたまちがいや、つじつまの合わないことが。それからあなたがやってきて、ポリーとダンワージー先生を連れていったとき、まちがいないと確信した。でも、まだ知らないことがいっぱいある。たとえば、あなたがここに来るのに、どうしてこんなに時間がかかったかとか」

「一九四〇年の英国では降下点がひとつも開かなかったんです」とコリン。「ダンワージー先生が帰ってこなかったとき、ぼくらはあらゆる時空位置を試してみたけど、どれもうまくいかなかった。最初はすべての降下点が不具合を起こしているのかと思ったけど、他の場所や他の時間の降下点は影響がなかった。一九四〇年のイングランドとスコットランドと、それに一九四一年の最初の二カ月半。四一年の三月中旬以降は、いくつか降下点を設定できたけれど、もうその時点では、三人がどこにいるのかまったくわからなくなっていた。ポリーはタウンゼンド・ブラザーズを離れ、ノッティング・ヒル・ゲート駅にもいなかった」

「だからここにやってきたのね。ポリーを知っていたかもしれないだれかを捜し出して、居場所を教えてもらうために」

「ええ」と答えながら、コリンはここにいたるまでの長い道のりを思い返していた。ポリーとアイリーンが戦時労働をつとめる計画だったとマイクルに聞かされたあと、徴兵記録や民間防衛隊の名簿をしらみつぶしにあたって名前を探したことや、図書館や新聞社資料室の椅子にすわって彼らがまだ生きているかどうかを調べて過ごした年月、降下のために時空座標をはてしなく計算しつづけたこと、救出は可能だとバードリとリナを説得しようとしたこと、イシカワ博士をはじめとする航時論学者にかたっぱしから面会して、いったいなにがおかしくなってしまったのかつきとめようとしたこと……。

「きっと、記念日の式典のどれかだって、アルフがいったのよ」とビニー。

「待って」とコリンはいった。「ぼくがきょうここに来ると、アイリーンに聞いたんじゃないんですか？」

「ええ、聞いてないわ」

「わからないな。どうして？」

「ママはあなたがいつどこにやってくるか知らなかったからよ。知っていたのは、いつかの時点で自分が三人の居場所を伝えたおかげで、いつどこに迎えにくればいいか、あなたにわかったということだけ」

「でも――」

「知らなくてもいいんだっていってた。だってもう会ってるんだから、会うことはできるのよって」ビニーはにっこりした。「ママはむかしから、どっちかというとオプティミストだったからね。癌だとわかったときも、あたしたちにこういった。『心配ないわ。最後はなにもかもうまくいくんだから』って。ママが死んだとき、あたしはなにかあったんじゃないかと思ったけど、アルフがいったの。そんなはずはない、もしそうだったらコリンが来られなかったはずだからって。だから、あなたが来られるようにすることは、あたしたちの仕事になった」ビニーはコリンに笑顔を向けて、「そして、あたしたちはその仕事をちゃんとやってのけたというわけ」

「でも、まだわからない。あなたと弟さんは、ぼくがきょうこの日にやってくるとどうしてわかったんです？」

「わからなかったわ。ママが死んでからずっと、弟といっしょにあなたを捜してたのよ」

「ずっと――」

ビニーがうなずいた。「最初は地下鉄のノッティング・ヒル・ゲート駅とオックスフォード・ストリート、それにもちろん、デネウェル領主館――いまは学校になってるわ――を中心に捜してたんだけど、範囲が広すぎて、マイクルとメアリの助けがあっても――」

「だれです？」

「マイクルはあたしの息子。メアリは妹――義理の妹ね、そんなふうに思ったことはないけど」

「アイリーンの娘？」

「ごめんなさい。あなたがなにも知らないことをすぐ忘れちゃって。ママは――アイリーンは――あのあと結婚して――」

空気を切り裂くかん高い音が大きく響き、それから爆発音が轟いた。防空壕の壁が揺れ、爆発の閃光を模したまばゆい白い光が閃いた。白い光が黄色に、それから赤に変わり、防空壕とビニーの顔をオレンジ色の光で照らした。

「アイリーンが結婚して——?」コリンは声を張り上げて先を促したが、ビニーは答えなかった。ふとなにかに気づいたような、奇妙な表情を浮かべてこちらを見ている。

「なんです？　どうかしたんですか？」さっきの音が記憶のひきがねを引いて、なにかトラウマでも甦ったんだろうか。「だいじょうぶですか？」

「なんて妙な話」とビニーがつぶやく。「もしかして彼女は……？　だとしたら説明が……」

「彼女がどうかしたんですか？　だれのこと？　アイリーンのことですか？　なんの説明が？」

ビニーは、考えを振り払うように首を振って、「なんでもない。そう、あれから起きたことをあなたはなにも知らないのよね。アイリーンは戦後まもなく結婚して、子供をふたりつくったの。つまり、アルフとあたしのほかにね。娘のメアリと息子のゴドフリー。ゴドフリーも手伝ってくれたんだけど、みんなで捜しても、なんの成果もなかった。そしたらアルフが、『コリンの視点から考えてみなきゃ。彼ならどこを捜す？』といって、そのときようやく思いついたのよ。あなただったら、ロンドン大空襲の関係者が集まりそうな場所に行くんじゃないかって。さいわい、第二次世界大戦開戦五十周年の直前だったから——」

「一九九〇年からずっとこうやって捜してたんですか？」

「いいえ。一九八九年からよ。戦争が実際にはじまったのは三九年だから。一年近く戦闘はなかったけれど。でも、疎開児童の同窓会はいくつかあったたし、春にはバトル・オブ・ブリテンの展示があり、もちろん毎年、VEデイのパレードもあった。それがいちばんたいへんだった。あちこちの都市で開催されるし、みんなおなじ日だし――」

「つまり、あなたがたは、この六年のあいだ、パレードや記念日の式典や博物館の展示にずっと参加しつづけてきたと？」何十も、いや何百もあったにちがいない。「いくつ参加したんです？」

「ぜんぶよ」とビニーはあっさり答えた。

　ぜんぶ。

「もしかしたらもっとたいへんなことになっていたかもしれないから、それにくらべたらぜんぜんましよ。まだ五月だもの。今年は終戦五十周年だから、一年じゅう式典があるの。十二月二十九日のセント・ポール大聖堂火災監視員特別慰霊祭を含めてね」ビニーはいたずらっぽい笑みを浮かべて、「すくなくとも、あなたはそれに行ったわけじゃなかった」

　でも、行くつもりではいた。それにドーヴァーのダンケルク撤退記念祭と、ビギン・ヒルの英国空襲開始日《イーグル・デイ》航空ショーとロンドン交通博物館の「地下鉄駅シェルターの生活」展も。もしそのどれかに行っていたら、ビニーか、アルフか、アイリーンの他の子供たちのだれかがそこにいたわけだ。

　彼らは、コリンがポリーのために費やしたのに匹敵するほどの時間を、コリンを捜すために費やしてきた。「ビニー――」

「まあ、あれ見てちょうだい」ほんの一メートルほどのところで女性の声がした。「ガスマスクよ！　どこへ行くにもあれを持っていかなきゃいけなかったの、覚えてる？　それと、あの退屈なガス訓練？」

「あらあら。みんなランチからもどってきたみたい」ビニーが囁き、立ち上がった。

「待って。まだ居場所を聞いてませんよ」

ビニーはすわり直して、「あたしが話したのかどうか、よくわからないの。たぶん、ダンワージー先生が――」

「ダンワージー先生？　みんながひとつところに集まってたんじゃなかったんですか？」

「そうよ。でも、最初にダンワージー先生があなたを見つけたの。それとも、あなたが先生を見つけたかして――その部分はよく知らないの――先生があなたを連れてきたのよ」

「でも、ぼくはどこで先生を見つけたんです？」

「セント・ポール大聖堂」

セント・ポール大聖堂？　ということは、ダンワージー先生の降下点を使ったことになる。でも、あの降下点は先生が行ってしまってから、何千回もトライしたにもかかわらず、一度も開いていない。「ぼくはセント・ポールの降下点を使ったんですか？」

「それも知らない。どうして？」

「作動してないんです」

「ああ。だったらきっと、先生を――それとも先生が――どこかべつの場所で見つけたのね。あたしが知ってるのは、あの夜、リージェント劇場で先生と別れたこと――」

「どの夜です？　まだ日付を教えてもらってません」

「あいにく、それもわからないの。大昔の話だし、あたしたちはまだ子供だったから。四月の――」

「まだ防空壕にいたの？」女性の声がいって、ドアが開き、タルボット、キャンバリー、パッジの三人が顔を出した。「ここにいたのね、グッディ」さっと立ち上がったビニーに向かってタルボットがそう声をかけ、それからコリンのほうを見た。「ふたりでなにしてたの？」

「防空壕を見せてたのよ」とビニー。

「見りゃわかるわよ」パッジがそっけなくいった。防空壕の中を見まわして、「こりゃ居心地がいいね」

「あたしが覚えてる防空壕よりずっといいわ」とタルボット。「あんたを捜してたのよ、グッディ。救急車の展示を見なきゃだめよ。救急車の運転手だったんだから」

「すぐ行くわ」とビニー。「ナイトさんとの話がまだ終わってなくて――」

「でしょうね」とタルボット。

「あとひとつふたつ、質問が残ってるだけですから」コリンは遅まきながらメモ帳をとりだした。「ミセス・ランバートをもうすこしだけお借りしてもいいでしょうか？」

「もちろんよ」とタルボット。「まことの恋の邪魔はしたくないから」

「莫迦いわないで、タルボット」とビニー。「ナイトさんは記者で――孫でもおかしくないぐらいの歳よ」

「とんでもない」コリンはきっぱりいった。「ともかく、ぼくは昔から年上の女性が好きなんです」

「そうと知ったら」タルボットがコリンの腕をとり、「いっしょに救急車の展示を見にきてもらわなきゃ」

「そうよ」とキャンバリー。「あたしたちが運転してたのとそっくり」

「質問は歩きながらすればいいわ」タルボットはしっかり腕を組んだまま、コリンをしたがえて救急車の展示のほうへ歩いていった。ビニーになにかをたずねるチャンスはまったくなかった。歩いているあいだは、半ダースの女性たちがビニーを捕まえて口々に質問し、救急車にたどり着くと、さらに半ダースの女性たちがビニーを待ち受けていて、救急車の後部スペースと、それから運転席にすわってみてとせがんだ。

コリンは人混みを押し分けて近づくと、運転席の窓から中を覗き込んで、「二、三、確認したいことがあるんですが、ミセス・ランバート」と声をかけた。「ウェストミンスター寺院の爆撃の話をされましたよね。それはいつのことです？」

「五月十日」ビニーが返事をするより早く、キャンバリーが答えた。せっかくの名案もこれまでか。「日付を覚えてるのは、その夜、とにかくゴージャスな空軍将校といっしょにディナーとショーに行くはずだったのに、ひと晩じゅう、負傷者を搬送する羽目になったからよ。せっかくの夜をだいなしにしてくれたヒトラーのことは一生許さない」

「なんのショーに連れていってもらうはずだったの？」とビニーがたずねた。

〝ロンドン大空襲下の劇場〟なんてテーマで無駄話をしている時間はないのに。コリンはいらいらしながら思った。

「ウィンドミル劇場の下品なレビュー？」とタルボットがいった。

「『当劇場に休演なし《ウィ・ネヴァー・クローズド》』」とパッジがスローガンを引用した。

「着用する衣裳《クローズ》もなし」とタルボット。

「ううん」とキャンバリーは首を振った。「芝居に連れていってくれたのよ！　あたしのドレスは――」

「どんな芝居？」とビニー。「パントマイム？」

「パントマイム？」とキャンバリー。「パントマイムは子供向けでしょ」

ビニーはそれが聞こえなかったみたいに、「ロンドン大空襲のあいだに、一度、パントマイムを見たわ」といった。「『眠れる森の美女』。リージェント劇場で。サー・ゴドフリー・キングズマンが悪い魔法使いの役をやったの」

「眠るといえば」と、名札を配っていた女性がいった。「みんな、『ロンドン大空襲下の眠り』の展示を見なきゃだめよ。ホーリックス（麦芽粉乳飲料）覚えてる？　それとあの空襲警備服《サイレン・スーツ》。こっちよ」といって歩き出し、全員がそのあとについてぞろぞろと戸口を出て、ビニーもいっしょに廊下を歩き出した。

　コリンはそのあとを追ったが、戸口にたどり着く前に、名札にユニオンジャックが描かれた女性たちの新たな一団がどっと入ってきて、その流れに逆らって外に出るまでに時間がかかった。なんとか出たときは、ビニーの姿はもう消えているだろうと思ったが、ビニーは廊下の中ほどに佇み、壁の写真を眺めていた。どこかの教会を写したモノクロ写真で、塔が炎に包まれている。

「これ、セント・ブライド教会じゃない？」とビニーが写真を指さしてたずねた。「焼け落ちた夜のことはよく覚えてる。あの夜は空襲がほんとにひどくて。たしか四月後半の——」

「ううん、違うわよ」とパッジがいった。「セント・ブライドが焼けたのは十二月」

「ああ、そうだった」とビニー。「セント・ポールもあやうく焼け落ちそうになった夜ね」

廊下の先にいるコリンに目を向け、「記憶が混乱したみたい。四月の後半になにかあったのはまちがいないいんだけど」

ぼくがポリーとアイリーンとダンワージー先生を見つけたんだ。ありがとう。声を出さず、口だけ動かしてビニーに礼をいったが、彼女はもう写真のほうに向き直っていた。キャンバリーがビニーになにかいい、他の女たちがビニーのまわりに集まってきてコリンの視界をふさいだ。ユニオンジャックの女性たちが、ぺちゃくちゃしゃべったり歓声をあげたりしながらどっと廊下にあふれだしてきた。

「ハリス！」鮮やかな緑の帽子をかぶった女性が呼んだ。「そこにいたのね。見つからないかと思った。もう行く時間よ」

行く時間。コリンは人波を押し分けて廊下を脱け出すと、展示スペースの出口に向かって歩いた。あとはダンワージー先生の降下点を開かせるだけ。ぼくが使ったのが先生の降下点なら。それから火災監視員に捕まらないようにする。降下点が開かなければ、ほかの降下点を探す。それからダンワージー先生を見つける。それから劇場。でも、劇場の名前はわかっている。それに、救出が手遅れにならなかったことも、ポリーがまだ生きていることもわかっている。

出口に着いた。両側には、国王と王妃がバッキンガム宮殿のバルコニーからVEデイの群衆の歓呼に手を振る写真と、勝利のVサインをしているウィンストン・チャーチルの等身大の切り抜きボードが飾られている。戸口を抜けるとき、空襲警報解除《オール・クリア》の高らかな音が鳴り響いた。

足早にロビーを横切り、チケット・デスクへ向かった。「アン・ペリーさん宛てに伝言をおねがいできますか？『ありがとう、この特別展はとても有益でした』と。それに、『思っていた相手じゃなくて、ほんとうにすみませんでした』と」

「承知しました」チケット・デスクの女性が伝言を書き留め、コリンはこれからなすべきことを考えながら建物の外に出た。リージェント劇場の住所と、セント・ポール大聖堂からの道順を調べ、「四月後半」がいつなのかを特定する。二十日？　三十日？　三十日じゃなければいいんだけど。ダンワージー先生のデッドラインは五月一日。三十日だとギリギリもいいところだ。

ビニーによれば、ぼくが着いた夜は空襲が激しかったという。四月に毎晩空襲があったのでないかぎり、それで多少は絞り込める。コリンは階段を降りた。『眠れる森の美女』が上演された日付がわかれば、それで――

ビニーがリリー・メイド号のそばに立っていた。

「どうやって出てきたんです？」とコリン。

「アルフに伝授された手を使ったのよ」

コリンは建物をふりかえった。「帝国戦争博物館に火をつけたんですか？」

「まさか。コンタクト・レンズを落としたっていったの」コリンがぽかんとしているのを見て、「コンタクトっていうのは、目に直接装着する眼鏡のレンズのこと。割れやすいのよ。みんな、床に這いつくばってレンズを探してくれてる。でも、あんまり時間がないわ。あなたがぜんぶ理解したかどうかたしかめたくて」

「ええ。リージェント劇場。『眠れる森の美女』のパントマイムの上演中」

「ううん、稽古中よ」

「で、日付はわからない？」

「ええ。アルフとふたりでなんとか特定しようとしたんだけど。セント・ポール大聖堂の北の袖廊が爆撃された日よりあとで――」

それは四月十六日だ。「それに、その夜は空襲があった？」

「ええ。とにかく、あたしはそう思う。思い出すのがむずかしくて。とにかく空襲が多かったから。あんまり役に立てなくてごめんなさいね」コリンの腕に片手を置いて、「正しい日付がすぐにわからなくても、がっかりしちゃだめよ」

「そんなことがあったと、アイリーンがいってたんですか？」

「いいえ。そうだったかどうかもわからない。でも、あの夜のあなたとくらべて、きょうのほうが若く見えるから」

「防空壕のレプリカで妙な顔をしたのはそのせい？」ビニーは、急に追い込まれたような、尻尾をつかまれたような顔になった。

「ええ。アイリーンの話をしていたとき、爆撃の効果音が鳴って、防空壕に光が閃いて。そのとき妙な顔をして、『もしかして彼女は……？　だとしたら説明が……』っていったじゃないですか。あれはそういう意味だったんですか？　昔のぼくのほうが老《ふ》けて見えたっていう」

「きっとそうね。年をとって最悪なのがそれよ。五分前に話していたことをもう忘れちゃう」ビニーは笑って、「ほかになんのことだったか思い出せない。いえ、ちょっと待って。ああ、わかった――あなたのことじゃないのよ。防空壕に赤いライトがあったかどうか思い出せないっていってミセス・ネタートンがいってて、なんの話だかぜんぜんわからなかったの。彼女、かわいそうに、最近だいぶ惚《ぼ》けてきてるから。そしたら、あの展示で爆弾の音がして、あの赤い光が点灯して、そうか、きっとこれのことだったんだって思ったのよ」

もっともな説明に聞こえるし、あっさり信じていても不思議はなかった。疎開委員会の委員長が、「あのふたりは目をまんまるに見開き、無邪気そのものの顔をして、平気で真っ赤な嘘をつくのよ」と証言するのを聞いていなければ。

でも、嘘をつくどんな理由があるんだろう。この六年間、彼らがぼくを捜していろんな場所を巡ってきたのは真実を伝えるためであって、隠すためじゃない。

ただし、なにかおそろしいことだとしたら、話はべつ。もっとも、防空壕にいたときのビニーは、悩んでいる顔じゃなくて、おもしろがるような顔をしていた。たぶん、あの夜、劇場で起きたことのなかで、いまのいままで腑に落ちなかったことがあり、それがついに解決したんだろう。

それがなんだとしても、ビニーに話してくれるつもりがないのは明らかだ。「みんなが捜しはじめる前にもどらないと」といって、階段の上の博物館のほうを見上げた。「駆け落ちしたんだと思われるわ」

「そうしたいのはやまやまですが」とコリンはいった。「ありがとう。これまでずっと、いろいろ骨を折ってくださって」

身を乗り出して、彼女の評判がどうなるかも気にせず、ビニーの頰にキスした。「義務の範囲をはるかに超えていました」

ビニーは首を振った。「ママがあたしたちにしてくれたことを考えたら、こんなのなんでもないわ。アイリーンはあたしたちをひきとり、食べさせ、服を着せて、学校に行かせてくれた。弟がよくいってたように、『ぼくらにやさしくしてくれる、たったひとりの人』だった」にっこり笑って、「アイリーンがいなかったら、あたしたちが生きて終戦を迎えられたとは思えない。もし生き延びていたとしても、あたしは街角に立っていたかもしれないし、アルフは——考えたくもない場所に落ち着いていたでしょうね」

「でも、ぼくはてっきり——さっき、彼はオールド・ベイリーにいるといってましたよね」

「ええ。まあ、あたしがあんなことといったから、アルフが被告人として勾留《こうりゅう》されてると思ったのね」ビニーはけらけら笑い出した。「あらあら、アルフに話さなきゃ。いいえ、今週は大きな裁判を抱えてて、陪審の票決が思ったより長引いたのよ」

「弁護士なんですか?」コリンは驚いてたずねた。

「いいえ」ビニーはまた笑って、「アルフは裁判官なのよ」

すべてはいずれうまくいく
あらゆることがうまくいく

――T・S・エリオット「四つの四重奏曲」

（ただし引用箇所は、一四世紀イングランドの隠修女、ノリッジのジュリアンの『神の愛の啓示』27章に出てくるイエス・キリストの言葉をエリオットが引いたもの）

67

ロンドン　一九四五年五月七日

午後三時、アイリーンはサヴォイ・ホテルでエイブラムス大佐を参謀用乗用車に乗せた。

「陸軍省へやってくれ、少尉」と大佐はいった。

「かしこまりました」ホテルの私道から車を出して、ストランドに乗り入れたとたん、アイリーンはブレーキを踏んだ。ひとりの男が車の前にまっすぐ飛び出してきて、そのまま道路を横断し、「とうとうだ！」と叫んだ。

「V2じゃないだろうね」アメリカから着いたばかりのエイブラムス大佐は、不安げに窓の外を見ながらたずねた。

「違います」とアイリーンは答えた。戦争が終わったのよ。

そして、大佐を陸軍省に送り、彼が建物の中に入るのを見届けるなり、参謀車を走らせてアルフとビニーの学校へ行った。

「アルフとビニーを迎えにきました」とアイリーンは校長にいった。「すぐに家に連れて帰る用があって」

「じゃあ、なにか聞いたのね？」と校長がたずねた。

なんと答えるべきだろう。ドイツが降伏文書に調印したのはきょう未明、午前三時前のことだが、ドイツの降伏が公式に発表されるのはあしただ。来る途中に見た新聞売り場の看板にも、『まもなく降伏か？』としか書いていなかった。

「公式にはなにも聞いてません」とアイリーンはいった。「でも、みんな、いまにも発表があるといってます」

校長は満面の笑みを浮かべ、「ふたりを連れてきましょう」といって、廊下を足早に歩いていった。

永遠とも思えるほど長いあいだ、校長はもどってこなかった。きょうにかぎってあのふたりが学校をズル休みしてなきゃいいけど、と心配になってくる。

しびれを切らして戸口から身を乗り出し、廊下の先を見やると、突き当たりにティーンエイジャーの少女の姿が見えた。ロッカーからコートをとりだしている。長身で優美な体つき。輝くブロンドの髪をしている。なんてきれいな子なんだろう。

少女がロッカーの扉を閉めてこちらを向き、それがビニーだったことに気づいてアイリーンはショックを受けた。うわ、びっくり。ビニーはもう大人になりかけてる。そう思ったとき、ビニーの顔に浮かぶ麻痺したような表情に気づいた。

　こういう表情は前にも見たことがある——ポリーは前にこの時代に来たことがあるのよと告げたときのマイクの顔や、マイクが死んだと防空監視員に聞かされたときのポリーの顔に浮かんでいた表情。

　ビニーは、なにかおそろしいことが起きたと思ってる。アイリーンはあわてて廊下を走っていって、ビニーを安心させた。「悪い知らせじゃないの。戦争が終わったのよ。わくわくしない？」

「ええ」といったが、わくわくした口調ではなかった。

　最近のビニーはずいぶん不機嫌だ。今夜はむずかしいことをいわないでくれるといいけど。言い争ってる時間はないんだから。「弟はどこ？」

　アルフが廊下を突進してきた。シャツの裾がはみ出し、靴下はずり下がり、ネクタイは斜めになっている。そのうしろから校長がついてくる。

「戦争が終わったんだよね？」といいながら、アルフはアイリーンの数センチ手前で急停止した。「やっぱりきょうだった。いつ聞いたの？　クラスでずっとラジオを聞いてたんだけど」といって、うしろめたそうな顔で校長先生に目をやったが、彼女はあいかわらず満面の笑みだった。「でも、なんにも情報がなくて」

「来なさい」とアイリーン。「行かなきゃ。アルフ、コートはどこ？」

「あちゃっ、忘れてきた！　教室に置いたままだ。とってくる」アルフは廊下を駆け出した。

「まだみんなには――」といいかけたが、時すでに遅し。廊下の突き当たりから大きな叫び声が響き、歓声とドアがバタンと開く音がそれにつづいた。校長は騒ぎを静めるべく、急ぎ足で教室に向かった。

アルフが胸の前でつかんだコートを不器用に広げながらやってきた。

「アルフ」とアイリーンはとがめるようにいった。

「いまさっきラジオで流れたんだよ！」とアルフが叫ぶ。「戦争が終わったんだ！　さあ、行こうよ。ピカデリー・サーカスでライトを点灯するんだって」

ビニーの顔に目をやり、アルフの顔から笑みが消えた。「行かせてくれるよね、ママ？」とアイリーンに向かっていう。「みんな行くんだよ。国王と王妃とチャーチル」

それにポリー。

「ロンドンじゅうの人間が集まるんだ。戦争が終わった！」アルフがビニーに訴えた。「行かなきゃだめだって、アイリーンにいってよ」

「行くの？」とビニーがたずねた。

「ええ、もちろん」わたしの不安がビニーに感染したんだろうか。「行かなきゃ。さあ、来なさい、アルフ、ビニー」

アルフはドアから飛び出していったが、ビニーは憤然とした顔でそこに立っている。

「ビニー？」と声をかけ、腕をとった。ビニーが動こうとしないので、「ごめん。ロキシーって呼んでほしいんだっけ」ビニーは、ジンジャー・ロジャースが「ロキシー・ハート」で、悔い改めることのない女殺人鬼を演じるのを観て以来、この名前にこだわっている。

ビニーはアイリーンの手を振りほどき、「名前なんかどうだっていい」といって、校舎から飛び出していった。

アルフは階段の下でふたりを待っていたが、ビニーはそれを無視してずんずん歩いていくと、おもての通りを地下鉄駅に向かって歩き出した。

「地下鉄で行くんじゃないのよ」とアイリーンはいった。「エイブラムス大佐の送迎用の車があるから」

「運転していい？」といってアルフが前部座席に乗り込む。

ビニーはそこに突っ立って、車を見ながら、「司令部に車を返さなきゃいけないんじゃないの？」

「なくてもだれも気にしないわ」とアイリーン。「乗って」

ビニーが後部座席に乗り込み、叩きつけるようにしてドアを閉めた。

「それに、司令部までたどりつけるかどうか。さっき通ってきたとき、宮殿の前にもう群衆が集まりはじめてたから」と嘘をついた。

「ぼくらも行くの、ママ？」アルフがたずねた。「バッキンガム宮殿？」

「いいえ。まず家に帰ってこの制服を着替える」とアイリーン。

「よかった。ユニオンジャックとってこなきゃ」

「車を返したほうがいいよ」と後部座席のビニーがいった。「問題になったら、仕事をなくすかも」

「仕事なくすのは無理だよ、もう仕事なんかねえんだから」アルフが朗らかにいった。「それに、もう救急車を運転する仕事もない。ビニー、戦争は終わったんだよ。ピカデリー・サーカスに行ってからバッキンガム宮殿に行こうぜ」アルフは窓から身を乗り出して手を振りながら、「戦争が終わった！　ばんざーい！」

群衆が集まりはじめているという嘘は、嘘ではなかったことが判明した。大声で叫んだり旗を振ったりする人々が通りを埋めつくしている。ブルームズベリまでたどり着くのに、はてしない時間がかかった。

この中を抜けてトラファルガー広場まで車で行くのはとても無理だ。そう思いながら、家の前に参謀用乗用車をとめた。

「やっぱり司令部に返したほうがいいと思う」とビニー。

「時間がないのよ」アイリーンは二階に駆け上がって制服を脱ぎ、サマー・ドレスと緑のコートを着てから、ミセス・オーウェンスに電話して吉報を伝えた。

「いま聞いたところ」とミセス・オーウェンスがいった。「シオドアの母親がさっき電話してきたの」電話のうしろでシオドアが、「戦争に終わってほしくない！」と怒鳴っているのが聞こえた。

もちろん、そうでしょうとも。

ビニーが白のワンピースを着て部屋から出てきた。アルフはオウムの檻を提げて部屋から出てきた。「ミセス・バスコームも連れてっていい？」

「だめに決まってんだろ、とんちき」とビニーがいった。

「ぼくらが戦争に勝ったのをすっごく喜んでんだよ」ミセス・バスコームは戦争が大嫌いだったから。

「だめよ、連れていけません」アイリーンはそういって、アルフを部屋に送り返した。

もどってきたアルフは、ユニオンジャックとロケット花火三本と爆竹の長い束を持っていた。

「どこで手に入れたの？」とアイリーンは問いただした。

「戦勝のお祝いのために溜めてたんだよ」とアルフ。答えになっていなかったが、もうすでに思ったより遅い時間になっているし、これからトラファルガー広場まで行かなければならない。

「爆竹とロケット花火一本だけなら持ってってていいわ」ビニーの不満げな表情に気づかないふりをしていった。「それと、近くに人がいるときは火をつけないこと。さあ、行くわよ」

ふたりを急《せ》きたてて玄関から外に出し、ラッセル・スクエアまで歩いて——新たな試練に直面した。通りも駅も人であふれ、無理やり乗り込む余地がある車両を待って、電車を何本も見送らなければならなかった。

レスター・スクエア駅に着くと、「降りて」と子供たちに命令した。

「なんでここで降りんの？」とアルフ。「まだピカデリー・サーカスじゃないよ」

「ピカデリー・サーカスに行くんじゃないの」アイリーンはふたりを引き連れ、人混みの中をノーザン線のホームへ歩きながら、「トラファルガー広場へ行くのよ」といって、乗り換えの列車に乗せた。さいわい、こちらの車両もぎゅうぎゅう詰めで、それ以上の話はできなかった。

チャリング・クロス駅はさらに混雑がひどく、壁から壁まで、大声をあげて押し合いへし合いする人間と鳴りものと紙テープのかたまりだった。「これならなんでも盗み放題だね」とアルフがいった。

「だれもなにも盗みません」アイリーンはアルフとビニーの腕をつかみ、ひったてるようにして上りエスカレーターに乗り、階段を上がり、通りに出た。

見渡すかぎりすべてが人で埋めつくされていた——歓声をあげ、歌い、ユニオンジャックを振っている。教会の鐘が激しく打ち鳴らされていた。英国海外派遣軍の兵士がひとり、目につくすべての女性にキスしながら群衆の中を歩いていたが、女性たちは——花飾りをつけた帽子に白い手袋をした老婦人ふたりを含めて——だれも、それをまるで気にしていないようだった。

横断幕に手書きで『ヒトラーはこのバスに乗り損ねた《ミスト》（「（爆撃の狙いを）外した」の意味もある）』と記されたダブル・デッカーのバスが警笛を鳴らしっぱなしにしてのろのろと進んでくる。その前の群衆が左右に分かれた隙に、アイリーンと子供たちは道路を横断することができた。

しかし、道路の向こう側に着いたとたん、三人は人の波に呑み込まれた。

「やっぱピカデリー・サーカスにしようぜ」とアルフ。

「トラファルガー広場へ行くのよ」アイリーンはきっぱりいった。「だいじょうぶ。とにかく、離ればなれにならないようにしないと」

「離ればなれにならないようにね」ビニーがそっけなくくりかえした。またあの不機嫌な表情を浮かべている。

いったいどうしたんだろう。いぶかしみながら、アイリーンはビニーの腕とアルフの服の袖をつかみ、群衆を突き抜けて、決然と広場へ向かった。

広場は破裂しそうなほどの密度だった。陸軍兵士に海軍兵士、海軍婦人部隊員、エプロン姿のままのウェイトレス。その全員がユニオンジャックを振っている。ネルソン記念碑の台座や、砂嚢を積み上げた立哨詰所の上にも人が群がり、さらには記念碑の柱によじのぼろうとする米国海兵隊員までいて、下から警官が、降りてきなさいと怒鳴っている。

アイリーンは、アルフとビニーをひっぱって、しゃにむに広場の中へと突っ込んでいった。ポリーによると、ライオン像のどれかの脇に立っているアイリーンを見たそうだが、そこまでたどり着くのは、いうは易《やす》く行うは難《かた》し。子供たちを捕まえておくのはさらにたいへんで、三メートルも行かないうちにアルフを見失いそうになり、襟首をつかんで無理やりひきもどさなければならなかった。

手首を返して腕時計を見た。うわ、もう九時を過ぎている。なのに、ライオン像にはちっとも近づいていない。この群衆の中では、ライオンの姿さえ見えない。つま先立ちになって首を伸ばし、人間の頭や帽子や旗の上から、鼻が欠けたライオン像を探した。あった。しかし、とてもたどり着けそうにない。人の波が、それとは逆方向の噴水のほうへ向かって流れている。流れに逆らって進むには両手を使う必要があるが、アルフとビニーから手を離したくなかった。ここととライオン像とのあいだを隔てる群衆がみるみる密度を増し、人間の壁となって立ちはだかる。

もしたどり着けなかったら？　そう考えて、パニックに襲われた。

もちろんたどり着けるわよ。すでに起きたことなんだから。それに、自分ひとりでなんとかしようとがんばる必要はない。手足になる頼もしい軍勢がいるじゃないの。

アルフを引き寄せると、「あのライオン像のところまで連れてってほしいの」と指さした。

「できる？」

「もちろん」というと、アルフはGＩのライターをポケットからとりだした。いったいどこで手に入れたのか詰問したくなる衝動を抑えつけ、アルフが反対のポケットから爆竹の長い束をとりだすのを見守った。アルフは爆竹を片手に持ち、体の前にかざした。

「第一弾点火！」と叫んでライターに着火すると、それを爆竹の導火線の二センチ先まで近づけ、悠然と歩き出した。行く手の人々は悲鳴をあげて逃げ惑い、左右に散ってゆく。それでも二度、離ればなれになりかけたものの、なんとかライオン像の台座までたどり着いた。

アルフがライターに蓋をするなり、群衆はまたもとどおりになった。

アイリーンはポリーの姿を求めて、ナショナル・ギャラリーの階段のほうを見やった。アルフとビニーは、どちらも人の波に呑まれて離れてしまい、必死に人間をかき分けてこちらへもどってきた。

「もしはぐれたら」人混みの中、肩から下ろしたバッグの口金を開けようと奮闘しながら、アイリーンはいった。「ネルソン記念柱の台座のところで待ってて」一シリング貨を二枚とりだし、「もしわたしが見つからなかったら、これで地下鉄に乗って家に帰りなさい」

アイリーンは一枚をアルフに、もう一枚をビニーにさしだした。だが、ビニーは受けとろうとしなかった。立ったまま、じっとアイリーンを見つめている。顔色が真っ青だ。

「もらうよ」アルフが一シリング貨に手を伸ばした。

アイリーンは、ビニーの白い顔を見つめたまま、反射的にこぶしを握ってコインを隠した。

「どうしたの、ビニー？　気分が悪いの？」

「ううん」ビニーは噛みつくように答えた。「きょう、なんでここに連れてきたのかはわかってる。ポリーが来てるんでしょ？」

「ポリー？」アルフが訊き返した。「あのARP監視員と結婚してカナダへ行ったんじゃなかったの？　どこに来てる？」アルフはライオン像の台座の側面によじのぼりはじめた。

「だからその緑のコートを着てきた」ビニーはアルフを無視して、アイリーンの目を見つめたまま、「この人混みの中でも、ポリーにすぐ見つけてもらえるように。ここに来てるんだよね？」

「ええ」とアイリーン。

「どこ？」アルフが上から呼びかけた。台座によじのぼり、ライオン像の鼻面にしがみついている。「どこにも見えないよ」

「行っちゃうんでしょ？」とビニーがたずねた。「だからアルフが花火を持ってくるのを許したし、だから車のことで問題が起きるかもしれなくても気にしなかった。このまいなくなってしまうから。ここに来たのは、ポリーを見つけて、いっしょに帰るため」

「帰る？」

ビニーはうなずいた。「来たところへ。劇場でしゃべってるのを聞いたんだよ。それに、姿も見た。領主館の森の中で」昔の口調にもどり、「きっと森ん中でだれかと会ってんだよ、アイリーンはスパイなんだってアルフがいいだして、だからあとをつけたんだ。それに、非常階段でしゃべってた話も聞いた」

ふたりはいつもわたしの二段上にいた。「ビニー――」

「この人混みの中で、わざと離ればなれになろうとしたんじゃないの？」ビニーがとがめるようにいう。「ヘンゼルとグレーテルみたいに」

「いいえ。ビニー、わたしはどこへも行かないわ」アイリーンは少女に手を伸ばした。

ビニーは身を引き、「じゃあなんでここに連れてきたの？」と、怒りの涙を流さんばかりの勢いでいった。「なんでそのコート着てんだよ？」

「ここに立っているわたしたちを、ポリーが見なきゃいけないからよ」

「ポリーが気がついて迎えにきて、連れて帰ってくれるように」

「いいえ」

アイリーンはまわりの群衆を見渡した。こんなところでしていい話じゃない。でも、こちらにはだれもなんの関心も払っていなかった。だれもが歓声をあげ、笑い、旗を振っている。

「ポリーがわたしたちを見なきゃいけないのは、起きたことすべてがちゃんと起きるようにするため。わたしが来たところでは、今夜のことはなにもかも、すでに起きたことなのよ。そしてそのとき、ポリーはこの群衆の中で、緑のコートを着たわたしを見た。それに、あなたの姿も見た」

「それからどうなったの？」

それからポリーはオックスフォードにもどり、中庭でわたしと立ち話をして、マイクとしゃべり、マイクはダンケルクへ行って片足を失い、あなたははしかにかかり、それからわたしはあなたたち姉弟とロンドンへ行き、あなたたちのお母さんは空襲で死に、マイクも死んで、ポリーとわたしはあなたたちをひきとり、ダンワージー先生を見つけ、そしてあなたたちがわたしたちの命を救うのよ。

「それからどうなったの？」ビニーはけんか腰でまたたずねた。

「それから、どうもしない。ポリーはここでわたしに話しかけなかった。わたしを連れて帰らなかった。ポリーには、目撃したのがまちがいなくわたしだったという自信さえなかったくらいよ。それに、そのすべてはもう起きてしまったことだから、たとえいまわたしが帰りたいと思っても、ポリーといっしょに帰ることはできない。帰りたいなんて思わないけどね。

だって、あなたやアルフといっしょにここにいたいから」

それに、もしほんとうにオックスフォードに帰ったら、ダンワージー先生はわたしたちの降下予定すべてをキャンセルし、こういうことはなにひとつ起こらなくなってしまうから。このVEデイのお祝いも含めて。

歓声をあげる群衆も、鳴り響く教会の鐘も、戦争の勝利もなくなってしまう。

ビニーは肺炎で、アルフはシティ・オブ・ベナレス号で死に、ウェストブルック大尉は救急車を待つあいだにこときれて、連合軍は第二次世界大戦に敗北していただろう。

「ポリーはママをいつ見たの？」ビニーがたずねた。

「それがはっきりしないのよ。トラファルガー広場に着いたのは九時半ごろで、広場には一時間しかいなかったといってたけど」

「じゃあ、どうして学校を早退させたの？　なんであんなに急がせたの？」

いま嘘をついたら、ビニーは二度と信じてくれなくなるだろう。「もしかしたらコリンが――あの夜、ポリーとダンワージー先生を迎えにきた人よ――来てるかもしれないと思ったからよ」

「そして連れて帰ってもらえるかもしれないと」

「いいえ。わたしはコリンに、わたしたちがいつどこで見つかるかを教えた――というか、これから教えるの。それが今夜のことかもしれないと思って。もしかしたら、今夜ここでコリンに会えるかもしれないと期待していたけれど、たしかなことはわからない。自分がいつコリンに教えたのか、知らないのよ。ひょっとしたら、何年も先のことだという可能性もあるし」

「で、それを教わったら、コリンは過去にもどって、あの劇場にいるみんなを見つける」

「ええ」

ビニーは眉間にしわを寄せて、「いつどこで居場所を教えてもらったのか、コリンに訊けばよかったのよ」と、いかにも現実的なことをいった。「そうすれば、コリンを捜して右往左往しなくて済んだのに」

「まったくそのとおりね。でも、そんなことはどうでもいいの。いつかはどっちかがどっちかを捜しあてて、わたしが彼に教えることになるんだから」

「もし捜しあてなかったら、みんなの居場所がわからなくて、あの夜、コリンが劇場に来ることはできなかったはずだから」とビニーがいった。

どうせタイムトラベルのことはビニーには理解できないなんて、いったいどうして思ったんだろう。「そのとおりよ」

「だから、ママはこの時代に残らなきゃいけなかった。コリンに教えるために」

「いいえ。わたしがここに残ったのは、あなたとアルフから離れられなかったせいよ」ビニーに笑顔を向けて、「もし離れたら、だれがわたしの面倒をみてくれるの――?」

そういおうとしたが、その言葉が声になることはなかった。ビニーが飛びついてくると、首に両腕を巻きつけてぎゅっとしがみついたので、一瞬、息が詰まりそうになった。

「ビニー」アイリーンはやさしくいって、ビニーの体に両腕をまわした。

「ポリーはどこにも見えないよ」ライオン像から飛び下りたアルフがいった。「ほんとに来てんの？」

「ええ」とアイリーンは答えた。

「広場のどこにいたの？」とビニー。

「さあ。ずいぶん遠くからわたしを見たっていってたけど」

「とにかく、ぜんぜん姿が見えないよ。きっと、ネルソン記念柱に登るとかしたんじゃねえの」アルフはそういうと、ひじを使って人波をかき分けながら、近くの街灯柱のほうへ進んでいった。

「ポリーが街灯柱に登ったりするわけないでしょ」とアイリーン。

「わかってるよ。遠くが見えるように登ってみるだけ」アルフは海賊が舶刀《カットラス》をくわえるように、ユニオンジャックの旗竿を歯のあいだにくわえて、するすると柱によじのぼった。

「見える？」とアイリーンが呼びかけた。

「ううん」歯のあいだから旗をとって、「ほんとにポリーが来て——いた！」ユニオンジャックでナショナル・ギャラリーのほうを指さし、「制服着てる」

アイリーンは街灯柱につかまってつま先立ちになり、首を伸ばした。制服、制服……。

「見えた！」とビニーが興奮した声で叫んだ。

「どこ？　どこに立ってるのか教えて」

「あそこ」ビニーが指をさす。アイリーンはビニーの伸ばした腕の先に目を凝らした。「ナショナル・ギャラリーのポーチ」

「違うって！」アルフが街灯柱を半分登ったあたりから怒鳴った。「いまは階段を降りてる」

「どこ？」

「どこ？」まだ見つからない。もしポリーがもう階段を降りはじめているとしたら……。

「あそこ。ポーチの階段の下」

ポリーがもう階段を降りたんだとしたら、ライオン像の横に立っているわたしを目撃して、ハムステッド・ヒースの降下点へもどろうとしていることになる。

「見えた？」とビニー。

「ううん」とアイリーンはいった。「でも、それはいいのよ。わたしがポリーを見る必要はないんだから」

でも、ポリーの姿をひとめ見たいとあんなに願っていたのに。たとえ遠くからでも、またポリーの姿を見られると、この四年間ずっと、その希望を心の支えにしてきたのに。

「残念だったね、ママ」とビニーがいった。

「いいのよ」ビニーの体をぎゅっと抱きしめて、「さあ、晩ごはんを食べにいきましょう」

アルフの姿を探したが、もう街灯柱の上にはいなかった。「アルフはどこ？　見える？」

「ううん」ビニーは群衆に視線を走らせながら答えたが、とつぜん広場の真ん中へと飛び出していった。

「ビニー、待って！　だめ！」アイリーンは引きとめようとあわてて手を伸ばしたが、もう手の届かないところにいる。たちまち姿も見えなくなった。人の波が本物の海のようにビニーをあとかたもなく呑み込んでしまう。「ビニー！　もどってきて！」と叫び、少女を追って雑踏の中に飛び込んだ。

そのとき、ポリーが見えた。ほんの二、三メートル先を、人の流れに逆らってチャリング・クロス駅のほうに向かっている。記憶にあるより若く見えた。ビニーとそんなに変わらないくらい若い。のちにその顔に刻まれる悩みも悲しみもまだ知らない、コリンがあらわれたあの夜の無上の喜びもまだ知らない表情。

まだなにひとつ起きていないからだ。

最後にひとめ、ポリーの姿を見たいと思っていたけれど、でもこれは終わりじゃない、はじまりだ。すべては——パジェット百貨店からの脱出も、ミス・ラバーナムとミス・ヒバードとミスター・ドーミングとのクリスマス・ディナーも、十二月二十九日夜のセント・ポール大聖堂への行軍も——まだこれから起こることだ。

食堂で配給の列にいっしょに並んだり、空襲警報解除《オール・クリア》のあと夜明けの霧の中をノッティング・ヒル・ゲート駅から歩いて帰ったり、ほかの人たちがみんな眠りに就いたあとのホームにすわってミセス・リケットがつくる最低の食事について文句を言い合ったり、商品の包装やストッキングの繕いの練習をしたり。

「ああ、ポリー」とつぶやいた。「わたしたち、これから大親友になるのよ」

その声が届いたはずはないのに、まるで聞こえたみたいにポリーがこちらを向き、まっすぐアイリーンを見つめた。しかしそれはほんの一瞬で、それからGIの一団が鳴りものを鳴らしながら押し寄せてきて、ポリーの姿を隠してしまった。

見失ったと思ったが、そうではなかった。ポリーはまだそこにいた。チャリング・クロス駅に向かって、着実に進んでいる。その先には降下点があり、ネットを抜ければオックスフォード。そして、オーリエルめざして歩いているわたしに出会い、まず運転許可をとらなきゃいけないと教えてくれて、わたしはコリンがポリーに恋しているといい、いっしょにベイリアルまで歩いていって、マイクル・デイヴィーズと日当たりのいい中庭で話をする。

「さよなら！」アイリーンはポリーのうしろ姿に声をかけ、ブラスバンドがにぎやかに演奏しはじめた「家へかえりたい」（アーヴィング・キング作詞作曲の一九二五年のヒット曲。エマーソン・レイク・アンド・パーマーがカバーした「迷える旅人」の原曲）をバックに、「怖がらないで。最後にはなにもかもうまくいくから」といった。そして、そこに立ちつくしたまま、音楽も、喧騒も、ひっきりなしにぶつかってくる人々のことも忘れて、見えなくなるまでじっとポリーのうしろ姿を見送っていた。

それからきびすを返してアルフとビニーを捜しはじめたが、これだけの人の海の中でどうすれば見つかるのか、見当もつかない。

ナショナル・ギャラリーのほうからシューッ、パーンの音につづいて悲鳴が聞こえてきた。アルフの花火だ。アイリーンは、噴水のへりに上がって視界を確保しようと、そちらに向かって人混みをかきわけて歩き出した。千鳥足の兵士数人と、チャーチルのピンバッジを熱心に売りつけてくる男の前を過ぎ、アイリーンとおなじ方向に行こうとしている黒いスーツの老人の背中を追って進んでいく。あの老人が開いてくれた道を進んでいけば、もしかしたら——

「ハンフリーズさん！」老人がだれなのかに気づいて、声をかけた。袖をつかむと、ようやく向こうも気がついて、ふりかえってくれた。

「こんばんは！」とアイリーンは喧騒に声を張り上げた。

「ミス・オライリー！」ハンフリーズ氏が叫び返し、それから、セント・ポール大聖堂の戸口で挨拶するときのように、「お目にかかれてよかった！」

渦を巻き、ごった返す群衆を見まわしながら、ハンフリーズ氏は、「セント・ポール大聖堂へ行くところなんですよ」と説明した。「マシューズ首席牧師から電話があって、すでに大聖堂に数百人が集まっているそうで。手伝えることがないか、行ってみたほうがいいと思いましてね」にこやかな笑みをこちらに向け、「すばらしい夜ですね」

「ええ」といって、アイリーンは群衆を見渡した。一年生のときからずっと、これを見にきたいと願っていた。ダンワージー先生がだれかべつの史学生にこの現地調査を割り当てたと知ったときは憤慨したけれど、でも、あのときに来ていたら、VEデイをきちんと味わうことはけっしてできなかった。しあわせそうな人々とユニオンジャックとかがり火は目にしたとしても、何年も暗い夜を過ごしてきたあとで光を見ることとの意味は——接近してくる飛行機をなんの不安もなく見上げられることや、空襲警報のサイレンを何年も聞きつづけたあとで教会の鐘を聞くことの意味は——理解できなかった。この笑顔と歓声の裏にある配給と粗末な服と不安の歳月を知らず、この日を迎えるまでに彼らがどんな代償を払ってきたのかもわからなかった。陸海空の兵士と民間人の、無数の命。それに、マイクと、ミスター・シムズと、ミセス・リケットと、サー・ゴドフリー——彼は二年前、兵士の慰問に行った帰りに死んだ——の命。夫とひとり息子を失ったレイディ・デネウェルや、セント・ポール大聖堂を救うために必死で働いてきた——さいわいにも、大聖堂が最後はどうなってしまうかを知ることがない——ハンフリーズ氏をはじめとする火災監視員にとって、これがどんな意味を持つのか、あのころのわたしには知る由《よし》もなかった。

「この日が永遠に来ないんじゃないかと不安でしたよ」とハンフリーズ氏が話している。

「ええ」アイリーンは、マイクが死んだあとの暗い日々を思い出していた。だれも助けにきてはくれず、ポリーは死ぬ運命にあると思っていたころ。そして、自分とアルフとビニーのせいでこの戦争に負けてしまうのだと思っていた、なお暗い日々。

「でも、最後はなにもかもうまくいきました」とハンフリーズ氏がいい、そのとき、かがり火のそばでシューッ、パパーンの音がした。鳩の群れが広場の上空を狂ったように旋回する。

「アルフとビニーを捜しにいったほうがいいみたい」とアイリーンはいった。ふたりのせいで死人が出ないうちに。

「わたしもセント・ポール大聖堂に行かなければ」ハンフリーズ氏はいかにも聖堂番らしく、

「あした、感謝の祈りがあります。ぜひ、お子さんたちといっしょにおいでください」とつけ加えた。

「ええ、うかがいます」と約束した。もしアルフがオールド・ベイリーに拘留されていなければ。

ハンフリーズ氏は群衆をすり抜けてストランドのほうに向かい、アイリーンはナショナル・ギャラリーめざして進みはじめた。さらにパンパンパンという音と、怒り狂った「この悪ガキが！」という怒鳴り声と、火花のシャワーが目印。そろってアイスクリームを食べている三人の幼い娘を連れた母親が困り果てた顔で通り過ぎた。ダンス行進《コンガ・ライン》が足を蹴り出しながらくねくねと前を進んでゆく。

行進の列が通り過ぎるのを待ちながら、背伸びをして、花火の閃光か、ビニーのブロンドの頭が見えないかときょろきょろ見まわした。「アルフ！」と大声で呼ぶ。「ビニー！」この人混みではぜったい見つからない。

「お捜しになっているのはこのふたりですか、マダム？」うしろから男の声がしてふりかえると、従軍牧師がふたりの子供を連れていた。片手はビニーの肩の上、もう片方の手はアルフの襟をぎゅっと握っている。

「すごいひと見つけたんだよ！」とアルフがうれしそうにいった。「牧師さん！」

教区牧師は無精ひげを生やし、ずいぶん憔悴しているように見えた。従軍牧師の制服は泥に汚れ、おそろしく痩せ細っている。

「グッドさん」彼が無事で、いまここにいるという事実がまだうまく呑み込めなかった。

「どうしてここに？」

「戦争が終わったんだよ」とアルフ。

「きょうの午後、飛行機でもどったんです」教区牧師がいった。「手紙をありがとう。あれがなかったら、とても耐えられなかった」

　わたしも、あなたの手紙がなかったら、とても耐えられなかった。

「お帰りなさいっていってあげないの？」とビニーが催促する。

「お帰りなさい」アイリーンは静かにいった。

「どんなお帰りなさいだよ、それ」とビニーが囃《はや》したて、アルフがいった。「キスしたりとかしないの？　戦争が終わったんだよ！」

「アルフ！」アイリーンがとがめるように、「グッドさんは――」

「いや、アルフのいうとおりだ。キスはまちがいなく、この場にいちばんふさわしい」といってアイリーンを両腕に抱き、口づけした。

「ほらね」とビニーがアルフにいった。

「この人混みの中で会えるとは思ってなかったけど」アイリーンの体を離してから、教区牧師がいった。「そしたら、ここにいる火薬陰謀犯《ガイ・フォークス》の爆発音が聞こえてね」といって、アルフの肩を揺さぶり、「もっとも、ふたりの顔がわかったのは奇跡だよ。見違えるように変わってるから。アルフは三十センチも背が伸びたし、ビニーはもうすっかり大人じゃないか」

くんだよ」

「いっしょに来たい?」とアルフが牧師にたずねた。「これからピカデリー・サーカスに行

「行きません」とビニー。「ママがいったでしょ。これから晩ごはんに行くのよ」

「ふたりともたいして変わってないのがすぐわかると思うわ」アイリーンは冷たくいった。

「よかった。何度も死ぬほどたいへんな目に遭ったけど、そのたびに、ふたりがラドマンさんの牛に灯火管制の縦縞をペンキで塗ったときのことを思い出して切り抜けたからね」

「覚えてる? 牧師さんが駅にやってきて、ママがシオドアを列車に乗せるのに手を貸したときのこと?」とビニーがたずねた。

「ええ」アイリーンは教区牧師のほうを見ながら、「あなたはいつも間一髪のタイミングで助けにきてくれた」

「いますぐピカデリー・サーカスに行かないと」アルフが哀れっぽい口調でいった。「ライトが消されちゃうよ!」

「ピカデリー・サーカスで晩ごはんはどうかな」と教区牧師がいった。

「ほんとにいっしょに来たい?」とアイリーンはたずねた。教区牧師はいまにも倒れそうに見える。「グッドさんは帰ってゆっくり眠りたいかも」

「そしてVEデイを見逃すのかい?」教区牧師はにっこりほほえみかけた。「まさか」

「今夜は本物のVEデイじゃないんだよ」とアルフ。「本物はあした」

「じゃあ、そっちも見物しなきゃ」教区牧師はそういってアイリーンの腕をとった。「あし

たなにが起きるか知ってる?」

配給がつづき、英国内の深刻な食糧不足を受けてアメリカが援助物資を送ってくる。それからヒロシマ、冷戦、石油戦争、デンヴァー、ピンポイント爆弾、パンデミック。ビートルズとタイムトラベルと月面コロニー。それに、あと五十冊近いアガサ・クリスティーの長篇。

アルフがアイリーンの服の袖をひっぱった。「牧師さんは、あしたなにが起きるか知ってるかっていったんだよ」と群衆の歓声に負けじと声を張り上げた。

「見当もつかないわ」といって、アイリーンは教区牧師に笑顔を向けた。

さあて、まだ戦争がつづいているかどうか見てみよう。

——ジョージ・S・パットン将軍、
一九四四年七月六日

68

ロンドン
一九四一年四月十九日

コリンはセント・ポール大聖堂まで地下鉄で行こうといったが、ポリーは、空襲中は出られませんと駅員に止められたことを思い出して、「駅に閉じ込められる危険があるわ。歩いていかないと」

「タクシーを拾える可能性はない？」とコリン。

「この状況で？　まず無理ね。今夜、空襲はどのあたりだっていった？」

「埠頭のほう」といって、コリンはどっちの方向に進むべきか思案するような顔で通りを見渡した。

炎とサーチライトを背景に佇むその姿を、ポリーはじっと見つめた。セント・ポール大聖堂へたどり着くルートをコリンは必死になって考えている。V１を食い止める方法をけんめいに考え出そうとしていたスティーヴン・ラングとおなじ。コリンはほんとにスティーヴンとよく似ている。ふたりとも、決断力と機略を必要とする任務についているから？　それとも、スティーヴン・ラングとペイジ・フェアチャイルドがコリンの遠い先祖——ええっと、どのぐらいだろう——曾祖父母だったりするんだろうか？

「爆撃のほとんどはテムズ川の近辺だから」とコリン。「ストランドからフリート・ストリート経由で行くのがベストじゃないかな」

ダンワージー先生が首を振った。「シティに足を踏み入れたら、道に迷う可能性が高い」

「そのとおりよ」バーソロミューさんを追いかけていた夜のことを思い出して、ポリーはいった。

「堤防《エンバンクメント》通りを通るのがいちばん早い」とダンワージー先生。

「でも、爆撃のある場所でしょ」とポリーは反対した。

「いや、先生のいうとおりだよ」とコリン。「爆撃の大半はタワー・ブリッジの東側だし、空襲のほとんどは真夜中過ぎだった。だから、急がなきゃ」

「それに、できるだけ目立たないようにしないと」とポリー。「防空監視員に捕まって防空壕に連れていかれないように」

「なにいってるの、ぼくが防空監視員なんだよ」とコリンがヘルメットを叩き、「もし本物に止められたら、安全な場所に連れていく途中だって説明するよ。じっさい、そのとおりなんだけど」

先を行くコリンは、ダンワージー先生に手を貸しながら、建物のそばを離れないようにして歩いている。いつの間にか雨が降ったらしく、舗道が濡れて光っていた。空にはまだ雲があるものの、真上は晴れて、サーチライトが横切ったあとに星が輝くのが見えた。

トラファルガー広場に近づくと、コリンがいった。「前に来たときほど混んでないといいけど」

「VEデイにあたしを捜しにきたの？」

コリンはうなずいた。「そんなことは起きなかったから、巡り会えないのはわかってたけど。でもそのときは、なんでも試してみたかったんだ。ひとめでいいから、姿が見たかったし」

「見たの？」戦勝を祝うあの群衆のどこかで自分を捜しているコリンを思い浮かべながらたずねた。

「ううん。どこかの悪ガキが爆竹を投げてきて、あやうく足が吹っ飛ぶところだったけどね。でも、最悪ってわけでもなかった。おおぜいのきれいな女の子にキスされたよ」と、左右非対称の笑みを浮かべてみせた。

無人のトラファルガー広場にやってくると、「思ったほど混雑してなかったな」とコリンはいった。噴水は止められて、ライオン像はグレイと銀色の静寂の中で眠っている。鳩まで眠りについていた。眠れる森の美女の宮殿だ。呪文はまだ解けていないらしい。三人は黙りこくったまま広場を横切り、ストランドに向かって、無人の暗い通りを亡霊のように進んでいった。

何度か通行止めのバリケードにぶつかって迂回しなければならず、そのうちどこを歩いているのかさっぱりわからなくなってしまったが、コリンはどっちに進むべきか正確に知っているようだった。十字路で二度、ポリーの腕をとって、縁石につまずいてつんのめるのを防ぎ、一度は、でこぼこになっている煉瓦敷きの舗道で手をとってくれたが、そのとき以外は、真っ暗な路地でも、まったく手を触れようとしなかった。闇に包まれて、コリンの姿はまったく見えなかったが、ポリーは彼の存在を痛いほど意識していた。

テムズ川に近づくにつれて明るくなってきた。曇った夜空をサーチライトが鈍く切り裂き、埠頭の火災が雲をピンク色に染めているため、歩いている道が前よりよく見える。通行止めのせいで、最初の計画よりずっと西のほうに大回りすることになってしまった。ウェストミンスター寺院の双子の尖塔がまっすぐ前方にそびえ、寺院の向こうにはビッグ・ベンの塔が見える。

「十一時半だ」エンバンクメントに通じる階段を下りながら、コリンが、「急がなきゃ」といって、テムズ川のカーブに沿って延びるリバー・ウォークを足早に歩き出した。

泥と魚のにおいがしてしかるべきだが、深夜の空気は冷たく澄み切って、雨のにおいがした。一度は、ライラックの香りも漂ってきた。三人は黙ったまま足早に歩きつづけ、国会議事堂とウェストミンスター橋とクレオパトラの針を通過した。この風景もこれが見おさめなんだ、とポリーは思った。ダンワージー先生はつかのま足を止めて、五月には破壊されてしまう下院の議事堂に目を向けた。先生もおなじように感じているんだろうか。

徒歩の長旅が体に障るんじゃないかと気がかりだったけれど、先生は疲れた顔を見せなかった。もっとも、あいかわらずコリンの腕に寄りかかっていたから、コリンが「しばらく休憩しなきゃ」といって、ダンワージー先生をエンバンクメントの壁ぎわに置いてある鉄製のベンチに導いたときは、やはり負担が大きすぎたのかと心配になった。

「まだ歩ける」とダンワージー先生は抗議した。

コリンは首を振り、「ポリーもすわって。ネットを抜ける前に、ふたりに話しておかなきゃいけないことがある」

見覚えのある表情だった。マイクが死んだ夜のミス・ラバーナムの顔。未来をめちゃくちゃにしてしまったと打ち明けたときのダンワージー先生の顔。

ふたりのうち、どっちかひとりしか連れて帰れないのね。それとも、コリンはあたしたちといっしょに帰ることができないか。ポリーはベンチの鉄のひじかけをつかんで、悪い知らせを覚悟した。

「ぼくは自分ひとりの力で救出にこられたわけじゃないんだ」とコリンはいった。「助けがあった。マイクル・デイヴィーズの」

「マイクルが新聞に載せたメッセージのどれかが伝わったのね」とポリーはいった。

「うん。彼が一九四四年に書いたメッセージが――」

「一九四四年？」とポリー。「でも――」

「マイクルがそれを書いたのは、英国情報部の一員となって、フォーティテュード・サウスの仕事をしているときのことだ。マイクルはあの夜、ハウンズディッチで死んだわけじゃなかったんだ。マイクルは自分の死を偽装することで、デニス・アサートンを捜し出し、オックスフォードにメッセージを届けようとした」

マイクは死んでいなかった。でも、それはいい知らせだ。そう思ってダンワージー先生のほうに目を向けたが、先生の顔に浮かぶ表情はコリンのそれとおなじだった。悪い知らせがなんだろうと、コリンはすでにそれを先生に伝えている。楽屋で着替えを終えてもどってきたとき、三人が劇場の通路に佇み、アイリーンが涙を拭っていたのをふと思い出した。

「話して」とポリーはいった。

「新聞の婚約告知だったよ」コリンが皮肉っぽい笑みを浮かべた。「ポリー・タウンゼンドとコリン・テンプラー空軍将校が婚約したという発表。捏造した新聞記事や三行広告や投書を書いてローカル紙に送るのがデイヴィーズの仕事だった。でも、その中にはぼくら宛ての暗号メッセージも混じってたんだ」

アイリーンのいうとおりだった、とポリーは思った。あたしたちが知らない舞台裏で、事態は動いていた。

「それで、ほかにもメッセージがないか、探しはじめた」コリンは、フォーティテュード・サウスについてわかるかぎりのことを調べ、デイヴィーズがどんな名前で、どこに駐留していたかをつきとめたいきさつを語った。

「そして、マイクに接触するためにネットを抜けた」とポリー。「でも、間に合わなかった」

コリンはうなずいた。「どうしても降下点を設定できなくて、やっとネットが開いたときには——」途中で口をつぐみ、「マイクを助けようとしたけど、手遅れだった」と言い直した。

でも、ダンワージー先生とパブで話をしたあの日のように、これでぜんぶじゃない。まだコリンが話していない、悪いニュースがある。

そのとき、それがなんなのかわかった。心の奥底では、最初からずっとわかっていた。

「マイクはV1で死んだのね」とポリーはいった。それが正しいことは、コリンの顔を見るまでもなくわかった。「あのとき、クロイドンの新聞社で」

「うん」

「そばについているべきだった」とつぶやく。「ペイジに手を貸しにいってはいけなかった。そばに残っていたら、きっと——」

コリンは首を振った。「ぼくらでさえ救えなかったんだよ。怪我がひどすぎた。でも、きみがほどこした止血帯のおかげですぐには死なずに済んで、だいじなことを話してくれた。一九四一年一月に別れたとき、きみがまだ生きていたこと、アイリーンがいっしょだったこと」

そして、コリンは戦後、アイリーンを捜しにいき、あたしたちの居場所を教えてもらった。マイクは、そうすると約束したとおり、あたしたちを救ってくれたんだ。でも、なんと大きな代償だったことか。

「あれがマイクだったとわかっていて当然だったのに」とポリー。

コリンは首を振った。「マイクルは、気づかれないようにベストをつくしていた。彼の願いはきみを救出することだった。それに、もしきみがあの場を離れなかったら、ぼくが彼をオックスフォードに連れ帰ることもできなかったよ」

ブリクストンからの救急車に乗っていたのはあなただったのね。そう思いながらポリーはコリンを見つめた。目の前に立っているこの男のどこにも、かつて知っていた、せっかちで聞き分けのない少年のおもかげはない。それに、のんきでチャーミングなスティーヴン・ラングのおもかげもない。

コリンも自分を犠牲にしたんだ。ポリーはやるせない気分で思った。あたしを見つけるために、あたしを助けにくるために、青春のどれだけを、何年の歳月を投げ出したんだろう。ごめんなさい。ほんとうにごめんなさい。

「マイクルは、オックスフォードにもどる前に、きみたちの所在について知っていることすべてを、なんとしても伝えようとした。病院に着いたら、話すチャンスがないんじゃないかと心配していたから。彼の情報のおかげできみが救出されたと知ったら、きっとすごく喜ぶだろうね」コリンはポリーに笑顔を向けて、「さあ、救出を現実にするためには、もう行かないと」

ポリーはのろのろとうなずいた。ダンワージー先生はコリンの手を借りてゆっくり立ち上がり、三人は薔薇色に染まるテムズ川沿いの道をまた歩き出した。上空から響いてくる飛行機のうなりと、バリバリと轟く爆発音と、焼夷弾の星々に似た不吉な輝きに導かれて進み、とうとうラドゲート・ヒルまでやってきた。登り坂になった通りの突き当たりには、黒い空を背景に、セント・ポール大聖堂が銀色に浮かんでいた。周囲の廃墟は闇に隠されるか、魔法をかけられた庭園に変貌するかしてしまったようだ。

「きれいだ」とコリンが低い声でいった。「七〇年代に来たときは、コンクリートのビルと駐車場ですっかり隠されていたから」

「七〇年代？」

「正確にいうと、一九七五年。フォーティテュード・サウス関連書類の機密指定が解けた年。もっと前にも――つまり、もっとあとだけど――もっと前に、もっとあとの時代に――八〇年代に来たことがある。一九六〇年以前と、インターネットが一般化した一九九五年以降には、どうしても降下点を開けなかったんだ。だから、手間のかかるやりかたをとるしかなかった。ここに来て、新聞社の資料室や戦争記録をしらみつぶしにあたって、なにがあったのかをつきとめる手がかりを探したんだよ」

十字軍に行きたいと願っていたコリンが、閲覧室や図書館やかび臭い資料室で長い年月を過ごしたなんて。

「そうやって、婚約の告知を見つけた」とダンワージー先生。

「うん。それに、ポリーの死亡記事も見つけた」

「あたしの?」とポリー。「でも、タイムズとヘラルドは調べたけど、死亡記事なんか――」

「載ってたのはデイリー・イクスプレスだよ。ケンジントンのセント・ジョージ教会で死んだことになってた」

その記事を読んだコリンは、いったいどんな気持ちになったことか。たったひとり、故郷から八十年離れて。黄ばんだ新聞のファイルやマイクロフィルム・リーダーを前に、いったいどれほどの歳月を過ごしたんだろう。

「でも、あなたは捜すのをやめなかった」とポリー。

「うん。そんなニュースは信じないことにしたんだ」

アイリーンみたいに。

「きみたちがミセス・リケットの下宿に住んでいるとマイクル・デイヴィーズから聞いたあと、その建物が爆撃の被害に遭ったと知ったときは、まだ生きていると信じるのに、もうちょっと骨が折れたけどね」

「それでも、捜すのをやめなかった」

「うん。そして、きみは死んでなかった。それに、ダンワージー先生も。すくなくとも、いまのところはね。でも、ふたりをできるだけ早くオックスフォードに連れ帰ることができたら、その分だけ安心できる。さあ」そういって、コリンはふたりをセント・ポール大聖堂のほうに急《せ》きたてた。半分まで行ったところでダンワージー先生が舗道に立ち止まり、下を向いた。

ああ、やめて。こんなに近くまで来ているのに。「だいじょうぶですか、先生？」

「ここで彼女にぶつかったんだ」とダンワージー先生が舗道の一画を指さした。「あの海軍婦人部隊員に」

「ウェンディ・アーミティッジ少尉」とコリンがいった。「現在は、ブレッチリー・パーク勤務。ディリーズ・ガールズのひとり。ウルトラの海軍暗号を破るのに貢献した。さあ。もうすぐ真夜中だよ」

三人は坂道を急いだ。「北の扉から入らないと」コリンはそういって、中庭を歩き出した。ダンワージー先生がコリンを引きとめ、「火災監視員に目撃される。まだ屋根の上にいるからね。こっちだ」と囁き声でいうと、中庭の境界線沿いに、建物の影になっている部分を通ってまわりこみ、ポーチの真横まで来た。

「でもやっぱり、あそこは横切らないと」コリンが囁き、ポーチの階段までの十メートルを指さした。

「次の爆撃機を待とう」とダンワージー先生がいった。「火災監視員が空を見上げている隙に、ポーチまでダッシュする。お、来たぞ」

そのとおりだった。コリンとポリーはエンジンのうなりを聞きつけて、反射的に空を見上げた。

「いまだ」ドルニエのエンジン音にまぎれ、かろうじて聞こえる声でそういうと、先生は視界をさえぎるもののない中庭を走り出した。

　コリンがポリーの手をつかみ、ふたりは先生のあとを追って全力疾走で中庭を横切り、階段を駆け上がり、十二月三十日の朝、あの焼夷弾が残した星形の焼け跡の横を通り、ポリーとマイクとアイリーンがすわっていた場所を過ぎ、はじめてここに来た日、爆弾処理班が不発弾を撤去しているあいだに駆け抜けたポーチにたどりつくと、影を伝って北の扉に向かった。コリンが重い把手《とって》を引いた。

　開かない。「ロックされてる」とコリン。「西の大扉は？」

「重要な場合にしか開かない」まるで、いまが人生でいちばん重要な場合じゃないと思っているような口調で、ダンワージー先生がいった。

「地下聖堂に通じている横の扉は施錠されてないはずだよ」とコリンがいって、階段のほうへもどろうときびすを返した。

「いえ、待って。もしかしたら、火災監視員のだれかが下にいるかも。先に南の扉を試してみないと」ポリーはポーチをすばやく走っていって、把手を引いた。やはり開かない。しかし、二十九日の夜にそうだったみたいに、扉が重いだけだった。コリンの手を借りていっしょにひっぱると、扉はやすやすと開いた。「ダンワージー先生」とコリンが声を潜めて呼び寄せ、まず先生、それからポリーが暗い玄関に足を踏み入れた。

　大聖堂は、春の気候と近隣の火災にもかかわらず、真冬のように寒く、真っ暗だった。

「なにか聞こえる？」コリンが囁き声でたずね、背後の扉を静かに閉めた。

「ううん」ポリーが囁き返した。セント・ポール大聖堂特有の、いつものしーんとした静けさだけ。時間と空間の音。「道は知ってる」とポリーは低い声でいって、ふたりの先に立ち、南の通路を歩いて行った。炎に照らされた雲とサーチライトの光で、なんとか足もとが見える程度には明るい。

ここまでの長い道のりと、最後に中庭を走ったことで、ダンワージー先生は相当ひどく消耗してしまったようだ。息を切らし、コリンの腕にしがみついている。ふたりを先導して、二十九日の夜に駆け上がった螺旋階段の前を通り、マイクの葬儀を執り行った礼拝堂の前を過ぎる。もっとも、あのとき、マイクはほんとうはまだ死んでいなかったのだけれど。

いや、そうじゃない。マイクはあの夜、クロイドンで死んだ。あたしがまだロンドン大空襲の現地調査に来る前に。

通路を進み、ステンドグラスが吹き飛んだ窓の前を通って、あの日、ダンワージー先生を見つけた柱間のほうへ向かう。『世の光』が掛けてある柱間に目を向けた。絵の中のランタンがオレンジがかった金色の光を放っていることを無意識に期待していたが、まわりが暗すぎて、ランタンの光どころか、絵そのものも見えない。

いや、見えた。亡霊のように非現実的な白いローブと、ランタンの中の薄い金色の炎がかろうじて見分けられる。それから、まるで炎の勢いが強まって周囲の空気を明るく照らしたかのように、木の扉と、キリストの茨の冠と、そして最後に、その顔が見えた。

キリストはあきらめたような顔をしていた。その古ぼけた扉が――なんの扉だろう？

家？　天国？　平和？——けっして開かないことを知っているかのように。同時に、たとえどんな犠牲が要求されるか知る由《よし》もないとしても、喜んで分を尽くす覚悟があるように見えた。彼もまた、ここに——自分が属していない場所に——囚われて、自分が召集されていない戦争に身を投じ、雀や兵士や売り子やシェイクスピアを救出しているのだろうか？　天秤《てんびん》のバランスを傾けているのだろうか？

「あの光は？」通路が明るくなってくるのを見て、ダンワージー先生がたずねた。数秒の張りつめた沈黙のあと、「懐中電灯を持った火災監視員の巡回だ」

「いや、違う」コリンがいった。「降下点だよ。開きはじめてる」コリンはふたりをドーム天井の下へと急《せ》きたてた。

時間はまだたっぷりあるはず。ネットのきらめきは、輝きはじめたばかりだ。

しかし、爆撃による被害のことを忘れていた。北の袖廊の中央にはまだ大きなクレーターがあり、そのまわりには折れた木材や壊れた柱、石材の破片が山をなしている。降下点に行くにはそれを乗り越えなければならない。

惨状のあとかたづけに着手した形跡は見てとれるが、そのせいでますます状況が悪くなっていた。彫像を保護するために囲っていた砂嚢や木製の折り畳み椅子をバリケードがわりに積み上げて袖廊の入口をふさぎ、割れた板や折れた垂木《たるき》をクレーターの脇に放り投げて、通る必要がある箇所だけスペースをつくってある。

きらめきの輝きが強くなり、広がる光が袖廊を照らした。火災監視員はだれも地下聖堂に残っていないようだ。でなければ、きらめきを目撃されてしまう。穴のへりから身を乗り出して下を覗くと、地下聖堂の床まで見通せた。

コリンが残骸の上によじのぼり、こちらをふりかえってポリーに手をさしだした。

「ううん、ダンワージー先生が先よ。先生のデッドラインのほうが早いから」

コリンはうなずいた。「先生？」しかし、ダンワージー先生は聞いていなかった。うしろをふりかえって、きらめきの輝きを浴びて金色に染まるドームと、その向こうに広がる大聖堂の暗がりを見つめている。

もう二度とその目でセント・ポール大聖堂を見ることはない。それがわかっているから、きっと離れがたい思いなんだろう。ちょうどあたしが、アイリーンやサー・ゴドフリーやミス・ラバーナムやみんなと離れがたい気持ちだったように。

しかし、コリンが、「ダンワージー先生、急がないと」と声をかけると、先生はこちらに向き直り、愛《いと》おしむような笑みを浮かべた。ハンフリーズ氏が大聖堂の中を案内し、あらゆる宝物を見せてくれたときのように。もっとも、宝物のほとんどは、安全に保管するために、ほかの場所へと移されていた。

もしかしたら、そう考えたほうがいいのかもしれない。一座とミス・スネルグローヴとトロット。それにサー・ゴドフリー。彼らみんなは、永遠に失われてしまったわけではなく、あたしの前から移されて、時の流れの中の、いまこの瞬間に、安全に保管されている。

彼らにとってはそれでいい。ハンフリーズさんやハッティやネルソンや、この時代に属しているみんなにとっては。でも、アイリーンは違う。彼女はあたしを助けるためだけにここに残った。あたしのためにアイリーンが人生を犠牲にしたと思うと、たまらない気持ちになる。

「ダンワージー先生？」コリンがいった。「ポリー？　時間が」

「ああ」ダンワージー先生はコリンの手を借りてバリケードを乗り越え、瓦礫の上によじのぼる。ポリーは、先生が足を滑らせたり、なにか不測の事態が起きたりした場合に備えて、そのうしろについた。

「気をつけて」残骸を登りながら、コリンがふりかえって声をかけた。「抜けてきたとき、ここを通る途中であやうく死にかけたんだ。ぐらぐらしてるから」

歴史みたいに。ナイフの刃の上でつねにあやういバランスを保ち、ほんのわずかなしくじりで、真っ逆さまに深淵へと落ちてしまう。

ほんの二、三メートルの距離を渡るだけなのに、永遠にも思える時間がかかった。瓦礫が穴に向かって傾斜している。三人は、彫像をつかんで、手がかりにしながら進んだ。ポリーは陸軍将校の像をつかみ、それから、ハンフリーズ氏があんなに熱弁をふるったフォークナー大佐記念碑の石像をつかんだ。フォークナーが結びつけた二隻の船は浅浮彫りの背景となり、大佐自身は名誉の精霊の腕に抱かれ、死にかけている。自分が戦いに勝ったことも知らず。

マイクとおなじだ。

きらめきが急速に輝きを増し、袖廊の南端までそっくり光で包み込んで、壊れた扉や折れた柱、砕けたガラスを照らし出している。コリンはダンワージー先生に手を貸して、最後の一メートルを越えさせた。きらめきが燃え上がりはじめた。

もうぜったい間に合わない。ポリーはそう思いながら、急ぐ足を垂木の上に乗せた。垂木が折れて体が前につんのめり、転ぶまいと両手を突き出した。もう片方の足が折れた木材の山に突っ込み、中に潜り込んで、ひっかかってしまう。

だめ。いまは勘弁して。

死にゆくフォークナー大佐に寄りかかり、名誉の精霊の腕をつかんで体を支え、足を自由にしようと足首を動かした。靴がなにかにがっちりはまって、抜けなくなっている。またフェニックス座のくりかえしだ。

ポリーはコリンのほうに目を向けた。割れた石材の上から軽《かろ》やかに飛び下りたコリンは、ダンワージー先生——とても間に合わなそうに見える——が瓦礫の山を下りるのに手を貸し、扉の前の輝きのほうへ導いていく。が、そのとき、ふりかえってポリーを見ると、またひきかえしてきた。

「先生といっしょに行って！」ポリーは声を潜めていった。「あたしは次に開いたときに行くから。行って！」

コリンは首を振り、ダンワージー先生になにかいうと、きらめきのそばを離れた。

「コリン、行って——」

「きみを置いてはどこへも行かないよ」コリンがそういったとき、きらめきの輝きが白熱した炎になった。

焼夷弾といっしょだ。その光がダンワージー先生の顔を照らし、それからおおい隠して、先生の姿が見えなくなった。やがて光が薄れはじめ、きらめきが小さくなってゆく。

そこに、ダンワージー先生はもういなかった。

行ったんだ。先生は無事に帰った。そう思うと、肩の荷が下りた気分になる。でも、マイクは生きて帰り着けなかった。アイリーンも帰らなかった。ふたりはあんたのために自分を犠牲にしたのよ、と自分に向かって心の中でつぶやく。それに、コリンも。

コリンはすでに、こっちに向かってまた瓦礫の山を登りはじめている。

「そこにいて」とコリンが囁き声でいった。

「ほかにどうしようもないのよ。足がひっかかっちゃって」

「それなのに、自分を置いてネットを抜けろっていったの？」と、コリンが怒ったようにいう。「足、怪我した？」

「ううん。靴だけ。靴が抜けないの。気をつけて」急いでもどってくるコリンに注意した。

コリンがポリーのかたわらにひざまずき、木材をどかしはじめた。

「自分の靴までひっかけないようにね」とポリー。

「よくいうよ」コリンは木の板の端を折ってから、それを使ってべつの垂木を持ち上げると、ポリーの足首をつかみ、「これはだいじな靴ですか、シンデレラ？」

「いいえ」

「よかった」コリンがポリーの足をぐいとひっぱってから、足を押さえつけていたものを持ち上げた。はだしの足が急に自由になる。

コリンは背すじをのばして、「よし、これでいい。これ以上なにか起きる前に――」といったとき、横に投げ出した垂木がいやな音を立てて瓦礫の山をずるずる滑り、クレーターの中に落ちていった。

「うわ、まずい！　急いで！　違う、そっちじゃない」コリンは、ポリーの背中を押して瓦礫の上を歩かせると、袖廊の入口の方向へひきかえした。「もしだれか来たら、袖廊には隠れる場所がない」

ふたりは木材と石材の山を急いでよじのぼった。ふたりのどっちかの足がまた抜けなくなったりしませんように、と祈る。

きらめきは急速に薄れてゆく。無事に床の上にもどり――さいわい、床のこちら側はガラスの破片が散乱していなかった――北の袖廊をふさぐバリケードを越えたときは、光はほとんど消えていた。

「いちばんいい隠れ場所は？」コリンが囁き声でたずねた。「聖歌隊席？」

「ううん。逃げ場がないから」ポリーはコリンの手をつかみ、急ぎ足で身廊を横切り、南の通路を歩いていった。祈禱席のうしろ、聖ミカエルと聖ジョージ勲爵士団礼拝堂に隠れられる――コリンがポリーの腰のあたりをつかんで柱のうしろに押し込んだ。

「しいっ」と耳もとで囁く。「足音が聞こえた」

ポリーは耳をすました。

「なにも――」といいかけたとき、ポリーの耳にも聞こえた。階段からの足音。懐中電灯の光。

ふたりは柱の裏側にぴったり張りついて、聞き耳をたてた。

足音が床に降りてきて、北の袖廊のほうに向かい、それからまた、懐中電灯の光が閃いた。瓦礫の山を調べてるんだ、とポリーは思った。

さらに足音がして、懐中電灯の光が北の袖廊全体をゆっくりと舐めるように照らした。

「降下点が次に開くまでどのくらい？」とポリーは囁き声でたずねた。

「十二、三分」

もちろん。火災監視員がそばにいたら降下点は開かない。しかし、時間切れが近づいている。もし空襲警報解除《オール・クリア》のサイレンが鳴ったら、屋根にいる火災監視員たちが地下聖堂へと降りてきて、そのあと当直を離れることになる。十二月三十日の朝、身廊を通って大聖堂の外に出た火災監視員たちが、階段の上に立って言葉をかわしていたのを思い出した。ダンワージー先生の話では、焼夷弾などの被害を調べるため、朝の巡回があるという。

いま、火災監視員は、なにかが落ちてきたんじゃないかと、懐中電灯で天井を照らしている。

行って。ポリーは心の中で念じた。永遠に思える時間が過ぎたころ、ようやく懐中電灯の光が消え、足音は階段を上がってもどっていった。
音は小さくなり、やがて聞こえなくなったが、コリンはなおも動かない。じっと立ったま
ま、片腕をポリーの体にまわして石の柱に押しつけ、待っている。ポリーは頰にかかるコリ
ンの息と、胸の鼓動を感じた。
「もう行ったみたいだ」ポリーの髪の毛に口をつけ、ようやく囁き声でいった。「残念だけ
どね」
それを聞いて、ポリーは心が浮き立つのを感じた。でも、いくら愛で報いたとしても、コ
リンがあたしのために費やした歳月、犠牲にした若さを、どうやって返せるんだろう。
「ずっと永遠にこうして立っていられたらいいのに」といいながら、コリンが体を離した。
「でも、そろそろ――」
また、光が閃いた。
「もどってきた」コリンがポリーを柱のうしろに押し込んだ。数秒後、コリンはいった。
「懐中電灯じゃない。きらめきだ。降下点がまた開きはじめてる」
「ううん、違う」とポリーはいった。「外の光よ。閃光弾じゃないかしら」
でも、実際には焼夷弾だったらしい。黄色がかったオレンジの光が通路を染めはじめた。
『世の光』が掛けてある柱間に自分がいたことに、はじめて気がついた。その光は、強くな
るにつれて、絵の中のランタンとおなじ金色に変わり、いままでいちばんはっきりと『世
の光』を見ることができた。

ハンフリーズ氏のいうとおりだ。この絵は、見るたびに新しい発見がある。キリストが、その意に反して戦争に駆り出されたと考えたのはまちがいだった。キリストは――茨の冠にもかかわらず――犠牲になろうとしている人には見えなかった。〝分を尽くす〟決意をした人にさえ見えない。それよりもむしろ、陸軍看護部隊に志願したと告げたときのマージョリーの顔、セント・ポール大聖堂を救うためにバケツに水と砂を満たしているときのハンフリーズ氏の顔、調達したコートを持ってタウンゼンド・ブラザーズにやってきたときのミス・ラバーナムの顔に似ていた。きっと、二隻の船を縛りつけているときのフォークナー大佐も、こんな顔をしていたにちがいない。ちっぽけなボートで氷の海に漕ぎ出したときのアーネスト・シャクルトンも。ダンワージー先生の手を引いて瓦礫の上を進んでいくコリンも。

キリストの顔は……満足そうだった。自分がいたい場所にいて、自分がしたいことをしているかのように。

この時代に残ることにしたと告げたときのアイリーンとおなじだ。ケントにいたときのマイクも、婚約の告知や新聞社への投書を書きながら、こんな顔をしていたにちがいない。あたしも、瓦礫の上に横たわるサー・ゴドフリーの胸に手を押し当てているとき、きっとこんな顔をしていたのだろう。意気揚々とした顔。しあわせな顔。

愛する人や愛するもの――英国か、シェイクスピアか、犬か、正義か、ホドビン姉弟か、歴史か――のためになにかをすることは、犠牲なんかじゃない。たとえその代償が、自由や生命や若さだったとしても。

ポリーはコリンのほうを向いた。コリンは頼りなげな表情でこちらを見ている。煤《すす》に汚れたその顔は、サー・ゴドフリーに対するポリー自身の顔とおなじくらい、すべてをさらけだしていた。

「コリン、あたし――」といいかけたところで、驚いて口をつぐんだ。

いまのいままで、コリンの顔をこんなにはっきりとは見ていなかった。かつて知っていた十七歳の少年のおもかげを探すことにかまけ、スティーヴン・ラングに似ていることに心を奪われて、目の前にあるものが見えていなかった。でも、アイリーンには、きっとひとめでわかったんだろう。

アイリーンがあのとき、「わたしが残ることを、コリンは知ってるから」といったのも当然だ。そして、長い沈黙のあと、コリンが「うん」と答えたのも。

こんなに似ているのに、どうしていままで気づかなかったんだろう。最初から、答えはそこにあったのに。アイリーンが最後に、「いいのよ。わたしはこの先もずっとあなたたちといっしょだから」といったのも当然だ。コリンを「かわいい子《マイ・ディア・ボーイ》」と呼んだのも当然だ。

ああ、わたしの親友《マイ・ディア・フレンド》。そして、キリストの顔を照らす光が深くなり、さらに明るくなったように見え――

「きらめきがはじまった」コリンが静かにいった。「行かなきゃ」

ポリーはうなずき、ふりかえって、『世の光』に最後の一瞥を投げた。指先を唇にあて、その指でそっと絵に触れる。それから、子供同士のようにコリンと手に手をとって、身廊を走り抜けた。

コリンの手を借りて北の袖廊のバリケードを乗り越え、瓦礫の山をよじのぼり、フォークナー大佐につかまり、名誉の精霊とおたがいの体を支えにして、ぐらぐらする木材の山を越え、割れた石材や漆喰をまたいで、ステンドグラスの破片が散らばる床に、ふたたび降り立った。

「気をつけて」とコリンがいった。ポリーはうなずき、コリンのあとについてきらめきの中に足を踏み入れた。

「どこに立てばいいの？」

「ここだよ」コリンがポリーの手を握ろうとしたとき、とつぜんの物音が静寂を切り裂いた。コリンがはっとして空を見上げる。

「だいじょうぶ」ポリーはいった。「オール・クリアよ」

コリンが首を振って、「『あれは雲雀』」といい、ポリーは息を呑んだ。

「『暁の先触れ』」と、ポリーは先をつづけた（『ロミオとジュリエット』3幕5場）。

きらめきがさらに明るくなり、かっと燃え上がる。ポリーはコリンの手をとり、光の真ん中へと、いっしょに足を踏み入れた。

「もうすぐだ」とコリンがいった。

ポリーはうなずいて、「『見よ、わたしは戸口に立って、叩いている』（『ヨハネの黙示録』3：20）」といい、そして降下点が開いた。

訳者あとがき

わたしは、長年にわたり（中略）はてしなく長くつらい道のりを旅してきた――というのは、本書のうしろのほうに出てくる、ある芝居の中の台詞ですが、いやまったく、はてしなく長い道のりでした。なにしろ『ブラックアウト』と『オール・クリア』二冊を合わせると、四百字換算で三千五百枚。昔の小説なら軽く六、七冊にはなろうかという分量ですからね。訳しても訳しても訳しても終わりが見えず、『ブラックアウト』から数えると、ほぼ二年がかりの大仕事でした。

もっとも著者は完成までに八年の歳月を費やしているわけだから、それにくらべたらたいしたことはないとも言えますが（ちなみに、第一稿はもっと長くて、それを短くするのに苦労したとか。どんだけ書けば気が済むんだ、コニー！）、待ちかねていた読者の皆様にはたいへん申し訳ありませんでした。

〈新☆ハヤカワ・SF・シリーズ〉版の『オール・クリア』刊行時には、あまりの長さに負けて、邦訳をいっぺんにお届けすることができず、『1』と『2』に分けたうえで、二カ月のインターバルを置いて出したんですが、文庫では、その二冊を上巻・下巻として同時刊行。つまり、〈新☆ハヤカワ・SF・シリーズ〉の『オール・クリア1』が『オール・クリア』上に、『オール・クリア2』が『オール・クリア』下になりました。ややこしくてすみませんが、つまりこの二部作の文庫版は、『ブラックアウト』上下と『オール・クリア』上下でめでたく完結したわけです。いままで読まずに我慢していた人は、どうか心おきなく、文庫本四冊まとめて三千五百枚イッキ読みの快楽に身をゆだねてください。いや、「空襲警報」(別題「見張り」／ハヤカワ文庫SF『空襲警報』所収)を露払いに、『ドゥームズデイ・ブック』『犬は勘定に入れません』からシリーズ全作七千枚ぶっ通しで読みつづけることだってできなくはない。うーん、いつか無人島に行くときはやってみたい、オックスフォード大学史学部タイムトラベル小説マラソン。

……というわけで、本書は、コニー・ウィリスの金看板、オックスフォード大学史学部シリーズの最新長篇、『ブラックアウト』『オール・クリア』二部作の完結篇にあたる。二部作セットでSF界の三大タイトル、ヒューゴー賞、ネビュラ賞、ローカス賞を独占し、無敵の女王さまぶりを見せつけた(ちなみにウィリスは、シリーズ四作で、この三賞を合計十回獲得している。賞をレースと考えれば、十二戦して十勝。SF史上最高勝率を誇るシリーズと申せましょう)。

『オール・クリア』上巻までは話をひっぱるだけひっぱって、謎はほとんど解決せず、もどかしさが極限に近づくんですが、この下巻は怒濤の解決篇。のっけからタイムトラベルものならではの仕掛けが炸裂し、最大限に高まった読者の期待を裏切らない。「待ってました！」の強烈などんでん返しと心を揺さぶる見せ場を堪能させてくれる。

同時にこの二部作は、戦争という災厄を人間がどう乗り越え、悲劇をどう克服するかの物語でもある。『ブラックアウト』の訳者あとがきにも書いたとおり、ウィリスは9・11の災禍を目のあたりにして本書を書きはじめたわけだが、3・11を経験したいま、あらためて本書をひもとくと、二〇一〇年の原書刊行時に貪り読んだとき以上に生々しく感じられて、ウィリスがこの物語をどうしても書かなければならなかった理由が、なんとなく理解できるような気がする。

災厄とどう向き合うかをテーマにした点では、本書は、二〇〇一年の単発長篇『航路』とも密接な関係がある。すれ違い、届かないメッセージ、思い出せそうで思い出せないもどかしさ、階段に身を隠しての会話など、共通する要素も多い。個人的には、ウィリス長篇の最高傑作ではないかと思っているので、未読の方はぜひ手にとってみてください。

この『ブラックアウト』『オール・クリア』二部作は、（訳者のみならず）ウィリス自身にとっても、もちろん過去最長の長篇。おまけに登場人物が入り乱れ、時系列が錯綜するので、書き上げるのは（そして書き上げた膨大な原稿をきちんと整理して、本になるように矛盾なくまとめるのは）相当たいへんだったらしく、著者自身、八年にわたる執筆期間の最後の半年くらいまでは、とても完成できる気がしなかったと述懐している。やってもやっても終わらない改稿作業のさなか、乗っている飛行機がたまたまひどい乱気流に巻き込まれたと

きのこと、ウィリスいわく、

「ふつうなら肝を冷やすところだけど、このときばかりは思ったわ。飛行機が墜落したら、すくなくとも、あのいまいましい長篇を仕上げなくて済むわね、って」

それだけに、ついに完成したときには、心からほっとしたという。

「でも、同時にちょっぴり悲しかった。ポリーとアイリーンとマイクがほんとに好きだったから。アルフとビニーさえ好きだったわ。ううん、それは嘘。アルフとビニーのことは、心から愛してた。ふたりはわたしの一番のお気に入り。サー・ゴドフリーが二番めね」

『ドゥームズデイ・ブック』のコリンや『航路』のメイジーをはじめ、個性的な子供を書かせたら右に出る者のないウィリスがそこまで惚れ込むだけあって、大英帝国の最終兵器・ホドビン姉弟の活躍ぶりは、本書の影の主役といっていいほど。ウィリスが描く子供がほんとに憎らしいだけということはめったにないので（ほぼ唯一の例外が「スパイス・ポグロム」に登場する子役志望の少女たち。これはこれでインパクト絶大です）、姉弟の悪童ぶりに愛想をつかさず、最後まで見守ってやってください。

さて、めでたく八年分の肩の荷を下ろしたウィリスが、晴れ晴れした気分になって、その後どうしたかというと、翌二〇一一年には、中篇「エミリーの総て」"All About Emily"を発表（アイザック・アシモフズSF誌十二月号初出。独立したハードカバー単行本としても刊行されている）。往年のハリウッド映画「イヴの総て」を下敷きに、ラジオシティ・ミュージックホールのダンス・カンパニー、ザ・ロケッツに入りたいと熱望する少女エミリーと、その夢にほだされてたいへんな目に遭うベテランのブロードウェイ女優クレアの物語が、著者十八番のスクリューボール・コメディ・タッチで語られる。

ちなみにこの作品を訳載したSFマガジン二〇一三年七月号は、九年ぶり三度めのコニー・ウィリス特集号。もう一本、一九九四年のヒューゴー賞（ショート・ストーリー部門）に輝く心理ホラー「ナイルに死す」"Death on the Nile"が訳載されているほか、オックスフォード史学部シリーズの描き下ろしイラスト・ギャラリー（中川悠京、シライシユウコ、丹地陽子）と同シリーズ登場人物&用語事典を掲載。表紙までオックスフォード大学なので、このシリーズにずっぽりハマってしまった人は必携です（早川書房のウェブサイトからバックナンバーを注文できます）。

また、二〇一三年七月には、ヒューゴー賞・ネビュラ賞受賞作短篇集 *The Best of Connie Willis: Award-Winning Stories* が刊行された。ふつうはどっちかを一回受賞するのもたいへんなのに、受賞作だけ集めて短篇集がつくれてしまうところがウィリスの女王たるゆえん。収録作は、「クリアリー家からの手紙」「混沌《カオス》ホテル」「ナイルに死す」「魂はみずからの社会を選ぶ――侵略と撃退：エミリー・ディキンスンの詩二篇の執筆年代再考：ウェルズ的視点」「空襲警報」「インサイダー疑惑」「女王様でも」「マーブル・アーチの風」「まれびとこぞりて」「最後のウィネベーゴ」の全十篇（原書収録順）。まさにベスト・オブ・ザ・ベストというべき一冊だ。ただし、邦訳は、とても一冊に収まりきらないため、著者の了解を得て収録順を入れ替え、作品の傾向別にユーモア篇とシリアス篇に分けて、『混沌《カオス》ホテル』『空襲警報』として出ています。

長篇では、テレパシーものの長篇、*Crosstalk*（仮題）がほぼ完成し、デル・レイから、二〇一六年九月に刊行予定。ワーキングタイトルがConnectionだったりThe Very Thought of Youだったり二転三転したが、たぶん書名はこれで決まり。テレパシーなんてろくなもんじゃない（コミュニケーションを面倒にするだけ）という前提に基づく、ウィリス十八番のロマンティック・コメディらしい。「Twitterだのスマホだの Skype だの Instagram だの、新しい通信手段についていくだけでもたいへんなのに（それだけ使ってもなぜか相手とうまくコミュニケートできないのに）テレパシーなんて事態をややこしくするだけ！」というのが著者の主張。ウィリスの登場人物たちにおなじみのマシンガントークにテレパシーが拍車をかけるのか？　そう思うと楽しみなような怖いような……。

ウィリスの経歴その他については、『ドゥームズデイ・ブック』下巻巻末の訳者あとがきなどを参照していただきたいが、この二部作からコニー・ウィリスを読みはじめた人のために、現在までに刊行されている訳書の一覧を掲げておく（短篇集については、括弧内に収録作を示した）。

1『わが愛しき娘たちよ』Fire Watch（84）大森望ほか訳／ハヤカワ文庫ＳＦ（92）※第一短篇集（「見張り」「埋葬式」「失われ、見出されしもの」「わが愛しき娘たちよ」「花嫁の父」「クリアリー家からの手紙」「遠路はるばる」「鏡の中のシドン」「デイジー、日だまりの中で」「通販クローン」「サマリア人《びと》」「月がとっても青いから」）

2『リンカーンの夢』Lincoln's Dreams（87）友枝康子訳／ハヤカワ文庫ＳＦ（92）※ジョン・W・キャンベル記念賞受賞

3『アリアドニの遁走曲《フーガ》』Light Raid（89）古沢嘉通訳／ハヤカワ文庫ＳＦ（93）※シンシア・フェリスと合作

4『ドゥームズデイ・ブック』Doomsday Book（92）大森望訳／早川書房〈夢の文学館〉（95）↓ハヤカワ文庫ＳＦ（上下）※ヒューゴー賞・ネビュラ賞・ローカス賞受賞

5『リメイク』Remake（95）大森望訳／ハヤカワ文庫ＳＦ（99）※ローカス賞受賞

6『犬は勘定に入れません　あるいは、消えたヴィクトリア朝花瓶の謎』To Say Nothing of the Dog（98）大森望訳／早川書房〈海外ＳＦノヴェルズ〉（04）↓ハヤカワ文庫ＳＦ（上下）※ヒューゴー賞・ローカス賞受賞

7『航路』（上下）Passage（01）大森望訳／ソニー・マガジンズ（02）↓ヴィレッジ・ブックス（上下）↓ハヤカワ文庫ＳＦ（上下）※ローカス賞受賞

8『最後のウィネベーゴ』（06）大森望編訳／河出書房新社〈奇想コレクション〉↓河出文庫　※日本オリジナル短篇集（「女王様でも」「タイムアウト」「スパイス・ポグロム」「最後のウィネベーゴ」に、文庫版で「からさわぎ」を追加）

9『マーブル・アーチの風』大森望編訳／早川書房〈プラチナ・ファンタジイ〉（08）※日

本オリジナル短篇集（「白亜紀後期にて」「ニュースレター」「ひいらぎ飾ろう＠クリスマス」「マーブル・アーチの風」「インサイダー疑惑」）

10『ブラックアウト』Blackout（10）大森望訳／早川書房〈新☆ハヤカワ・SF・シリーズ〉（12）→ハヤカワ文庫SF（上下）

11『オール・クリア』（1・2）All Clear（10）大森望訳／早川書房〈新☆ハヤカワ・SF・シリーズ〉（13）→ハヤカワ文庫SF（上下）※10と合わせて、ヒューゴー賞・ネビュラ賞・ローカス賞受賞

12『混沌《カオス》ホテル　ザ・ベスト・オブ・コニー・ウィリス』The Best of Connie Willis: Award-Winning Stories（13）大森望訳／ハヤカワ文庫SF（14）※原書収録順を入れ替えて二分冊にしたうちのユーモア篇（「混沌《カオス》ホテル」「女王様でも」「インサイダー疑惑」「魂はみずからの社会を選ぶ――侵略と撃退：エミリー・ディキンスンの詩二篇の執筆年代再考：ウェルズ的視点」「まれびとこぞりて」）

13『空襲警報　ザ・ベスト・オブ・コニー・ウィリス』The Best of Connie Willis: Award-Winning Stories（13）大森望訳／ハヤカワ文庫SF（14）※原書収録順を入れ替えて二分冊にしたうちのシリアス篇（「クリアリー家からの手紙」「ナイルに死す」「空襲警報」「マーブル・アーチの風」「最後のウィネベーゴ」）

未訳も含めた全作品リストについては、訳者が開設している「コニー・ウィリス日本語サ

イト」などを参照してください。本書刊行と、ＳＦマガジン二〇一三年七月号ウィリス特集とで、長篇・短篇ともに、主要作品はほぼすべて邦訳されたことになる。未訳の作品のうち、個人的に気に入っているのは、複雑系を下敷きにしたラブコメ（サイエンティフィック・ロマンスならぬサイエンティスト・ロマンス）の *Bellwether*（1996）と、大雪で起こる各地の珍騒動を描く“Just Like the Ones We Used to Know”（2003）の二篇。後者はＴＶムービー「雪降るイヴの物語」（Snow Wonder）の原作です。どちらもＳＦではなく、長さが中途半端（二百枚前後）ということもあって、未訳のまま残ってますが、機会があればぜひ紹介したい。

リストの１にあるウィリス第一短篇集の原書表題作が、『ブラックアウト』訳者あとがきでも触れたとおり、オックスフォード大学史学部シリーズの記念すべき開幕篇となる中篇「空襲警報」。航時ラボの手違い（もしくはなんらかの事情）で、予定していたのとはべつの時代に史学生が送られる――というのがこのシリーズのお約束ですが、「空襲警報」も例外ではない。

語り手の〝ぼく〟ことジョン・バーソロミューは、オックスフォード史学部の大学院生。聖パウロ《セント・ポール》を観察するはずが、コンピュータの入力ミスで、一九四〇年のセント・ポール大聖堂に行く羽目になる。おりしも、ロンドンは大空襲のまっただなか。〝ぼく〟はボランティアとして大聖堂の火災監視（これが原題のFire Watch）に加わり、先輩監視員ラングビーの指導を仰ぎつつ、焼夷弾と戦う日々を送ることになる（その作中にジョンのルームメイトとして登場する女子学生キヴリンが赴いた現地調査の顚末を描いたのが、シリーズ初長篇の『ドゥームズデイ・ブック』)。

まったく同じ時代を扱っているだけに、『ブラックアウト』『オール・クリア』にとってもけっこう重要な意味を持つ中篇なので、このシリーズのファンはお見逃しなく(ただし、読んでいなくても差し支えはありません)。

その「空襲警報」の初出は、アイザック・アシモフズSF誌の一九八二年二月号。これがヒューゴー賞、ネビュラ賞(ともにノヴェレット部門)に輝き、まだ駆け出しの新人作家だったコニー・ウィリスは、一躍、SF界にその名を知られることになる。いわゆる出世作というやつですね。

そこから数えると、このシリーズもすでに三十年以上の長い歴史を持つわけだが、携帯電話もない時代にスタートしただけに、二〇五〇年代がぜんぜん未来っぽくない(情報技術的にはむしろ昭和っぽい)という問題を抱えている。もっとも、この世界では二一世紀前半にパンデミックが猛威をふるい、世界人口が激減。猫が絶滅したほか、文明崩壊に近い災厄も広がって(そのへんでたぶんインターネットとか携帯電話網とかが崩壊したと推測される)、科学技術レベルが停滞もしくは後退した——というような背景設定が、一応は用意されている。

どのみち、すでにパラレルワールドの未来になってしまっているので、まあ、そのへんにはあまり突っ込まないということでひとつ。

さて、ここから先は、『ブラックアウト』『オール・クリア』を楽しむうえで役に立つかもしれない豆知識というか訳注めいたことを、思いつくままにいくつか。

アーネスト・ワージングが参加する特殊工作班のスタッフは、全員、オスカー・ワイルドの戯曲『真面目が肝心』の登場人物からとった名前を暗号名に採用している。男ばかりなのに、レイディ・ブラックネルとか、グウェンドリンとか、セス（セシリーの愛称）とかの名前が混じっているのはそのため。『真面目が肝心』のアーネストは、田舎（ハートフォード州）に住んでいるジャック・ワージングがロンドンで羽根をのばすときに名乗る偽名。ただし、田舎にいるときのワージングは、ロンドンにアーネストという放蕩者の弟がいるふりをしている。

『真面目が肝心』の題名どおり、アーネスト（earnest）は、「真面目な」「真剣な」の意味。同時に、マイクル・デイヴィーズが何度も引き合いに出す実在の探検家、アーネスト・シャクルトンの名前でもあり、この暗号名には二重三重の意味が込められている。

そのシャクルトンは、一八七四年、アイルランド生まれ（一九二二年没）。一九一四年に出発したシャクルトン率いる南極横断隊は、船が氷のあいだに閉じ込められて遭難するが、一年八カ月におよぶ苦闘の末、ひとりの死者も出さずに奇跡の生還を遂げた。

サー・ゴドフリー率いる一座が上演する『あっぱれクライトン』は、『ピーター・パン』でおなじみのJ・M・バリが一九〇二年に発表した戯曲。上流階級の人々を乗せた船が難破し、無人島に漂着したことで、主人と使用人の立場が逆転、有能な下男が島の王となる。作中ではバリの戯曲がサー・ゴドフリーの口を借りてさんざん罵倒されますが、ウィリス自身は（気どりやお上品ぽさがときどき鼻につくものの）バリが嫌いじゃないそうです。

作中でしばしば言及されるもうひとりの英雄が、セント・ポール大聖堂の聖堂番ハンフリーズ氏の偏愛する英国海軍のロバート・フォークナー（Faulknor）大佐。一七九五年、三十二歳のとき、フランスのフリゲート艦ブランシュ号の船上で勇猛果敢に戦い、戦死を遂げたが、彼の奮闘によって英軍が勝利を手にした。その栄誉を称える記念碑は、いまもセント・ポール大聖堂に所蔵されている（写真は、http://www.victorianweb.org/sculpture/funerary/faulknor.html などで閲覧できる）。

もうひとつ、大聖堂の所蔵品の中でこの二部作によく出てくるのが、ラファエル前派の画家ウィリアム・ホルマン・ハント（一八二七年～一九一〇年）の代表作『世の光』。ネットで検索すればすぐに写真が見つかるので、ぜひ見てください。この絵が最初に制作されたのは一八五三、四年頃だが、晩年にみずから同じ絵を大きく描き直しており、セント・ポール大聖堂に所蔵されているのはそちらのほうらしい。

第二次世界大戦に関するあれこれ（ダンケルク撤退、ロンドン大空襲、V1、V2攻撃、ノルマンディー上陸作戦、フォーティテュード・サウス、暗号機エニグマとブレッチリー・パークなどなど）については、このスペースにはとても書ききれない。ウィリスが使用した参考文献のうち、お薦め作品については、著者の公式サイト（http://www.sftv.org/cw/）にある『ブラックアウト』ビブリオグラフィを参照。あいにく、邦訳があるものはそんなに多くないが、そのうち一冊だけ推薦するなら、やはりウィンストン・チャーチルの『第二次世界大戦』（佐藤亮一訳／河出文庫・全四巻）でしょうか。同じ時代を扱った歴史SFとしては、クリストファー・プリースト『双生児』（古沢嘉通訳／ハヤカワ文庫FT）がお薦めです。

最後に翻訳について。前作『ブラックアウト』と同様、底本にはスペクトラのトレード・ペーパーバック版を使用し、早川書房編集部の上池利文氏に、ゴランツ社から刊行されたイギリス版とつきあわせて綿密にチェックしていただいた。異同のある場合、基本的にはあとから出たゴランツ版を採用したが、一部、首を傾げるような訂正もあり、あえてスペクトラ版の記述を残した箇所もある。校閲の担当は、これまたおなじみの早川書房校閲部・竹内みと氏。おふたりの眼光紙背に徹する編集・校正作業により、そそっかしい訳者による無数のミスが未然に防がれた。記して感謝する。思えば、竹内氏には『ドゥームズデイ・ブック』ハードカバー版から、上池氏には同書文庫版からずっとお世話になっているわけで、足を向けては寝られません。

加えて、この文庫版刊行に際しては、『ブラックアウト』文庫版にひきつづいて、早川書房編集部の清水直樹氏、社外編集者の内山暁子氏、社外校正者の宮本いづみ氏にお世話になった。とくに、校正の宮本さんには綿密なチェックをいただき、多数の細かな矛盾や勘違いを訂正することができた。ありがとうございました。

カバーは、ウィリスの邦訳書ではおなじみの松尾たいこさんに、〈新☆ハヤカワ・SF・シリーズ〉版からひきつづき、素敵なイラストを描いていただいた。記して感謝します。

花火が打ち上がる下巻のイラストが端的に示すように、終わりよければすべてよし。ウィリスの大長篇はどれもラストがすばらしいんですが、本書もその例に洩れない。訳者にとってもこの二部作は大仕事で、文庫版のためにゲラを目を通すだけでも一苦労だったんですが、あらためて最後まで読み直して、心地よい疲労感と満足感を味わっている。この長い長い旅を終えたとき、願わくは読者諸氏もおなじような満足感を抱いてくれますように。

二〇一五年十月